Семен МАЛКОВ

Две судьбы-3

«Похищение», «Обман»

Geleos

2003

УДК 821.161.1.-31 Малков
ББК 84 (Рос-Рус)6-44
   М 18

Подписано в печать 29.04.03. Формат 84x108 ^{1}/32.
Тираж 100 000 экз. Первый завод. Заказ № 7441.

Малков С.
М 18 **Две судьбы-3:** Роман / С. Малков. — М.: ЗАО «Издательский дом ГЕЛЕОС», 2003, — 608 с.

ISBN 5-8189-0257-9

Третья часть знаменитой эпопеи.

Это — захватывающая сага о любви с элементами эротики и детектива.
Уже сегодня критики сравнивают новый роман С. Малкова с лучшими
образцами русской эпической прозы.

Основное достоинство книги, — четкая расстановка нравственных ак-
центов. Тонкий психолог — автор не пытается выгораживать «плохих»
героев, придавая им отрицательное обаяние и наделяя страдающей душой,
равно как и не добавляет лишних непривлекательных черт героям положи-
тельным. Черное есть черное, а белое есть белое, и не следует забывать, что
смешение этих цветов даст неприглядную серость.

Само название эпопеи — «Две судьбы», можно трактовать, скорее, не
как частные биографии, а как два пути, которые выбирают для себя люди.
Трудный путь честности, любви, верности идеалам или удобный путь лжи и
себялюбия. Выбор этот стоит перед каждым из нас, и, как ни старайся
обмануть судьбу, правда восторжествует. А этого всем нам и надо.

ББК 84 (Рос—Рус)6-44

ПОХИЩЕНИЕ

Часть I. КРОВАВЫЙ БИЗНЕС

Глава 1. Хирург в законе

Сквозь решетку тюремной камеры был виден лишь небольшой кусочек неба. Но его яркая синева только усиливала тоску. Заключенный Башун, по кличке Костыль, приземистый крепыш с бычьей шеей и голым черепом, мрачно взирал на окно, еле сдерживаясь, чтобы не зарычать от бессильной злобы и отчаяния.

— Бросили меня, суки, гнить здесь заживо! Седой уговаривал взять все на себя, а теперь бросил? — бормотал он, непроизвольно сжимая пудовые кулаки. — Замочу падлу, если вырвусь на волю!

— Зря ты яришься, Костыль! Охолони! — подсел к нему на нары костлявый и длинный сокамерник Серега Фоменко, получивший прозвище Хирург, который, будучи на воле санитаром «скорой помощи», получил срок за участие в преступлениях по удалению внутренних органов у жертв автомобильных аварий. — Сам же говорил, что твой пахан не из тех, кто бросает своих в беде.

Хирург уже заканчивал отсидку, когда Башуна перевели к нему в камеру. Примерно одного возраста, они быстро сошлись, так как хитрый и вкрадчивый Фоменко, ценя силу «накачанного» бандита, умел его вовремя остудить, не раз спасая от опасных последствий бешеного нрава. В отличие от своего друга он в предвкушении скорого освобождения был в последнее время в приподнятом настроении.

Ободряюще взглянув на унылое лицо Костыля, Серега продолжал:

— Ты, главное, держись! Как только выйду, я сразу с ним свяжусь и все узнаю. И если окажется, что Седой не слишком озабочен твоей судьбой, — он сделал паузу, решив привести наиболее веский аргумент, — то, когда узнает, чего мы с тобой здесь задумали, выполнит свое обещание!

— Может, что из этого и получится, — оживился Башун, в маленьких карих глазках которого вспыхнули огоньки надежды. — Твой бизнес сулит большие бабки. Седой перед этим не устоит! Тем более что твой шеф уже на свободе и снова взялся за старое.

— В том-то и дело! — скосив глаза на сокамерников, понизил голос Хирург. — С медицинской стороны будет все в ажуре. И старые связи с потребителями сохранились. Седому нужно лишь поставлять нам «клиентов».

— Не пойму только, как твоему шефу разрешили снова оперировать, — в голосе Костыля прозвучало сомнение. — Это после отсидки в тюряге-то?

Фоменко весело расхохотался.

— А он, оказывается, и не сидел вовсе. Сработала апелляция, поданная на решение суда. Освободили якобы за недоказанностью его участия. Наверное, немало бабок отвалил на «подмазку» судейских чинов.

— Выходит, мы с тобой вроде козлов отпущения? — покачал головой Костыль. — Наши паханы на воле гуляют, а мы за них нары полируем!

Однако в преддверии освобождения ничто не могло испортить Фоменко хорошего настроения.

— Не знаю, что за человек твой пахан, Костыль, но мой шеф Власыч меня на произвол судьбы не бросил, — удовлетворенно произнес он. — В том, что мне скостили срок, — его заслуга. Блин буду! Да и нужен я ему для дела.

— Вот то-то и оно, — вновь насупил брови Башун. — Ты своему шефу нужен, а на мне, видно, Седой крест поставил. Забыл и думать!

— А я тебе говорю: не кипятись! Сначала все выясни, а потом уже суди, — мягко сказал Фоменко, положив руку на его плечо. — Подумай, может, стоит черкануть ему маляву. Я, как только выйду, передам.

В разговорах об обмане Седого Башун кривил душой. В действительности все было иначе. Василий Коновалов, получивший кличку Седой потому, что был альбиносом, еще находясь в КПЗ, уговорил Башуна взять на себя роль главаря банды. По существу он был прав, так как на «дело» их подбил именно Костыль, по вине которого всех повязали.

— Ты нас втравил в это рисковое дело, хотя я в нем резонно сомневался. Уговорил всех — тебе и отвечать! — заявил Седой Башуну перед допросом. — Мусора будут знать, что ты — всему голова. С братвой я договорился: они в один голос это подтвердят.

Седой сверху вниз властно посмотрел на приземистого Костыля и, сделав паузу, многозначительно добавил:

— А мне, если пораньше выйду, легче будет и тебя вытащить из тюряги. Это железный уговор.

— Это каким же способом? — проворчал Башун не в силах возразить против его доводов.

— Обычным. Мусора-то продажные, — презрительно ухмыльнулся Седой. — Подкупим охрану и устроим побег по дороге в суд или обратно. Так что не унывай! — ободряюще добавил он. — Мы с тобой еще не одно дельце сообща провернем.

Больше поговорить друг с другом им уже не удалось, так как их развели по разным камерам. Увиделись они лишь на очной ставке, где Башун так же, как и на предварительном следствии, взял все на себя, подтвердив, что он — главарь их преступной группы, а Седой скромно изображал рядового подельника. И вскоре все, кроме Башуна, очутились на свободе по амнистии.

Узнав об этом, Костыль чуть не сошел с ума, сожалея о своей оплошности. Его злоба и отчаяние все усиливались, так как время шло, а никаких признаков того, что Седой о нем помнит и что-то предпринимает, не было. «Ну и пенку я дал, согласившись на его требование! — убивался бандит, кляня себя последними словами. — Это верно, когда Бог хочет наказать, то отнимает разум!»

Шли месяцы, и Башун уже не сомневался, что главарь банды нисколько не озабочен его судьбой. Ему было невдомек, что Седой не выполняет своего обещания из-за затяжки следствия и передачи материалов в суд, так как всех фигурантов по этому делу, кроме главного обвиняемого, амнистировали.

— Наверное, смеются сейчас надо мной, суки позорные, — задыхаясь от бессильной злобы, пожаловался Костыль другу

Сереге. — Сами жируют на воле, а мне тут отдуваться за всех? Даже ни разу пожрать ничего не прислали. Курва буду, если не отплачу им за это!

— Да уж, такое не прощают! — согласился с ним Хирург, но тут же добавил: — Хотя то, что не носят передачи, как раз говорит о намерении Седого тебя скоро отсюда вызволить.

— Нет, прав я, Серега! — мрачно качнул головой Башун. — Если б Седой готовил побег, то дал об этом знать. Теперь только ты можешь помочь мне выбраться отсюда, — голос его прервался, — и то, если наш хитрован заинтересуется тем, что мы ему предлагаем. Тогда без Костыля ему не обойтись! Уж больно брезгуют наши братки мокрухой.

— Да, работы для тебя будет много, — согласился с ним Хирург. — Если мы развернем наше дело, как хотим, то одними трупами погибших в авариях никак не обойдешься. Нужные органы для заказчиков придется добывать!

— Вот и я о том же, — хладнокровно заявил Башун. — А где их взять, как не у бомжей и детишек? Сам же ты мне это растолковывал.

Он недобро усмехнулся.

— Представь, даже бомжей замочить не каждый согласится, хотя очистить от них город — очевидная польза.

— Ты и ребенка так же... запросто? — со спокойным интересом взглянул на друга-сокамерника Фоменко, а про себя подумал: «И впрямь, этот мясник нам сгодится».

Несмотря на безобидную внешность и мягкие вкрадчивые манеры, Сергей Фоменко, он же заключенный по кличке Хирург, был маниакально-бессердечен и жесток. Еще ребенком он неприятно поражал своих родных пристрастием отрывать крылья у бабочек, убивать лягушек и мучить животных. А когда поступил в медицинский, то удивлял товарищей тем, как охотно и хладнокровно препарировал трупы на занятиях по анатомии.

Трудно сказать, была ли у него эта аномалия врожденной. Вполне возможно, что бездушие и жестокость развились у ребенка в ответ на мучения, которым подвергался он сам с малых лет. Злая и коварная женщина, на которой женился отец после смерти его матери, чего только не изобретала, чтобы досадить и сделать жизнь нелюбимого пасынка совершенно невыносимой. Сережа пробовал на нее жаловаться, но, к торжеству мачехи, это всегда кончалось поркой.

Испытывая отказ во всем и постоянные унижения, юный Фоменко вырос с ненавистью к ним обоим и озлобленным на весь мир. Чтобы иметь карманные деньги, он подрабатывал санитаром на «скорой». Вид людских страданий и окровавленных трупов нисколько его не пугал. Наоборот, ему доставляло злобное удовлетворение сознавать, что кому-то не повезло больше, чем ему.

Нехватка денег и желание перещеголять более благополучных товарищей привели к тому, что он легко согласился на преступное предложение ассистента с кафедры анатомии красавчика Власова. Как оказалось, тот давно приметил длинного и тощего студента, который на занятиях с видимым удовольствием потрошил «жмуриков».

Холеный блондин с аккуратным косым пробором, он подошел к ловко орудовавшему скальпелем Сергею и, немного понаблюдав, небрежно бросил:

— А у вас, Фоменко, явные способности к хирургии. Их нужно развивать. Не желаете мне помочь провести вскрытие после занятий? Вам это будет полезно.

— Буду рад, Леонид Андреевич, — сразу же согласился польщенный его вниманием Сергей. — Скажите только, во сколько и где мне быть.

— Встретимся в пять возле морга клинической больницы, — понизив голос, уже как своему, ответил Власов. — И не надо афишировать нашу встречу. Потом поймешь, почему. И прошу без отчества: я ведь не на много старше. Зови просто Леонидом.

К месту встречи Фоменко явился без опозданий. Минут через пять подошел и ассистент. Высокий и статный Власов одет был щеголевато.

— Молодец, что пришел, — просто сказал он . — Думаю, ты не пожалеешь об этом. Тебе ведь не приходилось еще участвовать в официальной экспертизе?

Сергей лишь скромно промолчал, и они прошли внутрь мрачного здания.

— Сегодня я пригласил тебя, чтобы показать, как надо удалять внутренние органы, подлежащие трансплантации, — доверительно объяснил ассистент Сергею, когда они переодевались перед тем, как пройти в препараторскую. — Уверен, что через несколько таких сеансов ты сможешь делать то же самостоятельно.

«Вот оно в чем дело, — смекнул Фоменко. — Очевидно, потребовался дешевый помощник для операций по трансплантации. Но почему выбор пал на меня, студента, когда столько молодых хирургов, мечтающих подработать? — сразу же заподозрил он. — Тут дело нечисто!» Однако вслух, как бы сомневаясь, скромно произнес:

— Я понимаю, что для меня это просто здорово — поскорее стать настоящим специалистом в такой интересной и перспективной области. Но сумею ли оправдать ваше доверие и не напортачить? Слишком велика ответственность. Честно признаюсь, Леонид: страшновато!

— Не бери в голову, — снисходительно улыбнулся Власов. — Ты быстро набьешь руку, хватка у тебя есть. А бояться не надо — отвечать тебе не придется.

— Как же так? — не понял Фоменко. — Сам же говоришь, что буду оперировать самостоятельно.

— Ну да, — подтвердил ассистент и пояснил. — Только неофициально. Отвечать за все буду я.

— Но тогда почему ты доверяешь это делать мне? — поразился Сергей. — Какая нужда тебе так рисковать?

Прежде чем ответить, Леонид пристально посмотрел на Фоменко, как бы взвешивая, не рано ли того посвящать и, решившись, процедил:

— На внутренние органы для трансплантации сейчас большой спрос. У меня есть постоянный заказчик. Но с донорами дело обстоит туго. Ты подходишь по двум причинам. Во-первых, работая на «скорой», имеешь доступ к «бесхозным» трупам, а во-вторых, способен произвести операцию.

— Но кто же позволит мне это делать? — несогласно покачал головой Сергей. — И притом я же рискую головой! А говорил, что ответственность будет на тебе.

— Не робей, Серега! Тебе отвечать не придется, — цинично осклабился ловкий ассистент. — Делать операции и оформлять документы официально буду я сам. Но донорские органы нужно извлечь своевременно, а мне это не успеть.

— Тогда понятно. — Фоменко вытер со лба выступивший пот. — Значит, моя задача вовремя сделать операцию, а приедешь и все оформишь ты?

— Вот именно, — с самодовольной усмешкой подтвердил Власов. — Все будет о'кэй! Скоро, Серега, станешь состоятельным человеком. А сверху, будь спок, нас прикроют: большие люди участвуют в этом деле.

Стоны и крики, доносившиеся из спальни, были такими пронзительными, что мамаша Седого, Прасковья Ильинична Коновалова, приехавшая из деревни навестить сына, испуганно перекрестилась. «Подрались они, что ли? — было первое, что пришло ей в голову. — Не забил бы до смерти зазнобу мой бугай! Жаль девку, такая уж она из себя ладная».

Крупная женщина с суровым выражением лица и загрубевшими, натруженными руками, Прасковья Ильинична мгновение колебалась, зная крутой нрав сына, но, поскольку вопли не прекращались, обеспокоенно подошла к закрытой двери. Осторожно ее приоткрыв, она стыдливо замерла. Несмотря на прожитую жизнь, интимный опыт матери Седого был небогат. Рано овдовев, некрасивая доярка растила сына одна. Трудилась с утра до вечера — тут не до мужиков, да и мало их было.

— Во дают! — возбужденно прошептала она, не в силах оторвать глаз от шибко порнографической сцены, видеть которую ей еще не доводилось. — Ужели так и надо? — изумленно выпучила она глаза, чувствуя стыд, но в то же время упиваясь чужим сладостным действом и испытывая жгучую женскую зависть.

Покойный муженек Прасковьи Ильиничны был тихим с виду запойным пьяницей и, хоть во хмелю был охоч, но силенкой не отличался, и радости от этого она видела мало. А спьяну он ее частенько бивал, и, когда муж погиб, перевернувшись на тракторе, вдова не больно-то горевала; женского счастья с ним она не испытала.

Опомнившись, Прасковья Ильинична прикрыла дверь и сделала это вовремя, поскольку ее сынок издал мучительный стон, перестал двигаться и блаженно отвалился на бок, часто дыша, как после тяжелой работы. Будучи по своей природе краснолицым, альбинос Седой был совершенно багровым и, несмотря на мощную накачанную стать, выглядел обессиленным.

Его неутомимая любовница Настя, полногрудая брюнетка с роскошной фигурой, напротив, выглядела свежей и игриво ластилась к нему, словно была готова начать все сначала. «Ну и похотливая сучка! Может сутками трахаться, — устало подумал Седой. — Но хороша телка! Этого у нее не отнимешь».

— Отдыхай, Настена! Ишь, какая ты ненасытная, — вслух добродушно пожурил он ее. — Давай-ка лучше вместе помозгуем над тем, что предлагает Костыль. Ведь ты у меня баба смышленая.

— Так и поверила, будто тебя интересует мой совет, — продолжая к нему ластиться, рассмеялась Настя. — Знаю, что тебе от меня нужно. Давай-ка оживай!

— Напрасно ты так думаешь! Не всякий раз, но сегодня мне нужен твой совет, — не без иронии возразил ей любовник. — Разве не слыхала поговорку: если не знаешь, как поступить, спроси женщину?

— Ну и что, поступишь так, как я скажу? — искренне удивилась Настя.

Вместо ответа Седой расхохотался.

— Ты, дурочка, не дослушала поговорки, — давясь от смеха, произнес он. — В ней сказано: внимательно выслушай женщину и сделай наоборот. Выйдет то, что надо!

— Вот видишь, я так и знала, что говоришь не всерьез, — ничуть не обиделась Настя. — Ну ладно, о чем ты хотел посоветоваться?

— Костыль из тюряги весточку прислал. Злится на меня, что сам-то вышел, а его там бросил. Я ведь обещал ему помочь освободиться.

— Если хочешь знать мое мнение: пусть там и сгниет! — не задумываясь, выпалила Настя. — Этот отморозок снова всех подведет под монастырь. На нем много крови! Он опять втянет вас в мокрые дела.

Седой снова расхохотался.

— Это ты верно сказала, — признал он успокоившись. — И у меня на этот счет были сомнения. Но теперь я знаю, что делать. Постараюсь поскорее устроить ему побег. Поступлю наоборот тому, что советуешь, — вновь ухмыльнулся он.

— И напрасно, Вася, — обиженно надула губки Настя. — На кой хрен тебе нужен этот мокрушник? Неужто нельзя проворачивать дела, не убивая людей?

— Костыль в тюряге закорешил с одним зеком из бывших медиков, — серьезно сказал Седой, — Хирургом кличут. Так тот предлагает заняться выгодным делом. Куда доходнее, чем наш гоп-стоп!

Настя продолжала обиженно молчать, и он пояснил:

— В чем сейчас наша главная проблема? Сама знаешь: в реализации добычи. Даже за бесценок. Не говоря уже, что на этом нас как раз мусора и ловят!

— Так что же, Костыль с этим зеком придумали лучший способ?

— Они предлагают совсем другое, Настена. Мы будем добывать такой товар, за который заказчик будет сразу выкладывать большие бабки. — Седой решил до поры не говорить ей всей правды. — И без Костыля мне в этом деле не обойтись.

— Поступай, как знаешь, милый. — Настя сладко потянулась. — Я же говорила: не бабьего ума это дело.

Твердо решив заняться более приятным, чем серьезные разговоры, она умело принялась ласкать любовника, и тот, ощутив новый прилив сил, заключил ее в свои медвежьи объятия.

Записку от Костыля-Башуна передал Седому по просьбе Фоменко бывший зек, осужденный вместе с ним по одному делу, но освобожденный на месяц раньше. Он был в курсе этой затеи и являлся заинтересованным лицом, надеясь принять в ней участис. На мятом листе, вырванном из школьной тетрадки, торопливым, неровным почерком было написано следующее:

«Здорово, Седой! Не больно-то ты торопишься сдержать данное мне слово. Но я не сомневаюсь, что у тебя, «законника», оно верное, и терпеливо жду. Со мной в камере сидит хороший кореш. Кликуха Хирург. Через месяц должен выйти. На воле зашибал много зелени по доходному делу, которое предлагает нам. Все связи у него сохранились, и дело много лучше того, чем мы с тобой промышляем. Он у тебя будет и все изложит.

Пока лишь намекну, что нужно добывать запрещенный медицинский товар, за который иностранные заказчики очень щедро расплачиваются зеленью. Дело верное, и со сбытом нет проблем. Но не думай, Седой, что обделаешь его без меня.

Так что скорей вызволяй своего верного кореша Костыля!»

Дважды перечитав записку, Седой некоторое время молчаливо рассматривал посланца — мозглявого мужичонку, как бы решая, стоит ли с ним продолжать разговор, но все же спросил:

— Ты просто курьер или что знаешь по этому делу?

— Мы с Хирургом работали вместе. Я помогал ему в морге, так что в курсе.

— Тогда расскажи, в чем суть!

— Моя роль была слишком маленькая. Как говорится, на подхвате, — немного стушевался мужичонка, но, желая набить себе цену, добавил: — Однако, пожалуй, суть изложить смогу.

Он сделал паузу, собираясь с мыслями.

— Если коротко, то речь идет о торговле внутренними органами покойников, которые нужны для богатых больных. Эти операции сейчас широко практикуются, но клиники испытывают острый недостаток материала.

— И откуда они берут этот «материал»?

— Частично от добровольных доноров — близких родственников больных, но в основном из тел неопознанных покойников, бомжей и жертв автокатастроф.

— Так. Значит, чтобы клиники не испытывали недостатка «материала», надо побольше покойников со здоровыми органами. Правильно я тебя понял? — остро взглянул на мужичонку Седой. — И если их нет, то нужно сделать? За это вам дали срок?

— Вроде того. Но я человек маленький и не в курсе всего, — сжался под его взглядом мужичонка. — Говорю же, что был у них на подхвате. Вот Хирург — тот все знает, и связи все у него. Он скоро сам к вам явится.

Поняв, что больше ничего от него не добьется, Седой решил на этом закончить разговор:

— Ну ладно, пусть придет Хирург. Скажешь своим, что интерес к делу у меня есть. Но моя братва должна знать, что нам будет причитаться. Как говорится, стоит ли игра свеч?

Однако чем больше Седой думал о предложенном новом деле, тем больше оно ему нравилось. «Бешеные бабки на этом загрести можно, хотя и риск велик, — зажигаясь алчным огнем, прикидывал он в уме плюсы и минусы. — Да что этого бояться? И так всю дорогу рискуем головой!»

В тот же день он поручил своему подручному Рябому, по паспорту Прохору Рябову, вплотную заняться подготовкой побега Башуна. Тем более что вскоре должен был состояться над ним суд.

Через пару недель в очередной день, положенный для свиданий, заключенному Фоменко сообщили, что к нему пришла родственница Анастасия Линева. Разумеется, таковой у него не было, но догадливый Серега искусно изобразил радость. «Значит, клюнул Седой на наше предложение, — сразу сообразил он. — Интересно, с чем пришла эта баба?»

— Ну, Костя, живем! — поспешил обрадовать он друга. — Твой пахан прислал на разведку какую-то Линеву. Ты ее знаешь?

— Говоришь: Линева? — припоминая, протянул Башун, так как своих подельников знал в основном по кличкам. — Это он Настю, что ли, прислал?

— Угадал. Анастасию, — утвердительно кивнул Фоменко. — А кто она такая?

— Живет он с ней. Шикарная телка! — в голосе Костыля была зависть. — Она и в делах ловкая, не только в постели, — заключил он с похабной ухмылкой.

Но хитрому и осторожному Хирургу это не понравилось.

— Напрасно Седой ей так доверяет, — с сомнением покачал он головой. — Бабы, сам знаешь, думают чем... Даже самые умные. Предают, суки!

— Я о том же всегда ему толковал, — согласно кивнул Башун, — и она меня за это ненавидит.

— Значит, между нею и тобой контры? Наверное, поэтому Седой прислал ее на свидание ко мне, а не к тебе?

— Навряд ли, — возразил Башун. — Наши с ней контры делу не помеха. Думаю, что к тебе он ее прислал, — в его голосе прозвучала надежда, — чтобы не светить нашу с ним связь. Видать, все же готовит мой побег!

Пробудившаяся надежда его взволновала, и он возбужденно продолжал:

— Ты хотя бы намеками попытайся узнать у нее, Серега: что они затевают? На когда примерно это наметили? Хочу знать, сколько мне здесь еще париться!

— Это само собой, — постарался успокоить его Фоменко. — Первым делом с ней о тебе поговорю. Я тебя, Костя, не предам! Да и для нашего будущего бизнеса ты незаменим, сам знаешь.

Однако ушлому Костылю его заверений показалось мало, и он угрожающим тоном предупредил:

— Передай Седому на полном серьезе, что если он меня отсюда не вытащит, то я ни перед чем не остановлюсь. Всех заложу!

— Ты что, в своем уме? — испуганно отшатнулся от него Фоменко. — Ведь тебе самому тогда не жить!

— А на кой х... мне такая жизнь? — злобно выругался Башун. — Вы там гулять будете, а мне на нарах гнить? Так, что ли?

— Давай сначала узнаем, как обстоит дело, — мягко остановил его Серега, дружески положив руку на плечо. — Думаю, что принесу тебе добрые вести.

Как всегда, ему удалось вовремя предотвратить припадок ярости Костыля.

— Ладно, послушаем, что скажет Настя, — сквозь зубы пробурчал он, немного успокаиваясь. — Но я не шучу! Так и передай Седому. Если бросит меня здесь, я и из тюряги его достану. А выберусь — замочу!

Мрачно нахмурясь, Костыль отвернулся к стене. Хирургу-Фоменко тоже больше нечего было ему сказать, и он молча стал ждать, когда конвоир отведет его на свидание с Настей.

Плавно покачивая крутыми бедрами, Настя уверенно прошла в довольно мрачную комнату для свиданий с заключенными. Ничто здесь ее не смущало — носить передачи своим подельникам и посещать их в тюрьмах было для нее привычным делом. Давно зная силу своей женской привлекательности, она все же с удовольствием ловила на себе горячие взгляды охранников, полные чувственного вожделения.

И действительно Настя была неотразима! Высокая брюнетка, с большими синими глазами, пышнотелая, но очень складно скроенная, с тонкой талией, она выглядела очень сексуальной и соблазнительной. Сожительство с главарем преступной группы позволяло ей иметь все лучшее, и это делало ее беззаботной и самоуверенной, что еще больше подогревало мужской интерес.

Такой самодовольной и благополучной Настя Линева была не всегда. До встречи с Седым она было пошла по рукам, как дешевая проститутка. В общем-то произошла банальная история. Стоило высокой красивой девочке обрести женственность, как ее соблазнил отчим, горячо любимый матерью. Не в силах с ним расстаться, та во всем обвинила дочь и выгнала ее из дому.

Насте тогда шел лишь пятнадцатый год, она заканчивала школу, и выручила ее лишь любовь одноклассника Дениса, с которым она встречалась. Сын крупного дипломата, работавшего за границей, он жил в комфортабельной квартире один и был вполне самостоятельным парнем.

Когда Настя рассказала ему, не открывая, разумеется, всей правды, что разругалась с матерью и ушла из дому, Денис, не долго думая, предложил:

— Ну что же, живи у меня, раз так случилось. Нельзя уступать предкам в принципиальных вопросах! Вот закончим школу и, может, поженимся. Того, что мне присылают, хватит нам на двоих.

Девушке в ее отчаянном положении ничего не оставалось, как согласиться, и она поселилась у Дениса. Шила, однако, в мешке не утаишь, и когда об этом узнали в школе, разразился скандал. Само собой, сообщили родителям обоих, но если Настины даже не явились для объяснений, то Денисовы отреагировали очень остро, потребовав от сына немедленно порвать с непрошеной гостьей.

К чести юноши, он не поддался давлению своих «предков», пригрозив, что бросит школу накануне выпускных экзаменов, если они не оставят его в покое. В ответ на истерику срочно прилетевшей домой матери он твердо заявил:

— Успокойся и передай отцу: я не собираюсь пока жениться ни на Насте, ни на ком-нибудь еще. Вы правильно говорите, что мне этого делать еще нельзя. Но и Настеньку в обиду я не дам! Она моя любимая девушка, и деваться ей пока некуда. Ты должна это понять, мама!

— Но так же нельзя, сыночек! — не обращая внимания на присутствие Насти взмолилась мать. — Ты что же, не думаешь о последствиях? Я тебя воспитывала ответственным и порядочным человеком! Ваша связь предосудительна!

— Не будь ханжой, мама! — спокойно парировал ее упрек Денис. — Сейчас не прежние времена, и молодежь сексуально раскрепощена. Добрачные связи — обычное дело, а мы с Настей уже не дети.

Таким образом, благодаря Денису и положению его родителей скандал удалось замять, но Насте окончить школу так и не довелось. Устав от молчаливой вражды его родителей и тяготясь своим унизительным положением у них в доме, она изменила своему бой-френду с молодым фирмачом, с которым случайно познакомилась в магазине.

Франтоватый Илья, несмотря на молодость, был плешив и не блистал красотой, но ездил на шикарной иномарке и сорил деньгами. Как-то в очередной раз поссорившись с Денисом, измученная постоянной экономией, Настя согласилась на предложение Ильи пойти в дорогой ресторан. Ее кавалер был щедр, красиво ухаживал, они вкусно поели, крепко выпили, и произошло неизбежное — она оказалась в его постели.

Сексуальный опыт у Насти фактически отсутствовал. В ее жизни были лишь Денис, как оказалось, не очень умелый мальчик, и отчим, от близости с которым в воспоминании осталась только боль. С ними она еще ни разу не ощутила себя женщиной. Поэтому Илья для нее стал подлинным открытием. Невзрачный на вид, он оказался искусным любовником, сумевшим довести ее до исступления. В его объятиях Настя впервые испытала высшее блаженство и узнала, что такое женское счастье.

Увлекшись Ильей, она ушла к нему от Дениса, написав в короткой записке, что полюбила другого. Чтобы не видеть бывшего бой-френда и не объясняться, перестала ходить в школу. Но ее счастье с нежно любимым Илошенькой было недолгим. Оказалось, что он не в ладу с законом и ему пришлось скрыться «за бугром». Взять с собой любовницу он не мог, но жалеючи пристроил к своему не менее богатому другу.

Наверное, так продолжалось бы и дальше, не повстречай Настя на банкете в ресторане, куда пришла со своим покровителем, Василия Коновалова — Седого. Он сразу покорил ее своим богатырским обликом, тем более что старый партнер был довольно инфантильным. С тех пор они стали неразлучны.

«Да уж, сказочно хороша! — мысленно восхитился Фоменко-Хирург, завидев Настю в комнате для свиданий. Он сразу понял, что эта статная брюнетка она самая и есть. — Ничего себе бабу Седой отхватил! Невольно обзавидуешься». Проворно усевшись против нее на стуле и приторно улыбаясь, он спросил:

— Вас Седой ко мне прислал? Что хорошего скажете?

— А вы Фоменко, он же Хирург? Я не ошибаюсь? — вопросительно взглянула на него красивая брюнетка.

— Ну да, кем же мне еще быть? — в том же игривом тоне подтвердил Фоменко. — Зовите меня просто Сергеем.

— Хорошо, Сергей. Слушайте меня внимательно, — не принимая его легкого тона, по-деловому сухо сказала Настя. — У нас мало времени.

Под ее холодным взглядом Фоменко стушевался, и она продолжала:

— Мне поручено вам передать, что Коновалов видит перспективу в предлагаемом деле и согласен обсудить его более подробно при встрече. А пока хочет проверить, на какой базе оно основано.

— О чем речь? — не понял ее Фоменко. — Какая еще база?

— Речь идет о «крыше» и заказчике, — так же деловито пояснила Настя. — Кроме того, его интересует: является ли заказчик постоянным, есть ли посредники? Короче, насколько солидно организован этот бизнес.

— Не слишком ли много он сразу хочет знать? Ведь сбыт — это не его функция, — попытался уйти от ответа Хирург. — Дело вашего шефа — поставлять нужный товар по заявкам заказчика.

В красивых глазах Насти зажглись злые огоньки:

— Шеф отлично понимает, что на его долю выпадает самая грязная и опасная работа. Он даже и разговаривать с тобой не станет, если не откроешь карты!

Он сделал паузу и, подумав, сказал:

— На все его вопросы отвечу через пару недель при встрече. А сейчас я хочу знать, что делается для того, чтобы вызволить Костыля и в чем причина затяжки? Ведь без него в этом деле не обойтись.

— Задержка вышла из-за того, что затянулось следствие. Все произойдет, когда его повезут в суд, — коротко объяснила Настя. — Скажи Костылю, что нужные меры принимаются. Его известят, когда придет время.

Немного поколебавшись, Фоменко решил все же передать угрозу Башуна.

— Хочу, чтоб вы знали, что он на пределе. Седой должен его выручить, иначе всем будет плохо. Костыль не раз говорил, что заложит его, если Седой не выполнит своего обещания. А то и замочит. Не вам мне доказывать, что с Костылем шутки плохи!

— Да, мы его хорошо знаем, — хмуро ответила Настя. — Но можешь передать ему, что зря бесится. Коновалову он нужен, а для нового дела тем более!

В это время всем объявили, что свидание окончено, и она, небрежно кивнув Хирургу-Фоменко, направилась к выходу.

Глава 2. Кровавый бизнес

Хирург, Сергей Фоменко, вышел из тюрьмы в начале апреля. Был погожий весенний день, повсюду дружно таяло, журчали ручьи. Выйдя за ворота, он поневоле остановился, щурясь от яркого солнечного света и наслаждаясь чувством долгожданной свободы. Сергея никто не встречал, торопиться было некуда, и поэтому он не стал брать такси, а просто влился в поток пешеходов, с интересом наблюдая за поведением людей на воле и обдумывая свои ближайшие планы.

«Первым делом мне надо будет повидать Леонида, а затем с его помощью связаться с Юрием Львовичем. Интересно, удалось ли Седому добраться до нашего профессора? Сохранил ли старик своих заказчиков и «крышу» в министерстве? Если нет, то придется искать выход», — не спеша размышлял он, бодро шагая в суетливой толпе. Его часто толкали, обгоняя, но он на это даже не реагировал.

— Наверное, перед тем, как встречаться с Седым, сначала стоит проверить, все ли звенья нашей цепочки сейчас дееспособны, — наконец решил он вслух.

Но тут Хирург вспомнил пышную грудь и крутые бедра Насти, и все деловые мысли сразу вылетели у него из головы. Ему нестерпимо захотелось женской ласки, которой он был лишен столько лет. Причем сейчас, немедленно. Сергей понимал, что проще всего «снять» проститутку, но это было совсем не то, чего требовала душа. Он жаждал не удовлетворения похоти, а любви!

У Сергея Фоменко не было своего жилья. Он как раз собирался купить себе квартиру, перед тем как его осудили. А проживал он у своей любовницы — разведенки Софы, торговавшей на мелкооптовом рынке. Недолго думая, к ней он и отправился, хотя отлично знал, что Софа ему изменила и у нее сейчас кто-то другой. «А ведь не прогонит меня, примет, — мысленно убеждал он себя. — Пошлет на х.. своего фраера!»

Надо сказать, что основания для такой самоуверенности у Сергея были. Она сама, разомлев после бурно проведенной ночи, говорила ему, что лучшего мужчины у нее никогда не было. Сладко потягиваясь и глядя на него влюбленными глазами, она беззастенчиво признавалась:

— Да уж! Повидала я мужиков, но такого, как ты, Сержик, даже и не ожидала встретить. У тебя бесценный дар природы, — весело хихикала она. — Можешь им торговать!

Фоменко и сам знал, что необычно силен, но комплименты, которые ему отпускали женщины, всегда были приятны, а от Софочки вдвойне, потому что она не только была хороша в постели. Помимо этого достоинства, она обладала еще многими другими: вкусно готовила, была веселой, душевной и заботливой.

И все же при виде знакомого обшарпанного кирпичного дома ему стало не по себе. Едва справляясь с волнением, он нажал на кнопку звонка ее квартиры. Ему повезло — Софа оказалась дома. Появилась она в накинутом на плечи халатике, и вид у нее был заспанный. Узнав Сергея, изумленно всплеснула руками и в замешательстве только хлопала ресницами.

— И давно тебя выпустили? — только и сказала она, выйдя из оцепенения.

— Ты одна или у тебя твой фраер? — вместо ответа с деланной небрежностью произнес Фоменко, входя в прихожую. — Мне все известно, Софа, но, как видишь, я к тебе пришел!

— Ну и молодец, Сержик! Правильно сделал, — уже спокойно одобрила она его, будто все, что произошло, было в порядке вещей. — Я ведь тебе не жена и клятв верности не давала.

Они оба помолчали, с интересом разглядывая друг друга, словно изучая, что в них изменилось с того времени, когда виделись в последний раз. Несмотря на потрепанный вид и утреннее неглиже, Фоменко нашел, что его бывшая подруга стала как будто еще привлекательнее. «Наверное, это мне кажется с голодухи, — подумал он, стараясь себя успокоить. — Сейчас мне любая желанна!»

Горящий взгляд Софы также говорил о том, что она отнюдь не разочарована появлением бывшего любовника. Видно, он, как и раньше, вызывал у нее сексуальный интерес, и она желала восстановить прежние отношения. Она с улыбкой предложила:

— Пойдем-ка на кухню! Я тебя чем-нибудь покормлю, и надо же выпить за твое освобождение. Как-никак, мы с тобой немало времени провели вместе, и нам есть что вспомнить.

Теперь уже Хирург-Фоменко нисколько не сомневался, что вновь обрел кров и любовницу. Есть ему еще не хотелось, но и отказываться он не стал. Конечно, им надо хорошенько вспрыснуть его возвращение! Но вызывала досаду мысль, что постель еще не остыла от постороннего мужика.

— Ну что же, идея хорошая! — одобрительно кивнув головой, бодро произнес он, опуская на кушетку свой вещевой мешок. — Только сначала приму душ и еще попрошу тебя, Софочка, сменить постельное белье. Начнем все по-новому!

Несмотря на апрельскую теплынь, в маленькой гостиной сауны было жарко натоплено. Завернув в махровые простыни свои красные, распаренные тела, Василий Коновалов и его правая рука, Иван Пронин, известный среди своих как Проня, покряхтывая от удовольствия, пили из литровых кружек пенистое пиво. Перед ними на столике красовалось большое блюдо с вареными раками.

— Ну так что ты узнал про этого Хирурга? Он вот-вот должен ко мне прийти, — скосил белесые глаза на подельника Седой, продолжая обсасывать клешню. — Его на днях выпустили из тюряги, но он что-то не спешит показываться.

— Наверное, загулял братан, — благодушно отозвался Проня. — Понятное дело, дорвался до воли!

— Так что же ты о нем узнал? — настойчиво потребовал Седой. — Как считаешь: ему можно доверять?

— Вполне. Надежный кореш, — уверенно произнес Пронин и, прожевав, привел добытые им факты: — Этот Фоменко, во-первых, умеет держать язык за зубами. Когда их повязали, никого не выдал!

Он сделал паузу, отпивая из кружки, и с уважением добавил:

— Во-вторых, он не только поставлял покойничков, но сам же их и потрошил. Мне сказали, что тот, кто должен был это делать — молодой врачишка Власов, охотно перевалил свою работу на него. Я его видел: эдакий пижон-чистоплюй, — презрительно скривил он губы. — Видно, боялся ручонки замарать.

Его информация, похоже, удовлетворила Коновалова.

— Ну что же, такой человек будет нам полезен, — допив свое пиво и вновь наполняя кружку, заключил он. — А что, этот Власов совсем пустое место? Я хотел бы с ним поговорить до встречи с Хирургом.

— Насколько я понял, он доброго слова не стоит. Загребущ, но сачок: не очень любит работать. Однако, похоже, что без него не обойтись.

— Это почему? — поинтересовался Седой.

— Он — связующее звено между заказчиками и исполнителями, — объяснил Проня. — Эти все ученые медики, кому нужны органы для пересадки, видите ли, не желают иметь дело с криминалом. Он же, Власов, нами не брезгует.

Сказанное задело Седого за живое. Он так двинул по столу своим пудовым кулачищем, что со звоном подпрыгнули кружки, расплескав пиво.

— Ну и подлые твари! Будто сами под статьей не ходят. А то, что они делают, не криминал? Покупают и продают краденые человеческие органы! Будто не знают, каким путем их добывают, — его и так красное лицо стало багровым. — Делают свой бизнес на крови, а нами брезгают, суки! Да они хуже нас!

— Само собой! — согласно кивнул Проня. — Мы хоть не изображаем из себя честняг. Эти же двурушники трубят, будто спасают здоровье больных, а нас заставляют губить здоровых людей. Да еще наживаются на этом!

Он, не спеша, наполнил свою кружку пивом и хмуро добавил:

— Со мной этот их главный, профессор, и говорить не захотел. Пижон Власов объяснил мне, что старик должен быть вне всяких подозрений. На нем вроде весь их бизнес держится. Молодчик признался, что когда Хирурга и другую мелкоту, — Проня криво усмехнулся, — повязали мусора, то старого хрыча они не выдали, чтобы не погубить все дело.

— Значит, у него все нити в руках? Это он с нами будет рассчитываться?

— Не знаю. Больше мне ничего выяснить не удалось, — развел руками Проня. — Я понял только, что расплачивается за товар какая-то посредническая фирма. А сама выдает бабки или они идут через профессора — неизвестно.

— Ладно, Проня, допивай пиво и давай собираться! — Василий Коновалов сбросил с себя простыню и поднялся. — Не забыл, что у нас в шесть стрелка? А подробности этого дела я выясню у пижона Власова и Хирурга.

Поводя широкими плечами и играя рельефными мышцами, Седой нагишом проследовал к вешалке с одеждой, а довольно хилый Проня проводил его статную мощную фигуру завистливым взглядом.

Причина, по которой Сергей Фоменко до сих пор не пришел к Седому, оказалась очень простой. Получив отставку, любовник Софы — Борис, здоровенный охранник автостоянки, так его «разукрасил», что понадобилась целая неделя, чтобы физиономия Хирурга приняла приличный вид и он смог появиться на людях.

Виновата в этом оказалась его Софочка, не удосужившаяся хотя бы сообщить своему секс-партнеру, с которым встречалась последний год и накануне провела ночь, что решила сменить его на другого. Она считала, что он ушел дежурить на двое суток, но случилась внеплановая замена, и Борис вернулся к своей возлюбленной. Ее он не застал, зато открыв своим ключом дверь, обнаружил в квартире незнакомого тощего мужика, вышедшего из ванной в его халате и тапочках.

— Ты чего это тут делаешь? — обомлел Борис, грозно надвигаясь на невесть откуда взявшегося гостя. — А ну скидавай мой халат! Совсем оборзел, что ли?

Фоменко сразу догадался, кто он такой, и не на шутку струхнул при виде звероподобного детины. Понимая, что силы у них далеко не равны, он попытался разрешить конфликт мирно.

— Не кипятись, парень, давай-ка мы лучше познакомимся, — скороговоркой предложил он, пятясь обратно в ванную, и, надеясь в случае чего, там укрыться. — Я Сергей, муж Софы. В тюрьме сидел. Слыхал, наверное?

— Врешь, гад! Нет у нее мужа! — взвыл, уяснив ситуацию, Борис и, хотя весил больше центнера, броском успел ухватить за полу халата соперника, пытавшегося захлопнуть дверь. Халат с треском порвался, но ему удалось вытащить Фоменко из ванной. Увидев, что тот голый, охранник пришел в ярость. Бывший омоновец, он стал умеючи молотить своего врага и наверняка превратил бы его в отбивную, если бы из магазина не вернулась Софа.

— Ты чего это вытворяешь в моем доме? — с ходу завопила она во все горло, так что было слышно на другой стороне улицы. — Прекрати немедленно, а то вызову милицию!

Она схватила Бориса за куртку, пытаясь оттащить от его жертвы, а когда ей это не удалось, бросилась на кухню. Схватив массивную скалку, она вернулась и изо всех сил огрела охранника по голове. Охнув, он отпрянул от соперника и изумленно обернулся.

— Софочка, как ты могла? — тяжело дыша, упрекнул он неверную подругу. — Мы ведь с тобой хорошо ладили.

— А ты что, меня зафрахтовал, кобель гладкий? Попользовался и хватит! — агрессивно накинулась на него Софа, памятуя, что нападение — лучшая защита. — Да твоего духа здесь бы не было, если б Сережу не упекли в тюрьму! А ты вместо благодарности его калечишь? По какому праву? Ты мне не муж! — привела она свой излюбленный довод.

Софа перевела дыхание и, зная лютый нрав бывшего омоновца, снизила тон.

— Ладно, Боря, отваливай! Я тебе клятву верности не давала. Ведь силой все равно ничего не добьешься. Сам знаешь, что сердцу не прикажешь, а Сережу я давно люблю.

— Хороша же твоя любовь! — с горечью бросил ей Борис, заметно остывая. — Сережа на нарах томился, а ты в это время с мужиками в постели кайф ловила? Сука подлая, вот ты кто!

Он было замахнулся, чтобы дать ей пощечину, но одумался и, ничего больше не сказав, схватил свою сумку и выскочил из квартиры, хлопнув дверью на прощание так, что задребезжали стекла.

«А ведь и правда он дешевый фрайер, — заключил в уме Седой, изучающе глядя своими белесыми глазами альбиноса на сидевшего напротив Леонида Власова. — Верно определил его Проня». Самодовольная красивая рожа и весь холеный щеголеватый вид этого белоручки не вызывали у него доверия.

— Ты мне все же понятней объясни: на чем вас прихватили мусора, — резким тоном потребовал он и добавил: — Говорить лучше откровенно, если хочешь, чтобы мы пришли к какому-нибудь решению.

— Мы попались на том, что использовали как доноров умерших, не имея на то разрешения, — ответил Леонид, робея перед громилой явно бандитского вида, хоть и облаченного в дорогой костюм. — Фоменко оперировал их в морге, а один из служащих, сменщик нашего человека, об этом настучал.

— Так где же гарантии, что и нас не повяжут за это? — нахмурился Седой. — Или вашим шефам удалось раздобыть разрешение?

— На официальное разрешение нечего и рассчитывать. И в моргах орудовать больше нельзя — иначе тюрьма! — честно признался Власов. — Именно поэтому решили прибегнуть к вашей помощи.

— Ну и в чем же она состоит? — вперил в него свой ледяной взгляд Седой. — Говори, парень, не стесняйся.

Видя, что врач боязливо оглянулся по сторонам, он небрежно бросил:

— Не трепыхайся! Здесь нет подслушки, и разговор наш не записывается. Эта компра обоюдная.

— Вашим людям придется, — понизил все же голос Власов, — добывать донорские органы, а их обладатели, — замялся он, — должны исчезнуть бесследно.

— Понятно, — с мрачной иронией процедил Седой. — Значит, наша задача похищать и мочить этих «доноров», а вы будете их потрошить.

— Нет, мы их оперировать не будем, — подчеркнуто серьезно возразил Леонид. — Я же сказал: доноры должны исчезнуть. Нам нужны только органы.

— Так кто же их будет потрошить? Я, что ли? — не выдержав, рыкнул на него Седой. — Ты издеваться надо мной вздумал?!

— Оперировать будет Сергей Фоменко, который собирается работать, как он мне сообщил, вместе с вашим человеком, Костылем, — он усмехнулся. — Недаром Серегу прозвали Хирургом. Но если потребуется, я окажу ему помощь, — уже серьезно добавил он. — Разумеется, неофициально.

— Выходит, мне придется иметь дело с тобой? — нахмурился Коновалов.

Он немного помолчал, мрачно размышляя, и, презрительно смерив взглядом молодого хлыща, заявил:

— Нет! Так дело не пойдет! Ну что с тебя взять в случае неустойки? Твою шкуру? А чего она стоит?

Седой поднялся во весь свой богатырский рост, и Леонид тоже невольно встал со своего места, испуганно ожидая, что последует дальше: лицо альбиноса побагровело и не предвещало ничего хорошего. Однако вопреки его опасениям, главарь банды лишь хмуро бросил ему в лицо:

— Иди и передай своим шефам, что такая туфта Коновалову не подходит! Дело очень рисковое, связано с мокрухой, и я соглашусь на него только за большие бабки. В нем посредники мне не нужны. Переговоры буду вести лишь с первыми лицами! С теми, кто платит бабки!

— Но заказчики желают иметь дело только с профессором, под его гарантии качества, — все же попытался спасти положение Леонид. — Ведь они платят нам десятки тысяч долларов! Никого больше они не признают!

— А мне твой профессор до фени! — грубо рявкнул Седой. — Пусть выдает им гарантии. С ним одним разговаривать не буду. Выводи меня на представителя фирмы-заказчика, тогда будет дело!

— Хорошо, я передам это шефу, — вкрадчиво заверил его Власов, протягивая на прощание руку. Но Седой не удостоил его рукопожатия и лишь проводил холодным взглядом.

Леонид Власов припарковал свой видавший виды «БМВ» на площадке перед стальными воротами красивого особняка, вылез из машины и, поправив и без того образцовый пробор, подошел к домофону.

— Это я, Леня, Юрий Львович, — сообщил он, услышав знакомый хрипловатый голос профессора. — Прибыл, как мы с вами договорились.

Калитка автоматически открылась, и Власов прошел на территорию особняка профессора. Тщательно вытерев ноги, он вошел в прихожую и через просторный холл проследовал в богато обставленную гостиную. Патрон его уже ждал, облаченный в домашнюю куртку из веблюжьей шерсти и покуривая неизменную короткую трубку. Это был невысокий толстяк с окладистой шотландской бородкой и проницательным взглядом из-за золотых очков.

— Присаживайся, Леня, и выкладывай, о чем вы договорились с Коноваловым, — доброжелательно произнес он, указывая рукой на кресло рядом с собой. — Ну что, стоит иметь дело с этим бандитом?

Власов удобно расположился в глубоком мягком кресле и, преданно глядя в глаза своего патрона, доложил результаты визита к Седому.

— Начну с главного, Юрий Львович. Коновалов — один из уголовных авторитетов, «вор в законе», известный в криминальных кругах по кличке Седой. Крут, но осторожен, рисковать зря не любит, и моя с ним встреча это подтвердила.

Профессор внимательно его слушал, и он продолжал:

— Думаю, что при помощи нашего Сергея Фоменко он обеспечит поставку донорских органов в нужном ассортименте и количестве. Наш бизнес его заинтересовал, — цинично усмехнулся Власов. — Чувствуется, что «мочить» для него — привычное дело. А бомжей и беспризорных детей в городе хватает.

Заметив, что патрон брезгливо поморщился, он спохватился.

— Простите, Юрий Львович, больше не буду! Знаю, что вы не одобряете мой цинизм. Но ведь именно эти объекты послужат исходной базой. От этого никуда не деться.

— Так о чем вы все же договорились? — снова спросил профессор.

— Пока Седой осторожничает, — доложил Власов.

— Значит, нет результата? — строго взглянул на него патрон.

— Результат будет, Юрий Львович! — заверил его подручный. — В принципе он согласился. Но настаивает на личной встрече с вами и с представителем фирмы-заказчика. Не хочет иметь дело с посредниками.

— Но ты, надеюсь, объяснил, почему это нежелательно? — недовольно произнес профессор. — Лично я с ним встречаться не намерен. Не хватает, чтобы меня видели в обществе бандита!

— А если устроить его встречу с нашим заказчиком, — предложил альтернативу Леонид. — Ведь Коновалов официально возглавляет частное охранное бюро, и его можно представить как нашего компаньона. Если дадите добро, я их деловую встречу организую.

— А без этого никак нельзя поладить... с этим... Седым? — неприязненно сморщившись, спросил патрон. — Ты сказал ему, что мы гарантируем оплату?

— Само собой, Юрий Львович! Но наши гарантии его не удовлетворяют. Он заявил это категорически!

Ненадолго воцарилось молчание, во время которого профессор напряженно размышлял, но затем, приняв решение, сказал:

— Ну что же, придется провести конфиденциальную трехстороннюю встречу представителей фирмы-заказчика, лаборатории-поставщика и охранного бюро, — он сделал паузу и добавил: — Заказчику я объясню, почему это необходимо.

— Значит, вы решили принять в ней участие, Юрий Львович? — удивленно поднял брови Леонид.

— Ни в коем случае! — решительно заявил профессор.

— Тогда я ничего не понимаю, — пожал плечами его помощник.

— А чего тут понимать? Ты, Леня, и будешь представлять сторону поставщика.

Юрий Львович тщательно выбил пепел из трубки и встал с дивана, давая понять, что их разговор окончен. Тут же поднялся и Власов.

— Да, вот еще что, Леня, — остановил его жестом руки хозяин. — Пусть наше решение передаст Седому, — он снова непроизвольно поморщился, — Сергей Фоменко. Перед этим хорошенько его проинструктируй!

Леонид Власов и Сергей Фоменко контактировали только по телефону, а если надо было встретиться, то выбирали для этого укромные уголки, обычно на скамейке какого-нибудь парка. Вот и на этот раз они как бы случайно оказались на одной лавочке Сретенского бульвара.

— Ну что, договорился с Коноваловым о встрече? — спросил Власов, делая вид будто читает газету. — Что-то ты больно с этим затянул.

«Был бы у тебя такой же фингал под глазом, ты тоже ни с кем не вел бы деловых переговоров», — подумал Фоменко, но вслух дружелюбно ему ответил:

— Дело ведь серьезное, Леня. Хотелось лишний раз с тобой посоветоваться. Ты, наверное, получил указание от патрона? — добавил он, вскинув глаза к небу.

— Мы, кажется, договорились это не обсуждать, — Власов приосанился, невольно выпятив грудь:

— Запомни: официально сторону поставщика возглавляю я! И вести все переговоры патрон поручил мне. Сам он ни в чем участвовать не будет. Для связи с заказчиками у него свои каналы.

— Ладно, знаю, что ты важная шишка, Леня, — усмехнулся Фоменко. — Говори, чего он велел мне передать.

— Коновалову ты предложишь следующее. В деле участвуют три стороны: первая — заказчик, подающий заявку на то, что ему нужно, и производящий оплату. Это одна из фирм по экспорту-импорту медицинского оборудования.

Вторая — исполнитель заказа, выдающий готовую продукцию и гарантирующий ее качество. Эту роль выполняет моя лаборатория медицинских препаратов. И, наконец, третья — выполняющая безопасную и своевременную поставку, так сказать, полуфабрикатов — это бюро Седого. Профессор договорится с заказчиком об оплате наличными, которая будет выдаваться, как только я подтвержу получение нужного материала.

— Это совсем другое дело! — повеселел Хирург. — Так мы с Седым запросто договоримся. Остается только уладить вопрос, кому сколько бабок от заказчика достанется? Но по этому пункту с бандитами можно будет поторговаться.

Очевидно, посчитав, что все вопросы исчерпаны, Власов свернул газету.

— Не бери это в голову, Сергей! — с важным видом сказал он. — И эта проблема нами уже решена. Оплата будет не менее 50 процентов. Не потребует же Седой себе больше половины?

Власов сделал движение, собираясь подняться, но Фоменко его остановил.

— Погодь, Леонид! В этом деле есть еще один момент, о котором я хочу вас предупредить. Если Седой не примет мое условие, наша свадьба не состоится!

— Что еще за условие? — выразил недовольство Власов, снова открывая газету. — Чего тебе, мало? Где еще такие бешеные бабки заработаешь?

— Бабки здесь ни при чем. Речь совсем о другом.

— О чем же еще? — непонимающе пожал плечами Леонид.

— Все очень просто, — немного нервничая, объяснил Фоменко. — Для успеха дела нужно вытащить из тюряги подельника Седого по кличке «Костыль», с которым я сидел.

— А без него ты работать не сможешь? — иронически скривил губы Власов. — Брось, Серега, не смеши! Какой же ты после этого Хирург?

— Ну все! Вы меня достали! — не выдержав, вспылил Фоменко. — В белоснежных халатиках ходить будете, а мне органы у мертвецов добывать «в нужном количестве и нужного качества», — передразнил он Леонида. — А подумали, каково это сделать? Без Костыля ничего не выйдет!

Его вспышка была такой неожиданной, что у Власова вытянулось лицо.

— Чего это ты взбесился, Серега? — изумленно произнес он.

— Что толку тебе объяснять, ведь все равно не поймешь, — мрачно буркнул Фоменко. — Мы с тобой в разных весовых категориях.

Он резко поднялся со скамьи и, уходя, бросил:

— Скажи патрону, что все его предложения Седому будут переданы. Но без Костыля на меня не рассчитывайте!

Такое решительное и дерзкое поведение всегда тихого и покорного Хирурга было для Власова в новинку, и, шокированный этим, он еще долго смотрел вслед уходящему Сергею.

На следующий день в назначенное время Сергей Фоменко пришел в контору охранного бюро «Выстрел», под вывеской которого орудовала братва Коновалова-Седого. Контора располагалась в запущенной квартире на первом этаже старого деревянного дома. В ней было грязно и почти отсутствовало современное оборудование. При виде этого беспорядка и запустения сразу возникало ощущение, что деятельность бюро весьма подозрительна. Тем более что и работников было лишь трое: бандитского облика охранник, похожий на бухгалтера старик, что-то считавший на калькуляторе, и молодая красотка-секретарша. Ею была Настя.

— Ага, появился! Проходи, тебя ждут, — бросила она вместо приветствия, увидев вошедшего Фоменко. — Только не будь многословным. Коновалов этого не любит.

В небольшой комнате, заменявшей Седому кабинет, было душно, несмотря на открытое окно. Пепельница полна окурков, дым висел коромыслом. За простым канцелярским столом громоздился глава «бюро», а на стульях у стены сидели еще двое: его ближайшие сподвижники — коренастый накачанный Рябой и довольно хилый Проня. Оба с интересом воззрились на Хирурга.

— Чего это тебя так долго не было? До свободы дорвался? — хмуро спросил Коновалов, внимательно рассматривая его холодными водянистыми глазами.

— Это точно. Баба тут меня заждалась, — с деланным простодушием «признался» хитрый Серега, решив не открывать истинную причину. — Но теперь я готов заняться делом. Хорошенького понемножку, — по-свойски ухмыльнулся он.

— Значит, хочешь поработать вместе с моей братвой? И предлагаешь стоящее дело? — жестким тоном спросил Седой, глядя ему в глаза, словно хотел прочесть его тайные мысли. — Костыль за тебя поручился. Говорит, ты надежный кореш.

«А ему палец в рот не клади. Хитрован! — отметил в уме Фоменко. — На Костю кивает, а сам и без него все проверил». Но вслух деловым тоном сказал:

— То, что предлагаю, принесет нам большие бабки, и я не подведу. Можете не сомневаться! Костыль все обо мне знает.

— Ладно, выкладывай! — предложил Седой. — А потом поговорим.

За дни вынужденного безделья Фоменко все хорошо продумал. Поэтому сразу же бойко заговорил.

— Думаю, вы уже разобрались, за что нам будут отстегивать бабки. Я скажу о том, в чем состоит наша работа, — он сделал значительную паузу, — в которой без меня вам не обойтись.

— Давай поконкретней о том, что предстоит делать, — нетерпеливым тоном прервал его Седой.

— Основной работой братвы будет отлов бомжей и беспризорных мальцов, которые нужны для дела, — хладнокровно вымолвил Фоменко-Хирург. — Нам нужны только здоровые. Поэтому, если будет не хватать, придется искать повсюду подходящие объекты с целью похищения.

— Ну а в чем твоя роль? — подал голос Рябой. — Это мы и сами можем.

— Это вы сможете, — спокойно ответил ему Хирург. — Но заказчику требуются не люди и не трупы, а лишь их органы. Для этого вам нужен я.

Возникла пауза, во время которой все молча размышляли.

— Ладно, пошли дальше, — нарушил молчание Седой. — Ежу понятно, что на нас взваливают всю опасную, грязную работу. Но в чем тогда роль чистоплюев-медиков, если потрошить «клиентов» придется самим? Зачем они нам нужны, раз то, что нужно заказчику, мы будем добывать самостоятельно?

— У нас этот товар никто не примет, — объяснил Хирург. — И дело не только в этом. Проверить, довести его до кондиции и выдать сертификат в соответствии с современными требованиями могут только «чистоплюи-медики».

— И сколько они за это хотят оттяпать? — спросил Проня. — Ведь делать всю основную работу и рисковать головой придется-то нам!

— Без них наша работа ничего не стоит, — урезонил его Фоменко. — Операции очень ответственные, и без сертификации материал для них никто не возьмет. Партнеры предлагают работать исполу, и это справедливо.

— Допустим, — решил прекратить спор Седой. — Но выходит, что с заказчиком имеют дело они, и мы целиком от них зависим. Это нам не подходит!

«До чего же умен старик. Все предусмотрел», — с восхищением подумал Фоменко о профессоре и поспешил успокоить будущего шефа.

— Мне удалось с ними договориться, — для пущей важности приврал он, — что наша половина будет нам выплачиваться налом сразу после сдачи заказанного в лабораторию.

— Это меняет дело, — одобрительно наклонил голову Седой. — Но где гарантия, что так и будет?

— С заказчиком согласовано, что оплата наличными за нашу часть работы будет предусмотрена в трехстороннем договоре, как предоплата за конечный продукт, — заверил его Фоменко. — Таким образом, мы не будем зависеть от медиков, и отвечать перед заказчиком в случае чего придется им самим.

Рябой и Проня одобрительно хмыкнули, но Седой все еще колебался.

— А куда мы денем весь этот отловленный «материал», пока он не понадобится заказчику? Где и как его содержать? Где потрошить? Ты подумал об этом? — жестко вперил он белесые глаза в Хирурга.

— Конечно, подумал, — не замедлил с ответом тот, с радостью сознавая, что Седой фактически уже принял положительное решение. — Но считаю, что это вопросы, которые мы решим в рабочем порядке.

— Ну что же, тогда будем считать дело заметанным, — поднялся со своего места Коновалов. — Можешь передать своим ученым-медикам: я готов обсудить условия договора!

В маленьком ресторанчике «На Лесной», который фактически принадлежал Коновалову и использовался им для отдыха братвы и бандитских сходок, было накурено и шумно. За большим столом, составленном из пяти-шести поменьше, сидело более двух десятков человек. Съедено было уже немало, а выпито еще больше. Бурно обсуждали, стоит ли вместо привычных грабежей и рэкета заняться новым, более доходным делом.

— Ша! Дайте сказать, — гаркнул Рябой, стараясь перекричать общий говор. — То, что дело это ходовое и на него большой спрос, — ежу ясно! Но и хлопот много больше, — понизил он голос, убедившись, что подельники его слушают. — Что мы будем делать с этими бомжами, особенно с пацаньем? Где их прятать? Их ведь не только стеречь, но и кормить надо!

— А и правда, где мы сможем укрыть столько народу, чтобы никто ничего не заподозрил? — поддержал его жилистый верзила по кличке Фитиль. — Нам же привычно иметь дело с одним-двумя клиентами, да и на хате, где мы их держим, больше пяти не поместится. Еще, что ли, пару квартир по соседству арендовать?

— Нет, в городе этого делать нельзя! На детишек обратят внимание соседи, — решительно заявил рассудительный Проня. — Придется прятать весь этот кагал в ближнем Подмосковье на какой-нибудь уединенной даче.

— С бомжами такое проделать можно, а вот пацанву там не утаишь. Шустрый народец, — выразил сомнение смуглый бандит с черными навыкате шальными глазами, прозванный за это Цыганом. — Кто-нибудь из местных обязательно их обнаружит и стукнет властям.

— Наркотой одурманим, будут сидеть тихо, как мыши, — возразил ему Проня. — Меня беспокоит другое: их же мочить и потрошить надо. Не так ли, Седой? — его голос резко прозвучал в наступившей тишине, и все посмотрели на своего главаря. — Ну и как эту чистую работу делать на заброшенной даче? Думаю, этот парень, Хирург, не согласится!

Седой ответил не сразу. Хмуро оглядев подельников, он пренебрежительно покачал головой.

— Не о том толкуете! Само собой понятно, что это дело потруднее того, чем привыкли заниматься. А вы думаете, такие бабки сами на нас с неба свалятся?

Всем своим видом показывая, что в отличие от них им все уже продумано, он медленно и членораздельно, как учитель школярам, разъяснил:

— Почему, даже несмотря на мокруху, меня привлекает это дело? Да потому, что оно намного выгоднее и безопаснее!

— Допустим, что выгоднее. Но чем же оно безопаснее? — не выдержал Фитиль.

— А тем, что как ни пугаем мы родственников, требуя выкупа за заложников, они все равно стучат мусорам, — таким же ровным голосом ответил ему Седой. — Ну кому нужны бомжи и беспризорники? Властям они поперек горла.

— Ты хочешь сказать, что их и искать мусора не будут? — согласно кивнул головой Фитиль. — Ведь и правда, никому их не жаль. Бомжи — те вообще конченые люди, а бездомные пацаны такое же отребье: сызмальства пьют и нюхают наркоту.

— Теперь понял? — с видом превосходства взглянул на него главарь. — Их хоть пачками мочи, никому до этого нет дела. А мусора лишь спасибо скажут!

Немного помолчав и снова нахмурившись, он добавил:

— Меня в этом деле не трудности беспокоят, а вы, братки! Справитесь ли со своей задачей? Это не та клиентура, с которой мы раньше имели дело!

— А в чем разница? — скривил губы в мрачной ухмылке Цыган. — Бомжи и пацанье покруче, что ли, будут?

— В том-то и дело, братва, что ни ногами их пинать, ни утюгом гладить, ни отбивать у них ничего нельзя! — наставительно произнес Седой. — Иначе вся наша работа пойдет насмарку.

— Это почему? — в один голос удивились его подельники.

— Да потому, что бабки нам отвалят только за здоровую начинку нашей клиентуры! Чего же тут не понимать?

— Выходит, у нас будет вроде как скотобойня? — осклабился Фитиль. — А мы станем мясниками?

— Вот я и боюсь, что хреновые из вас мясники, — мрачно усмехнулся Седой. — Кто и правда мясник — это Костыль, но он пока в тюряге. Вся надежда на его кореша Хирурга, однако этот потрошитель один не управится!

— Брось, Василий! Цыган, если надо, кого хошь замочит, да и у Фитиля рука не дрогнет, — обиженно проворчал Рябой. — Но ты прав: Костыль нам нужен. Пора его из тюряги вытаскивать. Я этим займусь вплотную!

Братва одобрительно зашумела, а Проня, чтобы разрядить возникшее напряжение, плеснул водки в свой бокал и, высоко подняв его, предложил:

— Давайте-ка бухнем по полной за новое фартовое дело! Светлая башка у тебя, Седой. Я не о волосе, — весело подмигнул он, — а о том, что в черепке. С ним, братва, мы не пропадем!

Все охотно переключились на выпивку, и шумное застолье возобновилось.

Глава 3. Княжны Юсуповы

Несмотря на то что было прожито почти полвека, Михаил Юрьевич Юсупов, высокорослый, атлетического сложения мужчина, выглядел молодцом. В нем, как говорится, чувствовалась порода. И не только в мужественной стати, красивой посадке головы, соразмерности и гармонии движений, а во всей свободной и уверенной осанке. Причем это не было случайным, так как происходил он из старинного княжеского рода, чем нимало гордился.

Михаил Юрьевич по-прежнему руководил частным детективным агентством и, сидя в небольшом, но уютном и современно оборудованном кабинете своего офиса, задушевно беседовал со своим старым другом и верным помощником Виктором Сальниковым, выросшим в одном с ним арбатском дворике.

— У меня, Витек, серьезная проблема, — хмуря брови, делился с ним Юсупов. — Моя благоверная отправилась с концертной группой на гастроли, и некому присмотреть за дочурками.

— Что-то не похоже это на Свету, — выразил удивление Сальников, — чтобы она уехала, не позаботившись о близнецах? Быть такого не может!

— Само собой, — подтвердил его друг и начальник. — В ее отсутствие за ними должна была ухаживать бабушка. Но супруг Веры Петровны, старый профессор, с инфарктом попал в больницу, и теща находится там неотлучно.

— Надо же, какое стечение обстоятельств! Ведь и сестра Светочки, Варя, вам помочь не может, — сокрушенно покачал головой Виктор. — Она еще не скоро вернется из-за границы?

— Ее муж, Никитин, — главный специалист Всемирной организации здравоохранения, и его контракт с ВОЗом окончится лишь через три года, — с уважением к знаменитому родственнику ответил Юсупов. — Так что вернутся они из Женевы еще не скоро.

Он ненадолго умолк и огорченно добавил:

— Дашенька, сноха, тоже сейчас с пузом ходит. Она не сможет возиться с девчонками. Ей надо лечь в клинику на сохранение: ведь наследника древнего рода носит! — тон его был шутливым, но в глазах мелькнула гордость. — Сын со мной согласен.

— Ну и к чему вы с ним пришли? — с интересом спросил друга Сальников. — Что советует Петя? Он ведь у тебя предприимчивый бизнесмен.

— Да уж, этого у моего Петра Михайловича не отнимешь! Он конструктивно мыслит, — довольным тоном произнес Юсупов. — Сын считает, что нужно срочно нанять к сестрам няньку, которая будет обиходить их дома, а забирать малышек из школы мы с ним будем поочередно.

— Это, конечно, выход, — согласился Виктор, однако в его голосе прозвучало сомнение. — Но разве легко найти подходящую домработницу? Если поспешишь, неизвестно на кого нарвешься!

Михаил Юрьевич на мгновение задумался, но затем решительно произнес:

— А что еще прикажешь делать, Витек? Придется рискнуть! Девчонкам нужен уход. Светочку же тревожить и срывать ей гастроли я не стану, — теплым тоном признался он другу. — Разумеется, она все бросит и прилетит домой. Но такого успеха у нее давно уже не было, и в душе останется горечь.

— Сколько же еще времени продлятся эти гастроли? — озабоченно взглянул на друга Сальников. — Ты подумал о том, что будет, если неотложные дела и вас с Петром сорвут с места?

— С гастролей Светочка вернется лишь через месяц. В школе я договорюсь, чтобы девочек пока оставляли на продленку, — как бы успокаивая сам себя, ответил Юсупов и дружески ему улыбнулся. — А в случае чего подстрахуешь нас ты, Витек! Девчонки тебя любят.

— Это они добрые — в свою мать, — пошутил Виктор. — Просто жалеют меня, безногого инвалида.

— Ладно. Не прибедняйся! — с любовью взглянул на него Юсупов. — Не знаю, что бы я делал без твоей помощи.

Он взглянул на часы, глубоко вздохнул и добавил:

— Ну вот вроде на душе полегчало. Теперь можно и делами заняться. Скажи там, Витек, секретарю, чтобы пропустила ко мне тех, кому назначено.

Жена Петра Юсупова, бывшая манекенщица Даша, была так хороша собой, что даже заметная беременность нисколько не снижала ее очарования. Большой живот, разумеется, подпортил фигуру, талия у нее исчезла, но широкие платья, которые она теперь носила, это искусно скрывали. Чувствовала она себя прекрасно и, узнав у мужа, что им с отцом никак не удается найти подходящую няню для его малолетних сестер, не задумываясь, предложила:

— Давай, Петенька, я поживу пока у твоих и позабочусь о близняшках. Хотя бы до тех пор, пока меня не положат в клинику. А за это время вы наверняка подыщете им какую-нибудь няньку.

— Никак решила соблазнить моего батю, пока он на холостом положении? — попробовал отшутиться Петр. — Ни за что не позволю!

— А что, он еще очень даже ничего! — весело рассмеялась Даша. — Жаль только у меня из этого ничего не выйдет. С моим-то пузом! Да и мамочке твоей он больно предан. Однолюб Михаил Юрьевич. Не в пример тебе, — добавила она с легким упреком.

Сказав это, Даша явно намекнула на то, что Петр в отличие от отца, который был верен своему чувству к жене и никогда не изменял, порвал с ней, Дашей, накануне свадьбы и едва не женился на другой. И, хотя это произошло по роковому недоразумению и закончилось для них благополучно, забыть такое она до сих пор не могла.

Разумеется, Петр Юсупов не испытывал ни малейшей ревности. И не только потому, что внешне мало чем уступал Михаилу Юрьевичу. Природа создала его почти точно по образу и подобию отца. Одного с ним роста, будучи так же хорошо физически развит, он выглядел не столь мощным, как отец, но зато намного моложе и стройнее. Петя не знал никого благороднее и порядочнее своего отца. Да и в Даше ничуть не сомневался.

— Похоже, ты меня никогда не простишь, Дашенька, — опечалился он, понимая причину ее упрека и чувствуя застарелую вину. — И будешь права! То, что я как последний идиот попался тогда на провокацию подлецов и поневоле причинил тебе горе, простить невозможно.

— Но ты не больно-то и стараешься! — с обидой произнесла Даша. — Последнее время ты ко мне невнимателен. Неужели из-за этого? — указала она пальцем на выпирающий животик. — Думаешь, я не заметила, как с тобой флиртует новая секретарша?

— Ну, это уже слишком! — возмутился Петр. — Мы с тобой очень мало виделись, потому что я все время был в разъездах. При чем здесь секретарша? Да я на нее никакого внимания не обращаю!

— Зато все остальные видят, что она перед тобой стелится и трясет грудью, — со злой насмешкой заметила Даша. — «Доброжелатели» мне об этом сообщили, как и о том, что грудь у нее ненатуральная.

— Брось, Дашенька! Ты к Инге несправедлива, — с досадой покачал головой Петр. — Девушка просто очень старается, дорожит новым местом. Вот и немного заискивает перед своим патроном.

— Ладно, замнем, — смягчилась Даша. — Но будь с ней поосторожнее, патрон! Если лукавишь, у нас возникнут большие проблемы.

Она уже успокоилась и деловито предложила:

— Позвони по мобильному Михаилу Юрьевичу и предупреди, что я останусь у них присматривать за Оленькой и Надей. Сегодня же, как привезем их с тобой из школы. Пусть купит продукты: он лучше знает, чего нет дома.

Петр сделал протестующий жест, собираясь было возразить жене, но она его решительно остановила:

— Не трать слова понапрасну, Петя! Ты сам понимаешь, что это необходимо. Светлана Ивановна вернется нескоро, а до летних каникул еще больше месяца. Лучше постарайся поскорее найти сестрам няню.

Не став слушать его возражения, Даша пошла собирать вещи, которые надо было взять с собой, а Петр, с досадой махнув рукой, стал набирать по сотовому телефону номер мобильника отца.

— Папа, могу тебя обрадовать, — стараясь скрыть свое недовольство, сказал он, услышав характерный низкий голос отца. — Пока мы не найдем для девчонок подходящую няньку, у вас поживет и за ними присмотрит Даша. Она сама на этом настояла и уже собирает свои вещички. Отправится вместе со мной, когда я поеду в школу за сестричками.

— Как у нее со здоровьем? — обеспокоился Михаил Юрьевич. — Не повредит это наследнику нашего рода? Не очень обидится, — пошутил он, — на нас с тобой будущий маленький князь?

— Даша чувствует себя хорошо и говорит, что побольше двигаться ей лишь полезно, — заверил его сын, и усмехаясь поинтересовался. — А почему ты уверен, что родится мальчик, а не девчонка?

— Потому, что наш славный древний род охраняет сам Господь Бог! — вполне серьезно ответил ему Михаил Юрьевич. — Зная, что мы готовы отдать жизнь за Россию, он в первую очередь посылает нам мужчин. Так появился ты, когда я пропадал в Афгане, так будет и впредь!

— Значит, с нами Бог, папа? Это хорошо, но, как говорится, о земном самим нужно позаботиться, — с легкой иронией заключил Петр. — Даша просила тебя купить необходимую еду. Считает, ты лучше знаешь, чего не хватает в твоем холодильнике.

— Пусть не берет в голову! Об этом я позабочусь, — прогудел в трубке голос отца. — А сейчас попрощаемся. Мне надо закруглять дела.

Когда крутой джип Петра Юсупова припарковался вблизи ворот красивого особняка, в котором помещалась частная средняя школа, первоклассницы Надя и Оля уже ждали, высматривая сквозь щели витой ограды. Завидев, сразу же побежали к выходу. Брат вышел им навстречу, а Даша, глядя на них из машины, залюбовалась своими юными золовками.

Девочки-близнецы были чудо как хороши! С золотистыми кудрями и ярко-синими глазами, румяные и ладненькие, они обе пошли в свою красавицу мать. Они родились намного позже своего брата, появившегося на свет незваным, после того как Михаила Юрьевича послали на войну в Афган. Прошло немало лет, пока он, вернувшись из плена, смог жениться на матери своего сына. Считая Михаила погибшим, она вышла замуж, и он долго не знал, что это его ребенок.

— А я вам, сестренки, по плюшевой собаке купил. Они в машине, — объявил Петр и добавил: — Белого пуделя для тебя, Оленька, и чао-чао для тебя, Надюша.

Девочки были названы в честь Ольги Матвеевны, покойной матери Михаила Юрьевича, и Надежды, трагически погибшей сестры Светланы Ивановны. Подхватив на руки, Петр без видимых усилий понес девочек к машине.

— Ну что, плохо дома без мамули? — спросил он, любовно прижимая к себе близняшек. — Могу обрадовать. До ее возвращения с вами побудет тетя Даша. Вы ведь не против?

— Еще бы! Мы любим Дашеньку! — в один голос весело закричали близняшки; они не называли жену брата тетей, и это ей нравилось. — А когда она родит ребеночка? Скоро? — живо поинтересовались они, видимо, уже неплохо разбираясь в этом вопросе.

— В свое время, — строгим тоном ответил Петр, не считая нужным поддерживать их интерес к этой теме. — Вам что, собственной компании недостаточно?

— Значит, если родится девочка, то будет нам племянницей, а если мальчик — племянником? — спросила более серьезная Оля.

— Совершенно верно, — подтвердил брат, опуская обеих на землю, так как они уже достигли цели. — Но до этого еще далеко.

Открыв заднюю дверцу джипа он подсадил и передал сестер Даше, которая тут же принялась их нежно обнимать и целовать. Петр вывел сияющую лаком громоздкую машину из узкого переулка и влился в сплошной поток попутного транспорта, направляясь к старому дому на Патриарших прудах, в котором он вырос.

Этот в свое время элитный дом, который, как и многие другие, был возведен в застойные времена взамен сносимых в тихом центре Москвы, по-прежнему красовался напротив гостиницы «Марко Поло». Конечно, он во многом уступал современным престижным зданиям, давно не знал ремонта и вместо вахтера его охранял лишь домофон, но превосходил все же многие другие по удобству планировки квартир.

С трудом найдя место для парковки, Петр помог вылезти Даше и сестрам, запер машину, и они веселой гурьбой направились к сверкающему зеркальными стеклами подъезду дома.

Вера Петровна Розанова, пожилая дама с гладко зачесанными седыми волосами и привлекательным добрым лицом, приехала к мужу в клинику, как обычно, одной из первых. Инфаркт профессора явился полнейшей неожиданностью не только для всех друзей и знакомых, но и для семьи. Стараясь шуткой подбодрить больного, Игорь Иванов, друг детства Степана Алексеевича, во время первого его посещения посетовал:

— Ну, Степа, ты и даешь! Всегда поступаешь вопреки правилам. Когда был молодым, поражал нас тем, что как двужильный пахал, несмотря на постоянную нервотрепку и стрессы. Теперь же вдруг свалился, хотя делаешь физзарядку, на даче закаляешься и дома, как ни у кого, счастливая обстановка.

Он подмигнул своему другу и напомнил старый анекдот:

— А ведь сам знаешь, что все болезни от нервов и лишь одна от удовольствия. Хотя, пожалуй, теперь их две, — весело добавил он, видя, что губы больного тронула слабая усмешка, — СПИД еще появился. Но хоть это тебе не грозит!

Профессор Розанов лежал все так же полузакрыв глаза, но его бледное лицо порозовело, что было признаком улучшения самочувствия.

— Ведь люди, которые верят, что долголетия могут достичь только жители гор и у нас они обитают лишь на Кавказе, крупно ошибаются! — бодро продолжал Иванов. — Я в этом убедился, когда из газет узнал, что нашли двух аж по сто пятьдесят лет в сыром и полном смога Лондоне. Оказалось, что оба — садовники. Ну как тут не поверить, что главное — это беречь нервы!

— Это моя вина, что у Степочки инфаркт, — покаялась Вера Петровна дочери, позвонившей сразу же, как узнала о болезни отца. — Прошляпила, когда он пожаловался, что сильно устает. Посоветовала поменьше работать в саду. А это, оказывается, — всплакнула она, — к нему инфаркт подкрадывался.

— Не казнись, мамочка! Все равно назад ведь не вернешь, — чтобы успокоить ее, посоветовала Светлана Ивановна. — Папа крепок, как никто, в его возрасте. Вот увидишь, он обязательно выкарабкается!

— Нет, дочура! Я ведь знала, что он сильно переживает по работе, хоть и виду не показывает, — горевала она, утирая слезы. — Он ничего мне не говорил, и я не расспрашивала, чтобы не бередить ему душу. А зря!

— Почему же? — не поняла ее дочь.

— Да потому сердце у него прихватило, что все носил в себе! А если бы со мной поделился, то ему непременно полегчало б! — перестав плакать, убежденно заявила Вера Петровна. — Но, видит Бог, я не уйду из больницы, пока не вытащу оттуда Степочку!

— Но как тогда мне быть с Оленькой и Надюшей? — всполошилась Светлана Ивановна. — Кто же с ними останется, если ты будешь все время в больнице?

— Придется тебе вернуться домой! — сухо ответила ей мать. — Я люблю внучек, но и мужа не могу оставить без ухода в таком положении. И не говори мне, что в больнице без меня справятся! — повысила она голос. — Будто не знаешь, какой там теперь уход!

— Но я не могу этого сделать! Меня некем заменить, и наши гастроли будут сорваны, — тяжело вздохнула Светлана Ивановна. — Я, как-никак, все еще примадонна, и театр понесет большие убытки.

Однако Вера Петровна лишь грустно покачала головой:

— Ничего не поделаешь, доченька! Это — меньшее зло. Я знаю, что в своем сердце ты хранишь верность Ивану Кузьмичу. Но не забывай и того, что твой отец все же Степан Алексеевич!

Светлана Ивановна смущенно понурилась, так как мать попала в ее больную точку. Хотя она уже давно звала профессора Розанова папой, но при этом ясно сознавала, что никогда в душе не будет считать его своим отцом. Таким для нее до конца дней останется покойный отчим Иван Кузьмич Григорьев, который с самого рождения любил ее и вырастил как родную дочь.

Вера Петровна вышла замуж за ее отца, Степана Алексеевича, лишь спустя пять лет после смерти Григорьева. Профессор Розанов не был виноват в том, что дочь росла, его не зная, и сам до поры о ней не ведал. Прекрасный человек, которого всю жизнь любила мать, он все же не стал для Светланы Ивановны тем, кем был, — ее родным отцом. Так получилось, и с этим ничего нельзя было поделать!

— Вы уже пришли? Ранняя пташечка! — радушно приветствовал Веру Петровну дежурный врач клиники, встретив у входа в палату. — А у меня для вас хорошие новости. Ваш муж — молодец, идет на поправку. Кризис уже позади!

— А говорить мне с ним можно? — робко подняла на него Вера Петровна свои чудесные серые глаза. — Уж больно тяжело видеть его безмолвно лежащего с полузакрытыми глазами.

— Говорите сколько угодно, только не на грустные темы, — улыбаясь, разрешил врач. — Сегодня он уже совсем не такой, каким вы видели его вчера. Сам просит подать то, что ему требуется.

И правда, стоило Вере Петровне войти в палату, как муж ее сразу заметил и слабо улыбнулся. По-видимому, с нетерпением ждал, когда она появится. Он ничего не сказал, лишь указав глазами на стул возле кровати, и она на него присела.

— Ну ты сегодня уже нормально выглядишь, Степочка. Доктор говорит, что пошел на поправку, — сказала Вера Петровна, ласково гладя его большую руку, лежащую поверх одеяла. — Если будешь их слушаться, то побыстрее выпишут, — от себя добавила она. — Просто не представляю, как без тебя управлюсь на даче, дорогой. Так что ты уж постарайся!

— До нормального еще далеко, но буду стараться, — медленно выговаривая слова, слабым голосом произнес Степан Алексеевич. — Что, здорово я вас всех подвел?

— О чем ты, дорогой? У нас все в порядке, — бодро заверила его супруга. — Тебе не следует беспокоиться.

— Брось, Веруся, я же знаю, что подвел, — так же тихо продолжал он. — Раз ты здесь, то за внучками смотреть некому.

— Вот ты и не прав, Степочка! — Вера Петровна слегка сжала его руку. — За Олей и Надей будет ухаживать Даша. Она уже временно перебралась на Патриаршие. Пусть тебя это больше не заботит!

Предупреждая вопрос, который прочитала в глазах мужа, она добавила:

— Дашеньке это не повредит, но Михаил и Петенька подыскивают для наших внучек подходящую няню. Сам знаешь, дело это непростое и быстро его не сладишь. Ведь кому попало девочек не доверишь!

Вера Петровна с любовью посмотрела на небритое, но все равно красивое и мужественное лицо Розанова, и, чтобы поднять его настроение, заверила:

— А насчет дачных дел не сомневайся: я с ними сама управлюсь! Не я, что ли, в деревне выросла? Чай не забыла, как лопату и вилы в руках держать. — Она перевела дыхание и деловито перечислила. — Компост в теплицы я уже заложила, рассада подготовлена. Так что на Первомай и Победу все будет посажено.

Снова прочитав в глазах мужа немой вопрос, Вера Петровна решила больше не лукавить и призналась:

— С плодовыми деревьями и кустарниками я, Степочка, одна не управлюсь. Вот поправишься, сам все в саду сделаешь. Мне это не по силам. А за остальное можешь не беспокоиться!

Немного поразмыслив над тем, что еще должно его заботить, она добавила:

— На дачу ездить буду с нашими соседями. Мне и Воронины предлагали, и Фридманы. Им ничего не стоит попутно меня подобрать и высадить у метро.

Заметив, что муж нахмурился, она сразу догадалась, в чем дело.

— Знаю, дорогой, что ты не любишь одалживаться, — мягко сказала она, вновь погладив его по руке. — Но Михаила и Петеньку просить об этом не хочу. Они слишком заняты своими важными делами. Пусть заботятся о Даше и внучках!

Степан Алексеевич, видимо, был еще очень слаб и, умиротворенный ее неторопливыми ласковыми речами, непроизвольно задремал. Убедившись, что он ее больше не слушает, Вера Петровна поправила на нем одеяло и достала из сумки книжку, которую начала читать еще в троллейбусе.

Мощный «БМВ» Седого с его подручным Цыганом за рулем резко затормозил у невзрачного здания, в котором помещалось охранное бюро «Выстрел». Из передних дверей машины, пригнув головы, вылезли рослые Седой с Цыганом, а из задней выкатился маленький Проня и вслед за ними вошел в дом.

В знакомой обшарпанной конторе находилась лишь Настя, которая, со скучающим видом, сидя за секретарским столом, читала книжку. Кивнув ей, Седой и Проня прошли в кабинет, а Цыган развалился рядом на стуле. Зазвонил телефон, и Настя лениво подняла трубку.

— Шеф сейчас занят, а кто его спрашивает? — хорошо исполняя свою роль, отозвалась она деловым тоном. — А, это ты, — узнала она голос Хирурга. — Говори, что нужно, я ему передам! Хорошо, перезвони ему минут через сорок.

— Ну ты и артистка, Настя! Тебе бы на сцене играть: такой талант пропадает, — смеясь, заявил ей Цыган, когда она положила трубку. — Я просто загляделся, как ты из себя секретутку разыгрывала.

— А ты на меня не заглядывайся! Не по сеньке шапка! — отрезала Настя. — Пора бы понять, что здесь тебе ничего не обломится.

В ответ на ее отповедь красавец Цыган лишь нагло усмехнулся.

— Это почему же? — подсев поближе, спросил он, понизив голос и глядя в упор своими шальными глазами. — Разве я хуже Седого?

— Смотри, доиграешься! — предупредила его Настя. — Не боишься, что я ему это передам?

— Ну прям напугала, — ничуть не смутясь, усмехнулся Цыган. — Не будет Седой из-за телки ссориться с корешом. Он против групповухи. Давай устроим на днях, — наклонясь к ней, добавил он горячим шепотом, — веселую компанию в баньке? Не пожалеешь!

От такого нахального натиска Настя растерялась, и ухажер, решив, что она поддается его чарам, попытался втихомолку запустить ей руку под юбку.

— У тебя что, совсем крыша поехала? — опомнившись, прошипела Настя, как ужаленная вскакивая с места. — Ишь, руки распустил! Я не шучу, скажу Василию, если не перестанешь приставать.

— Да брось корчить из себя недотрогу, — тоже вскочив и приблизившись вплотную, горячо выдохнул ей в лицо Цыган. — Будто не знаю, что Седой тебя под клиентов подкладывает, когда того дело требует! Им можно, а мне нельзя?

— Сам знаешь, то для дела, а не ради забавы. Так что садись и забудь об этом думать, — решительно отстраняясь, бросила ему Настя. — Мне никто, кроме Васи, не нужен!

Неизвестно, чем бы у них это закончилось, если бы из кабинета не вышел Проня. С удивлением взглянув на стоящих друг перед другом тяжело дышащих Настю и Цыгана, он сказал:

— Ссоритесь, что ли? Нашли время базарить! Пойдем, тебя зовет Седой, — кивнул он Насте с загадочным видом. — Предстоит интересное дельце.

В кабинете Василий Коновалов с задумчивым видом уставился в лежавшие перед ним на столе какие-то справки. Когда Настя вошла, он, не глядя на нее, бросил:

— Садись! Надо обсудить серьезное дело.

Однако его темпераментная любовница вместо этого зашла ему за спину и, приобняв так, чтобы почувствовал ее горячее тело, шепнула на ухо:

— Дела могут ведь и подождать, Васенька! Мы уже дня три как не виделись. Сначала приласкай, я по тебе соскучилась!

— И я не против, но немного погодь, Настена, — мягко, но решительно сказал Седой, высвобождаясь из ее объятий. — Сначала решим наши дела, я отпущу Проню и Цыгана, а потом мы с тобой, — он плотоядно посмотрел на нее своими белесыми глазами, — потрахаемся досыта.

— Ладно, пусть будет по-твоему, — с трудом успокаиваясь, согласилась Настя и, вспомнив о звонке Хирурга, сообщила: — Кстати, о деле. Тебе чего-то хочет передать Фоменко насчет трехстороннего совещания с медиками. Я сказала, что ты занят. Через полчаса он перезвонит.

— Ладно. Посмотрим, что выйдет из этого рая, — проворчал Седой. — Поговорим о привычном нашем деле.

Вздохнув, Настя с кислым видом уселась в кресло, и Седой, глянув в лежащие перед ним бумажки, продолжал:

— Проня тут дельце одно надыбал. Внедрить в дом с богатыми детишками нашу няньку. Ею будешь ты!

— Понятно, — коротко отозвалась Настя. — А кто они такие?

— Родные сестры очень состоятельного молодого бизнесмена. Он владелец ряда высокодоходных предприятий по добыче и переработке золота и цветных металлов. Ему ничего не стоит отвалить нам целую кучу бабок!

— Ну и что конкретно от меня требуется?

— Предложить свои услуги в качестве няни. Они дали объявление, — объяснил Седой и успокаивающе добавил: — Девочки уже большие, школьницы, учатся во втором классе. Ну как?

— Сойдет. Не впервой, — согласно кивнула Настя и поднялась с кресла. — Мне что, позвать твоих?

Когда она вернулась в сопровождении Цыгана и Прони, Седой коротко приказал своим подельникам:

— Отправляйтесь, и чтоб к завтрему Настя знала все о семье Юсуповых, а главное, о характере этих девочек-близнецов. Тянуть с этим нельзя: нам могут перебежать дорогу.

Стоило подручным закрыть за собой дверь, как Седой схватил Настю в охапку и усадил на край стола, нетерпеливыми руками стягивая с ее ног колготки. Долго сдерживавший желание, он торопился и грубо вошел в нее, рыча от удовольствия. Его пылкая любовница, крепко обхватив за спину, активно ему помогала, и вскоре их крики и стоны свидетельствовали о том, что они забыли обо всех делах на свете.

Обнаружив на белье подозрительные пятна, Даша не на шутку обеспокоилась. «Неужели и эта беременность окончится неудачно? — горестно подумала она. — Наверное, наш брак с Петей не угоден Богу, раз он не хочет благословить его ребенком». Родить мужу сына было самой заветной ее мечтой, тем более что знала, с каким нетерпением ждет Михаил Юрьевич появления продолжателя своего древнего русского рода.

— Зря я сегодня тащила с рынка такие тяжелые сумки. Дура набитая! — вслух выругала она себя. — Мне беречься надо, а я проявляю легкомыслие! «Придется все же лечь в клинику на сохранение, если не хочу потерять ребенка. Но как же я брошу Оленьку и Надю? — с отчанием подумала она. — Ведь их совершенно не на кого оставить!»

Мучительно размышляя над тем, как ей теперь быть, Даша пришла к выводу, что единственный выход — это попросить свою мать побыть с девочками до приезда с гастролей Светланы Ивановны. Дело осложнялось тем, что Анна Федоровна Волошина была далеко от Москвы. Уезжая надолго в экологическую экспедицию, муж взял ее с собой, пристроив в качестве поварихи.

— Попробую все же с ней связаться! Они там вполне обойдутся без нее, — наконец решила Даша. — Здесь мама нужнее. И за девочками присмотрит, и мне поможет сохранить своего будущего внука. — В том, что у нее родится мальчик, она почему-то была уверена.

Однако и здесь ее ждала неудача. Когда Даше с трудом удалось связаться по радиотелефону с центральной базой экспедиции и добиться, чтобы позвали маму, Анна Федоровна наотрез отказалась.

— Я тебе сочувствую, доченька, и очень хочу внучонка, но ты ошибаешься, считая, что мне можно так просто взять и уехать. Здесь никто толком не умеет готовить, и они без меня пропадут, — извиняющимся голосом объяснила она. — Да и папа не совсем здоров, подцепил какую-то лихорадку.

— Но как же я, мама? Разве для тебя опасность, которой подвергается твоя дочь, не важнее этой экспедиции? — возмутилась Даша. — Вот уж чего я никак не ожидала!

— Ну конечно, важнее, — чуть не плача, подтвердила мать и все же добавила: — Но у тебя, доченька, в Москве есть все, чтобы получить самую лучшую помощь. А им здесь, кроме меня, помочь некому.

Голос ее прервался, и было слышно, как Анна Федоровна всхлипнула.

— Что касается твоих маленьких золовок, то Михаил Юрьевич и Петя найдут выход, — убежденно произнесла она. — Не беда, если и посидят с ними немножко дома, оставив на время свои важные дела.

На этом их разговор прервали, и огорченная Даша не стала больше пытаться его возобновлять. «А мама, пожалуй, права, — поостыв, подумала она. — Мне надо ложиться в клинику. Михаил Юрьевич и Петя найдут выход!» Поразмышляв над этим еще некоторое время, Даша по мобильному позвонила мужу.

— Петенька, постарайся приехать сюда, на Патриаршие. Мне нужно срочно с тобой посоветоваться, — попросила она, когда он взял трубку и добавила: — Этого нельзя сделать по телефону.

— А что стряслось? — тревожно спросил Петр, не слишком скрывая своего недовольства. — И если срочно, почему нам нельзя это обсудить прямо сейчас?

— Вот приедешь и все узнаешь! — сухо ответила Даша. — Так тебя ждать?

— Хорошо, выезжаю, — так же сухо ответил он, прекращая связь.

«Да, сильно изменился ко мне Петя. Усталостью и деловыми стрессами это не объяснишь, — мысленно горевала Даша в ожидании приезда мужа. — Видно, у него ко мне охлаждение. Неужели из-за того, что между нами стала редкой близость? Неужто лишь секс способен нас крепко связывать друг с другом?»

Долго огорчаться ей не пришлось, так как в прихожей громко хлопнула входная дверь, возвестившая о прибытии Пети.

— Ну, так в чем тебе нужен мой совет? — спросил он, стремительно входя в гостиную, где ожидала его Даша.

— Утром пошла кровь, — коротко сообщила она ему. — У меня, по-видимому, осложнения, и мне надо срочно лечь в клинику.

— Ну вот! — сокрушенно произнес он. — А как же Оленька и Надя? Отец сообщил, что улетает на пару дней в командировку.

— Так и знала, что у тебя на первом месте буду не я, а твои сестры, — убитым голосом произнесла Даша, отводя от него глаза. Обида захлестнула ее, и она вспомнила слова матери. — Ничего страшного. Оставишь на время свои важные дела и посидишь дома!

— Ты не понимаешь, о чем говоришь! — в свою очередь обиделся на нее Петр. — Если бы я мог их бросить! Ведь каждый раз речь идет о суммах со многими нулями! Представляешь, какие будут убытки?

— Для меня дороже всего наш ребенок! Я надеялась, что и для тебя тоже, но видно ошиблась, — бросила ему в лицо горький упрек Даша. — Найдешь выход, раз ты такой деловой!

— Да я уже его нашел! Напрасно спешишь расстраиваться, — не уловив всей глубины ее обиды, возмутился Петр. — Сегодня мне звонила по объявлению вроде бы подходящая девушка. На днях с ней можно будет встретиться, и, возможно, проблема сестер сама собой решится.

Его сообщение немного успокоило Дашу.

— А зачем медлить? Почему тебе бы сразу с ней не договориться? — спросила она, все еще недовольным тоном.

— Прежде чем с ней встречаться, надо выяснить: кто она такая. Это сможет сделать отец, когда вернется, — объяснил Петр. — Ведь любую с улицы к нам в дом пускать нельзя! Придется и тебе немного обождать.

Кажущееся равнодушие мужа к ее состоянию и судьбе их будущего ребенка переполнило чашу обид в сердце Даши.

— Ладно, вы с отцом можете проверять няньку, сколько хотите, а я завтра же ложусь в клинику, — решительно заявила она мужу. — Сейчас же отправлюсь в консультацию за направлением. Так что на меня больше не рассчитывайте!

Сказав это, Даша вышла из гостиной, оставив Петра в мрачной задумчивости. Впервые, с тех пор как они поженились, в их отношениях появилась серьезная трещина.

Если бы ему не пришлось везти Дашу, как она решила накануне, в одну из лучших гинекологических клиник столицы, Петр Юсупов непременно дождался бы отца, чтобы основательно проверить девушку, предложившую свои услуги в качестве няни для Оленьки и Нади. Но, оставшись один на один со своими малолетними сестрами, он чувствовал себя так, будто у него руки связаны, и это лишило его обычной осмотрительности.

Когда девушка, назвавшаяся Зинаидой Трофимовной Шишкиной, позвонила ему снова, он, вместо того чтобы отсрочить «смотрины» на пару дней, предложил ей, не откладывая, приехать к нему в офис.

— Ситуация неожиданно изменилась, — без обиняков объявил ей Петр. — Это вынуждает меня поторопиться в выборе няни для моих сестер. Если подойдете, то вам придется сегодня же приступить к работе. Вас это устроит?

— Вполне, — лаконично ответил ему приятный грудной голос, очень похожий на голос Даши. — Так получилось, что я очень нуждаюсь в деньгах.

— Тогда, Зинаида Трофимовна, приезжайте к двум часам в мой офис на заводе «Цветмет», — предложил Петр. — Это на Даниловской. Там вам каждый покажет, где он находится. Пропуск будет заказан.

Будущая няня его сестер явилась точно в назначенное время.

— К вам просится на прием какая-то молодая особа, — заглянув в кабинет начальника, сообщила секретарша Инга — длинноногая инфантильная блондинка в такой мини-юбочке, что было непонятно, как она может что-либо прикрывать. — Вы ей назначали? — спросила она, явно надеясь, что это недоразумение.

Поскольку подтверждение последовало, она с недовольным видом ретировалась, и в кабинет легкой походкой вошла копия Даши, лишь с той разницей, что волосы были потемнее и фигура более пышной и соблазнительной, несмотря на скромную одежду. Петр был так поражен, что некоторое время молча рассматривал визитершу, забыв пригласить ее присесть. Ему не верилось в реальность происходящего и чудился в этом какой-то подвох.

Наконец, оправившись от удивления, он невнятно пробормотал:

— Присядьте, Зинаида Трофимовна, и немного расскажите о себе. Главное, что меня интересует, откуда вы родом и имеете ли опыт обращения с детьми?

«А ему я здорово приглянулась, аж онемел, — самодовольно подумала Настя. — Ну что же, для хозяина он даже очень ничего! Мужик богатый и внешне привлекательный. Недурно будет его подцепить!» Вслух же, скромно опустив глаза, сообщила:

— Я из Казахстана. Русские сейчас оттуда бегут. Вот и я приехала, чтобы тут найти свое счастье, но устроиться на работу трудно. Из-за материальной нужды не окончила школу. С детьми я обращаться умею — помогала воспитательнице детсада. Деньги нужны, чтобы самой одеться и помогать матери. Спрашивайте, у меня секретов нет! — подняла она на Петра голубые глаза, и он вздрогнул — так они были похожи на глаза Даши. — И пожалуйста, зовите меня просто Зиной, а то я чувствую себя старухой.

— Ну что же, первое впечатление от нашего знакомства у меня неплохое, Зина, — переходя на «ты», откровенно объявил ей Петр, — хотя надо бы узнать о тебе побольше. Но нам сейчас не с кем оставлять сестер, и еще, — дружески улыбнулся он, — ты удивительно внешне похожа на мою жену, которая находится в больнице. Посмотрим, какая ты в деле!

«Так вот почему он при виде меня обалдел. Значит, я в его вкусе, а женушка хворая, — мелькнуло в голове у Насти. — Это облегчает задачу затащить в постель богатенького, но он о моих планах не должен подозревать!» Поэтому вслух она с деланным смущением спросила:

— Выходит, вы меня берете? А какие будут условия?

— С испытательным сроком, — уже по-деловому объявил ей Петр. — Желательно с проживанием до приезда моей матери, а потом можешь быть приходящей, по собственному желанию. Два выходных, как у всех. Ты только работай прилежно, а условия будут самые лучшие. Такие, какие назначишь сама!

— И двести долларов сможете в месяц? — навскидку назвала запредельную сумму Настя, сама удивляясь своему нахальству.

— Будешь получать пятьсот! Лишь бы я был спокоен за сестер, — спокойно заверил ее Петр. — А сейчас поедешь вместе со мной знакомиться с твоими подопечными. У них в школе как раз окончились занятия.

«Вот поразится Даша, когда увидит в Зине свою копию, — весело думал он за рулем джипа по дороге в школу, время от времени бросая взгляд в зеркало на сидящую сзади Настю. — Это будет для нее тем еще сюрпризом!» Ему, чистому в мыслях, даже в голову не приходило, что жена вряд ли обрадуется появлению в семье Юсуповых равной ей молодой красотки.

Глава 4. Седой действует

Воскресный день выдался пасмурным и дождливым. В широко распахнутое окно спальни дул порывистый холодный ветер, но разгоряченные тела Седого и Насти это приятно освежало и помогало быстрее восстановиться после бурно проведенной ночи.

— Ну и охочая ты сучка, Настена, — со свойственной ему грубостью, но вполне благодушно пробормотал Седой, похлопав ее по бесстыдно обнаженному розовому заду. — Мне вроде силенок не занимать, но чувствую себя вымотанным, как после тяжелой работы.

— Сам вовсю старался, никто тебя не заставлял, — лениво отозвалась его неутомимая любовница, свободно раскинувшаяся на постели с удовлетворенной улыбкой на лице.

— Так рядом с тобой разве уснешь? — проворчал Седой, но видно было, что и сам он доволен проведенной ночкой. — Хорошо еще, что у тебя только два дня выходных.

Он помолчал и самодовольно произнес:

— А знатную ксиву мы тебе раздобыли, Настена! Эту девку-наркоманку мои парни затрахали до смерти и схоронили так, что никогда не найдут. И по фотке, что мы переклеили на паспорте, тебя не разыщут. На ней ты — черненькая, а та была блондинкой. Так что краситься тебе не придется.

Седой немного подумал и добавил:

— Хотя, как знать, может, и побудешь еще некоторое время в няньках. Тебе ведь немало «зеленых» новый хозяин отвалил? — его толстые губы насмешливо растянулись, но белесые глаза сохранили холодное выражение.

— Это почему же, Васенька? — не поняла его Настя. — Днем у них дома никого нет, ключи от квартиры у меня. Так зачем же тянуть?

— Сейчас мы не сможем провернуть этот киднеппинг. У нас просто не хватит сил одновременно сделать два дела. Ведь знаешь поговорку, — осклабился он, — «за двумя за яйцами погонишься — ни одного за яйца не поймаешь!»

Это насмешило Настю, но она все равно ничего не поняла.

— О каком втором деле толкуешь? — удивленно посмотрела она на любовника. — И зачем мне тогда сидеть в няньках?

— Братва сейчас будет занята вызволением из тюряги Костыля, — объяснил Седой. — Стало известно, что скоро должен состояться суд, а это самый удобный момент для побега. Рябой вплотную им занимается.

Настя сникла, и он, чтобы ее подбодрить, добавил:

— А ты, Настена, пока мы это проверием, отдохни на дармовых харчах, да и «зеленых» подгреби до кучи. Разве лишняя штука баксов тебе помешает?

— Ничего себе отдых! Полдня готовить еду, а всю вторую половину с двумя девчонками вожжаться, — проворчала Настя. — Но ты-прав: баксики и в Америке деньги. Хоть не зря страдать буду! Да и, по правде сказать, эти близняшки чудо как хороши!

— Что, такие красивые соплячки? — с интересом скосил на нее глаза Седой.

— На редкость, Вася! — восхищенно подтвердила Настя и добавила: — Кроме того, из разговоров хозяев я усекла, что они вроде какого-то старинного рода. Из князей, что ли. Такое может быть? — с сомнением покачала она головой.

Однако на Седого это не произвело впечатления.

— В жизни все бывает, — равнодушно отозвался он. — Какое это сейчас имеет значение? Главное, получить за них хорошие бабки!

— Может, пощадишь их, Вася, когда выкуп получишь? Уж больно красивые девчушки! — вздохнула Настя, прижимаясь к нему пышной грудью, так как вновь ощутила страстное томление. — Мне будет их жаль.

— Что-то ты больно жалостливая стала! В нашем деле —это помеха. Пора тебя списать, — как бы шутя бросил ей Седой, но в его голосе послышалась скрытая угроза. — Однако где я найду такую охочую телку? — смягчил он тон, так как у него тоже снова возникло острое желание. — Уж больно хороша ты, Настена, в постели!

С этими словами он обхватил ее своими волосатыми лапищами, перевернул на спину, и им стало не до разговоров.

Прохор Рябов приехал на встречу с помощником начальника конвоя тюрьмы Шевчуком в грязноватый ресторанчик на краю города, везя маленький кейс, туго набитый пачками долларов. Место и время встречи выбрал сам Шевчук. Видно, чувствовал там себя в безопасности.

Рябой вышел на него довольно сложным путем. Изучая обстановку в этой тюрьме и вокруг нее, он зацепился за два удачных побега, совершенных заключенными. Одного по блатным каналам удалось разыскать, и тот за приличные бабки открыл, кто ему тогда помог. Остальное уже было, как говорится, делом техники. И теперь у них предстоял решающий разговор.

Как и было условлено, Рябой вошел в ресторан один, без сопровождающих. Его братва осталась в большом подержанном «форде», припаркованном в пяти шагах от входа. В довольно большом зале, оборудованном в полуподвале старой кирпичной двухэтажки, дым висел коромыслом, а на небольшой эстраде под фонограмму трясла силиконовой грудью и вертела оголенным задом довольно зрелая девица.

Шевчук его уже ждал за угловым столиком, без видимого интереса посматривая на то, что вытворяла девица. Это был громоздкий, тучный детина с выпирающим животом, одетый в мешковатый, плохо сидящий на нем костюм. Любой мог легко догадаться, что это либо переодетый мент, либо кадровый военный.

— Вот, что меня задержало, — вместо приветствия и извинений сказал Рябой, садясь рядом с ним и прихлопнув ладонью по кейсу, который положил к себе на колени. — Он дорого стоит! Как, здесь надежное место?

— Нет вопроса! Хозяин мой друг, — коротко ответил конвойный. — Разговор может быть откровенным. Ни жучков, ни видеокамеры здесь нет. Водку пьешь?

Перед ним на столике, сервированном на двоих, красовались графин и три блюда с салатом, мясным и рыбным ассорти. Шевчук наполнил рюмки.

— Давай выпьем, Рябов, за то, чтобы мы с тобой не зря провели здесь время, — предложил он. — Думается, что мы поладим.

— Еще бы! Стал бы я сюда тащить это. — Рябой снова похлопал по кейсу. — Можешь не сомневаться, здесь ровно половина, как договаривались.

Они выпили, неторопливо закусили, и разговор принял деловой характер.

— Я все устрою так, — вполголоса сообщил конвойный, — что сопровождать вашего Башуна, когда его повезут на «воронке» в суд, буду я, и еще двое, один из которых мой проверенный в деле помощник.

— А второй что, ненадежен? Он не подведет? — встревожился Рябой.

— В том-то вся и закавыка. Уволили моего второго помощника. По пьянке, — мрачно произнес Шевчук. — А с новым и говорить не стоит: заложит начальству!

— Как же с ним быть? Придумал, что делать? — нахмурился Рябой.

Тучный Шевчук откинулся на стуле, вытер потный лоб и шею несвежим платком и, глядя на него хитрыми заплывшими глазками, заверил:

— Само собой! Свое дело знаем. Не первый год замужем, — усмехнулся он и предложил: — Давай выпьем, Рябой, за успех моей задумки. Она тебе понравится!

— Это можно, — согласно кивнул тот, наливая себе и ему из графина. — Но сначала хочу послушать, что ты придумал.

— Хорошо, пусть будет так. — Шевчук поставил на стол рюмку. — Мой план совсем простой и основан на совместных с тобой действиях.

— Ты это о чем? — насторожился Рябой. — За что же мы тебе даем такие бабки, если придется самим рисковать шкурой?

— Только за то, что выполним мы с напарником, — спокойно ответил Шевчук. — Без нас вам ничего не сделать!

— Ладно, согласен, — сдался Рябой. — Так в чем состоит твой план?

Прежде чем начать, Шевчук шумно вдохнул в себя воздух...

— По дороге в суд у «воронка» спустит шина. Об этом позаботится мой напарник. Он же с шофером станет менять колесо.

Вы будете следовать за нами. Место выберем такое, чтобы никто не помешал, — четко и толково излагал он свой план. — Как только они начнут работу, нападете и вырубите обоих. Не церемоньтесь, чтобы было правдоподобно, и обязательно их свяжите!

Он снова шумно набрал в себя воздух и продолжал:

— В это время заключенный Башун, который нами будет предупрежден, нападет на новичка конвойного и станет душить его своими наручниками. Я, конечно, изображу с ним борьбу, чтобы это видел новичок и потом засвидетельствовал.

— А что, если новичок окажется крепким орешком? — усомнился Рябой. — Тебе же придется ему помогать, и тогда у нас ничего не выйдет!

— Куда ему против вашего Костыля, хоть он и крепкий парень! — отмахнулся Шевчук. — Я позволю, чтобы ваш кореш его слегка придушил, а потом вырублю, и он о дальнейшем не вспомнит. Меня тоже огреете и свяжете. После этого можете смываться.

Он немного подумал, как бы припоминая, не забыл ли чего, и добавил:

— Все это нужно проделать в темпе, не более чем за десять минут. Тогда наше дело будет в шляпе. У меня еще не было осечек! Ну, какое твое мнение?

— Фартово придумано! — с уважением взглянув на толстяка, одобрил его Рябой. — Так у нас непременно все будет о'кэй! Можешь быть уверен: мы не подведем.

— Тогда давай выпьем за это! — вновь поднял свою рюмку Шевчук.

На этот раз они дружно выпили по полной и еще долго обсуждали детали предстоящего «мероприятия». Закончив свою встречу с Шевчуком, довольный ее результатом, Рябой вернулся к ожидавшей в машине братве, однако кейса в его руках уже не было.

Трехстороннее совещание не только не разочаровало Василия Коновалова-Седого, но еще больше укрепило его веру в перспективность нового дела.

Лысоватый холеный брюнет в золотых очках и дорогом костюме, представлявший фирму «Здоровье», был деловит, скуп на слова, и Седой не сомневался, что имеет дело с солидным и надежным заказчиком.

— В клиентуре, готовой немедленно и щедро оплатить то, что ей требуется, у нас недостатка нет, — информировал он своих предполагаемых партнеров по бизнесу. — Это в основном зарубежные заказчики: крупные клиники и богатые частные лица. В случае неудачных операций, — сделав значительную паузу, добавил он, — ожидать от них каких-либо претензий вряд ли придется.

— Но как нам известно, у вас имеется и отечественная клиентура? — спросил его Леонид Власов, представлявший лабораторию-поставщика. — Не потянут они нас в суд, если сочтут, что потерпели неудачу по нашей вине?

— Этого опасаться не следует, — уверенно ответил фирмач. — В договоре с ними будет оговорено, что поставщик за последствия операции не отвечает. Ваше дело — вовремя предоставить нам качественный материал, имеющий, — он строго взглянул на Леонида поверх очков, — сертификат международного образца. Это — непременное условие!

Власов достал из красивой кожаной папки какой-то документ и показал его представителю заказчика.

— Такой вас устроит? — спросил он с самоуверенным видом. — Наши клиники довольствуются этими сертификатами, и к моей лаборатории до сих пор от них претензий не поступало.

Фирмач стал рассматривать документ, и Власов счел нужным добавить:

— Мы не первый год препарируем донорские органы для трансплантации, и можете не сомневаться, делаем и оформляем все на международном уровне. Это вам подтвердят наши крупные специалисты, известные во всем мире!

— Я знаю. Нам гарантировал качество ваш профессор, — коротко бросил будущий заказчик, продолжая рассматривать документ. Не найдя в нем изъянов, он одобрительно кивнул головой, вернул сертификат Власову и, бросив взгляд в сторону Седого, попросил:

— А теперь объясните, в чем состоят функциональные обязанности бюро господина Коновалова. Из проекта договора это не совсем ясно. Как мы поняли, половина стоимости заказа в виде предоплаты предназначается ему. Хотелось бы знать, — сделав паузу, не без ехидства добавил он, — за какую работу?

Седой собрался было ему ответить, но его опередил, бросив выразительный взгляд, Власов.

— Наша лаборатория испытывает постоянный дефицит донорских органов, необходимых отечественным клиникам, — в стиле доклада на научном симпозиуме стал объяснять он фирмачу. — А вам их потребуется значительно больше, и согласно договору мы будем обязаны обеспечить немедленное выполнение всех заказов.

Он сделал паузу и, бросив самодовольный взгляд на Седого, внушительно продолжал:

— Как вы понимаете, это архитрудная задача, и обеспечение достаточного донорского фонда является наиболее важной половиной всей работы. Функцией бюро господина Коновалова будет поиск и содержание потребного количества доноров, особенно детского возраста. Это очень трудное дело!

— Но при чем здесь охранное бюро? — проницательно взглянув на Седого, спросил фирмач. Он, видно, начал догадываться о сути этого «дела». — Ведь такая функция более присуща медикам, а не силовым структурам.

— Без силовых методов здесь не обойтись! — снова опережая открывшего было рот Седого, объяснил Власов. — Необходимо будет не только создать приемники для содержания постоянного резерва из доноров взрослого и детского возраста, но и охранять их от конкурентов.

— А где вы возьмете столько детей? — удовлетворенный ответом, заинтересовался заказчик.

На этот раз счел необходимым вмешаться Седой.

— У нас в городе сейчас много беспризорных детей. Их мы и думаем использовать, — откровенно объяснил он фирмачу. — Эти пацаны сбежали сюда из разных мест, у них нет родителей или это пропащие люди. Детвора ютится по чердакам и подвалам, попрошайничает и никому не нужна.

Заметив, что холеный фирмач при этом поморщился, Седой решил немного приукрасить картину:

— Эти беспризорные дети становятся добычей преступников и извращенцев, рано приучаются к наркотикам и пьянству. Они обречены на гибель, а мы с вашей помощью создадим детские приемники и позаботимся, чтобы у них было все, что нужно в их возрасте!

Умный фирмач снова бросил на Седого острый взгляд, словно видел его насквозь, но объяснение показалось ему подходящим, и он одобрительно сказал:

— Ну что же, если вы организуете детские приемники, будет совсем неплохо! Мы даже согласны дополнительно финансировать эту благотворительную, — подчеркнул он, — акцию. Тут у нас будет свой особый интерес. Мы получаем много заявок от богатых иностранцев на усыновление детей.

«А что, и на этом можно сделать большие бабки! — промелькнуло в предприимчивом мозгу Седого. — Надо взять это на заметку и обсудить с ним при следующей встрече. Торопиться не стоит — нельзя мешать одно с другим», — решил он, покидая заседание.

Богатый особняк Юрия Львовича находился в престижной загородной зоне Москвы за кольцевой автодорогой. Был теплый погожий вечер, уже летали майские жуки, и профессор в простой джинсовой куртке подстригал кусты роз в своем саду, когда его личный секретарь доложил ему, что прибыли Власов и Фоменко.

Профессор уже много лет был вдов, детей не имел и постоянную прислугу не держал. Готовила ему и следила за чистотой в доме дальняя родственница, приезжавшая три раза в неделю. Разогревал еду и обслуживал его молодой телохранитель, выполнявший также роль личного секретаря. В этой связи злые языки подозревали старика в мужеложстве, но других поводов для обвинения его в нетрадиционной сексуальной ориентации не было.

— Проводи их в гостиную, Андрюша, — сказал Юрий Львович, опуская на землю секатор. — Я только вымою руки и к ним приду. Пусть пока там покурят.

Когда профессор, освежившись в великолепно отделанной ванной, вошел в гостиную, его молодые сподвижники курили, удобно расположившись в мягких креслах и наслаждаясь настоящими гаванскими сигарами из деревянной коробочки, любезно выставленной хозяином на журнальном столике.

— Я пригласил вас для того, — без предисловий властно объявил им он, удобно устраиваясь напротив них на диване, — чтобы мы сразу же решили все деловые моменты. Раз договор уже подписан, нам надо обсудить вопрос о распределении доходов. Нет возражений?

Возражений, естественно, не последовало, оба молча смотрели на патрона, ожидая, что он им, как обычно, объявит свои решения.

— Как мы с тобой, Леня, уже условились, мне будет причитаться половина чистого дохода от выполнения заказов поставщиком, — заявил Юрий Львович. — Вы оба с этим согласны?

Хирург-Фоменко промолчал, а Власов приниженно поспешил его заверить:

— Ну конечно! Мы же понимаем, какие у вас будут расходы, чтобы к нашему бизнесу не было пристального внимания налоговиков и правоохранительных органов.

— Хорошо, что все понимаете! — удовлетворенно качнул головой профессор и добавил: — Но не забывайте и того, что без меня не видать вам сертификатов как своих ушей! Только мой авторитет избавит вас от вопросов о происхождении поставляемых органов для трансплантации.

Он сделал паузу и, обращаясь к Фоменко, с усмешкой произнес:

— А ты чего молчишь, Сережа? Может, считаешь, что уменьшается твоя доля и мы тебя мало ценим? Ошибаешься!

Хирург хотел возразить, но патрон жестом его остановил:

— Погоди! Я уверен, ты правильно понимаешь мою роль в деле. Хочу лишь, чтобы знал, что и я ценю тебя как незаменимого партнера. Поэтому, кроме того, что тебе достанется от Коновалова, у Власова также будешь получать десять процентов от чистой прибыли. Это тебя устроит?

— Да это больше, чем я надеялся, Юрий Львович! — непроизвольно вырвалось у Фоменко. — Не сомневайтесь, я со всем согласен. Ведь знаю на практике, что щедро платите тем, кто вам помогает.

— Будешь получать столько, сколько тебе и не снилось, — снисходительно улыбнулся ему патрон. — Смотри, чтобы у тебя не закружилась голова! В этом деле нам всем надо соблюдать особую осторожность.

Профессор немного помолчал и перешел к следующему вопросу.

— Теперь обсудим еще одну щекотливую сторону нашего взаимодействия с бандитским, иначе его не назовешь, — презрительно сложил он губы, — бюро Коновалова.

— Так в договоре вроде бы это все прописано, — выразил удивление Власов. — Мы ведь решили, что предварительно законсервированные органы ко мне в лабораторию будет лично доставлять Сергей, — кивнул он на Хирурга, — чтобы не посвящать лишних людей.

— Кто это «мы»? Вы с Фоменко? — резко возразил профессор. — Этого делать ни в коем случае нельзя!

— Почему? — в один голос воскликнули его подручные.

— А сами что, не соображаете? — рассердился на них Юрий Львович. — Я же и раньше требовал, чтобы о вашей связи никому не было известно. А сейчас, когда надо фабриковать липовые истории происхождения донорских органов, особенно важно скрыть, что их извлекает Фоменко. Сережа должен быть строго законспирирован!

После такой отповеди его сподвижники сникли. Возникло продолжительное молчание, которое нарушил Власов.

— Так что же вы предлагаете, Юрий Львович? — спросил он, преданно глядя на своего патрона. — Мы все сделаем, как скажете!

— Коновалову нужно срочно взять шефство над каким-нибудь приютом и внедрить туда своего человека. Тогда всех будущих доноров можно оформлять через этот приют. Улавливаете идею? — с видом превосходства посмотрел он на помощников.

Фоменко и Власов смущенно молчали, и он продолжал:

— Доноров он будет держать в другом месте. Там же их прооперирует Сергей. Но все должно официально оформляться через приют подставным человеком! И их направление на исследование, и на операцию. Подписывать все будешь ты, Леонид, как бы не зная никакого Фоменко.

Решив, что на этот раз высказал все, Юрий Львович достал из ящичка сигару, не спеша закурил и строго посмотрел на Власова и Фоменко.

— Надеюсь, теперь вам все ясно? — он сделал паузу и, поскольку вопросов не последовало, заключил: — Ну тогда завтра же отправляйтесь договариваться с Коноваловым. Простите, что не предлагаю выпить — у меня диета.

В дверях гостиной сразу возник секретарь, словно подслушивал за дверью. Хирург и Власов поднялись и вслед за ним пошли к выходу.

В очередной день, отведенный для свиданий, заключенный Башун уныло сидел на нарах, обхватив бритую голову руками, и никого не ждал, когда глазок на двери камеры приоткрылся, и голос надзирателя объявил:

— Костыль, к тебе пришли. Чтоб через пять минут был готов!

Не успел он привести себя в порядок, как дверь камеры открылась, и в нее вошел высокий и массивный конвойный. Его напарник остался стоять снаружи, а верзила быстро обыскал Башуна и, повелев заложить руки за спину, вывел его в коридор. Между двумя конвоирами он проследовал через анфиладу внутренних переходов тюрьмы, миновал множество постов, где перед ними, звеня ключами, отпирали решетчатые двери, пока не достиг помещения, предназначенного для приема посетителей. Как он и ждал, в комнате свиданий сидел Хирург, приветственно помахавший ему рукой.

— Ну, Костя, могу тебя обрадовать, — бодро сказал он, когда Башун занял свое место напротив него за стеклянной перегородкой, — дело сделано! Уже подписан договор, и скоро начнем действовать. Все вышло так, как мы планировали!

— Мне-то какая от этого радость? — мрачно бросил ему бывший сокамерник. — Я, что ли, из тюряги смогу в этом участвовать? — повысил он голос закипая.

— Погоди расстраиваться! Остынь! — как всегда, вовремя осадил его Хирург. — Сначала выслушай, что скажу. Конечно, не открытым текстом, — он сделал знак глазами, — но ты меня поймешь.

«Неужели у Седого что-то вытанцовывается? — подумал Башун, и в душе у него вновь вспыхнула надежда. — Скорее бы, а то я здесь загнусь!»

— Тогда не тяни резину, Серега, говори, что хотел! — поторопил Башун. — Сам понимаешь, что мне невмоготу!

— А для чего же я к тебе пришел? — укоризненно взглянул на него Хирург. — Наберись терпения и внимательно слушай!

Бросив быстрый взгляд по сторонам, как бы проверяя, наблюдают за ними или нет, он сообщил:

— Как тебе обещал, условием своего участия в деле я поставил работу в паре с тобой, и Седой это принял. Он уже сделал все, что необходимо.

«Хотелось бы знать что? Но Серега, конечно, сказать не может», — мысли Костыля заметались. Вслух же он только коротко спросил:

— А когда это будет?

— Ты знаешь, что твое дело уже передано в суд? — не отвечая на его вопрос, со значением посмотрел на него Фоменко.

— Знаю, а что? — не понял Костыль. — Когда еще он состоится!

— Очень скоро! Так что, готовься. — Хирург снова бросил взгляд по сторонам. — Вот тогда все решится!

— На суде, что ли? — все еще не понимая, сделал кислую мину Костыль.

— Немного раньше, — зло процедил Хирург.

Поскольку Башун молча уставился на него, туго соображая, он сжалился над другом и добавил:

— Ладно, не ломай себе голову, Костя. Тебе сообщат, что и как. Очень скоро!

— Если так, то у меня будет просьба, — не веря и в то же время желая поверить в долгожданное освобождение, пробормотал Башун.

— Говори, я все сделаю! — заверил его Фоменко.

— Подыщи мне на всякий случай какую-нибудь надежную хату. А то мне некуда податься. Ты же знаешь, — напомнил ему Костыль. — Я рассказывал, когда сидели.

— Нет вопроса! Сегодня же этим займусь, — бодро заявил Фоменко и, бросив взгляд на настенные часы, закруглил разговор:

— Ну все, держи хвост пистолетом! А пока прощевай, наше время вышло.

«Значит, Седой не обманул. Братвой уже все подготовлено, — допер все-таки Костыль, шагая между конвоирами назад в камеру. — Конечно, они найдут способ передать, что мне надо делать».

Вернувшись со свидания с Костылем, Сергей Фоменко был удивлен, застав дома свою сожительницу Софу. Торгуя на загородном мелкооптовом рынке, она, как правило, возвращалась оттуда поздно, и ему часто приходилось ждать ее дотемна. Софа была явно расстроена, и причина этого оказалась простой: она потеряла работу.

— Представляешь, Сержик? Этот чернож...й козел, мой хозяин, просрочил аренду, и у нас отобрали контейнер. И когда Москву избавят от этих азеров? Все рынки захватили! — она аж кипела от злости. — Деньги гребут лопатой, а за аренду платить им душа не позволяет. До того жадные!

— Нехорошо, Софочка, ругать своего работодателя, хоть и бывшего, — обняв, шутливо укорил ее Фоменко. — Ведь признайся: неплохо на нем руки погрела.

Однако его юмор до нее недошел, и он в утешение добавил:

— Не горюй! Скоро тебе совсем работать не придется. Бабки на меня сами с неба будут падать. Ей-ей!

— А до этого зубы на полку положим? — всхлипнула Софа, высвобождаясь из его объятий. — Пойдем на кухню, я тебя покормлю! Голодный, небось?

«Пожалуй, нам на руку, что моя подруга сейчас без работы, — осенило Сергея, когда, сидя напротив и глядя на ее хмурое лицо, он с аппетитом уминал жареную картошку со свиной тушенкой. — Вот Софу-то и надо пристроить в какой-нибудь приют, и тогда с оформлением медицинской липы у нас будет все в ажуре. Баба она смышленая и с этим делом справится!»

Прожевав, он сыто откинулся на стуле и, как бы размышляя, сказал:

— А тебе так уж хочется, Софочка, снова надеть на себя ярмо? Может, стоит немного передохнуть?

— Нет уж! Не привыкла я сидеть сложа руки, — отрицательно покачала головой Софа. — Буду искать работу!

— Ну что же. Думаю, смогу тебе помочь, — бодрым тоном произнес Фоменко. — Нам для дела надо взять шефство над приютом для бездомных, и туда понадобится человек, — туманно объяснил он, не раскрывая всех карт. — Тебя устроит такая работа?

— Мне это без разницы. Лишь бы платили побольше! — беззаботно ответила Софа. — Надеюсь, не г...но выносить за бомжами?

— Что ты, как можно? — рассмеялся Сергей. — Ты там будешь вроде начальства.

Он вспомнил о поручении Костыля и сказал:

— Ладно, Софочка, успокойся: без работы ты не останешься. Все у нас будет о'кэй! Лучше скажи, — бросил он на нее веселый взгляд, — нет ли у тебя симпатичной подруги, которая захотела бы приютить у себя подходящего мужичка?

— Представь себе, есть, причем самая лучшая, — повеселев, ответила Софа. — Но вот вопрос, подходящий ли у тебя мужичок?

— А квартира у нее отдельная? Семья большая? — заинтересовался Фоменко.

— Квартира у нее своя, двухкомнатная. Недавно купила, — охотно переключилась на более приятную тему Софа. — Живет, сколько ее знаю, одна с маленькой дочерью. Говорит, что развелась с мужем, — усмехнулась она, — но, думаю, врет.

— Это почему же? — заинтересовался Сергей.

До чего же неискренна женская дружба! Софа весело на него посмотрела и не без ехидства объяснила:

— Ты бы ее видел! Уж больно здоровущая баба. Наверное, такого калибра, что найти по себе никого не может. И меня просила познакомить с кем-нибудь, — и насмешливо добавила: — О ком будут хорошие отзывы.

— А почему я ее не знаю, раз она твоя лучшая подруга? — удивился Сергей.

— Потому и не знаешь, что вполне бы ей подошел! — рассмеялась Софа. — Ни с кем делить тебя, даже с лучшей подругой, я не собираюсь!

— Напрасно опасаешься, — в тон ей шутливо заверил Фоменко. — Я тебя, такую шуструю, ни на кого не променяю! Тем более на бабу-лошадь!

Софа с сомнением окинула его взглядом, но объективности ради сказала:

— Положим, не такая уж она лошадь. Просто крупная, дородная женщина, — и уже более серьезно поинтересовалась: — так что, думаешь, управится с ней этот твой мужичок?

— Уверен! Можешь рекомендовать, — заверил Сергей. — Невысокого роста, но силен! Накачан, как тяжелоатлет.

— Так у них вся сила уходит в мышцы, — усомнилась его умудренная личным опытом сожительница. — И потом он, наверное, ниже ее ростом!

— Ну и что с того? В постели сравняются, — цинично ухмыльнулся Фоменко. — А насчет калибра не сомневайся: у него подходящий!

Снова став серьезным, он спросил:

— Ну а чем занимается эта твоя подруга, и как ее зовут? Чувствую я, что их свадьба состоится.

— Зовут ее Катериной. Она заведует детдомом и живет припеваючи. Всегда шикарно выглядит. Как видно, немало имеет, обжимая сиротинок, — не скрывая зависти, сплетничала Софа. — Вот только на мужиков ей не везет.

— Заведующая, говоришь? — обрадованно переспросил ее Фоменко. — Ценный кадр! — заключил он. — Обязательно их познакомим.

«Похоже, нам здорово фартит, — очень довольный тем, как складываются обстоятельства, — подумал он. — Если Костыль с ней поладит, никого больше нам и искать не придется! И Софу к ней пристроим — для связи и контроля. Надо об этом сообщить Седому и профессору».

— Ну что же, Софуля, тебя нужно срочно утешить, — обняв и поднимая ее со стула, вкрадчиво предложил он. — Уж больно ты сегодня настрадалась! Не пора ли нам немного размяться?

Он повернул ее к себе и по замаслившимся глазам сожительницы понял, что она, как всегда, с охотой примет его предложение.

Подъезжая к офису фирмы «Здоровье» в своем представительском и мощном «БМВ», Василий Коновалов не без удовольствия оглядел солидный, современно отделанный фасад здания в тихом арбатском переулке. С таким партнером по бизнесу приятно было иметь дело. «Ну что же, может, так я и в большой бизнес сумею просочиться, — размечтался матерый рецидивист. — Хорошие пошли времена! Раньше об этом и думать было нечего!»

Машину, в которой, как обычно, за рулем сидел Цыган и сзади — Проня, он оставил на служебной стоянке, а сам не спеша прошел в сияющий мрамором и медными деталями вестибюль. Кабинет директора акционерной компании «Здоровье» находился на верхнем этаже, и, поднимаясь в лифте, Седой еще раз продумывал то, что собирался сказать этому лощеному фирмачу. Когда Василий позвонил ему накануне, тот сразу узнал нового партнера и охотно откликнулся на его предложение.

— Вы правильно поняли, господин Коновалов, что нас весьма интересует возможность оперативно и без проволочек получать детей нужного возраста для передачи клиентам, желающим их усыновить. Но прежде чем об этом говорить, — он сделал паузу, — я хотел бы знать: вы что же отказываетесь от нашего предыдущего договора?

— Ни в коем случае, и, более того, я сделаю все, чтобы лаборатория работала бесперебойно и ваши заказы выполнялись своевременно. Дело в другом.

Он помолчал, перебирая в уме наиболее весомые аргументы, и с прозрачным намеком сказал:

— Моя часть работы по нашему договору, как вы хорошо понимаете, очень опасна, поскольку связана с правонарушениями, — здесь он нарочито сделал паузу, — и поэтому неизвестно, окупятся ли связанные с ней потери и издержки.

— Но какое отношение к этому имеет новое предложение? — не понял его собеседник.

— Самое прямое! Совещание показало, что ваша фирма — солидный заказчик, а не в моих правилах терять ценных клиентов, — соловьем заливался Седой. — Вот почему, не зная, как пойдет наш бизнес по подписанному договору, я с большим интересом отнесся к вашей заявке на усыновление детей. Этот бизнес нам хорошо знаком, — беззастенчиво врал он, — и такие заказы моему бюро выполнить проще.

— Выходит, это дело вам знакомо? — оживился фирмач. — Могли бы вы более подробно меня проинформировать, какими возможностями располагаете для выполнения наших заказов?

— Вы получите ответы на все интересующие вас вопросы, — заверил партнера глава охранного бюро «Выстрел», — но, разумеется, не по телефону.

Заказчик пожелал безотлагательно встретиться на следующий же день, и вот Седой прибыл к нему на переговоры.

— Итак, первым делом нас интересует ваша связь с медицинскими и детскими учреждениями, — деловито взглянув на часы, произнес директор, проницательно глядя на своего партнера поверх золотых очков. — Короче, по каким каналам к нам будут поступать дети и кем оформляться необходимые документы?

«А вовремя мне Хирург рассказал об этой Катерине, — усмехнулся про себя Седой. — Сейчас я фраеру лапшу на уши повешу!» Он был готов к этому вопросу и хорошо все продумал.

— Вы уже знаете о моих прочных связях с медиками, — спокойно и уверенно врал главарь бандитов. — Поэтому все дети, от которых отказались в родильных домах и больницах, при необходимости поступят в мое распоряжение. Безупречные документы, — он подчеркнул это, — будут оформлены на них там же.

Директор «Здоровья» одобрительно кивнул головой, и Седой продолжал врать с еще большим апломбом.

— Однако главной моей базой поставки детей на усыновление будет детдом, которым заведует наш человек и над которым наше бюро шефствует. Из числа его питомцев мы сможем подобрать такого ребенка, какой нужен заказчику, и документы будут оформлены так, — он победно взглянул на фирмача, — что не подкопаешься!

— Но вряд ли у вас там всегда найдется именно такой, какого нам закажут клиенты, — усомнился все же в его словах директор «Здоровья». — Почему вы так в этом уверены, господин Коновалов?

Однако и на такой каверзный вопрос у Седого был заготовлен ответ.

— Для выполнения любого заказа мне нужно будет только заранее знать требования вашего клиента, — искусно изобразил он уверенность. — Мои люди уже приступили к учету беспризорных детей, которых в Москве великое множество. Из них мы подберем таких, каких нужно.

— А подойдут эти отбросы моим клиентам? — с сомнением покачал головой директор. — И потом беспризорные дети не имеют никаких документов.

— Напрасно беспокоитесь! — не задумываясь, так как и на это ответ был готов, разубедил его Седой. — Мы заранее из приемника переведем их в детдом. Там детей приведут в порядок и оформят все необходимые документы.

— Ну что же, у меня пока больше нет вопросов, — выразил удовлетворение фирмач. — Я думаю, теперь мы можем обсудить с вами финансовую сторону дела.

«Вот это здорово! Значит, дело будет, — обрадованно подумал Седой и в душе усмехнулся. — Лучших я буду ему продавать — так куда проще! А остальных, коих не возьмут, пускай Хирург с Костылем потрошат в свое удовольствие».

Глава 5. Проблемы молодых

В больничном халате, но благоухая дорогими духами, и с красиво причесанной головой, Даша Юсупова спешно подошла к столику, на котором находился радиотелефон, как только услышала вызов междугородной. Она ждала звонка матери, которой послала вызов на переговоры.

— Ну как ты там, родная? У тебя что-нибудь не так? — услышала она ее голос, заглушаемый многочисленными помехами. Видно, в переговорном пункте маленького поселка у озера Байкал, вблизи которого находился лагерь экологов, не было хорошей связи.

— У меня все не так. Мне тебя очень не хватает, мама, — не скрывая горечи, пожаловалась Даша. — Я чувствую себя такой одинокой!

— Но почему? Что у вас там происходит? — встревожилась Анна Федоровна. — У тебя же, доченька, чудесный муж. Вы же так любите друг друга!

— Никто меня не любит! — всхлипнула Даша — болезненное состояние давало себя знать. — Даже вы с папой! Неужели нельзя приехать, хоть ненадолго?

— Я же говорила тебе, что нужна здесь папе и остальным. Он еще не вполне здоров, но все-таки, — голос матери наполнился теплотой, — убедил меня бросить все и проведать тебя. А ты еще упрекаешь нас, Дашенька!

— Значит, прилетишь и побудешь со мной? — обрадовалась дочь. — А когда и надолго ли?

Анна Федоровна на секунду замешкалась, и Даша испугалась, что прервалась связь, но мать неуверенно ответила:

— Скорее всего через недельку. С билетами плохо, да и папе еще немного надо окрепнуть. Но долго я с тобой побыть не смогу. Вот разберусь, что с вами происходит, и вернусь обратно!

— Ладно, пусть хоть так, — печально вздохнула Даша. — Но все же не пойму, — в ее голосе прозвучала обида. — Папа часто надолго уезжал в экспедиции, а ты работала или сидела дома. И ничего! А теперь, когда мне нужна, почему-то не можешь побыть со мной хотя бы до родов.

Мать снова замялась и, видно решившись на откровенность, резко сказала:

— Ну ладно, коли вынуждаешь! Не тороплюсь к тебе, чтобы не навредить! Неужто вы сами с Петей не разберетесь? Он же отличный парень!

Анна Федоровна перевела дыхание и призналась:

— Я ведь могу сгоряча и дров наколоть! Особенно если мне покажется, что и впрямь он тебя обижает. Ты ведь меня хорошо знаешь! И ему, и его чванливым родителям не спущу! Без меня вам легче помириться, — убежденно добавила она. — Недаром пословица говорит: милые бранятся — только тешатся.

— Нет, мама! Похоже, на этот раз все серьезнее, — с горечью возразила Даша. — Я очень боюсь, что из-за ссор и обиды не смогу нормально родить. Вот почему ты так нужна мне здесь, рядом! Только твои любовь и поддержка помогут мне все это выдержать!

— Ну ладно, доченька, не расстраивайся так. Скоро увидимся! А пока лечись прилежно, чтобы подарила нам внучонка! — мягко наставляла ее мать и робко добавила: — Может, все же ты несправедлива к Пете?

Вместо ответа Даша лишь тяжело вздохнула:

— Когда приедешь, все тебе расскажу, мама. Не могу больше носить это в себе. Тогда поймешь, что я права!

— И правда, разве можно о таком говорить по телефону, — согласилась с ней Анна Федоровна и спохватилась: — Ой, доченька, насколько же мы наболтали? Это же пропасть денег!

— Да не беспокойся об этом, мама! — успокоила ее Даша. — Мною все будет оплачено и, кроме того, передай папе, что все расходы по перелету и прочему я полностью беру на себя. У меня же богатый муж, и пока мы с ним еще не расстаемся.

— Типун тебе на язык! Не смей об этом даже думать! — прикрикнула на нее мать. — Ребенок еще не родился, а ты уже готова оставить его без отца?

Она аж задохнулась от гнева.

— Все! Ничего не хочу от тебя больше слышать! Вот прилечу, мы с тобой серьезно поговорим. И линию занимать нельзя так долго.

Анна Федоровна в сердцах со звоном повесила трубку на рычаг, а Даша еще долго сидела, грустно размышляя над словами матери и своим, как ей казалось, безрадостным положением.

Петр Юсупов резко отодвинул рукой ворох документов, лежавших перед ним на рабочем столе, и устало откинулся на высокую спинку своего кресла.

— Запарился я сегодня, — пожаловался он стоящему рядом исполнительному директору «Цветмета» Виктору Казакову, своему однокашнику по институту и ближайшему помощнику. Казаков, длинный и поджарый очкарик, в тщательно отглаженном костюме, типичный «белый воротничок», собрал принесенные на подпись бумаги, аккуратно уложил их в кожаную папку и хотел было идти, но Петр его остановил.

— Погоди, дружище! Присядь, — предложил он, указывая жестом на кресло. — Что-то муторно на душе, а поделиться не с кем.

— А какие проблемы? Дела наши как будто в порядке, — внимательно посмотрел тот на друга сквозь толстые стекла очков. — Что-нибудь на семейном фронте?

— Угадал! Не ладится у меня с Дашей. Все идет не так, как надо, — с горечью выложил Петр то, что лежало на сердце. — Перестали вдруг понимать друг друга.

— В чем же это выражается? Ты сам-то как это объясняешь? — с сочувствием спросил Виктор, понимая всю серьезность того, что мучает его шефа.

— Да просто я перестал для Даши существовать! Она почему-то забыла, что я — ее муж и живой человек, — в сердцах воскликнул Петр. — К ней притронуться нельзя, отказывает мне в физической близости, — пожаловался он, понизив голос, и тут же снова возмутился: — И при всем этом меня же обвиняет, что стал к ней невнимателен!

— Ты, наверное, слишком остро реагируешь на ее теперешнее состояние, — предположил Виктор. — Не учитываешь, что у беременных женщин изменяется психика. Природный инстинкт заставляет их все мысли и все внимание уделять рождению ребенка.

Но его трезвое замечание не утешило друга.

— Это можно понять, но каково мне? Будто я не хочу ребенка! — обиженно произнес Петр. — Ведь без него нет настоящей семьи, да и отца хочется порадовать: он ждет не дождется продолжателя нашего рода. Но не такой же ценой? — снова вскипел он. — Ведь Даша всегда была так нежна и заботлива, а теперь этого нет в помине!

— Вот родит, понянькается с ребеночком, и все будет по-прежнему. Уверяю тебя! — постарался успокоить его Казаков. — Знаю по своему опыту.

Виктор всего год назад женился на своей секретарше, после того как она от него забеременела, успел стать отцом и говорил это со знанием дела.

— Только не надо меня утешать, как маленького, — раздраженно бросил ему Петр. — Сам же признавался, что у вас с ней бывало и на седьмом месяце, а моя отказывает мне, как забеременела! Убедила себя, что это повредит ребенку!

— Просто у тебя более ответственная жена, — постарался снять напряжение Виктор. — И потом сам знаешь, — пошутил он, — это зависит еще от темперамента.

— Вот именно! — вполне серьезно согласился с ним Петр. — Не тот, видно, у моей жены темперамент. Ну что ж, пусть тогда пеняет на себя, — мрачно добавил он, — если найду ей замену. Я не чурка холодная!

— А что? Это мысль! — весело подмигнув, поддержал его Казаков, посчитавший, что это все же выход из сложившегося положения. — Ведь, как говорится: быль молодцу не в укор.

Видно, и Петр решил, что достаточно пооткровенничал со своим другом, так как встал со своего места, разминаясь и давая этим понять, что их разговор по душам окончен.

В ожидании приезда Петра Юсупова с сестричками после окончания уроков в школе Настя Линева, она же Зина Савкина, прибирала в квартире, фальшиво напевая модную песенку. С детства ей, как говорится, слон наступил на ухо, но петь она очень любила. Закончив уборку в гостиной, Настя присела отдохнуть у журнального столика и стала от нечего делать перелистывать семейный альбом, который накануне откуда-то извлек и рассматривал Петр.

Снимки ее заинтересовали. На них она сразу же узнала хозяина дома по его удивительному сходству с сыном и нетрудно было догадаться, что красивая блондинка рядом с ним это, естественно, мать Петра. Так как она уже знала, что Светлана Ивановна примадонна театра, то завистливо прошептала:

— Да уж, все при ней: и талант, и наружность, и мужик что надо! Но только Бог одной рукой дает, а другой отнимает. — На лице у нее появилась злорадная усмешка. — Посмотрим, как ты запоешь, когда исчезнут твои дочки!

«Интересный какой бугай! Пожалуй, помощнее моего Васи будет, — решила Настя, любуясь на богатырскую стать Михаила Юрьевича, — Однако Седого ему не одолеть, у того всегда перо наготове». Она долго рассматривала фотографии, сравнивая Петра с отцом. «А что, оба мужика хороши! — мысленно заключила любительница приключений. — Папаша хоть и заматерел, еще очень даже могет! И Петруша ему вряд ли уступает. С обоими стоит попробовать!»

Самовлюбленной и наглой, ей даже в голову не приходило, что кто-нибудь может устоять перед ее чарами. Во всяком случае до сих пор от нее еще никто не отказывался. Твердо решив, если удастся, затащить в постель и отца, и сына, Настя захлопнула альбом как раз в тот момент, когда стук двери и веселые голоса в прихожей возвестили, что Петр привез близняшек домой.

Изобразив бурную радость, Настя кинулась их встречать в прихожую, и, расцеловав Оленьку и Надю, наградила Петра сияющей улыбкой:

— А я вас заждалась! Очень скучно без малышек, — она вся источала радушие. — Мойте руки, я всех вкусно накормлю! — весело сказала она и бросила на Петра многообещающий взгляд. — Вы ведь еще побудете с нами, Петр Михайлович?

— Нет, есть я не хочу. Уже днем пообедал, — отказался он. — Как следует освежусь под душем. Целый день об этом мечтаю! Все некогда было.

— Хорошо, Петр Михайлович, — глядя на него влюбленными глазами, ответила Настя. — Мойтесь в свое удовольствие, а я покормлю девочек и принесу вам чистое белье. Можно мне взять его у вашего папаши?

— Молодец, Зина! Ты правильно мыслишь, — одобрил ее предложение Петр. — Конечно, возьми у отца, хоть мне оно великовато. Это здорово — одеть на себя все свежее!

Он ушел принимать душ, а Настя повела Олю и Надю на кухню. Девочки основательно есть не захотели, и она, напоив их чаем с печеньем, отправила во двор поиграть с другими детьми. Затем, найдя в бельевом шкафу чистые майку и трусы, прихватив также купальную махровую простыню, она пошла отнести это Петру.

Дверь в ванную была приоткрыта, и Настя остановилась на пороге словно завороженная. Петр с наслаждением плескался под душем, подставляя свое прекрасно сложенное тело под тугие холодные струи, и она залюбовалась его мужественной красотой. Мгновенно приняв бесшабашно-авантюрное решение, она скинула халат, и с лихорадочной быстротой стащила с себя нижнее белье. Оставшись в чем мать родила, нисколько не стесняясь, повесила принесенное и подошла к ванной.

Петр смотрел на нее загоревшимся взглядом, понимая и не понимая, что происходит. Ему надо бы рассердиться на ее распущенность и наглость, тут же выгнать вон, а может, и отказать от места. Но он не мог оторваться от ее призывно колышущейся полной груди и неудержимо влекущих к себе роскошных бедер. И она, убедившись, как быстро реагирует на нее его солидный мужской орган, смело перешагнула через бортик ванны и прильнула к нему всем телом, крепко обняв и впившись в губы жарким поцелуем.

Будучи не в силах ей сопротивляться, изголодавшийся по женской ласке, Петр жадно сжал в объятиях нежданную добычу и, прямо под душем, стоя, овладел ею. Настя не только позволила ему делать все, что хотел, но вскоре сама взяла инициативу в свои руки, и они забыв о времени с упоением наслаждались друг другом, пока их не образумил звонок в прихожей. Это вернулись с гуляния девочки.

Бросив на Петра заговорщицкий взгляд, Настя набросила на голое тело халат и выскользнула из ванной, а он так и остался стоять под душем, плохо соображая, но машинально прибавив горячей воды, будто желал смыть с себя грязь. Он находился в полном смятении чувств. С одной стороны, он все еще пребывал под впечатлением небывало острого наслаждения после бурного секса с Настей, но, с другой — его нестерпимо мучила совесть. Ведь он изменил Даше, предал ее и свою любовь!

Действуя машинально, как сомнамбула, Петр быстро оделся и выбежал из дома, даже не попрощавшись с сестрами. Влез в свой джип, но не двинулся с места. Он был не способен что-либо делать, не знал, как ему теперь быть. У него было ощущение, что все разом рухнуло и он потерял самое дорогое, чем обладал в жизни. Вот уж никогда не думал, что так легко и просто изменит Даше — той, кого считал единственной из женщин, которую он способен по-настоящему любить и которая создана только для него одного.

— Она сама виновата в том, что я не удержался. Это физиология! — стараясь хоть как-то оправдать себя, вслух бормотал он. — Должна была понимать, что это случится, раз отказывает мне в близости. Но совесть подсказывала ему, что все эти аргументы несостоятельны. Надо было ехать домой, но Петр не мог себя заставить переступить порог своей квартиры. Ему казалось, что он осквернил их с Дашей жилище. Куда же ему теперь было податься?

Выйдя из оцепенения и по-привычке взглянув на часы, Петр Юсупов нашел выход и воспрянул духом. Было еще около пяти, и он мог успеть в больницу к деду. В критические моменты своей жизни, когда бывал в затруднении, он, как ни странно, советовался не с родителями, а с ним и бабушкой, которая растила его с малых лет. «Я все равно собирался заехать туда, чтобы его навестить, — облегченно подумал он, зная, что они-то сумеют успокоить его и подсказать, как быть. — Вот и посоветуюсь с ними, поскольку бабушка наверняка находится там же».

Однако Петр ошибся. Когда он прибыл в больницу и вошел в палату к профессору, бабушки там не оказалось. Степан Алексеевич, гладко выбритый, сидел в кресле и просматривал свежую прессу. По всему было видно, что больной успешно идет на поправку. Завидев внука, он отложил газету и, поздоровавшись, сказал:

— Садись, Петенька! Бабушка тоже скоро будет. Поехала на базар за свежими фруктами. Рассказывай, как живешь, как дела у Дашеньки?

Упоминание имени жены больно кольнуло Петра в самое сердце, но он не подал виду, сел в кресло рядом с дедом и, указав на пакет с купленными по дороге гостинцами, мягко произнес:

— Вот привез тебе, дедушка, немного деликатесов. Там икра, рыбка горячего копчения, свежий карбонад. В общем то, что ты любишь и чего больным здесь не подают. Правда, и фруктов я тоже прихватил, — как бы извиняясь, добавил он. — Жаль что не предупредил! Бабушке не пришлось бы зря мотаться.

— Ничего, внучек, это добро не пропадет, — благодарно улыбнулся профессор Розанов. — Мне, как больному, много витаминов требуется. Да и медперсонал угостить не грех. На их зарплату они немногое могут себе позволить.

— А ты, дед, по-прежнему за всех переживаешь? Считаешь, что наша жизнь устроена не так, как надо, и правительство мух не ловит? — шутливым тоном, но с явным неодобрением заметил внук. — Не поэтому ли у тебя инфаркт?

— Вполне может быть. Во всяком случае, так утверждают врачи и мои друзья, — серьезно ответил Степан Алексеевич. — Ведь я всегда следил за своей спортивной формой. А вот нервы подводят.

— Значит, надо беречь нервы, дед! — тоже серьезно посоветовал ему Петр. — Не стоят того пробравшиеся к власти чинодралы и демагоги, чтобы из-за них ты губил свое здоровье. Живи в свое удовольствие, занимайся любимой наукой и не думай о мировых проблемах!

— Легко сказать! — несогласно покачал седой, но по-прежнему красивой, как у актера, головой профессор Розанов. — Разве я могу плодотворно заниматься педагогической наукой, не говоря уже о мировых проблемах, которые, между прочим, тоже заслуживают того, чтобы о них думали?

Он помолчал, как бы сомневаясь, стоит ли продолжать вредный для себя разговор, но все же не удержался.

— Вот ты, Петя, предлагаешь мне махнуть на происходящее рукой. Но к чему тогда мы придем? Ты думал об этом? — Профессор строго посмотрел на внука. — А мне больно смотреть на то, как вырождается народ, гибнет государство!

— Ну зачем смотреть так мрачно на вещи, дедушка? Не слишком ли строго ты обо всем судишь? — сделал протестующее движение Петр. — Давай сменим тему разговора. Тебе вредно волноваться!

— Нет, позволь объяснить тебе мою позицию, коль об этом зашел разговор, — возразил Степан Алексеевич. — Обещаю сохранять спокойствие.

Петр лишь осуждающе покачал головой, и он продолжал:

— Я обязан протестовать именно как педагог, ибо в основе наших бед лежат просчеты в воспитании людей. Приведу наиболее характерные факты.

Он сделал небольшую паузу и стал перечислять.

— Начнем с самого вопиющего. Трое бездушных властолюбцев в одночасье разрушили великую державу, по крупицам, ценой большой крови, собранную нашими предками за тысячелетие. Их не смутило то, что они предали своих соотечественников, оказавшихся вдруг за границей, разбили сотни тысяч семей.

Взглянув на внука, чтобы проверить его реакцию, профессор продолжал:

— Теперь о пороках, которые вскрыла война в Чечне. Разве не предательство то, что сепаратистам оставили столько оружия? А не бессовестность и измена, когда за мзду через посты пропускали бандитов, а генералы продавали им военную технику, которая применялась потом против наших солдат?

Он снова прервался, ожидая реакции Петра, но тот молчал.

— И последний факт, переживая из-за которого, я, может, и заработал инфаркт. Случай с атомной подводной лодкой. Чем бы ни объясняли официально, людей не спасли потому, что кто-то из высоких чинов опасался либо выдать военные секреты, либо отвечать за потерю лучшей субмарины. Это ли не бездушный эгоизм, не предательство героев-подводников?

Разволновавшись, Степан Алексеевич шумно перевел дыхание и заключил:

— Все это, Петя, свидетельствует, что наше общество поражено, как никогда раньше, эгоизмом, бездушием и предательством. И виной этому — упущения в воспитании людей, по сути, провал педагогики! А как ему не быть, — поднял он глаза на внука, — когда наши учителя находятся в жалком положении, получая нищенскую зарплату? Молчишь? Значит, понимаешь, что я прав!

Петр сознавал, что в словах его деда много правды, но он преуспел в жизни и не был настроен ее критиковать. Чтобы покончить с этой неприятной темой и перейти к волнующей его проблеме, он мягко произнес:

— И все же зря ты так волнуешься. Побереги здоровье! Что ты один можешь сделать? Многие уже осознали, что страна пропадет, если наука будет в загоне. А я так давно это понял. Разве мало оказал помощи своей отрасли?

— Значит, повезло горнодобывающей промышленности, — полушутя ответил Степан Алексеевич. — Не больно-то гордись! И в твоем воспитании есть пробелы.

— Это какие же? — обиделся Петр. — И почему об этом я узнаю только сейчас?

— Не все делаешь для людей и общества, что можешь, — с упреком произнес профессор. — А не говорил потому, что не пришлось мне тебя воспитывать.

— Но у меня люди получают много больше, чем у других, и всем научным и учебным учреждениям нашей отрасли я помогаю, — с досадой возразил Петр. — Что же еще я должен сделать?

— А сам не можешь сообразить? — рассердился профессор. — Кто еще способен сейчас поддержать науку и искусство, как не вы, промышленники-толстосумы, если государство этого не делает? Получаете огромные доходы, а пожертвовать часть их на пользу общества не желаете!

Этот упрек показался Петру несправедливым.

— Кому надо — помогаю, но швыряться деньгами и подкармливать халявщиков не собираюсь! — резко ответил он. — Подачками делу не поможешь, а энергия и талант всегда пробьют себе дорогу!

— Не скажи! В истории достаточно обратных примеров, — уже более спокойно возразил Степан Алексеевич. — Но дело-то в другом. Ведь у нас и признанные таланты находятся в жалком положении. Почему их труд ценится так низко? Почему все блага должны доставаться удачливым бизнесменам? Это чревато, — с тревогой добавил он, — расколом в обществе и неизбежным взрывом!

«Ну вот, дед сел на своего конька, — уныло подумал Петр. — Так мне с ним не удастся поговорить о своем деле». Но все устроилось естественным образом: в дверях показалась, держа в руках полные сумки, его бабушка, Вера Петровна.

Несмотря на шесть с лишним десятков лет, Веру Петровну все еще можно было назвать привлекательной женщиной. Ее умеренная полнота при хорошем росте не портила природной статной осанки, седая голова была, как всегда, гладко причесана, а по-прежнему ясные серые глаза смотрели на мир спокойно и доброжелательно.

— А, Петенька? — радостно улыбнулась она, опуская сумки. — Как хорошо, что ты приехал! Я уже собиралась тебе звонить: очень волнуюсь за внучек!

— Ну и зря! С ними же новая няня, — поспешил успокоить ее Петр. — Она сразу поладила с обеими. Сестренки на нее не жалуются.

— Это меня и беспокоит, что новая и незнакомая, — озабоченно произнесла Вера Петровна, присаживаясь, чтобы передохнуть. — Кто такая, мы ведь толком так и не знаем. Ты же, Петя, без отца справок о ней не наводил? — с немым упреком взглянула она на внука.

Петр молча кивнул, и она продолжала:

— Говорит, что из Казахстана. А по-хорошему ли оттуда уехала? Нет ли за ней чего? Можно ли ей доверять дом и детей? Все это меня очень беспокоит!

— Так дело же сделано, бабуля! — недовольно проворчал Петр. — После драки кулаками не машут. Может, ты и права, но мне пришлось рискнуть. Подвела нас Даша. Если б немного повременила с больницей, Зину мы бы проверили.

— Ладно! Я с этой девушкой сама разберусь. Вот только дед еще немножечко окрепнет. — Вера Петровна с любовью посмотрела на мужа. — Он у нас молодец, быстро поправляется. Ты расскажи лучше о Дашеньке. Как у нее самочувствие, настроение?

«Ну наконец-то! Теперь можно поговорить о том, о чем хотел, — облегченно подумал Петр. — Попытаться вместе найти выход из создавшегося положения».

— Самочувствие Даши вполне удовлетворительное, а вот настроение плохое, да и у меня, признаться, оно прескверное! — решив пойти на откровенный разговор, хмуро произнес он. — Рушатся у нас с ней отношения!

— Вы что же поссорились? — обеспокоенно спросил Степан Алексеевич. — И это тогда, когда Дашеньке, в ее положении, нужно особенно беречь здоровье? Тебе следовало бы сейчас быть к ней снисходительней, Петя!

— А что я могу поделать, когда она постоянно мной недовольна? Все время придирается и вообще ведет себя так, будто и не жена мне вовсе! — прорвало Петра. — Я с ней не ссорился, но и не согласен терпеть такое к себе отношение!

— В чем же все-таки оно выражается? — внимательно посмотрела на внука Вера Петровна. — Может, объяснишь нам яснее?

— Ладно уж, скажу все, как есть, — понурив голову, произнес Петр. — Даша стала относиться ко мне, как к чужому, думает только о будущем ребенке. Не любит она меня больше, — стыдясь, признался он. — Совсем чурается, не подпускает к себе, хотя это, я знаю, в ее положении можно.

Возникла неловкая пауза, которую первой нарушила Вера Петровна.

— Мне кажется, ты все преувеличиваешь, Петенька! Видно, Даша уж очень боится потерять ребенка, — своим чутким сердцем она поняла, в чем дело. — Мы же знаем, что она тебя любит! Неужели тебе так трудно потерпеть, пока все не останется позади?

— Да, трудно, — преодолевая стыд, заставил себя признаться Петр. — И главное, не понимаю, почему я должен терпеть? Думаю, Даша меня разлюбила, раз ее совсем не заботит мое физическое состояние и самочувствие!

— Ты не прав, Петенька! — решительно встала на защиту невестки его бабушка. — Просто она не придает этому значения, зная, что ты сильный человек. Такой, как твой отец! Ведь смог же он терпеть это, находясь столько лет в плену? А тебе, как Даша думает, ждать совсем недолго.

— Это разные вещи: воздержание в плену и те обстоятельства, о которых идет речь, — неожиданно встал на сторону внука Степан Алексеевич. — Мне лично не нравится поведение Даши, и по-мужски я Петю понимаю.

— Она меня сама толкает в объятия других женщин, которым я нравлюсь, — поощренный его поддержкой, осмелел Петр. — И пусть потом пеняет на себя, если и у меня чувство к ней угаснет.

— Не угаснет, — усмехнулся профессор. — Это у женщин измена мужу — целое событие, а у мужчин — эпизод, который лишь вызывает сознание своей вины и желание ее поскорее загладить.

— Ну уж нет! — категорически возразила им Вера Петровна. — С обеих сторон измена — это предательство, которое нельзя прощать! Просто так ничего не происходит. Если супруги докатились до этого, значит — любви конец!

Она проницательно подняла свои ясные глаза на внука и, как бы догадываясь о том, что дело зашло дальше, чем он им открыл, предупредила:

— Если ты, Петя, начнешь изменять Даше, то знай: кончится все разрывом! А так как ты ее все-таки любишь, с твоей стороны это будет просто безумием — разрушить свое семейное счастье и потерять ребенка! Крепко подумай, прежде чем сделать роковой шаг!

Если Петра Юсупова мучили угрызения совести, то Настя Линева, наоборот, пребывала в отличнейшем настроении. Поначалу она мечтала поскорее сделать свое дело и смыться, но то блаженство, которое она испытала от близости с молодым хозяином, все изменило. Теперь любовница главаря бандитов отнюдь не намерена была торопиться.

Познав, несмотря на молодость, много мужчин, Настя считала, что сильнее и изощреннее Седого у нее еще любовника не было. Да и Петр, хоть природой не обижен, ему в этом уступал. «Почему же он так мне нравится? — озадаченно думала она, с удивлением ощущая, как в ее зачерствевшем сердце шевелится чувство, похожее на нежность. — Ведь он форменный сосунок против Васи».

И все же, хоть и с трудом, до нее дошло, в чем дело. Насте очень нравилась властная натура Седого, даже его грубость. Она никогда не любила лебезящих, слюнявых ухажеров. Но, как оказалось, несмотря на богатый сексуальный опыт, она просто не знала настоящей мужской ласки, нежного и чуткого отношения к себе как к женщине.

Ее любовник Василий всегда делал только то, что хотелось ему, не считаясь с желаниями и эротическими фантазиями Насти. Зато не столь искусный Петр, стараясь доставить максимальное наслаждение партнерше, охотно выполнял все ее пожелания, и испытанное ею блаженство было несравнимо! Понимая, что их связь продлится недолго и, даже в мыслях не собираясь расставаться с постоянным любовником, она все же решила понаслаждаться с новым столько, сколько удастся.

«Надо приготовить ему что-нибудь вкусненькое и угостить, когда заедет за девчонками, — подумала Настя, стоя у плиты и стряпая им завтрак. — Похоже, так сладко, как со мной, ему еще ни с кем не было. Такого от жены не дождется, — самодовольно ухмыльнулась она. — Наверняка захочет повторить: я мужиков знаю!» В эту минуту пособница бандитов начисто забыла о том, какая жуткая участь ожидает Петиных сестер.

Можно представить ее разочарование, когда вместо Петра, чтобы отвезти Олю и Надю в школу, приехал длинный и худой, как жердь, очкарик. Хотя он солидно выглядел и был хорошо одет, Настя долго ему не открывала и вряд ли впустила бы в дом, но в это время раздался звонок телефона.

— Доброе утро, Зиночка! — довольно сухо поприветствовал ее Петр. — Я говорю из своего офиса. У меня здесь с утра важное совещание, поэтому Олю и Надю в школу доставит мой друг Виктор Казаков. Девочки его знают. Может быть, — после небольшой паузы добавил он, — если меня задержат дела, он же сегодня привезет их домой.

«Все! Значит, моего сладкого Петеньку я сегодня не увижу, — со злой иронией подумала Настя, догадываясь об истинной причине его поведения. — Переживает, что изменил своей жене! Мальчик решил дать задний ход. Но никуда ты от меня не денешься, мой миленок!» Она впустила в квартиру Виктора, собрала девочек в школу и, закрывая за ними дверь, попросила его:

— Передайте Петру Михайловичу, чтобы позвонил мне, когда освободится. Скажите, что это важно. Возможно, мне срочно придется уехать.

Хитрый расчет Насти оказался верным. Не успела она прибрать в квартире, как позвонил Петр.

— Мне сказал Казаков, что ты просила позвонить. Что за срочное дело, Зина?

— Матери чего-то от меня понадобилось. Просит приехать, — нахально соврала Настя. — Вот не знаю, как быть. Наверное, придется, — голос ее притворно дрогнул, — взять расчет. Подвела я вас, Петр Михайлович? — изобразила она тихую грусть. — Ужас, как не хочется расставаться с девочками, — и, как бы забывшись, добавила интимным тоном: — И с тобой!

Как она и ожидала, Петр растерялся. Его не устраивало не только то, что вновь вставала проблема с сестрами. Он понял, что не готов расстаться с Зиной, ибо снова испытывал страстное желание насладиться интимной близостью с ней, и ему больно сознавать, что оно теперь не осуществится.

— Это так внезапно, Зина, что не знаю, как быть, — невнятно пробормотал он. — Давай лучше я приеду, и мы спокойно все обсудим.

— Хорошо, я согласна, Петр... Михайлович, — с интимным придыханием произнесла Настя, с трудом сдерживаясь, чтобы не выдать свое торжество. — Ты только не задерживайся, — уже откровенно подчеркивая их интимную связь, тихонько попросила она. — Буду с нетерпением ждать!

Само собой понятно, что, когда Петр приехал, никаких объяснений между ними не последовало. Настя встретила его в одном халатике, кроме которого на ней ничего не было. Он был распахнут, и ее соблазнительная нагота предстала перед «миленком» в полной красе.

— Пойдем я все объясню, — жарко поцеловав, только и сказала она, увлекая в спальню, где предусмотрительно была расстелена постель. Разумеется, после такого приема, Петр уже помышлял лишь о том, как поскорее заключить ее в свои объятия, и они не мешкая занялись тем, к чему стремились.

Петр целиком отдался своей новой страсти, теперь они встречались по два раза в день, как на Патриарших, так и в его квартире. Угрызения совести Петра больше не мучили: он убедил себя в том, что одной женщины для его темперамента мало. «Ну что же, се ля ви, как говорят французы, — мысленно твердил он себе, чтобы успокоить совесть. — Пусть Даша меня извинит. От нее не убудет! Главное, чтобы ничего не знала и была спокойна».

Но по вечерам, когда ложился спать, на Петра все же нападала грусть и ему становилось жаль их большой чистой любви. Тогда он вспоминал все самое лучшее, что было между ним и Дашей, и ему было мучительно больно сознавать, что отныне все это утрачено навсегда.

— Неужели наша любовь уже кончилась и былое счастье не вернется? — с горечью шептал он засыпая. — Однако, как ни жаль, ничего вечного на свете нет!

Василий Савельевич Волошин, представительный мужчина с вьющейся рыжеватой шевелюрой и такой же курчавой бородкой, провожая жену в аэропорт, был недоволен, что Анна Федоровна не отправила Петру телеграмму, чтобы предупредить его о своем прилете. Известный защитник окружающий среды, идеалист, он считал непорядочным то, что она решила тайком устроить зятю унизительную проверку.

— Ты не права, Аня, — мягко выговаривал он ей, когда они ожидали начала регистрации рейса. — Это не дело — то, что ты затеяла! Вот увидишь: Петя очень обидится, когда узнает. Не честнее ли просто с ним поговорить и все выяснить?

— Как же, так он мне все и выложит начистоту, — возразила Анна Федоровна, убежденная в своей правоте. — Постарается успокоить, скроет истину! А нужно обязательно узнать, Васечка, так ли Петя к ней изменился на самом деле? Ведь дочь может и преувеличивать. Беременные часто зря нервничают.

Она тяжело вздохнула и озабоченно произнесла:

— Не знаю, что буду делать, если Петя ее обижает. Вот уж правду говорят, что не приносит богатство счастья! И чего люди

Семен МАЛКОВ

с жиру бесятся? — укоризненно покачала она головой. — Был бы он простым работягой, весь в заботах о семье, не смотрел бы на сторону. А то наверняка кого-то завел, раз Дашенька на него жалуется!

Сердце матери верно подсказывало ей причину охлаждения зятя к дочери. Но Василий Савельевич был с ней не согласен. Будучи сам однолюбом и обожая свою красавицу дочь, он просто мысли не допускал, что Петр мог изменить ей и тем более разлюбить.

— Все ее жалобы на почве беременности, — убежденно заявил он. — Петя очень порядочный парень, безусловно, любит Дашеньку, и ему, как деловому человеку, недосуг заниматься глупостями. Думаю, что ее недовольство, — успокаивающе добавил он, — объясняется тем, что он или не понимает, или из-за своей занятости просто не может уделять ей много внимания, которое так необходимо беременной женщине.

— Дай-то Бог! — молитвенно подняла глаза к небу Анна Федоровна. — Хорошо, чтобы так все и оказалось. Но я не смогу убедить Дашеньку, если сама не удостоверюсь в этом! — упрямо добавила она. — Мне надо поговорить с Петей, посмотреть, как он живет.

В это время объявили регистрацию рейса, и Волошин, подхватив ее чемодан, повел жену к стойке. Когда уже был сдан багаж и пассажиров пригласили на посадку, он вместо напутствия лишь попросил:

— Только не пори горячку, Анюта! Сделай все, чтобы спасти их брак!

Анна Федоровна согласно кивнула головой и в толпе других пассажиров поспешила на посадку в авиалайнер. В считанные часы полета от Иркутска до Москвы она только и думала о том, что ее ждет дома и как ей быть в той или иной ситуации. Мать Даши понимала, что нельзя допускать разрыва дочери с мужем, особенно в тот момент, когда та ожидает ребенка. Но, зная свой горячий характер, справедливо опасалась, что у нее не хватит выдержки.

Прилетев в Москву, Анна Федоровна первым делом побывала в своей квартире, наскоро вытерла в ней пыль, и только после этого собралась ехать к дочери в больницу. Однако, поразмыслив, она передумала и отправилась к зятю. «Прежде чем буду говорить с Дашей, выслушаю, что скажет мне он, — решила она. — Тогда мне легче будет судить: права она или нет».

Верная своему замыслу, Анна Федоровна не стала звонить Петру, чтобы предупредить о своем визите, а прямиком поехала на их с Дашей новую квартиру, которую они купили всего полгода назад. Ключи у нее имелись, так как еще до отъезда на Байкал ей приходилось помогать дочери в уборке этих роскошных апартаментов, справиться с которой в одиночку Даше было тяжело.

Квартира молодых Юсуповых находилась в роскошном доме современной постройки в районе Чистых прудов. Она имела два уровня: на нижнем были прихожая, просторный холл, гостиная, столовая и кухня, а на верхнем — кабинет хозяина, три спальни и санузлы. Обстановка, оборудование и отделка квартиры отвечали самым высоким требованиям.

Приехав на метро, так как была очень экономной, Анна Федоровна пешком добралась до дома и, немного полюбовавшись на его шикарный фасад, вошла в подъезд. Запоры были хитрые и сложные, но она с ними быстро разобралась, открыла стальную дверь и удивленно остановилась на пороге: с верхнего этажа доносились звуки, как ей показалось, двух голосов — мужского и женского.

«Неужели это Даша вернулась домой из больницы? — недоумевая, подумала Анна Федоровна, — Почему же тогда не дала мне об этом знать? Ведь мы разговаривали с ней накануне». Пожав плечами, она спокойно разделась и поднялась по изогнутой лестнице с красивыми резными балясинами на второй этаж, чтобы заявить о своем приходе.

Звуки голосов раздавались из просторного санузла, где находилась джакузи. Дверь туда была распахнута и, немного поколебавшись, Анна Федоровна в нее заглянула. То, что она увидела, сразило ее наповал! Прямо в джакузи, сидя по грудь в мыльной пене, Петр и Даша (хотя нет — похожая на нее чужая девушка!) с визгом и хохотом бесстыдно занимались любовью. Такое она видела только по телеку и то выключала, не перенося порнографию.

Придя в себя, Анна Федоровна, некоторое время пребывала в смятении, не зная, что же ей делать. Оправдались худшие ее опасения! «Выходит, Дашенька права, — с горечью констатировала она, чувствуя, как в душе поднимается волна гнева. — Ах ты, сукин сын! Ну, я тебе устрою веселую жизнь!»

Анна Федоровна Волошина была женщиной не робкого десятка, умевшей постоять за себя и за честь своей семьи. Настроившись самым воинственным образом, она решительно вошла в сверкающее кафелем и никелем помещение и громко потребовала:

— А ну, сластолюбцы, кончайте свое безобразие! — и презрительно глядя на перепуганные лица Петра и незнакомой девки, которые, онемев и вытаращив глаза, смотрели на невесть откуда взявшуюся свидетельницу их интимных забав, добавила: — Тебя, Петр, я попрошу одеться, а твоей шлюхи, чтоб через десять минут и духу здесь не было! Я подожду в гостиной. Глаза бы мои не глядели на этот срам!

Сказав это, Анна Федоровна спустилась по лестнице вниз, а «сластолюбцы», которые уже пришли в себя, понимающе переглянулись и вылезли из джакузи.

— Ну и кислый у тебя видок, — глядя на Петра, усмехнулась Настя, к которой уже вернулась обычная наглость. — Что, здорово тебе достанется от старухи? Это мамаша твоей женушки? — догадалась она. — Неужто так ее боишься?

— Помолчи, Зина, — угрюмо оборвал ее Петр, который лихорадочно пытался сообразить, как ему выйти из постыдного, чреватого роковыми последствиями положения, в котором он оказался. — Немедленно одевайся и уходи! Не знаю теперь, как выпутаться! Ты что, не понимаешь?

Настя, конечно, все понимала и весело подумала: «Неужто дурачок полагает, что я буду ему сочувствовать? Мне-то наруку, если останется холостым!» Но вслух, заговорщически подмигнув и отдав ему честь, отрапортовала:

— Слушаюсь, начальник, и немедленно исчезаю!

Нарочно покрутив перед ним своими роскошными формами, она, едва обтеревшись полотенцем, натянула на себя белье и платье, взяв в руки босоножки, кубарем скатилась с лестницы и выскочила из квартиры. Петр не спеша оделся, продолжая думать над тем, как ему выкрутиться, и уныло отправился к теще.

Анна Федоровна уже успела немного остыть. И хотя она полностью разделяла боль и обиду Даши, а поведение зятя было непростительным, их разрыв накануне рождения ребенка казался ей еще более ужасным. С таким финалом она никак не могла примириться, и это настраивало ее на компромисс.

— Ну так что, ты больше не любишь Дашу и решил с ней расстаться? Такой вывод я должна сделать из увиденного? — с ходу набросилась она на зятя, лишь тот появился на пороге гостиной. — И это — когда скоро появится на свет ваше дитя? Вот уж не думала, что ты такой бессердечный негодяй!

Петр молча слушал ее стоя, понурив голову, как провинившийся ученик, и не в силах ничего сказать в свое оправдание. Это придавало надежду.

— Чего же ты онемел? Объясни мне, что происходит! — со свойственной ей грубоватой прямотой потребовала Анна Федоровна. — Я ведь своими глазами убедилась, что Дашенька права, жалуясь, что ты к ней охладел. Теперь знаю и причину этого!

Так и не придумав подходящего вранья, Петр мысленно махнул на все рукой.

«Эх была не была! — отчаянно подумал он. — Лучше скажу ей правду. А там пусть судит сама!»

— Я понимаю, как все плохо вышло, но вы ошибаетесь, Анна Федоровна, — тихо, но твердо сказал он. — Я не разлюбил Дашу, а то, что видели, хоть и непростительно, произошло только по ее вине!

— То есть как по ее вине? Хочешь сказать, что она тебе тоже изменила? — опешила теща. — Не может такого быть! Я знаю свою дочь! Не лги!

— Вы опять меня не поняли! Совсем не об этом речь, — все еще не поднимая головы, с досадой произнес Петр. — Даша вынудила меня... к этому тем, что отказала мне... в близости... сразу, как только забеременела. А я — живой человек... мужчина, — с вызовом добавил он, впервые подняв на нее глаза. — С этим ей нужно было считаться!

— Вот оно в чем дело, — дошло наконец до тещи. — Жена не выполняет супружеский долг, и ты завел... любовницу, — с насмешкой протянула она, но уже более миролюбиво, — кстати, очень похожую на Дашу, что говорит в твою пользу. А потерпеть немножко не мог?

Петр на этот насмешливый упрек ничего не ответил, лишь снова опустил голову, а Анна Федоровна, немного поразмыслив, заключила:

— Ладно, спущу тебе на первый раз. Не хочу встревать в ваши отношения, и Даше ничего не скажу, так как ей ни в коем случае нельзя нервничать. Разбирайтесь сами с этой грязью. Но я бы на ее месте не простила мужу измены, какая бы ни была на то причина. Бог терпел и нам велел!

Глава 6. Удачный побег

Получив из тюрьмы сообщение Шевчука о том, что Костыля повезут на суд в понедельник к девяти утра, Василий Коновалов срочно созвал подельников, несмотря на субботний вечер.

— Времени у нас слишком мало, — объяснял он, выслушивая недовольные речи и возражения, так как у многих нарушались личные планы. — Зато заодно попаримся и бухнем в теплой компании, — успокаивал он их. — Что-то редко мы стали собираться вместе. — Телки понадобятся? Ладно, с этим там разберемся. По настроению.

Бандитская сходка, как всегда, состоялась в баньке и сопровождалась обильным возлиянием. Ввиду ответственного и важного дела на этот раз решили обойтись без женского общества. Даже Цыган, который считал сходку без групповухи неполноценной, и тот об этом не обмолвился.

— Ладно, вот провернем это дельце и гулять будем по полной программе, — одобрительно заявил он подельникам, когда они, раскрасневшиеся после парилки, сидели вокруг дубового стола, тесно уставленного бутылками водки, пива и закусками. — А сейчас вдарим по полной, чтоб сопутствовал фарт!

Его охотно поддержали, и, после того как опрокинули по стакану и пожевали, Цыган, сверкнув своими шальными глазами, доложил подельникам:

— У меня с братками все в полной готовности! Стволы в порядке и еще берем на всякий случай «муху» и пару гранат. Засаду устраиваем в двух кварталах от суда, в переулке. Там тюремный «воронок» уж точно проследует, деваться ему больше некуда!

— Скольких ставишь в засаду? — спросил старший по этой операции Рябой. — Не подведут твои салаги?

— Обижаешь, братан, — зло покосился на него смуглый красавец. — Все трое, что со мной в засаде, хоть у нас недавно, проверены в деле. Курчавый и Филин — из омоновцев, в Чечне воевали по контракту, а Косой, известно: бывалый гоп-стопник.

Решив, что с ним все ясно, вмешался Седой.

— Ну что ж, молодчик, Цыган! Действуй по плану! А кто у тебя поведет от тюряги «воронок»? — обернулся он к Рябому. — Кого посадил на «бээмвэшку»?

— Поведет Фитиль. Он в этом деле ас, и воронок не упустит, — с уверенностью доложил тот. — И еще троих беру из его бригады. Ты братков Фитиля знаешь: не подведут!

— А почему его нет здесь? Сам бы доложил, готов ли? — нахмурился Седой. — Я же велел тебе всех собрать! — грозно посмотрел он на Проню.

— Потому и нет, что свою бригаду собирает, — понурившись, оправдывался перед ним Проня. — Только утром его разыскали. Но ты не беспокойся: Фитиль знает, что ему делать, и своих подготовит.

Низенький и тщедушный, он обвел подельников хитрым взглядом узких, как щелки, глаз и самодовольно сообщил:

— Мы вот что придумали. Когда «воронок» попадет в засаду, Цыган со своими вырубит и свяжет шофера с охранником. Тогда из «бээмвэшки» выскочат остальные, а Рябой влезет в машину, чтобы помочь Шевчуку вывести Костыля. Фитиль и еще трое оградят «воронок» от зевак, чтобы никто из них не стукнул в ментовку.

— Ну ты загнул! Как же ему это удастся? — с недоверчивой ухмылкой спросил Цыган и убежденно добавил: — От мусоров нас спасут только быстрота и натиск!

— А Фитиль с бригадой изобразят оперативников ФСБ. У них и ксивы ихние припасены, — объяснил не ему, а Седому Проня. — Лохи это проглотят.

— Хитро придумано! Так и сделаю, — одобрил его ловкий замысел главарь, но добавил: — И все же Цыган прав. Операцию надо провести в темпе, иначе могут и повязать. План — это хорошо, но жизнь всегда вносит поправки!

Седой по очереди пристально посмотрел на своих ближайших подручных, словно оценивая каждого, на что тот способен, и удовлетворенно подытожил:

— Теперь вижу, что все готовы и каждый знает свой маневр. Если сработаем четко, уверен в успехе! Я лично с Фиксатым и Читой буду держать свою тачку под парами и в случае чего вас подстрахую.

Он наполнил свой стакан водкой так, что она перелилась через край, и все последовали его примеру.

— Выпьем, братва, за то, чтобы всегда мы стояли друг за друга! И ничего не пожалели для выручки тех, кто из нас попадет в беду. Вот так, как мы делаем для нашего верного кореша Костыля!

Его тост всем пришелся по душе, подельники одобрительно зашумели и дружно опрокинули свои стаканы. Все было готово к решающей операции.

На этот раз Рябой и Шевчук встретились как бы случайно, зайдя перекусить в «Макдоналдс». У конвойного начальника был довольный вид, и Рябой понял, что организация побега Костыля идет успешно.

— У нас все готово! Большого труда стоило устроить так, чтобы по графику дежурств день суда пришелся на мою смену, — доложил он своему заказчику, когда они уже расположились за столиком в чистеньком зале популярного заведения. — Меня беспокоит лишь новый напарник моего помощника. Уж больно он непредсказуемый парень.

— А что так и не удалось его сблатовать? — отозвался Рябой. — Из идейных?

— Не очень-то! Был оперативником, но в чем-то проштрафился, к выпивке пристрастие имеет. На этом я попытался с ним закуначить, — он сделал паузу, с усмешкой взглянув на собеседника, — но отступился, побоявшись с ним связываться. Продать может!

— Почему ты так решил? — поднял на него глаза Рябой.

— Я навел справки и выяснил, что от него избавились, так как стучал на свое начальство, обвинял в коррупции. Представляешь, какого кадра мне подсунули? Но я тоже от него избавлюсь! — помрачнев, заключил Шевчук.

— Ну так чего тянуть? Взял бы и заменил на другого, — выразил недовольство Рябой. — Он же нам все дело испортит! — добавил он с беспокойством.

— Не так-то легко от него избавиться, ведь только прислали, — объяснил ему тюремщик. — Но ничего он нам не испортит! Мы ведь вдвоем с Костылем с ним справимся, не сомневайтесь, — поспешил он успокоить заказчика. — Меня тревожит совсем другое.

— Другое? — непонимающе поднял брови Рябой.

— Как бы он меня не заподозрил и потом не выдал, — объяснил Шевчук, — раз такой ... к начальству... неласковый.

Он еще больше помрачнел и заверил Рябого:

— Но и тут вам беспокоиться нечего! Я за ним прослежу и, если что-нибудь заподозрю, — он сделал многозначительную паузу, — то ликвидирую... с помощью уголовников. Это уж моя забота!

Рябой согласно кивнул и поинтересовался:

— Костыль уже обо всем предупрежден? Знает, что ему нужно делать?

— Нет еще. С этим спешить не надо, — объяснил Шевчук. — Может на радостях выболтать кому-нибудь в камере. А там есть подсадные утки. Я и то в нашем заведении не всех знаю.

— Понятно, — снова кивнул Рябой. — А когда проинструктируешь?

— Накануне суда, в ночь, как заступлю на дежурство, — ответил Шевчук. — Все будет сделано как надо, можете быть уверены! Вы, главное, готовьте валюту, — снова повеселев, самодовольно произнес охранник, всем видом показывая, что не сомневается в конечном успехе.

Уверенность Шевчука передалась и его заказчику.

— За этим дело не станет, — не замедлил с ответом Рябой. — Вторую половину получишь на следующий день, как освободим Костыля! «Хрен ты у нас больше получишь, — про себя усмехнулся он, так как знал, что на сходке было решено «кинуть» охранника. — И того, что получил, тебе хватит с избытком!»

Но тюремщик оказался хитрее, чем они предполагали.

— Нет, так дело не пойдет! — твердо заявил Шевчук. — Мне что же, бегать потом за вами? Или все получу сполна, или играем отбой!

— А ты хочешь получить все авансом? — не скрывая злости, спросил Рябой. — Нет! Сначала стулья, а потом расчет!

Однако Шевчук был непреклонен.

— Вот мои условия, — объявил он, тяжело глядя на того, кто хотел его надуть. — Ваш человек передает мне оставшуюся половину, перед тем как заступлю на дежурство. Если этого не сделаете, то все отменяется! — он немного подумал и добавил: — Аванс я тогда вам верну за вычетом того, что пришлось потратить на подмазку.

— Ладно, пусть будет по-твоему, — понимая, что обмануть ушлого тюремщика не удастся, сдался Рябой. — Получишь свои бабки! Но смотри, если подведешь, — лицо его исказилось от злобы. — Мы ведь тебя и под землей достанем!

Среди заключенных в камере, где находился Башун, царила предгрозовая атмосфера. К ним поместили новенького — рыхлого лысого мужчину средних лет, о котором стало известно, что он бывший воспитатель интерната и осужден как педофил. Блатные, которых здесь было большинство, о чем-то шушукались, враждебно поглядывая на растлителя детей, который пугливо забился в дальний угол в предчувствии расправы. Ему было известно, что таких, как он, презирают даже зеки, и пощады от них ждать не приходится.

«Опустить задумали, петуха из него сделать, — догадался Башун. — Так ему и надо, падле! Значит, ночью устроят представление — еще одним гомиком станет больше, — мысленно усмехнулся он, но тут же обеспокоился. — Не нужен мне этот скандал. Чего доброго, гад загнется, и следствие над всеми учинят!» С тех пор, как Башун узнал, что суд уже назначен и близится побег, будучи любителем таких забав, он перестал принимать в них участие — опасался осложнений.

Последние дни Костыль жил в ожидании инструкции, что ему надо делать, но ее все не было. От внутреннего напряжения у него пропал аппетит, и он, постоянно испытывающий голод, с трудом заставлял себя поесть. «Не хватает еще, чтобы ослаб. Силенки нужны для побега! А он, чую, состоится, — подбадривал он себя. — Я нужен Седому для дела. Поэтому уж он расстарается!»

Костыль не ошибся. Когда закончился ужин и тюрьма стала погружаться в сон, блатняки схватили несчастного педофила и стали над ним издеваться. Сначала они поставили его к параше и по очереди на него помочились, затем заставили убрать вонючую лужу, и подонок молча терпел. Но потом его стали избивать, и он истошно завопил, а когда нагнули и спустили штаны, орал уже так, что мог разбудить мертвого.

Тюремщики знали, что делают с педофилами, и обычно не принимали мер для защиты негодяев, но тут вынуждены были вмешаться. В камере появились охранники. Блатные сразу отпрянули от своей жертвы и с невинным видом уселись на свои места.

— Что случилось? Из-за чего шум? — равнодушно спросил сухопарый пожилой охранник, хотя вид избитого педофила, все еще стоящего со спущенными штанами, вполне красноречиво говорил сам за себя.

— Да этот сученок на параше засиделся. Решил, что у себя дома, — нарушив всеобщее молчание, с ухмылкой ответил коренастый рецидивист, весь исколотый похабными татуировками. — Пришлось стаскивать с нее силой. Ну дали пару раз, чтоб не сопротивлялся!

— А ты чего скажешь? — с откровенным презрением бросил охранник пострадавшему. — Почему разорался? Штаны-то натяни, пакостник!

— Переведите меня в другую камеру! — визгливо взмолился педофил. — Сами видите: здесь меня убьют!

— Может, тебя в детскую колонию поместить? — язвительно ответил охранник. — Ничего, терпи, коли заслужил, не подохнешь! А вы, гаврики, — для порядка одернул он блатных, — не слишком усердствуйте. Ишь, как распустились! Заключенный Башун! — повернувшись к Костылю, скомандовал он. — Вставай и руки за спину! Пойдешь к старшему.

— А я-то тут при чем? — растерянно пробормотал Башун поднимаясь. — Нужна мне эта мразь! Я к нему даже не прикасался!

— Отставить разговорчики! — по-военному прикрикнул на него сухопарый. — Пойдем, начальник разберется!

«Неужели они что-то пронюхали о подготовке побега? — шагая между конвоирами по тюремным коридорам, в панике думал Костыль. — Ведь то, что меня забрали из-за этого детолюба, — туфта! Они даже толком не разбирались!»

И действительно, когда его привели в тесный служебный закуток к дежурному начальнику, а это был Шевчук, сразу выяснилось, что он угадал и расправа над педофилом здесь ни при чем. Отпустив второго охранника и оставив только сухопарого, тучный верзила-начальник вместо разноса неожиданно по-свойски подмигнул Костылю.

— Догадался, зачем тебя привели? Садись и слушай внимательно! Времени у нас мало, — торопливо сказал он и, поймав взгляд, брошенный Башуном на его помощника, объяснил: — Это свой человек, не бойся!

Он поплотнее прикрыл дверь, грузно опустился на свое место за маленьким столом и окинул довольным взглядом мощную мускулатуру заключенного.

— Так вот, завтра все и состоится. Тебя отобьют свои по дороге в суд, — без предисловий, коротко объявил он и, предупреждая вопросы, которые порывался задать тот, остановил его жестом руки: — Погоди! Сейчас скажу все, чего тебе надо знать.

Он еще раз оценивающе взглянул на Костыля и кратко ввел в курс дела.

— Завтра утром тебя повезут в «воронке» на суд. Ты будешь в наручниках. Сопровождать будут трое: я, Данилыч, — кивнул он на сухопарого, — и тот, что стоит в коридоре. Тот — не наш человек и ничего не подозревает.

Видя, что на лице Костыля отразилось сомнение, он его успокоил.

— Его мы нейтрализуем, и в этом ты нам поможешь. По дороге в суд машина будет остановлена. Как — тебя не касается. Мой помощник Данилыч выйдет, чтобы помочь шоферу. Второй, салага, будет сидеть рядом с тобой. Тут ты и начнешь действовать.

Костыль напряженно слушал, и он продолжал:

— Окольцуешь руками его горло и придушишь наручниками. Понял? Парень он крепкий, но ты сильнее, справишься. Я для блезиру вроде как приду ему на помощь, чтобы видел это, пока в сознании, и потом засвидетельствовал.

— Хитро! А если я не смогу его осилить? — не выдержал Башун. — Что тогда?

— Придется мне незаметно его оглушить. Но ты потом не забудь добавить своими наручниками, — предусмотрительно потребовал от него Шевчук, — чтобы остались от них следы!

Он с тревогой взглянул на часы и заторопился:

— Вот и все. Нужно закругляться, чтобы ничего не заподозрили. Ты меня там тоже хорошенько огреешь наручниками по башке, свяжешь обоих нашими же ремнями, и тебя заберут свои.

Шевчук откинулся на стуле и заключил:

— Будь в боевой готовности к девяти и не сомневайся: все у нас получится! Наша смена до полудня, и заменить нас не могут. Да и твоя братва, уверен, не подкачает.

В то утро выдалась отличная солнечная погода. Ровно в девять, как обещал Шевчук, дверь камеры открылась, и заключенного Башуна под конвоем повели по длинным коридорам во двор тюрьмы к ожидавшему там «воронку». Прежде чем посадить в кузов, на него надели наручники, а затем поместили на лавке между двумя охранниками: сухопарым Данилычем и здоровенным молодым парнем, его напарником, на полголовы выше Костыля. Толстый Шевчук забрался в кабину к водителю, и машина выехала за тюремные ворота.

Никто, кроме Шевчука, не обратил внимания на то, что сразу же за этим от противоположного тротуара отъехал потрепанный с виду, но мощный «БМВ» и устремился вслед за тюремным «воронком». Движение в столице было уже в разгаре, то и дело по дороге возникали пробки, но, ловко лавируя в потоке попутного транспорта, «бээмвэшка» не слишком отставала от «воронка».

— Ну ты же у нас и мастер вождения! — одобрительно бросил коренастый Рябой сидящему за рулем «БМВ» долговязому Фитилю. — Тебе можно в гонках участвовать.

— А что? Это мы могем, — не выпуская изо рта сигареты, ухмыльнулся Фитиль, самодовольно скосив на него глаза. — Гублю я с вами свой талант! — И резко рванул машину вперед, чтобы успеть проскочить на желтый сигнал светофора.

В это же самое время Цыган, припарковав невзрачную с виду обшарпанную «Ладу» в проходном дворе узкого переулка за два квартала до здания суда еще с тремя крепкими парнями, готовился встретить «воронок» в условленном месте. Чтобы исключить всякие случайности, они заранее приготовили запрещающий знак «кирпич» и установили его в еще более узком параллельном переулке, также ведущем к суду, хотя знали, что «воронок» там не поедет.

Когда закончили приготовления, Цыган скомандовал подельникам:

— А теперь, братки, пора рассредоточиться! Ты, Косой, встань у таксофона и делай вид, что звонишь. Ты, Филин, бери «муху» и тащи ее на чердак. Там как раз твое законное место, — усмехнулся он и добавил: — Если увидишь, что дело пошло не так, как надо, и «воронок» уезжает, то сразу пали по кабине, не стесняйся! Мы с Курчавым останемся здесь.

Цыган и его подельник по кличке Курчавый, с веснушчатой бандитской рожей и, правда, с кудрявой, как у барана, светлой шевелюрой были одеты в рабочие комбинезоны. Взяв сумки с инструментами, они заняли позицию у открытого канализационного люка, имитируя трудовую деятельность и в то же время не спуская глаз с поворота, из-за которого должен был показаться ожидаемый ими объект.

«Воронок» уже почти достиг цели, и Шевчук, завидев переулок, куда им надо было свернуть, незаметно от водителя достал из кармана и зажал в руке толстое шило. Все им было тщательно продумано заранее.

— Ты не заметил, что машину ведет влево? Похоже, приспустила шина заднего колеса, — с озабоченным видом произнес он. — Как свернем в переулок, остановись на минутку! Я выйду и взгляну. А то, не дай Бог, спустит до обода.

— Да ничего, вроде не заметно, — ответил ему молоденький водитель, совсем еще мальчик, но, немного проехав по переулку, машину все же остановил в тенистом месте у старых тополей.

Не мешкая, удивительно шустро для своего веса, Шевчук вылез из машины, подскочил к левому колесу и воткнул в него шило до упора. Из шины тут же пошел воздух, и она на глазах стала спускать.

— Прокол левого заднего, Сева! — крикнул он водителю, подойдя к кабине. — Придется поменять. Сейчас я пришлю тебе Данилыча в помощь. Чтоб сделали побыстрее!

Взяв инструмент, шофер вылез из кабины, а Шевчук зашел сзади и, постучав, позвал своего помощника:

— Данилыч, выходи! Надо Севе помочь запаску поставить! А я тебя подменю, пока вы там возитесь.

Запертая изнутри дверь кабины арестантов открылась, и сухопарый Данилыч спрыгнул на землю, а его место возле Костыля занял Шевчук, заперев за собой дверь. Шофер с Данилычем споро поддомкратили машину, сняли спустившее колесо и стали ставить запаску. Они не обратили внимания, что неподалеку затормозила подержанная «бээмвэшка».

Цыган с Кучерявым этого только и ждали! Сделав знак Косому, они в два прыжка подскочили к работающим и, оглушив рукоятками пистолетов, крепко связали и заклеили им рты скотчем так, что те, если б даже пришли в себя, не смогли и пикнуть. Все это происходило на глазах у удивленных прохожих. Некоторые, наиболее смелые, пытались узнать, в чем дело. Но подоспевшие Фитиль со своими подельниками, показывая к месту и не к месту красные книжечки, отгоняли любопытных. Полдела было сделано!

В это время в тесном кузове «воронка» шла жаркая схватка. Костыль сделал все, как ему было сказано. Стоило Шевчуку сменить Данилыча, он сразу через голову обхватил шею молодого охранника закованными руками и попытался его задушить. Тот захрипел и стал отчаянно сопротивляться, стараясь разжать железную хватку бандита.

— Держись, Вадик! — громко крикнул его начальник, навалившись на Костыля и делая вид, что с ним борется, а на деле помогая потуже сдавить горло бедняге.

— Хватит! Он уже готов, — остановил он бандита, когда охранник потерял сознание. — Не бери лишнего греха на душу. Все идет путем!

Шевчук наспех связал своего подчиненного, достал из его кармана ключик от наручников и снял их с Башуна. Снаружи застучали в дверку кабины, и он бросился ее открывать. Но то ли из-за спешки, то ли из-за охватившего его нервного мандража он с излишней силой нажал на дверь, и старый замок заело. Произошло первое непредвиденное осложнение.

— Чего вы там чухаетесь? Помощь не нужна? — крикнули снаружи, и Костыль узнал голос Рябого. — Пошевеливайтесь!

— Дверь открыть не можем! С замком что-то, — прокричал он в ответ. — Нужна монтировка или вороток! Давай я тебя сменю, — предложил он вспотевшему от усилий тюремщику. — У меня силы побольше.

— Тут силой не возьмешь, — прохрипел Шевчук, бесполезно пытаясь повернуть рукоятку заевшего замка. — Смазать бы его, да времени у нас нет.

— Дай все же я попробую, — грубо схватил его за руку Костыль. — У тебя ничего не выходит! Если сломаю, братва снаружи поможет.

— Не сможет — дверь бронированная, — с отчаянием в голосе возразил Шевчук и осекся, заметив, что охранник Вадим очнулся и смотрит на них круглыми от ужаса глазами. Он же все слышал! Это было уже второе осложнение. Похоже было, что удача от них отвернулась.

— Ладно, пробуй, — махнув рукой, бросил Костылю Шевчук, и подскочил к лежащему на полу подчиненному. «Что же мне с ним делать? Он меня заложит, как пить дать! Его не купить, — молотком стучало у него в мозгу. — Нельзя ведь допустить, чтобы стал свидетелем!»

И Шевчук решился. Он никогда еще никого не убивал своими руками. Ему было невыносимо на это пойти, но теперь казалось, что у него нет выбора.

— Прости, Вадим! Зря ты очнулся, — вслух пробормотал он, обливаясь потом, достал острый нож, который по тюремной привычке всегда имел при себе и, зажмурившись, чтобы не видеть глаза Вадима, всадил ему в грудь.

Нервное потрясение было так велико, что убив, своего сослуживца, Шевчук продолжал стоять над ним, как истукан, не в силах пошевельнуться. Из транса его вывело то, что Костыль открыл-таки замок, и в кабину ворвались Рябой с Цыганом. Времени для поздравлений не было, и, выразив свою радость лишь тем, что похлопали Костыля по плечу, они наскоро связали тюремщика.

— Захватите нож и выбросьте по дороге! Да посильнее дайте мне по кумполу, — успел прохрипеть Шевчук, перед тем как они заклеили ему рот.

Сделав то, о чем он просил, бандиты расселись по машинам и разъехались, уверенные, что все прошло гладко и их никто не преследует.

У судьбы свои, неведомые никому законы, и ее превратности могут опрокинуть даже детально разработанные планы. Так вышло и на этот раз. Пенсионер Игнат Павлович после инсульта уже пятый год не вставал с инвалидного кресла. Зрение у него тоже было слабое. Он был дальнозорким, но быстро уставали глаза. Поэтому ему трудно было читать и смотреть телевизор. Большую часть дня он проводил у окна, а в летнее время на балконе, с интересом наблюдая за тем, что происходит на улице.

Игнат Петрович всю жизнь проработал на авиационном заводе, но его, как передовика производства и уважаемого человека, ряд лет привлекали в качестве народного заседателя в суде. Будучи участником разбирательства уголовных дел, он помнил обстоятельства многих преступлений. Поэтому, наблюдая с балкона необычное происшествие у стоявшего напротив микроавтобуса, похожего на тюремный «воронок», бывший заседатель отметил ряд несуразностей, которые его насторожили.

Его не удивило, что вооруженные люди в штатском, которых он принял за оперативников, оглушили, грубо бросили на землю и связали двух пассажиров машины, очевидно, преступников. В порядке вещей он посчитал и то, что эти опера отгоняли зевак, тем более видел, как они предъявляют удостоверения. Но преступников следовало увезти, а они этого не сделали! Кроме того, они почему-то стали взламывать заднюю дверь машины, а потом вместе с арестованным обратились в бегство.

— Это же бандитский налет на тюремную машину! И им удалось освободить преступника, который в ней находился, — осенило Игната Павловича. Не мешкая более, он потянулся за трубкой телефона и сообщил обо всем, что видел, в милицию.

Не прошло и десяти минут, как к месту происшествия прибыли работники правопорядка и сразу же двое из них появились в квартире у старого инвалида. Они попросили его повторить все, что он рассказал им по телефону, и задали еще ряд вопросов.

— Главное, что нам хотелось бы у вас узнать, — это приметы преступников, — внимательно выслушав, попросил старший из них в форме майора милиции. — Вы не запомнили хотя бы номер одной из машин, на которых они уехали?

— Одеты все они были в ничем не приметное штатское платье, — ответил Игнат Павлович и, вспомнив, добавил: — Хотя, похоже, на двоих была рабочая роба. А вот номера их машины не разглядел, — огорченно взглянул он на майора. — То ли далековато стояла, то ли из-за грязи. И вообще она такая неприглядная, обшарпанная.

— Ну это уже кое-что! — оживился майор. — Может, марку машины запомнили? Вы в них разбираетесь?

— Немного понимаю. При слушании уголовных дел доводилось разбираться, — ответил Игнат Павлович, напрягая память. — По-моему, это «БМВ», — не совсем уверенно произнес он. — У нее облицовка радиатора — такая узенькая и как бы из двух половинок.

— Молодец, дед! Так оно и есть! — обрадовался майор и, не медля ни минуты, передал приметы машины по мобильной связи. — Мы задействовали операцию «Перехват», и это должно помочь. У них и вторая машина тут во дворе стояла — подержанный «жигуль», — уходя, объяснил он Игнату Павловичу.

Старый инвалид так и не узнал, как сильно он помог милиции, потому что уже через полчаса патрульный сержант обратил внимание на похожую обшарпаннную «бээмвэшку», лихо мчавшуюся по набережной Москвы-реки в сторону Нагатино. Решив проверить, он приказал ей остановиться, но машина лишь прибавила ход.

Началась погоня в стиле крутых боевиков. У бандитского «БМВ» был мощный двигатель и управлял им Фитиль, славившийся, как классный автогонщик. Однако милицейский «форд» с молоденьким сержантом от него не отставал. Движение по набережной было не слишком плотным, но гонка преследования получилась такой, что острых ощущений хватило всем с избытком!

Визжа тормозами, то и дело на грани столкновения с шарахавшимся от них транспортом, машины неслись друг за другом, и, как ни старался Фитиль, делая подчас цирковые трюки, он никак не мог уйти от погони — сержант бесстрашно повторял за ним все его номера, как истый каскадер. И все же, сумев выжать из «БМВ» больше того, на что машина была способна, Фитиль начал отрываться от преследователя. Расстояние между ними резко увеличилось. Бандиты радостно загалдели и разом умолкли: впереди из-за ремонта дороги образовалась пробка.

— Ничего, братва, прорвемся! — бесшабашно заверил их Фитиль. — Есть выход!

Действительно, если справа все было перегорожено строителями и их техникой, то слева, между забитой транспортом проезжей частью дороги и чугунным ограждением набережной было достаточно места, чтобы проехала легковушка. Туда, не снижая скорости, и устремился Фитиль. «Бээмвэшка» влетела на тротуар и понеслась, обгоняя остальной транспорт, сгрудившийся в узком месте.

Но бандитам фатально не повезло! Они уже были близки от выхода из горловины, как прямо перед их носом из потока медленно двигавшихся машин на тротуар набережной вскарабкался какой-то нахальный джип. Наверное, он тоже спешил и не видел, что сзади на большой скорости приближается машина. Фитиль мгновенно дал по тормозам, но было уже поздно! Столкновение стало неизбежным.

Удар был очень силен! Джип отбросило вправо, и он протаранил сразу несколько машин, плотно двигавшихся друг за другом. Что касается «БМВ», то его резко развернуло влево, и он, потеряв управление, пробил чугунное ограждение набережной и свалился в Москву-реку. Фитиль погиб сразу при столкновении. Сидевший рядом с ним Рябой и еще один из бандитов, получив тяжелые травмы и потеряв сознание, захлебнулись в кабине. Но двое бандитов сумели выбраться из тонущей машины, и их вытащили из воды.

Однако это был первый и последний успех милицейской операции. Незаметный старенький «жигуленок» от них ушел, и, к особенному огорчению начальства, не удалось поймать и вернуть в тюрьму бежавшего заключенного.

С наслаждением отмывая тюремную грязь в горячей ванне, Башун все еще не мог поверить в реальность происходящего. Неужели сбылись его чаяния и он снова на свободе? Неужели это происходит не во сне, а наяву? Неужели сверкающая кафелем ванная и шикарная квартира, куда его привела сожительница Хирурга Софа, не мираж, а действительность?

Он еще не знал, как плачевно закончилась для Рябого, Фитиля и еще троих братков организация его побега, как дорого обошлось бандгруппе Седого вызволение своего подельника Костыля из тюрьмы. Неприметный старый «жигуль», ведомый Цыганом, легко ушел от милицейской облавы и благополучно привез его на квартиру Софы, где их уже поджидал Серега-Хирург. Цыган сообщил ему по мобильнику, что все в порядке, и он везет к нему, как было условлено, бывшего сокамерника.

— Собирай на стол! Примем по стакану, чтоб и дальше так фартило, — весело повелел он Сергею на подъезде. — Нас пятеро. У тебя хватит водяры?

— Хватит! Вот закуси маловато для такой оравы, — так же весело ответил тот. — Может, прихватите по дороге, если хавать охота?

— Обойдемся! Рукавом занюхаем, мы привычные, — рассмеялся Цыган. — Хотя повод хороший, рассиживаться нам не придется. Как бы хвост не прищемили мусора по горячим следам, — став серьезным, объяснил он. — Седой наказал сдать тебе Костыля на хранение и рвать когти. Но засосать по стакану успеем: душа просит!

Он сделал паузу, припоминая, чего еще наказывал ему главарь, и добавил:

— Но на своей хате тебе Костыля держать нельзя. Ему сразу надо куда-нибудь нырнуть, и желательно поглубже. Иначе мусора на него через тебя выйдут. Они его сейчас всем скопом искать будут.

Фоменко и сам этого боялся. Поэтому заранее принял меры, и они с Софой решили поселить Башуна у ее знакомой Катерины. Софа с ней уже условилась, что та приютит его как временного жильца. А получится у них интимная связь или нет — покажет будущее. Но чтобы знакомить их так скоропалительно? «Это может все испортить, — недовольно подумал Сергей. — Уверен, что Катерина от Костыля будет в восторге, но спешка здесь не нужна».

— Надо посоветоваться с Софой, — вслух пробормотал он. — Посмотрим, что она скажет. Думаю, риск невелик, если он у нас и побудет пару дней. Уж больно тупые эти менты!

Однако его сожительница восприняла все очень серьезно.

— Мне здесь только милиции не хватает! Прав твой Седой. Умный мужик, потому и на свободе гуляет, — решительно заявила она. — Вас с ним, Сержик, никто не должен видеть вместе. В случае чего ты ничего не знаешь!

Софа немного подумала и предложила: — Пусть сразу его увезут куда-нибудь. А я потом познакомлю с Катюшей, и он у нее заляжет на дно.

— Как же тогда быть? Не могу я сразу его выставить, — попробовал сопротивляться Фоменко. — Надо же дать ему перевести дух, помыться хотя бы. И потом, некуда им его сейчас заховать.

— Ну тогда придется сразу отвезти к Катьке. Она разрешит — уж больно хочет мужика, сама мне призналась, — нашла выход Софа. — Я сама доставлю к ней вашего Костыля на такси. Вот только позвоню, чтобы оставила мне ключи у вахтера.

— Ее что же дома не будет? — поразился Сергей. — Как же ты к ней привезешь и оставишь в квартире незнакомого человека?

— Ты же за него ручался, — усмехнулась Софа. — Да и если что возьмет, от нее не убудет. Все ему простит, лишь бы очень старался! Но ты ведь говоришь, он способный мужичок?

— Может, лучше будет все же подождать, пока она заявится? — не воспринимая шутки, недовольно пробурчал Фоменко. — Скоро ведь конец рабочего дня.

— У нее в детдоме ревизия. Допоздна, — подмигнув, объяснила Софа. — Надо ведь умаслить взяточников. Но придет под хмельком и наверняка недовольная ими. Твой друг ее и утешит!

Вот как получилось, что Костыль блаженствовал в полном одиночестве в роскошной квартире Софиной подруги Катерины, совершенно незнакомой ему женщины. Серега-Хирург ему без обиняков обрисовал условия, на которых ему предоставлена «хата», и каким способом он должен завоевать расположение ее хозяйки. Но это нисколько не смутило уверенного в себе бандита. Он был даже рад, что не надо терять времени на поиски подходящей сожительницы. В отношениях с женщинами у него был только один принцип: нет некрасивых, бывает лишь мало водки!

Приняв контрастный душ, Башун вылез из ванной и стал обтираться пушистым махровым полотенцем. Приземистый и коренастый, весь заросший черной шерстью, с длинными руками, он напоминал гориллу. Вспомнив напутствие, которое, уходя, ему высказала Софа, самодовольно ухмыльнулся.

— Ты уж нас с Сержиком не подводи, постарайся ублажить Катерину как следует. Мы ее обнадежили, — заявила она ему с присущей ей беспардонностью. — Тогда будешь здесь кайфовать! Уж Катюша для тебя расстарается. Пожалуй, впечатление производишь, — добавила она с заблестевшими глазами, по-женски взглянув на его мощную фигуру, от которой веяло звериной силой.

— А ты сомневаешься? — похабно осклабился Костыль. — Можешь сейчас меня проверить!

— Ишь, губу раскатал! Мне моего Сержика вполне хватает, — осадила его Софа скорее кокетливо, чем обиженно. — Ты лучше для хозяюшки силы сбереги. С ней их тебе много потребуется. Смотри, не выдохнись раньше врени.

— Не сомневайся, заботливая, — бросил на нее насмешливый взгляд Костыль. — Меньше сорока минут не работаю.

— Ладно, посмотрим, что Катерина скажет, — фыркнула Софа и, уходя, громко хлопнула дверью.

Башун на это лишь самоуверенно ухмыльнулся. От природы туповатый, с замедленной реакцией, он и в сексуальном плане был сильно заторможен. Даже попадавшиеся ему ненасытные бабенки редко его выдерживали, так как, чтобы утолить свою похоть, он не давал им роздыху всю ночь. «У меня-то силенок хватит, вот выдержит ли она? — мысленно усмехнулся Костыль. — Хотя, судя по тому, что говорят Хирург и Софа, ей это как раз и требуется».

Наконец-то судьба ему улыбнулась! Все складывалось наилучшим образом. И Седой его не подвел — долгожданный побег состоялся! И Хирург по-дружески расстарался — устроил ему не только отличную хату, но и такую бабу, о которой он мечтал, томясь за решеткой тюрьмы. А впереди ждало новое доходное дело, которое принесет им всем кучу баксов. Вот это будет житуха!

Часть II. ПОХИЩЕНИЕ

Глава 7. Дела семейные

Самолет крымского рейса прилетел точно по расписанию. Михаил Юрьевич Юсупов вместе с сыном с нетерпением ждали, когда появятся его пассажиры. Но вот в радостно оживленной толпе показалась высокая блондинка, выделявшаяся величественной, истинно царской осанкой. Светлане Ивановне давно уже перевалило за сорок, но она все еще сияла яркой женственной красотой. Лишь при ближайшем рассмотрении были заметны предательские морщинки у глаз и рта, умело скрытые макияжем.

Багажа у нее с собой не было. Поэтому, вручив огромный букет роз и вдоволь расцеловав и пообнимав, мужчины с двух сторон взяли ее под руки и повели к ожидавшей их на стоянке машине.

— Ну рассказывайте скорее: как самочувствие папы? Как он выглядит? И как управляется с Оленькой и Надей эта новая домработница? — сразу забросала их вопросами Светлана Ивановна, уютно устроившись между мужем и сыном на просторном заднем сиденье лимузина. — Ей можно доверять?

— Обо всем тебе расскажет Петя, — извиняющимся тоном ответил Михаил Юрьевич, обняв своей сильной рукой и крепко прижимая к себе жену. — Я ведь сам только прилетел, бросив все дела на помощника. Сыну одному пришлось управляться с домашними проблемами.

— Дедушка у нас просто молодец! — пришел ему на выручку Петр. — Выкарабкался из обширного инфаркта. Врачи заверяют, если будет соблюдать щадящий режим и беречь свои нервы, проживет до ста лет — организм у него крепкий! Так оно и будет, потому что наш дед — ученый, да и бабушка теперь над ним будет квохтать как наседка, — закончил он на оптимистичной ноте, чтобы успокоить мать.

— Ну а какое у вас мнение об этой Зине? Вы не ответили на мой вопрос, — в голосе Светланы Ивановны была скрытая тревога. — Девочки ею довольны, но что она за человек? Что известно о ее прошлом?

— К сожалению, пока ничего, — честно признался Михаил Юрьевич. — Мне самому недосуг было этим заниматься. Поручил Сальникову — он досконально все выяснит. Но девица родом из Казахстана, что тормозит проверку. Поначалу вроде бы все сходится с тем, что она о себе сообщила.

— А ты, сынок, почему молчишь? — насторожилась Светлана Ивановна.— С ней что-нибудь нехорошо?

«Слишком хорошо, — сконфуженно подумал Петр, — но как сказать об этом матери? Хотя, как женщина, она об этом быстро сама догадается».

— Пришлось взять ее без проверки, когда Даша легла в больницу, — осторожно ответил он. — Но Зина очень старается и, — немного замявшись, все же добавил он, — мне она нравится.

Некоторое время в салоне лимузина царило молчание, так как после долгой разлуки супруги Юсуповы блаженствовали, тесно прижавшись друг к другу. Их взаимное чувство с годами лишь крепло. Наконец, испытывая неловкость перед сыном, Михаил Юрьевич спросил:

— Как долго ты с нами пробудешь? До самого дня рождения близняшек?

— Что ты, что ты, Мишенька! Я ведь и вырвалась всего на пару дней потому лишь, что приболел наш первый герой-любовник, и спектакли вынужденно перенесли, — спускаясь с неба на землю, со вздохом ответила Светлана Ивановна. — Вот только решим, как организуем праздник для наших дорогих малышек, хотя бы немного разберусь с домашними делами — и обратно.

— А потом, всего через пару недель, снова вернешься? — не скрывая своего недовольства, проворчал муж. — Так весь твой заработок уйдет на одни перелеты!

Тем временем лимузин Петра подрулил к родному дому Светланы Ивановны на Патриарших прудах и остановился посредине узкого переулка, так как места для парковки не было. Хозяин с водителем почти одновременно выскочили из машины и помогли выйти все еще очаровательной примадонне. Вслед за ней не спеша вылез и массивный Михаил Юрьевич.

— Ночевать буду у себя. Заедешь за мной в полдвенадцатого, — наказал Петр водителю и вслед за родителями направился к дому.

В уютной квартире Юсуповых, где Светлана Ивановна прожила большую часть жизни и родила своих детей, все было готово к приему хозяйки. Олю и Наденьку по поручению Петра из школы привез домой Казаков. А отличный стол был накрыт при активной помощи Насти умелыми руками Веры Петровны. Она специально приехала с дачи на электричке, чтобы встретить дочь и принять участие в семейном совете.

Юные княжны дежурили у дверей, и только в них показалась мать, бросились к ней и повисли на шее. Казалось, объятиям и чмоканью не будет конца, однако, вдосталь натешившись, Светлана Ивановна нашла мудрый способ успокоить своих дочек.

— А я привезла вам подарки из Крыма. Думаю, будете довольны, — поставив их на ноги, таинственно улыбнулась она. — Мне кажется, вы обе как раз об этом меня просили.

— Что ты нам купила? Панамки? — в один голос вскрикнули Оля и Надя.— Будь добренькой, покажи!

— Намного лучше! То, что делают только там, — сохраняя на лице загадочное выражение, ответила им мать. — Но придется вам потерпеть, пока все не выйдут из-за стола. Вы хорошо вымыли руки? — находчиво перевела она разговор на деловые рельсы. — Если нет, то бегом в ванную!

Разочарованно вздохнув, девочки пошли выполнять ее команду.

Шел уже пятый час, и все изрядно проголодались. Поэтому, наскоро приведя себя в порядок, дружно собрались за столом. Когда выпили за приезд хозяйки, за ее здоровье и успехи, естественно, разговор пошел о предстоящем семейном празднике — дне рождения Оли и Нади.

— Мы со Степаном Алексеевичем уже обсуждали этот вопрос и предлагаем устроить день рождения внучек у нас на даче, — первой проявила инициативу Вера Петровна. — Выслушайте меня внимательно! По нашему общему мнению, — это самый лучший вариант, и вот почему.

Она перевела дыхание и продолжила:

— Погода стоит чудесная, и по прогнозу — изменений не ожидается. Места у нас для всех хватит. Устроим два стола: один — общий на террасе, а другой — для шашлыков в саду у мангала. Бассейн мы уже собрали. Природа ожила, скоро лето полностью вступит в свои права!

Вера Петровна обвела всех ясным взглядом своих серых глаз и, задержав его на внучках, с энтузиазмом заключила:

— А для наших виновниц торжества, кроме подарков, мы подготовим веселую программу праздника, которую завершим вечером у костра или у камина, глядя по обстановке. Ну, какие будут мнения?

Возникла пауза, во время которой все размышляли, пока Михаил Юрьевич с сомнением в голосе не произнес:

— Это выглядит заманчиво и очень бы все упростило, так как на даче можно собраться всем, за исключением лишь заграничных родичей. Однако, — немного помешкав, бросил он извиняющийся взгляд на тещу, — нельзя ставить семейный праздник, который так ждут наши малышки, в зависимость от капризов погоды. А что будем делать, если она вдруг испортится?

— Мне тоже кажется, что рисковать не стоит, — как всегда, поддержала мнение мужа Светлана Ивановна. — Это будет ужасно, если капризы погоды испортят нам праздник. С великим трудом сюда вырвусь, и вдруг — такая неудача!

Поглядев на приунывших девочек, которых, по-видимому, очень соблазнило предложение выехать на природу, она бодро добавила:

— Считаю, что не нужно слишком мудрить. Мы отлично все устроим и у себя дома! Ведь все прошлые дни рождения проходили весело. Разве не так, дочули?

— Не-е, мамочка, — осмелилась возразить Оля. — Не хочется нам, как всегда. На даче у дедушки лучше!

— А ты, Наденька, тоже так считаешь? — с улыбкой спросила у второй дочери Светлана Ивановна, видя, что та, посмотрев на сестру, потупила взгляд. — Говори же, не стесняйся.

— Тоже, — еле слышно пролепетала Надя. — Неохота дома.

Петр, который заранее настроился поддержать любое решение старших, не собирался участвовать в их разговоре по поводу дня рождения сестер. Но когда возник спор, у него родилась плодотворная идея. Он решил, что пришла пора высказаться и ему.

— У меня тоже есть предложение, которое может понравиться сестричкам и решит все наши проблемы, — выждав благоприятный момент, вмешался он в разговор. — Оно необычное и дорого обойдется, но сразу хочу предупредить: все затраты никого, кроме меня, не касаются! Это мой подарок сестрам, и он мне по карману.

— Ладно, говори, что предлагаешь, — немного покривившись, поскольку никак не мог привыкнуть к богатству сына, сказал Михаил Юрьевич. — Мы понимаем, что тебя это не разорит.

— Я исхожу из того, что маме трудно удрать с гастролей, а без нее праздник невозможен, — начал Петр, посмотрев на мать, как бы прося ее поддержки. — Вот что может испортить все дело, а вовсе не погода! — он сделал паузу и продолжал: — Поэтому предлагаю устроить день рождения Оленьки и Нади там же — в Ялте. Среди чудной природы и уже наступившего лета. Вода в море теплая, и детям можно купаться! А как все устроить, я сейчас расскажу.

Его предложение было столь неожиданным, что повергло всех в шок. Такой вариант никому и в голову не приходил! И старшие, и сестренки смотрели на Петра, широко открыв глаза, не в силах произнести ни слова. Он же совершенно невозмутимо продолжал:

— Я сниму для этого номера и банкетный зал в ресторане гостиницы у самого моря. Представляете, как будет здорово? Сколько разнообразных развлечений для наших девчонок? Тут и пляж, и катание по морю, и многое другое.

Предупреждая естественный вопрос, он поспешил всех успокоить.

— Вижу, что вам кажется, будто это слишком далеко, а путешествие туда — целая проблема, и не для всех она может быть решена. Но вы ошибаетесь!

Все снова непонимающе посмотрели на Петра, и он четко объяснил:

— Я все организую так, чтобы это короткое путешествие было для всех не только легким, но и приятным. Доставлю в аэропорт и обратно. Полетим на зафрахтованном мною частном самолете. Недолгий перелет никого не утомит. Даже дедушку, так как хорошие эмоции никому еще не повредили. Все с этим согласны?

Первой из оцепенения вышла Светлана Ивановна.

— А что? Совсем неплохо придумано, — как бы еще размышляя, вопросительно взглянула она на мужа, так как никогда не шла вразрез с его мнением. — Правда, выглядит немного фантастично, но ведь нашему сыну по силам осуществить это, Мишенька? И почему бы ему не подарить праздник своим сестрам?

— Я вовсе не против! Ведь красиво жить не запретишь, — осознав, что вариант, предложенный сыном, вполне реален, одобрительно отозвался о нем и Михаил Юрьевич. — Петя вправе потратить свои честно заработанные деньги с истинно аристократическим размахом. А еще, — он иронически усмехнулся, — некоторые не верят в генетику!

Его решительная поддержка положила конец спорам, и все, даже малышки, наперебой заговорили, обсуждая детали предстоящего путешествия и внося свои предложения.

Даша Юсупова занимала отдельную палату-люкс в одной из лучших клиник столицы. Это, по сути были, комфортабельные апартаменты, состоящие из удобной спальни с широкой постелью, трюмо и гардеробом; гостиной, в которой был новейший телевизор, посудная горка с баром и холодильник; и роскошного санузла, блистающего чистотой, красивой отделкой и дорогим современным оборудованием. Когда вошел Петр, она расчесывала свои густые светло-русые волосы и, увидев в зеркале мужа, радостно улыбнулась.

— Ну вот и ты, Петенька! Я уж думала, забыл обо мне за делами, — с легким упреком сказала она, поднимаясь к нему навстречу. — Тебя не было три дня. Ты куда-нибудь уезжал?

— Куда я могу уехать, когда привязан к дому, словно цепью?— вручив ей цветы и опустив на подставку пакеты с гостинцами, ответил Петр, против воли кривя душой. — Отец ведь только вчера домой вернулся. Пришлось смотреть за сестрами.

— Так ведь за ними смотрит новая няня, — не скрывая недовольства, возразила Даша. — Ты же говорил, что она справляется.

— Это так, но этого недостаточно,— непроизвольно покраснев, ответил Петр.

— Ладно, не оправдывайся, — смягчилась Даша. — Очень уж скучно мне здесь в больнице без тебя, Петенька, — грустно добавила она, бросив на мужа любящий взгляд. — Мама в счет не идет, да и уедет скоро.

— Ты сама решила, что так тебе будет лучше, — проворчал Петр. — Вполне бы могла побыть это время дома, вместе со мной.

— Опять ты за свое, — нахмурив брови, с досадой произнесла Даша. — Будто я легла в больницу ради своего удовольствия!

Но, соскучившись по мужу, она не могла на него долго сердиться и, взяв себя в руки, примирительно сказала:

— Не будем, Петенька, снова толочь воду в ступе. Ты ведь знаешь, что я это сделала, боясь потерять ребенка. Мы ведь все хотим, чтобы он появился на свет? Лучше расскажи, — решила она «сменить пластинку», — как вы встретили маму? Как думаете отпраздновать день рождения Оленьки и Нади?

— Мама еле оттуда вырвалась всего на пару дней. Выглядит, как всегда, блестяще! — охотно переключился Петр на более приятную тему.— А что касается наших планов на день рождения моих сестричек, то готовься: сейчас ты будешь удивлена. — На его лице появилась довольная улыбка. — Тебя ждет сюрприз!

— Наверное, что-нибудь экстраоригинальное придумал старый профессор? — попыталась догадаться заинтригованная Даша. — Он ведь у нас ученый педагог.

— Вообще-то было на этот счет и у них с бабушкой подходящее предложение. Однако, как ни странно, на конкурсе лучшим оказалось мое! — Петр победно взглянул на жену. — Я и сам не ожидал от себя такой прыти.

— Ну и что же ты придумал? — широко раскрыла глаза Даша.

— А мы все вместе отправимся отмечать день рождения На-деньки и Оли к маме в Ялту! — уверенный, что обрадует, объя-вил ей Петр. — Маме очень трудно удрать с гастролей, а так все устроится. Конечно, стоить это будет уйму денег, но зато какой устроим для всех праздник, особенно для малышек! Ну, как тебе это нравится? — спросил он у нее, ожидая изъявления восторга.

Пораженная его сообщением, Даша молчала, и Петр не дож-давшись ответа, недовольно спросил:

— Ты чего это онемела? Опять что-нибудь не так? Ну разве плохо придумано, или тебе денег жалко? — начал сердиться он. — Мы можем позволить себе такие расходы.

— Да при чем здесь расходы? — выйдя из транса, с досадой произнесла Даша. — Ты по-прежнему не хочешь понять, что для меня сейчас важнее всего рождение нашего ребенка! Как же я смогу отправиться в Ялту? Ведь это такой риск!

— Ну какой же это риск? — вспылил Петр. — Я специально найму для перелета небольшой комфортабельный самолет. Дос-тавлю всех в аэропорт и в гостиницу. Даже дедушка после ин-фаркта согласен участвовать. Почему же ты не можешь?

— Потому, что в дороге всякое может случиться, Петенька, — мягко, но с непреклонной решимостью возразила ему Даша. — А я для того и в больницу легла, чтобы исключить всякие неожи-данности. Ты прости, но для меня сейчас мой ребенок дороже всего на свете!

— И меня в том числе? — мрачно посмотрел ей в глаза Петр, одновременно испытывая обиду и разочарование. — А еще уко-ряешь, что я к тебе охладел!

— Ты мне по-прежнему дорог, Петенька, — извиняющимся голосом, словно прося пощады, произнесла Даша. — Но сейчас то, что у меня внутри, — она выразительно приложила ладошку к своему животу, — требует к себе больше заботы и внимания. Наверное, это — природный инстинкт, как ты считаешь?

— Считаю, что это — сверхмнительность, эгоизм и пренебре-жение своими семейными обязанностями. Вот что это! — вый-дя из себя, яростно выкрикнул Петр. — Посоветуйся с врачами, если хоть сколько-нибудь любишь меня и моих родных! Уверен, что со стороны медицины не будет никаких препятствий!

Боясь, что сгоряча наговорит лишнего и они всерьез поссорятся, он усилием воли взял себя в руки и хмуро сказал:

— Сейчас мне лучше уйти. А ты подумай над моими словами!

Петр хотел еще что-то добавить, но, передумав, махнул рукой и направился к двери. Даша молча смотрела ему вслед, с горечью сознавая, что в отношениях с мужем ее ждут тяжелые испытания.

Хотя в офисе Петра Юсупова ожидало много дел, на работу он не поехал, а завернул на Патриаршие пруды для того, чтобы проститься с матерью. Светлана Ивановна улетала вечерним рейсом. Проводить ее собирался Михаил Юрьевич на своей машине. Поэтому сына они попросили побыть это время дома вместе с сестрами.

Мать он застал за сборами в дорогу. Стоя перед зеркалом и оглядывая себя со всех сторон, Светлана Ивановна примеряла свое черное вечернее платье.

— Как оно на мне выглядит?— повернулась она к Петру, и добавила объясняя: — Нужно будет взять его с собой для заключительного банкета.

— На мой взгляд, ты в нем смотришься эффектно, — искренне восхитился он. — Его цвет отлично контрастирует с золотистыми волосами и синими глазами, подчеркивая твою необыкновенную красоту, мама.

— Не льсти! Я и так знаю, что ты меня любишь, — запротестовала Светлана Ивановна, но было очевидно, что слова сына доставили ей удовольствие. — Хотя и правда, похоже, что это платье мне идет.

Она бросила взгляд на открытый чемодан и сказала:

— Проходи в гостиную и подожди меня там! Сейчас я уложу платье, быстро переоденусь и к тебе приду. Расскажешь, как себя чувствует Даша.

Петр покорно отправился в гостиную, плюхнулся в кресло и наугад включил телевизор. Показывали какой-то крутой боевик, но он смотреть его не стал, поглощенный своими мыслями. «Надо все же маме рассказать о неладах с Дашей. Ведь шила в мешке не утаишь, — уныло подумал он и вздохнул. — Она наверняка очень огорчится, что у нас испортились отношения, и особенно если Даши не будет с нами в Ялте».

Предчувствия его не обманули. Первый вопрос, который Светлана Ивановна задала, придя в гостиную, был о Даше.

— Ну как себя чувствует будущая роженица? Когда собирается подарить нам твоего первенца? Надеюсь, не обижается, — озабоченно добавила она, — что я не успела ее навестить? Ты хоть догадался за меня извиниться и объяснить, что не было времени даже на то, чтобы как следует пообщаться с дочурками.

— Не беспокойся, Даша на тебя не обижается, она сейчас думает только о себе и о будущем ребенке, — не скрывая своего недовольства, заверил ее Петр и мрачно добавил: — А вот ты на нее, я уверен, скоро обидишься!

— Это почему же? — удивленно вскинула на него глаза Светлана Ивановна. — Заботиться только о рождении ребенка в ее положении вполне естественно.

— Но не в такой степени! У нее это граничит с помешательством, — в голосе Петра сквозило раздражение. — Представляешь, мама, она даже отказывается поехать вместе с нами в Ялту, чтобы отпраздновать день рождения Оли и Нади.

— Досадно, конечно, — лицо у Светланы Ивановны приняло расстроенное выражение. — Для малышек это будет огорчительно — так любят они Дашеньку, да и не только для них.

Она немного молча погоревала, но ее доброе и чуткое сердце сумело понять невестку.

— Ну что тут поделаешь, сынок? Пусть поступает так, как считает безопаснее и лучше для своего будущего малыша. Ты должен понять ее состояние и не осуждать Дашеньку за это! — твердо сказала она, обратив на Петра все понимающие глаза.

— Я возмущен ее поведением, мама, — потеряв самообладание, честно признался Петр. — Даша с самого начала повела себя как эгоистка. Я ведь тоже хочу ребенка, но не согласен из-за этого лишаться жены. А Даша совершенно не считается со мной как с мужчиной!

— Вот, значит, за что ты на нее обижен, — сочувственно покачала головой Светлана Ивановна. — Пожалуй, она, и правда, перестраховываясь, поступает по отношению к тебе слишком сурово. Но будь справедливым, Петя! — призвала она к его совести. — Ведь она также сурова и к себе! Дашенька любит тебя, сын, я это знаю!

— Ты уж слишком ее защищаешь, — горячо возразил матери Петр. — Просто Даша — холодный и эгоистичный человек. Делает только то, что ей нужно, не считаясь с чувствами и здоровьем других. Но я терпеть этого не намерен!

Светлана Ивановна проницательно посмотрела в глаза сына и осуждающе покачала головой.

— Что-то мне подсказывает, Петя, что ты уже не стерпел. Неужто из-за обиды стал изменять Даше? То-то мне показалось, что эта домработница Зина строит тебе глазки, — голос у нее дрогнул. — С огнем играешь, сын!

— Не преувеличивай, мама! Так уж и с огнем, — раздраженно возразил Петр. — Разве я обязан безропотно сносить капризы жены? Почему должен пренебрегать собственными интересами?

— А потому, что если Даша узнает, то тебе этого не простит! Подумай о том, сынок, — по-матерински предостерегла она его, — в каком положении окажешься, когда потеряешь семью, а главное — женщину, предназначенную тебе судьбой.

— Можно подумать, что на ней свет клином сошелся, — несогласно проворчал Петр. — Вот Даша как раз это о себе возомнила! Будто она — единственная, будто я не найду ей замену.

— И как давно ты так думаешь? — подозрительно посмотрела на него Светлана Ивановна. — Помнится, совсем недавно ты убеждал нас с отцом, что, кроме Даши, для тебя женщин не существует, что вы созданы Богом друг для друга!

— Видно, я заблуждался, мама. Теперь, хоть и поздно, прозрел, — мрачно произнес Петр.

— Уж точно прозреешь, сынок, когда потеряешь свое счастье, — с горечью предупредила его Светлана Ивановна. — Вот тогда, и правда, может оказаться слишком поздно!

Придвинувшись к сыну, она положила ему руку на плечо, и так они долго сидели молча, с грустью размышляя о сложившейся ситуации. Из задумчивости их вывел бой настенных часов.

— Что же я делаю? Папа уже скоро привезет малышек, а я еще не собрана, — спохватилась Светлана Ивановна и, обратившись к сыну, строго наказала: — Ты, Петенька, главное, не горячись! Проверь свои чувства, продумай все хорошенько. Как говорится: семь раз отмерь, один раз отрежь! Ошибка тебе слишком дорого обойдется. А я надеюсь на лучшее. Бог милостив!

Внеочередной выходной, неожиданно выпавший Насте Линевой благодаря приезду хозяйки, не принес ей, однако, большой радости. Проснувшись поутру рядом с Василием Коноваловым, она впервые за два года их любовной связи почувствовала себя неудовлетворенной. Всего за несколько встреч с Петром она уже привыкла к его чуткому отклику на ее страстные фантазии, и примитивных, хоть и доставлявших наслаждение мужских ласк Седого ей стало мало.

— Уже успела переспать с молодым хозяином? Ну и что, ублажил тебя этот фраерок? — криво усмехнулся Василий, когда Настя попросила и его исполнить свою прихоть. — Нет уж, давай без фокусов! Пусть слабаки изгаляются, а от меня и так бабы млеют!

Зная крутой нрав своего любовника, Настя решила судьбу не испытывать и с фантазиями больше не приставала, однако при воспоминании о том райском блаженстве, которое испытывала с Петром, все же, несмотря на проведенную бурную ночь, испытывала какой-то физический дискомфорт. «Встретиться, что ли, напоследок еще разок с Петей? — лениво подумала она, чувствуя, как сердце наполняет тоска. — А что это даст? Ведь все равно придется рубить концы!»

— Нет, это не дело! Надо заводить кого-то еще, чтобы был не хуже, — вслух пробормотала она, покосившись на спящего Василия. — Но спешить не стоит.

— Ты о чем, Настена? Сама с собой разговариваешь, что ли? — открыв один белесый глаз, с удивлением спросил пробудившийся Седой. — Чем ты так с утра озабочена?

— Значит, есть о чем думать, чего опасаться, — уклончиво ответила ему Настя, похолодев от страха. «Неужели он разобрал, что я сказала? Тогда мне конец!— мысленно ужаснулась она. — Ведь я знаю Седого: он и виду не подаст, но внутри затаится и, когда сочтет нужным, зверски отомстит!»

Но ее опасения были напрасны. Василий сквозь дрему слышал лишь неясное бормотание, проснулся в охочем настроении и был не прочь возобновить любовную игру. Сделав обычную попытку перевернуть партнершу на спину, к своему вящему удивлению, он встретил сопротивление.

— Да что с тобой, Настена?— спросил отвалившись, больше из любопытства, чем из-за недовольства. — То готова меня до смерти умотать, а сегодня сама на себя не похожа. Уж не заболела ли?

«Надо ему срочно лапшу на уши повесить, чтоб ни о чем не догадался,— мысленно усмехнулась Настя. — А впрочем, — мелькнула у нее дельная мысль, — мне не надо ничего и придумывать. Сообщу ему то, что есть». Вслух же она, приняв озабоченный вид, сказала:

— Надо мной тучи сгущаются, Вася! Пора уже мне оттуда делать ноги, не то у нас все сорвется. Ей-ей! Я не преувеличиваю.

Уловка Насти сработала безотказно. Седой сразу охладел к сексу.

— А ну-ка, рассказывай, что у тебя там происходит? — властно потребовал он. — Нам упускать этот товарец никак нельзя!

— Мне кажется, в чем-то они меня заподозрили. Наверное, проверку учинили, и что-то не сошлось. Отец девчонок ведь из этих ищеек — детектив! — для пущего эффекта округлила она глаза. — Он-то, хитрован, и виду не показывает, но я это по хозяйке поняла. Она лишь прилетела и сразу же на меня эдак подозрительно посмотрела, как на своего врага. А я ведь стараюсь, за ее дочками хожу!

— Да, что-то здесь не так, — согласился с ней Седой. — Наверное, детектив на тебя, то есть на эту Шишкину, получил данные из Казахстана. Думаю, что они, — скривил рот он в усмешке, — не очень ему понравились.

— Так что же мне делать, Васенька?— испуганно вскинула на него глаза Настя. — Он же может меня привлечь за подлог документов!

— Успокойся! До этого дело не дойдет, — Седой ободряюще похлопал ее по голой ляжке. — Видно, фотку Шишкиной они не получили. А мы тем временем стибрим их девок, — злорадно осклабился он. — Тогда пусть разоблачают.

— Надо бы ускорить это дело, — все еще беспокоясь, попросила его Настя.— Да и у девчонок занятия в школе кончаются. А тогда их отправят на дачу.

— Само собой! У нас почти все готово, — чтобы ее успокоить, заверил Седой. — Вот Костыль обеспечит им место в детдоме, и провернем это дельце!

— О каком ты детдоме, Васенька? Это что-то новое, — с интересом спросила Настя, прижимаясь к нему и вновь испытывая страстное томление. — Ты мне об этом ничего не говорил.

— А его нам устроили Костыль с Хирургом, вернее, его заведующая. Такая, знаешь, бой-баба. Своя в доску! — довольным тоном поведал ей Седой. — На нее вполне можно положиться. Костыль с ней уже спит, и она ему предана как собачонка.

— Тогда все понятно, милый. — Настя была уже полностью во власти своего страстного желания и сама перевернулась на спину, увлекая за собой партнера. — Давай-ка займемся теперь более приятным делом!

Проводив жену в Ялту, Михаил Юрьевич Юсупов на следующее же утро вновь улетел в командировку завершать начатое служебное расследование. Вера Петровна была на даче, и за сестрами в школу пришлось ехать Петру. Настроение у него было отвратительное, так как перед вылетом отец ему позвонил и сообщил крайне неприятные сведения об их няне.

«Как же мне теперь быть с Зиной? Неужели придется ее уволить и насегда расстаться? — спрашивал Петр себя и не находил ответа. Ему не хотелось верить, что данные, полученные отцом, — это правда. — Конечно, если это так, то девочек доверять ей нельзя. Но не похожа она на наркоманку! Я-то их достаточно знаю, — убеждал он себя. — Вот поговорю с ней, и выяснится, что все это чистейшее недоразумение!»

Отгремела гроза, но все еще шел дождь, и Оленька с Надей ждали своего взрослого брата в школьном вестибюле. Как всегда, расцеловав малышек, Петр взял их в охапку и бегом доставил к своему джипу. Всю дорогу до дома он не переставал раздумывать над запутанной ситуацией, в которой оказался волею судьбы, но больше по своей вине. Увещевание матери немного отрезвило его, он отнюдь не готов был порвать с Дашей, но острое физическое наслаждение от встреч с Зиной крепко держало его в плену, и было невыносимо жаль от нее отказаться.

Когда они прибыли на Патриаршие пруды и гурьбой ввалились в квартиру, Зина была уже там и занималась уборкой, добросовестно работая пылесосом. Но Петр заметил, что вид у нее озабоченный, и она не только не кокетничает с ним, как обычно, а, наоборот, прячет от него глаза. Он подождал, пока она закончит свои дела и устроит девочек играть в их комнате, и только тогда спросил:

— Ты, похоже, чем-то расстроена? Надеюсь, я здесь ни при чем?

— Конечно, нет, — отрицательно качнула головой Настя, — если не проговорился родителям о том, что мы с тобой... — изобразив смущение, она умолкла, в то же время выразительно глядя на своего любовника. — Но почему тогда они против меня так настроены?

— С чего это ты взяла?

— Что я, по-твоему, слепая? — изобразила обиду Настя. — Ведь видела, как твоя мать на меня враждебно смотрела, да и отец все время сверлит подозрительным взглядом.

«Наверное, пора поговорить нам начистоту, нечестно играть с ней в прятки!» — подумал Петр и откровенно признался:

— Вообще-то у отца для этого есть основания. Ему сообщили, что ты состояла на учете как наркоманка. Это верно? Не бойся, Зиночка, сказать мне правду! — мягко, но настойчиво требовал он. — Я постараюсь тебя понять.

— Это недоразумение, Петя, — находчиво соврала Настя. — Меня поставили на учет по ошибке, за одну компанию с дружками-наркоманами, которых загребли менты. Да разве ты сам не убедился, что я не колюсь и не курю?

«Что верно — то верно! Видно, Сальников получил неточные сведения, и отец скоро избавится от своих подозрений», — обрадованно подумал Петр и, чтобы снять возникшее напряжение, бодро заявил:

— Ну тогда чего ты расстраиваешься, раз это недоразумение? Все выяснится, и отношение к тебе с их стороны будет только хорошее! А я компенсирую тебе эти неприятности большой премией, — посулил он, чтобы загладить вину своих родителей. — Такой, какую пожелаешь сама!

Однако примирение с ним не входило в планы Насти. Собираясь на днях «сделать ноги», ей надо было подготовить для этого почву.

— Купить меня хочешь? Не выйдет! Не продажная, — нарочито грубо отрезала она. — Я с тобой связалась потому, что люб, а не из-за денег! А ты вот, значит, как обо мне думаешь?

— Да брось, Зина! Я же предложил от души, а вовсе не поэтому, — смешался от ее неожиданной резкости Петр. — Зачем же скандалить? Не хочешь, и не надо.

— Вы, богатенькие, нас, нищих, в грош не ставите, топчете наши чувства, — продолжала разыгрывать свой спектакль Настя. — Думаете, за деньги все можно купить? Нет уж! Я у вас не останусь! — повысила она голос. — Уйду, как только подыщу другую работу. Хочу любви и уважения, а не быть у тебя подстилкой!

— Ну ладно! С меня хватит! — на этот раз вышел из себя Петр. — Надеюсь, Зина, ты остынешь и пожалеешь, что так со мной говорила. А сейчас я должен уехать по своим делам.

Сказав это, он резко повернулся и пошел проститься с сестрами, а Настя, как только за ним закрылась дверь, прыснула со смеху. «Ну и молокосос, совсем еще пацан, хоть и большими делами ворочает, — весело подумала она. — Такого нетрудно обмануть. Все принял за чистую монету. Но как он на меня смотрел! До того нравлюсь, аж брюки на нем шевелились, — цинично ухмыльнулась она. — Ну погоди, молодчик, будет у тебя еще праздничек! Самой очень хочется».

Настя прислушалась и, когда хлопнула входная дверь, пошла в детскую к своим подопечным. Сидя рядом за низким и длинным письменным столом, похожим на парту, девочки усердно делали заданные уроки. При виде своей красивой няни обе приветливо ей улыбнулись, а более серьезная и активная Оля заботливо предложила:

— Посидите с нами, тетя Зина. Передохните хоть немножко. Вы все трудитесь да трудитесь!

— Ах ты моя золотая головка! — подойдя сзади, Настя обняла Оленьку, сама удивляясь своему порыву и чувствуя, как в ее зачерствевшее сердце закрадывается нежность к этой доброй и ласковой девочке. «Как жаль будет все же, если вас обеих, таких хороших, погубят наши головорезы! — с искренним огорчением подумала она. — Жестокая это штука — жизнь!»

Глава 8. Костыль вступает в игру

Прошло не более двух недель, как Константин Башун, иначе беглый зек по кличке Костыль, поселился в квартире заведующей детским домом Екатерины Воронцовой, а он уже чувствовал себя в ней полноправным хозяином. И на то у него были более веские основания, чем там ордер или прописка. Объяснялось все тем, что солидная и внешне, и по складу характера уже «повидавшая виды» женщина влюбилась в этого неказистого, грубо сколоченного, ниже ее на целую голову мужика, совершенно, как девчонка.

Нельзя сказать, что ей всю жизнь не везло. Было время, когда студентке первого курса пединститута Катюше тайно завидовали многие подруги. Принятая в баскетбольную секцию, она близко познакомилась с лучшим игроком мужской команды старшекурсником Артемом, по которому сохли как студентки, так и сотрудницы института. Ее соперницы были взбешены, когда всем красоткам он предпочел скромную долговязую девчонку.

Артем ко всему оказался порядочным парнем. Когда неопытная Катя от него забеременела, он сразу же согласился жениться. Все у них было ладно, и дело шло к свадьбе, но произошла трагедия. Кроме баскетбола, у Артема было еще одно увлечение —

горы. Как заядлый альпинист, он каждые каникулы проводил там, совершая восхождения, и погиб, сорвавшись в пропасть.

Вот с тех пор Екатерина Воронцова, по сути, больше не ведала счастья. Из-за маленькой дочери ей пришлось бросить институт и пойти работать. На мужчин ей просто фатально не везло! Видно, Артем был так хорош, что все, с кем потом она встречалась, не выдерживали с ним никакого сравнения. Ее преследовали сплошные разочарования.

Увидев у себя дома приземистого увальня с голым черепом, маленькими злыми глазками и длинными, как у гориллы, руками, Катерина, несмотря на лестные рекомендации, авансом выданные ему Софой, не только не испытала приятных эмоций, но была уверена, что ее ожидает очередное фиаско. И все же надежда снова испытать женское счастье заставила ее рискнуть. Она уже давно не была той застенчивой девушкой, как когда-то, и приветливо улыбнулась невзрачному незнакомцу.

— Ну что же, постоялец, давай знакомиться! Хотелось бы, чтобы ты оправдал рекомендации, на которые не поскупились Сережа и Софа! Тебе хоть сказали, как меня зовут?

— Можешь не беспокоиться, Катюша! Оправдаю! — с присущей ему наглой самоуверенностью заверил ее Башун. — Я знаю, что тебе не везло на мужиков. Но мне и не с такими... дамами, — он сделал паузу, бесцеремонно смерив взглядом ее внушительные габариты, — доводилось управляться. — Вот выдержишь ли ты? Я ведь надолго был лишен женского общества.

— Ловлю тебя на слове, — игриво рассмеялась Катерина, инстинктивно чувствуя исходящую от него мужскую силу и преисполняясь верой в удачу. — Но нам надо сначала как следует подкрепиться и выпить за знакомство. Как ты на это смотришь?

— Пожрать и выпить перед этим делом никогда не помешает, — с усмешкой заметил Башун так, словно они были давно знакомы. — Хотя, похоже, ты уже где-то порядочно набралась.

— Пришлось напоить ревизоров, — в тон ему по-свойски призналась Катерина. — Потом ко мне полезли, козлы. Но без толку, лишь аппетит разожгли. Пойдем на кухню, ты в этом убедишься!

После обильного ужина так же по-свойски и без церемоний она расстелила широкую постель в спальне и заключила многообещающего партнера в свои могучие объятия. И то, что случилось, превзошло самые смелые ее надежды. Этот невзрачный мужичок оказался на редкость силен и неутомим, не давая ей роздыху всю ночь. Во время короткой паузы уже под самое утро, совершенно изможденная, но счастливая, она, взглянув на его торчащую мужскую плоть, изумилась:

— Он что у тебя, Костик, все еще может?

— А ты сомневаешься? Такая у меня конструкция, — с гордостью подтвердил Башун. — Я не трепался, что меня не каждая выдержит. Считай, Катя, что тебе повезло! — насмешливо бросил он партнерше, на лице которой сияла блаженная улыбка. — Цени, пока жив!

Естественно, что после этой ночи, принесшей ей долгожданную женскую радость, Катерина готова была расстелиться перед своим замечательным любовником, выполняя малейшие его желания. Само собой, она охотно согласилась принять участие в преступном «деле», предложенном Седым, не задумываясь о последствиях. Заведующая детдомом давно уже «ходила под статьей», совершая хищения, а обещанный ей куш был так велик, что стоило пойти на риск.

Поминки по Фитилю и Рябому по православному обычаю состоялись на девятый день в ресторанчике «На Лесной». Заведение по этому случаю закрыли для посторонних. Посредине зала был составлен длинный стол, вокруг которого собралась вся братва из группы Седого. Сам главарь возвышался в центре стола, справа от него сидел «мозговой центр» — Проня, а слева — впервые расположился Костыль.

— Ну что же, братва! Дорогую цену нам пришлось заплатить за то, чтобы вызволить нашего кореша,— кивнул Седой на сидящего рядом подельника,— но таков уж наш закон: ничего не жалеть и всегда стоять друг за дружку!

Седой жестко посмотрел на притихшую братву и предупредил:

— А тем, кто не готов все отдать за товарища и слишком дорожит своей шкурой, среди нас не место! Вот Рябой и Фитиль — это были люди! — он сделал паузу и поднял свою стопку. — Давайте их помянем как положено! Пусть земля будет им пухом!

Подельники одобрительно зашумели и, не чокаясь, дружно опрокинули свои стопки. Рябого и Фитиля все уважали, и их потеря для банды была ощутима. После того, как закусили, слово взял Проня.

— Нам будет очень недоставать Рябого. Прохор, как никто, мог организовать любую операцию, предусмотреть в ней каждую мелочь. Да и без Фитиля туго придется. Такого водилу надо еще поискать! Он мог бы стать классным автогонщиком. Да что теперь говорить! — с досадой махнул он рукой и, обратив узкие щелки глаз в сторону Башуна, добавил: — Костыль должен ценить, что за его волю отдали жизнь такие кореша, и стать их достойной заменой. Вечная им память!

Поминальные тосты продолжались, водка лилась рекой, и вскоре из-за шума голосов трудно было разобрать, о чем шли речи. Но стоило заговорить Цыгану, как подельники сразу стихли.

— А я считаю, что цена, которую мы заплатили за Костыля, слишком большая! — резко сказал он, поднявшись и вперив в него свои шальные глаза. Он уже был сильно пьян. — Не заменить ему Рябого, да и не стоил он этого! Забыли: из-за кого нас всех тогда загребли? Кто нас тогда подвел под монастырь?

Поднялся неимоверный шум. Костыль вскочил с места как ужаленный и рванулся к Цыгану, его схватили за руки. Назревал скандал. Чтобы утихомирить братву, пришлось вмешаться Седому.

— Ша! — гаркнул он, подняв свою ручищу. — Нашли время и место для разборки! Это на поминках-то! Слушайте сюда, — он выдержал паузу и, когда все утихли, назидательно произнес: — Фитиля и Рябого уже не вернешь. Да и Цыган не прав. Дело, за которое нас тогда повязали, предложил Костыль. Ну и что с того? — обвел он подельников холодными белесыми глазами. — Оно было выгодное, и сходка его одобрила. Мы всю дорогу рискуем, по острию ножа ходим! Разве не так?

— Не ожидал я, Цыган, от тебя такого! — с места выкрикнул Башун. Он уже немного успокоился и его отпустили. — Мы с тобой еще разберемся!

— В любое время. Я тебя не боюсь!— встал во весь рост Цыган, но пошатнулся — пьян был в стельку. Его тут же подхватили под руки Филин с Косым. Они оба были трезвее своего бригадира.

— Уведите Цыгана от греха подальше! — обернувшись к Проне, недовольно бросил Седой. Его хмель не брал, и он сохранил трезвую голову.

Проня поднялся, подошел к Курчавому, что-то ему шепнул, и вскоре Цыган и его братки из ресторана исчезли. А шумное застолье продолжалось, и через пару часов многие из подельников Седого уже не помнили, ради чего они здесь собрались.

Оставив подельников бражничать в ресторане, Василий Коновалов вместе с Прониным и Башуном решили завершить встречу в парной, а заодно и обсудить там свои ближайшие планы. Находясь еще под хмельком, они сели в шикарный «БМВ» Седого, и он быстро доставил их в знакомую сауну, где они, вдоволь нахлеставшись березовыми вениками, полностью протрезвели.

— Вот теперь, когда ты снова с нами, самое время начать новое дело, — сказал Седой Башуну, когда, кончив париться, они, завернувшись в простыни, уселись за стол в предбаннике. — Как у тебя с Катериной? Она готова принять наших первых клиентов?

— С ней полный порядок! — с самодовольной усмешкой заверил его Башун. — И детишек примет, и подростков. Ревизоры у нее в кармане, так что все будет шито-крыто. Но вот, — замявшись, сделал он паузу, — с бомжами дело иметь не хочет. Не ее профиль. Боится засыпаться!

— А их мы отправим на дачу в Малаховке. Так что ей не о чем беспокоиться, — заявил Седой.— Но детей надо оформлять как своих, чтобы у них в случае чего документы были в полном порядке.

— Что ты имеешь в виду? — не понял его Башун. — Зачем это им документы? Наоборот, ту липу, что на них временно заведут в детдоме, потом нужно будет уничтожить!

— Погоди, Костыль, не суетись, — жестко взглянув, остановил его Коновалов.

— Ты еще не знаешь всего, что я затеваю. Сейчас все поймешь. Кроме подряда на поставку «товара» медикам, у нас наметилось, — он сделал значительную паузу, — еще одно выгодное дельце.

— Вот оно как? — недовольно отозвался Башун. — А стоит ли гнаться сразу за двумя зайцами?

— Стоит! — властно отрезал Седой и, смягчив тон, добавил: — У нас появился солидный заказчик, готовый отвалить кучу «зелени» за живых детишек. Зачем же нам разводить мокруху, когда и так можно их выгодно сбыть с рук?

— Но ведь ты не отказываешься от работы с медиками? — обеспокоенно спросил его Костыль. — Неужели вся подготовка к ней проделана нами зря?

— Да ты что? У нас же с ними трехсторонний договор подписан, — успокоил его Седой. — Одно другому не только не мешает, а, наоборот, помогает. Сопляков, которые не подойдут для продажи, — мрачно усмехнулся он, — будешь потрошить.

Главарь с видом превосходства посмотрел на своего подельника и снисходительно объяснил:

— Новое дело намного выгоднее и безопаснее того, что мы делали до сих пор. При взятии заложников наибольший риск связан с получением выкупа. Потом все же приходится их ликвидировать, что тоже часто выводит на нас мусоров. А тут, — он победно взглянул на понурившегося Костыля, — мы сразу получаем за них бабки — и с концами!

— Так что, это дело у вас уже налажено? — сдался тот. — И моя доля предусмотрена?

— Само собой! Ты теперь заменишь Рябого, — беспрекословным тоном заявил Седой. — Готовься к проведению операции. Она нами уже подготовлена. Хотя, — презрительно скривил он губы, — может, ты теперь решил стать медиком?

— А что это за операция? — уже по-деловому заинтересовался Костыль. — Кого похитить-то надо?

— Двух богатеньких соплячек, — так же деловито ответил Седой.— Мы сначала готовили, как обычно, киднеппинг. Но когда появился новый заказчик, я счел, что более выгодно ими торгануть. Уж больно хорош товар!

Сочтя, что сказал для начала о деле достаточно, он решил на этом закруглить разговор.

— Ладно, пора нам немного расслабиться. Проня! — обернулся Седой к молча слушавшему их подручному. — Расскажешь потом Костылю подробно о том, что ему надо делать. А пока что открой-ка шампанского! Позолотим им выпитую водочку.

Субботнее майское утро выдалось на редкость жарким и солнечным. После бурно проведенной ночи Константин Башун разоспался, и когда он, наконец, открыл глаза, шел уже одиннадцатый час. Его любвеобильная партнерша была уже на ногах и, судя по тому, как гремела посудой на кухне, готовила завтрак. Он хотел было перевернуться на другой бок, но тут дверь спальни распахнулась, и вошла Катерина Воронцова, держа в руках поднос с горячим кофе и румяными тостами.

— Проснулся, мой труженик? Что, головка бобо? — разулыбалась она, увидев, что он растирает ладонью висок. — Слишком перебрал вчера, милый. Уж больно хорош был, когда пришел. Но поработал исправно, не обижаюсь.

Катерина довольно хихикнула, но тут же заботливо добавила:

— Выпей кофейку с лимончиком, полегчает! Может, опохмелиться хочешь?

— Я и думать об этом не могу, — скривился Башун. — Зря пил напоследок шампанское. Водяры много могу засосать, а вот если с вином мешаю — всегда башка на утро трещит. Давай чего принесла, — сказал он, садясь на постели и принимая у нее поднос, — у меня быстро это проходит.

Пока ее сожитель поправлял здоровье, Катерина присела на край постели, с любовью на него глядя и думая, чем бы еще ему угодить.

— Ты полежи подольше, котик, отдохни после вчерашнего, — ласково предложила она. — Наверное, теперь запряжешься в дела?

— Да уж, Катюша, отдыхать скоро мне будет некогда, — дожевывая, отозвался Башун. — Дело предстоит денежное, можно сказать, золотая жила. Мы с тобой загребем на нем немало!

Он уже почувствовал себя вполне сносно, и ему захотелось с ней поговорить и поделиться своими мыслями.

— Тебе тоже отведена важная роль, Катюша, — сказал он ей доверительным тоном. — Ведь, по сути, у тебя будет детский приемник для нашей клиентуры.

— Мне, котик, ваш Проня все вроде объяснил, но я не совсем понимаю, — как бы размышляя, произнесла Катерина. — Для чего нужно оформлять документы на тех, кого вы поместите ко мне временно, на короткий срок?

— Новые документы нужны сиротам и бездомным по двум причинам, — словно учитель первоклашке объяснил ей Башун, — чтобы их не смогли разыскать родственники, если спохватятся, и, главное, чтобы их можно было выгодно продать. Клиенты много не отстегнут, если бумаги не будут в порядке, а без документов так вообще не возьмут.

Он немного помолчал, как бы вспоминая, что еще хотел сказать, и добавил:

— Не знаю, говорил ли об этом Проня тебе, но мне долго растолковывал. Тех, кто предназначен для наших клиентов, надо особенно хорошо обиходить. Чтобы покупателю показать «товар лицом»! Да, еще, — вспомнив, назидательно поднял он палец, — не забудь приготовить приемную для показа им нашего «товара».

— Об этом не беспокойся! Им вполне подойдет мой кабинет, — заверила его Воронцова и озабоченно произнесла: — Боюсь только, Костенька, что нам мало не будет, если все же попадемся. Уж точно светит небо в клеточку!

— Мне, может, и да, а тебе-то чего бояться? — успокоительно бросил ей Башун. — Проня же объяснил, что детей примешь как бы из милости, а отдашь по письму благотворительной организации. Этой липой и отчитаешься! Во всяком случае, — он взглянул на нее с откровенной насмешкой, — ты рискуешь не больше, чем сейчас, обжимая детдомовцев.

— Ну ты и скажешь, Костик, — обиженно надула губы Катерина. — У меня с отчетностью полный порядок — которая уж ревизия проверяла. Да и в случае чего условным сроком можно отделаться. А тут, — с сомнением покачала она головой, — похуже может обернуться!

«Что-то бабенка слишком пугается. Как бы не дала задний ход, — озабоченно подумал Костыль. — Надо срочно ее приободрить!» Для этого у него был лишь один испытанный метод и, окинув взглядом ее аппетитную дородную фигуру, он ощутил готовность к действию.

— Да что это мы все о делах да о делах, Катюша? Брось сомневаться, все будет о'кэй! — с деланной бодростью произнес он, откладывая в сторону поднос. — Не лучше ли нам поразмяться?

— Ого! А ты, вижу, уже совсем здоров, — оживилась Катерина, с вожделением глядя на простыню, встопорщившуюся у него выше колен. — Я совем не против! Это лучше, чем заниматься пустыми разговорами.

Не теряя времени, она сбросила с себя халат, оставшись в одной сорочке, и с неестественной для ее веса и габаритов легкостью взобралась на постель, усевшись верхом на своего любовника.

— Ты лежи спокойно, котик, лишь немного помогай, — нежно шепнула она ему в ухо, беря инициативу в свои руки. — Не дай Бог, у тебя снова головка заболит!

О деле они в этот день больше не говорили.

Приступив к подготовке порученной ему операции по киднеппингу и узнав, кого хотят похитить, Константин Башун был вне себя от изумления. Это надо же такому случиться? Опять судьба сталкивает его со старыми обидчиками, отцом и сыном Юсуповыми!

«Ну уж теперь я вам отомщу по полной программе, — злорадно подумал он.— Век будете помнить меня, когда замочу девчонок! На этот раз я одержу победу! Враз за все со мной расплатитесь: и за тюрягу, и за то, что лишили меня рыжья». Никогда не забудет Костыль, как из его рук уплыли золотые самородки, которые он уже считал своими. До сих пор воспоминание об этом приводит его в ярость. Ведь это он мог разбогатеть, а не сопляк Петр! То, что золото было добыто не им, а этим «сопляком», ничуть не обременяло совесть бандита.

— Не дам Седому продать их девчонок. Ни за что не оставлю в живых! — злобно пробормотал он, приняв решение пойти против воли своего главаря.

«Ну что же, если не согласится, тем хуже для него. Пусть тогда не рассчитывает на мою верность и преданность, — мрачно решил он про себя. — Придется обманом добиться своего!» Эти мысли настолько взбудоражили бандита, что он решил поделиться ими с зашедшим его навестить Сергеем Фоменко.

— Седой задумал лишить тебя, Хирург, работы, — с ходу ошарашил его Башун, не успел тот снять с себя куртку, промокшую под лившим с утра дождем. — Не знаю, как его и отговорить! Ведь мы только что все наладили, а теперь вряд ли выполним обязательства по договору. Может, что присоветуешь?

— Ты лучше скажи, в чем проблема? — озабоченный его сообщением, предложил Фоменко, проходя вместе с ним на кухню. — У тебя найдется, чем промочить горло? — щелкнул он себя по торчащему кадыку. — Для успокоения нервов.

— Найдется, присядь, — согласно кивнул ему Башун, доставая из холодильника початую бутылку и две стопки. — Сейчас все узнаешь.

Он выставил на стол миску с остатками салата, нарезал на куски полбатона и, усевшись напротив Хирурга, налил себе и другу водки.

— Седой нашел покупателей на наш живой товар. Считает, что сбыть детишек усыновителям безопасней и выгодней, чем их мочить и прятать концы в воду, — с циничной откровенностью изложил он суть дела. — Нам же собирается отдавать то, что не годится для продажи.

— Пожалуй, эдак мы не сможем выполнить все заказы на детские органы, — расстроенно отозвался Фоменко-Хирург. — Вот видишь, я был прав: надо выпить для успокоения.

Друзья опорожнили посуду, и Башун решился изложить свой план.

— Я попробую уговорить Седого сделать как раз наоборот. Продавать усыновителям только тех, кто не нужен для выполнения заказов на органы. Договор-то нас к этому обязывает! — зло сверкнул он исподлобья маленькими глазками.— Ну а если не согласится, — он мрачно усмехнулся, — будем действовать обманом.

— Это как? — поднял брови осторожный Фоменко. — Не понял я что-то.

— Да лепить горбатого ему будем! — выплеснул свою злобу Костыль. — Всех, кого нужно, я непременно замочу! А для Седого придумаем всякие байки. Или прятать от него их будем. Катюша нам в этом поможет. Что на это скажешь?

— Пожалуй, нам ничего другого не остается, — подумав, согласился Хирург. — Ему трудно будет нас проверить. Ведь деток отбирать будем мы, и Катерина с нами заодно. Вот только, — озабоченно посмотрел он на друга, — как быть с теми, кого нам доставит братва? Проня, тот наверняка будет вести учет!

— Мы и в этом случае их проведем! — самоуверенно бросил Костыль. — Кому надо устроим болезнь или другое, от чего они загнутся. Например, как сейчас с девчонками-близнецами.

У Хирурга-Фоменко от любопытства заблестели глаза. Он уже знал о предстоящем киднеппинге, заранее предвкушая, что скоро получит отличных доноров для выполнения предстоящих заказов.

— Интересно, что ты задумал? — вопросительно посмотрел он на Костыля. — И давай-ка пропустим еще по одной - душа просит!

Они выпили, закусили, и Костыль открыл ему свой замысел.

— Все очень просто! Я подобью Седого, прежде чем продать, получить за них выкуп. Он жадный и на это клюнет. А потом, — его губы злобно искривились, — я замочу девчонок «при попытке к бегству». Так обставлю этот спектакль, что он ничего не заподозрит! Ну как тебе, нравится?

— Да у тебя, Костыль, просто криминальный талант! — искренне восхитился Фоменко. — С тобой интересно иметь дело.

Его одобрение привело Башуна в хорошее расположение духа, и он вновь потянулся к бутылке, чтобы продолжить задушевный дружеский разговор.

На следующий день утром Константину Башуну позвонил Проня и велел срочно приехать в офис «Выстрела». Когда он, поймав «левака», туда прибыл и явился в кабинет шефа, у Седого уже сидели Проня и Настя.

— Присаживайся поближе, — без предисловий предложил Седой, указав рукой на свободный стул. — Ситуация такая, что надо ускорить операцию, и в нашем распоряжении остается не более недели.

Он подождал, когда Башун сядет рядом с остальными, и объяснил:

— Поскольку Насте, может, и не удастся с тобой за это время связаться, вам надо скоординировать свои действия. Главное, вы должны договориться, где ты со своими должен ее ждать, и по какому сигналу подъехать, чтобы забрать ее с соплячками.

Башун согласно наклонил голову, и Седой повернулся к Насте.

— Расскажи ему, что мы с тобой порешили. А лучше покажи на этой схеме, — он пододвинул к ней толстый лист бумаги, на котором было что-то начерчено.

Все сгрудились над этим рисунком, и Настя стала водить по нему пальцем.

— Вот здесь находится подъезд школы, а здесь — калитка в ограде, — показала она Костылю. — Ты должен ждать на машине за углом вот в этом переулке. При мне будет детский горн, и как только подам сигнал, сразу подкатывай к калитке. Действовать надо быстро, иначе нам может помешать охранник школы. Он из ментовки и, чем черт не шутит, вдруг чего-нибудь заподозрит?

— Думаю, Костыль, тебе все понятно, — вмешался главарь.— Теперь ты доложи, как идет подготовка? Всех подобрал, кто тебе нужен? Кого посадишь за руль?

— Хочу взять с собой Филина. Он метко стреляет, а кулаками я сам любого уделаю, если придется отбиваться. Вот с водилой... — тут Башун замялся, — я еще не решил. Надо бы взять Цыгана, да сам знаешь... не ладим мы с ним.

— Вы это кончайте — с враждой! У нас у всех общее дело, — грозно нахмурился главарь. — Проня! — приказал он подручному. — Поговори с Цыганом! Передай, если будет задирать Костыля, я ему это не спущу!

Пронин послушно кивнул, и Седой вновь обратился к Башуну:

— Значит, за руль посадишь Цыгана! Он у нас лучший после Фитиля. Умеет уйти от погони! Кто тебя из тюряги доставил? — в его голосе был укор. — Никак успел уже забыть? Ладно, все! — заключил он. — У тебя есть какие соображения?

«Надо сейчас попробовать с ним договориться. А то когда ж еще?— подумал Башун. — Потом будет поздно», — и решительно произнес:

— Есть одно предложение. Очень выгодное!

Проня и Настя с интересом на него посмотрели, а Седой откинулся в кресле и, пристально уставившись белесыми глазами, велел:

— Давай выкладывай свое выгодное предложение!

— Брат этих девчонок — очень богатый тип. — Начал Костыль бойким тоном. — Думаю, что Настя, — кивнул он на нее, — уже в этом убедилась. А я его давно знаю. Этот фрайер реально способен нам пол-лимона «зеленых» отвалить! Надо быть лопухом, чтобы отказаться!

По алчно загоревшимся глазам Седого было видно, что названная сумма его впечатлила, но, немного подумав, он с усмешкой глядя на Башуна, возразил:

— Нет, на это идти не стоит! Или ты, Костыль, уже по нарам соскучился? На них тебе лучше, чем на Катерине? Короткая у тебя память,— осуждающе покачал он головой. — Но я не забыл, кто нас повязал два года назад. Ведь я и тогда тебя предупреждал, что с этими Юсуповыми связываться опасно.

— Тогда зачем снова с ними связался, раз так их боишься? — грубо, не скрывая злости, бросил ему в лицо Костыль. — Они, что же, простят тебе своих девок?

— Сравнил хрен с пальцем! — так же грубо рыкнул в ответ Седой. — Откуда они узнают, кто умыкнул их соплячек? А этим выкупом к нам тянется нить, за которую можно ухватиться. Неужто ты такой тупой и ничего не сечешь?

— Я не тупее других, и память у меня в порядке! — ответил Костыль с вызовом. — Тогда нас повязали потому, что выследили. Это могут сделать и сейчас, если сядут мне на хвост. Так что нечего трусить! Пол-лимона «зеленых» на дороге не валяются.

— Это кто трусит? — грозно вперил в него водянистые глаза Седой, медленно поднимаясь с кресла. — Ты на кого хвост задираешь, падла?

Сжав кулаки поднялся и Костыль. Еще мгновение, и произошло бы непоправимое, но вовремя вмешался шустрый Проня. Быстро вскочив и встав между ними, он визгливо крикнул:

— Вы что, мужики, ума лишились? А ну, успокойтесь! Нам нельзя ссориться!

Опомнившись, Коновалов и Башун, тяжело дыша, опустились на свои места, а умный Пронин взял инициативу в свои руки.

— Напрасно ты насыпался на Костыля, — с укором, но почтительно обратился он к своему шефу. — Ведь тебе дело предлагают. — Сделал паузу и, незаметно подмигнув Башуну, чтоб молчал, вкрадчиво добавил: — Если все провернуть с умом, то и богатенького фраера тряханем и девок выгодно сбудем. Отчего же нам не рискнуть?

— Да я разве против пол-лимона баксов огрести? — Седой уже остыл, и его вновь стала одолевать жадность. — Но нас уже разок из-за Костыля мусора повязали, — как бы оправдываясь, объяснил он подручному. — А кому охота снова наступать на те же самые грабли?

— Ты забыл, что за битого двух небитых дают, — хитро прищурился Проня. — На этот раз Костыль учтет прошлые ошибки и не подведет. Сработаем чисто!

— Ну ладно, подумаю, — сдался Седой. Сразу согласиться ему не позволяло самолюбие. — Сначала надо заполучить этих соплячек, а там посмотрим. Ты иди, Костыль, — бросил он Башуну, — и займись этим делом! А ты, Проня, раз уж стал на его сторону, — с усмешкой взглянул на подручного, — отправляйся и придумай, как безопасно получить за них выкуп.

— Зря ты, Вася, поддался этому живодеру! — прорвало Настю, как только за Башуном и Прониным закрылась дверь кабинета. — Ну и хитрюга Проня! Всегда подпевает и нашим и вашим!

— А у тебя что, есть на это свое мнение? — насмешливо, но в то же время с интересом вскинул на нее белесые глаза Седой. Он все еще был зол на строптивого подельника и ему было по душе подтверждение своей правоты.

— Да подведет тебя Костыль снова, как пить дать! Уж точно на нас ментов наведет! — убежденно бросила ему Настя.— Тогда пожалеешь, что послушался Проню, да поздно будет! Костыль девчонок убьет!

— С чего ты взяла, что он их замочит? Я его предупредил, что они заказаны, — нахмурился Седой. — Пусть только попробует ослушаться!

— Он же неуправляем, Вася! Ты что не убедился в этом сегодня? — стояла на своем Настя.— И притом кровожаден, как вурдалак, — с ненавистью добавила она. — Ему убивать одно удовольствие!

— Ну и что с того? Кто-то должен делать и эту грязную работу, — ответил Седой. — Но я не пойму, почему тебя это так волнует, Настена? — пристально посмотрел он ей в глаза. — Раньше мокруха тебя не шокировала.

«А ведь и правда: раньше со мной такого не было. Неужели я так раскисла из-за этих девчонок? — подумала Настя, удивляясь самой себе и в то же время сознавая, что так оно и есть на самом деле. Не желая того, она прикипела душой к Оленьке и Наде, и ей невыносима была мысль, что их лишат жизни.

— Слишком хороши эти малышки, Вася, чтобы их убивать, — решилась все же признаться любовнику Настя. — Поэтому меня это волнует. Будто хотят погубить кого-то из моей родни.

— Зачем же понапрасну беспокоиться? Я же сказал: замочить их не дам, — со снисходительной усмешкой заверил ее Седой. — Твоим соплячкам ничто не угрожает. Будут жить припеваючи у богачей за океаном!

— Не доверяй Костылю, Васенька! — взмолилась Настя. — Он тебя непременно обманет! Мне говорит об этом моя женская интуиция. Этот подлый мокрушник все сделает по-своему, и ты же видел, что он тебя не боится!

«Может, Настена и права. Такое вполне может случиться, — мрачно подумал Седой, вспомнив свою недавнюю стычку с Костылем. — Он способен полезть на рожон». Но признать, что его авторитет поколеблен, Седой не мог.

— Ты, Настя, говори, да не заговаривайся! — одернул он любовницу, бросив на нее тяжелый взгляд. — Знаешь ведь, у меня с теми, кто «не боится»,— скривил рот в злобной усмешке, — разговор короткий. Живыми закопаю!

Понурый вид Насти говорил, что она по-прежнему не верит Костылю ни на грош. И Седой, чтобы ее приободрить полушутя добавил:

— Но раз ты так доверяешь своей интуевине, то я, пожалуй, поручу Цыгану следить за каждым шагом Костыля и пусть выведает его тайные планы. Они давно в контрах, и красавчик, — он ехидно усмехнулся, — охотно подставит ножку мокрушнику.

Решив на этом закончить разговор, он встал и, напустив на себя важность, сказал на прощание:

— Ладно, Настена, больше об этом не беспокойся! Иди и делай, что тебе поручено! Хотелось бы с тобой пообщаться, — притворно вздохнул он, чтобы ее не обидеть, — но никак не могу: нужно ехать по важному делу. Если с Костылем будет что-то не так, Цыган даст тебе знать, — крикнул он ей уже вдогонку.

Глава 9. Измена Насти

Получив секретное задание от своего главаря, Сашка Цыган испытывал двойственное чувство. Он был рад разоблачить Костыля, которого не любил и считал виновником целого ряда их неудач. Но в то же время ему претило то, что для этого придется кривить душой и «настучать» на товарища. Настроение было муторное.

— Я уверен, что ты прав, и этот гад нас снова подведет, — покривившись, сказал он главарю, когда они сидели один на один в кабинете Коновалова. — Но трудно мне притворяться. Мне легче замочить падлу, чем это!

— Вот этого как раз делать не надо! — жестко произнес главарь. — Мне и так тяжело бороться с отмороженной братвой, за самовольство хочу наказать Костыля, а тут и ты еще с ним сцепишься!

Он бросил тяжелый взгляд на смуглого красавца и усмехнулся.

— Еще неизвестно, как для тебя это дельце обернется. Вполне можешь попортить свой фейс, и бабы любить не будут. Оставь его лучше мне, — добавил он с мстительным блеском в глазах. — Я проучу Костыля, как идти против моей воли. Да так, чтобы другим было неповадно!

Цыган больше главарю не перечил, но решил все же комедию не ломать, а постараться выведать тайные замыслы своего недруга исподволь. «Лучше всего — это сблизиться с его дружком Хирургом. Вот у кого можно все узнать, — решил он. — Надо только суметь его разговорить». И случай ему вскоре представился.

Опасаясь «засветиться» в общественных и людных местах, Башун предпочитал проводить все совещания с подельниками на квартире у Екатерины Воронцовой. И на этот раз он пригласил Цыгана, чтобы обговорить с ним все детали предстоящей операции, и особо — маршрут ухода от возможного преследования. «Напрасно я согласился на участие красавчика в этом деле, — сверлило его голову резонное сомнение. — Как бы чего у нас с ним не вышло. Сейчас опять начнем спорить». Когда раздался звонок в прихожей, он пошел открывать и был недоволен, что вместо ожидаемого Цыгана увидел своего друга Фоменко.

— Ты чего это с утра заявился? — не скрывая досады, пробурчал Башун. — И почему рожа кислая? Ко мне сейчас Сашка Цыган должен прийти. У нас с ним деловой разговор.

— Вчера с Софочкой перебрали, голова у меня трещит. В общем, поправить здоровье надо, — без обиняков признался Хирург. — Она сейчас без работы, да и у меня, как знаешь, с бабками туго. Одним словом, выставляй, что у тебя есть! Я вам с Цыганом не помешаю.

«Налить, что ли, ему стакан? — подумал Костыль, но тут же отказался от этой мысли. — Нет! Тогда от него уже не отделаешься. А мне ни к чему, чтобы он присутствовал при нашем разговоре. Будет помехой — у нас с Цыганом до всякого может дойти!» Поэтому вслух возразил:

— Ничего не выйдет, Серега! Спиртного в доме — хоть шаром покати, да и с Цыганом у меня крутой разговор намечается. Ты не усидишь, встревать будешь и помешаешь мне с ним разобраться.

Могу лишь дать на выпивку из тех, — он самодовольно ухмыльнулся, — что подкинула мне Катюша за труды праведные.

— Ладно, как-нибудь перебьюсь, — не скрывая обиды, отказался Фоменко. — Не хватало еще, чтобы Катерина содержала двоих. Да меня Софа загрызет, если об этом узнает!

Он гордо повернулся и, не удерживаемый Башуном, вышел, раздумывая над тем, где бы ему опохмелиться. Решение этой проблемы настолько завладело его мыслями, что, выйдя из дома, он не заметил подъехавшего на машине Цыгана. Так бы они и разошлись, если бы Сашка, выскочив из нее, не окрикнул:

— Эй, Хирург! Ты чего шатаешься? Часом, не заболел?

— Здорово, Цыган! Угадал, болею я, — узнав его, хмуро отозвался Фоменко.— Вот надеялся поправить здоровье у друга, а он меня выставил на улицу, — не сдержав обиды, пожаловался он. — Иди, он тебя ждет!

Сообразив, что за болезнь мучит с утра Хирурга, как и то, что его друг не дал ему опохмелиться, сообразительный Цыган обрадовался неожиданной удаче. «Выходит, что обиделся он на Костыля. Это мне на руку! — пришла ему в голову дельная мысль. — Надо ковать железо, пока горячо!»

— Ничего, обождет! Дело не такое срочное, как у тебя, — дружески улыбнулся он «страдальцу». — Его можно и отложить. Тебя ведь Серегой кличут?

— Ну да, Сергеем, — подтвердил Фоменко и с надеждой спросил: — А у тебя есть что мне предложить?

— Само собой! Меня тоже эта болезнь часто мучит, — весело подмигнул ему Сашка. — Поедем в наш кабак, я там тебя быстро вылечу!

— А как быть с Костылем? Он же тебя ждет,— удивился Фоменко.— Сказал мне, что у вас с ним важный деловой разговор.

— Это верно, разговор важный, но пару часиков подождать может,— небрежно бросил Цыган. — Я это беру на себя! Позвоню из кабака и скажу, что задержался из-за того, — он снова весело подмигнул Хирургу, — что друга надо было срочно выручить. Разве не так?

— Все так, — благодарно взглянул на него Фоменко. — Поедем поскорее! — уже не в силах терпеть, поторопил он Цыгана. — Век не забуду!

В ресторан «На Лесной», несмотря на неурочный час, их пропустили, так как Цыгана там хорошо знали. Проблем с выпивкой не было, а закуски им особо не требовалось. Официант быстро приготовил столик в укромном уголке, и, когда водрузил на нем запотевший графинчик с водкой, глаза у Фоменко ожили, и даже голова стала болеть меньше.

— А я-то считал, что вы с Костылем такие кореша — водой не разольешь,— счел нужным подлить масла в огонь Цыган в ожидании, когда им принесут закуску. — Чего это вдруг он для тебя водяры пожалел?

— Наверное, его Катерина ругает за то, что часто забегаю выпить, — стараясь скрыть злость, сказал Фоменко и, как бы оправдывая приятеля, добавил: — Мы ведь с ним оба сидим на шее у своих баб, пока не войдем в дело. А Седой что-то все тянет.

— Да уж, вам не позавидуешь. Тем более, — Цыган сделал паузу, решив вызвать Хирурга на откровенность, — что наш пахан, похоже, решил изменить курс не в вашу с Костылем пользу.

— Он, что же, задумал отказаться от подписанного договора? — болезненно морщась, всполошился тот. — Ведь был же двумя руками «за»!

Цыган насмешливо на него взглянул и, налив водки себе и Хирургу, «добавил уголька»:

— По моему разумению, Седой не собирается ни отказываться от него, ни выполнять. Дело-то новое и очень рискованное. А вот похищение пацанья за хорошие бабки ему кажется выгоднее и намного безопаснее.

— Вот, значит, он как? Решил нарушить соглашение? — залпом опрокинув стопку и сразу почувствовав себя лучше, возмутился Фоменко. — Но и мы не пальцем деланы. Не позволим ему дать задний ход!

«А рыбка клюнула! — мысленно порадовался Цыган. — Сейчас он мне кое-что выложит». Вслух же, с деланным пренебрежением, чтобы посильнее завести Хирурга, иронически улыбаясь, произнес:

— Да ну? Что же такое вы ему сделаете? Кукишь в кармане покажете? Или он, может, испугается медиков и их заокеанских партнеров?

— Напрасно смеешься! Мы знаем, что делать в этом случае, — залпом выпив новую порцию и утратив свою обычную осторожность, мрачно заявил Фоменко. — Костыль предвидел такой поворот и не отдаст ему тех, кто нам нужен для дела.

— И как же он надеется обмануть Седого? — язвительно скривил губы Цыган, подзуживая Хирурга. — Думает, что за ним не проследят? Ведь вам обоим мало не будет, когда все выйдет наружу! — с фальшивым сочувствием добавил он. — Как вы это себе представляете, голуби?

Явное пренебрежение к нему и Костылю, жалостливый тон Цыгана задели за живое самолюбивого Фоменко.

— Да мы все сделаем так, что комар носа не подточит, — в сердцах выложил он то, что на холодную голову никогда бы не открыл Цыгану.— И разумеется, без свидетелей! Костыль вовремя замочит нужную клиентуру, и выглядеть будет все так, словно те отдали концы вполне естественно!

— Все это ваши фантазии! — оскорбительно рассмеялся ему в лицо Цыган, снова наливая по полной. — Никогда вы с ним на это не решитесь. Побоитесь расплаты! Давай уж лучше продолжим твое лечение, Хирург! — с дружеским видом предложил он, поднимая стопку. — Так будет вернее!

Но это еще больше оскорбило Фоменко.

— Зря мне не веришь, Сашка! Я не из тех, кто зря треплет языком, — он даже не стал пить, отставив свою стопку. — Совсем скоро сам убедишься в этом!

— Может, вы и этих девок, что сейчас умыкнем, не отдадите?— решив довести игру до конца, с явной насмешкой поинтересовался Цыган. — Ведь Седой их уже на корню запродал.

— Само собой, — на полном серьезе подтвердил Хирург. — На них у Костыля свои виды. Похоже, старые счеты с семейкой Юсуповых.

Но он уже почувствовал неладное в том, с каким интересом Цыган задает вопросы, и пожалел о сказанном. Опасливо раздумывая над этим, медленно выпил свою стопку и с деланным спокойствием произнес:

— Хотя мы с Костылем все обставим так, что никто ничего не докажет,— Фоменко пристально посмотрел в шальные глаза Цыгана, которые у того сразу забегали, — я попрошу тебя, Сашка, о нашем разговоре никому ни гу-гу! Чтобы не было в наших рядах раздору. Все равно выгода всем одна!

— О чем речь! Буду нем как могила, — поспешил заверить его коварный друг. «Как бы не так, — в то же время злорадно подумал он, разливая остатки водки. — Пусть только Костыль выкинет фокус, все сразу станет известно. Тогда уж ему точно будет хана!»

Сделав вид, что его этот вопрос больше не интересует, Цыган посмотрел на часы и заторопился.

— Ну все, друг Серега! Похоже, ты неплохо поправил здоровье? — он весело подмигнул Хирургу поднимаясь. — Если хочешь, оставайся здесь, а мне пора ехать к Костылю. Он меня уже заждался!

— Посидел бы, да карман пустой, — со вздохом сказал Фоменко, тоже вставая из-за стола. — Спасибо тебе, Сашка! За мной должок.

Он уже вполне сносно себя чувствовал и последовал за Цыганом к выходу из ресторана.

— Так вот, значит, что эти суки задумали? — мрачно усмехнулся Седой, когда Цыган сообщил ему о том, что выведал у Хирурга.

— Ну что ж, дадим им сделать по-своему? Как ты считаешь? — с холодной злобой уставил он свои водянистые глаза на доносчика. — Ведь нам с тобой это на руку?

— Почему на руку? — не понял его Цыган.— Они же замочат девок и сорвут тебе сделку! Да и мне какой прок от этого?

— Неужели не сечешь? — с видом превосходства ухмыльнулся Седой. — А кому нахальный и строптивый Костыль стал поперек горла? Кто считает, что пора с ним кончать, потому что стал слишком опасен? — спросил он, сдерживая ярость, и сам же ответил: — Ведь мы с тобой оба хотим этого! Поймав же на обмане, мы законно справим по нему отходняк.

— А не в убыток это нашей братве? Многие будут недовольны,— засомневался Цыган. — Ты сам превозносил его роль в деле с медиками. Даже убеждал всех, что Костыль в нем незаменим!

— Ну и что с того? Братва ненавидит тех, кто обманывает своих, — отмел его возражение Седой. — А убытка никому не будет! За соплячек получим солидный выкуп. И дело не пострадает,— с усмешкой взглянул он на подельника.— Костыль, конечно, известный мокрушник, но ты, Цыган, мало в чем ему уступаешь. Сам ведь вызывался его заменить. Или уже забыл?

Цыгану крыть было нечем, и он понуро замолчал, а Седой, немного поразмыслив, с недовольным видом добавил:

— Вот только с Настей может выйти осложнение.

— Это почему? — Цыган при ее упоминании поднял голову, и в его шальных глазах появился интерес.— Она же Костыля не переваривает и будет только рада, если мы от него избавимся.

— Я не о том, — поморщился Седой. — Она баба, а сам знаешь, какие эти сучки жалостливые. Одним словом, привязалась к соплячкам, пока с ними нянькалась. Просила их пощадить, и я ей обещал,— хмуро объяснил он.— Теперь понял, в чем дело?

— Да уж, может тот еще тебе скандальчик закатить! Она — баба с характером, — сообразив, что тревожит главаря, согласно кивнул Цыган, но в его голосе прозвучала скрытая радость. «А что? Не простит она Ваське, если не сдержит слова и девчонки погибнут, — с надеждой подумал он, так как давно уже мечтал отбить у него любовницу.— При первой возможности сообщу, что он сознательно ее обманул. Настя ему не спустит, и у меня появится шанс!»

— Между прочим, ты заметил, как она изменилась? Какая-то озабоченная, нервная стала, — не скрывая недовольства, спросил Седой. — Ведь раньше за ней не наблюдалось, чтобы она была слишком чувствительной?

— По мне, так она уж слишком тобой всегда озабочена, — невесело рассмеялся Цыган. — А я предпочел, чтобы мной. Почему спрашиваешь? Неужто меж вами нелады? — удивленно поднял он брови, втайне надеясь, что так и есть на самом деле.

— Что-то не та стала Настена, как прежде, — нехотя признался ему Седой. — Наверное, придется сменить телку. Но ты, Сашка, — остро взглянув, небрежно бросил он, — не очень-то губу раскатывай! Я это еще не решил.

— Да мне что? Я ведь подождать могу, — постарался шуткой снять возникшую напряженность Цыган, отводя в сторону свои шальные глаза, чтобы скрыть от Седого блеснувшую в них радость.

Настя Линева была вне себя от злости, еле сдерживаясь, чтобы не швырнуть о стену что-нибудь из посуды. А объяснялось это тем, что сорвалась задуманная ею «прощальная гастроль»! Не желая самой себе признаться, она жаждала всем своим существом хотя бы еще разок напоследок насладиться близостью с Петром, снова испытать непривычный восторг от его нежной чуткости, так непохожей на грубость и эгоизм ее прежних любовников.

Привыкшая к тому, что никто из мужчин не может устоять перед ее чарами, Настя и мысли не допускала, что Петр откажется от новой интимной встречи. Но обнаружилось, что у него характер намного тверже, чем ей казалось. Когда она, будто ни в чем не бывало, обняла его, воспользовавшись тем, что они остались в квартире одни, он мягко, но решительно отвел ее руки.

— По-моему, Зина, ты сама прошлый раз положила конец нашим прежним отношениям, — холодно глядя на нее, сказал Петр и, нахмурив брови добавил: — Не снимая с себя вины за то, что поддался страсти, все же считаю, и ты не вправе была предъявлять мне претензии, так как знала, что я женат и мы ждем ребенка.

— Да какие у меня претензии, Петенька? Это же я так, сгоряча, — попыталась исправить положение Настя. — Не бери в голову! Нам же хорошо вместе!

— Нет, Зина, к этому возврата нет! — твердо заявил Петр, стараясь казаться спокойным, так как все еще испытывал к ней страстное влечение. — Ты тогда вполне ясно выразила, о чем думаешь. Того, что хочешь, я дать тебе не могу!

— Вот, значит, как? Совесть мальчика заела? — не выдержав, сорвалась на крик Настя. — Стало жаль своей болявой женушки?

Но на Петра ее вспышка не произвела впечатления.

— Не надо скандалить, Зина! — спокойно попросил он. — Это ни к чему нас не приведет. Того, что было, уже не вернуть. Нам ведь хорошо было вместе? Так давай же не будем ссориться!

— Ты хочешь все забыть, а я не собираюсь! — яростно выкрикнула Настя. — И не надейся, что останусь у вас после этого!

— Ну что же, делай, как хочешь, — холодно произнес Петр и, повернувшись, чтобы уйти, требовательно добавил: — Но в любом случае не будем больше говорить на эту тему!

— Значит так — попользовался мной, а теперь — под зад коленкой? — истерично крикнула ему вслед Настя. — Ну смотри! Ты еще об этом пожалеешь!

Не обращая внимания на ее вопли и проклятия, Петр вышел, а разъяренная Настя еще долго бегала по квартире, швыряя все, что попадало под руку, вымещая таким образом свою боль и досаду. «Да что же со мной происходит на самом-то деле? — поразилась она, немного придя в себя. — Может, свет клином сошелся на этом сосунке? Чем же он меня так околдовал?» — спрашивала она себя и не находила ответа. Ей было невдомек, что секрет волшебной власти этого «сосунка» заключался в его врожденном преклонении перед Женщиной.

Вот в таком жутком состоянии и застал Настю телефонный звонок Цыгана.

— Отчего у тебя голос какой-то кислый?— удивился он, привыкший к тому, что она всегда самоуверенная и дерзкая. — Болеешь, что ли?

— Да не больна я, Сашка, просто настроение паршивое, — неожиданно тепло отозвалась Настя, чем еще больше его поразила. — Никому-то я не нужна, никто меня не любит!

— Это как же так? А про меня забыла? — с жаром возразил Цыган. — Не говорю уже о нашем атамане, у которого я тебя никак отбить не могу.

— Значит, плохо стараешься,— многообещающе произнесла Настя, чем сразила его наповал. Ее вдруг неудержимо потянуло к красавцу Цыгану, страстно захотелось найти утешение в его объятиях. «Петя потерян, и Василий мне уже не опора, — мысленно решила она. — Сашка — вот кто меня в случае чего сможет от него защитить. Больше некому!» И со всей нежностью, на какую была способна, призывно добавила: — Ты бы приехал! Очень хочется тебя видеть.

— А разве к тебе можно? Не зашухерят? — даже растерялся от такой приятной неожиданности Цыган. — Соседи не настучат хозяевам?

— Да не бойся ты! — с досадой бросила Настя. — Мне здесь оставаться-то всего несколько дней. Ты же что-то хотел передать? Вот и совместишь полезное с приятным, — цинично рассмеялась она. К ней уже вернулась прежняя наглость.

— Тогда через полчаса буду! Адрес знаю,— не скрывая охватившей его буйной радости, пообещал Цыган и добавил горячим шепотом: — Встречай в чем мать родила!

Ожидающее ее новое интимное приключение как рукой сняло с Насти нервный стресс. К тому моменту, когда прибыл Цыган, она уже успела принять душ и разобрать хозяйскую постель. Увидев предмет своих давних мечтаний в одном прозрачном халатике, сквозь который просвечивает голое тело, Сашка с ходу весело заявил:

— Давай, Настенька, сначала займемся приятным делом, а полезное оставим на потом!

Небрежно сбросив с себя кожаную куртку, рослый и сильный красавец сгреб ее в охапку и легко, как пушинку, на руках отнес в спальню, дверь в которую была широко распахнута. Там он аккуратно положил свою ношу на постель, быстро скинул с себя одежду и заключил Настю в свои мощные объятия. Цыган знал по опыту группповух, что не уступает Седому, был уверен в своих силах, но ему хотелось превзойти своего соперника и, вопреки обыкновению, он повел с ней любовную игру.

Ища утешения после утренней неудачи, Настя действовала активно, но сравнение с Петром было не в пользу Цыгана, и это снижало наслаждение от секса. Однако ее новый любовник и, правда, не уступал Седому, и, чтобы укрепить их связь, она, вспомнив хитрости своей прежней «специальности», несколько раз искусно изобразила, что испытывает высшее удовольствие.

— Знаешь, Сашенька, чего я боюсь больше всего? — сказала она ему, ластясь, когда с блаженной улыбкой, он лежал рядом, отдыхая от бурного секса. — Это того, что когда Седой о нас с тобой узнает, — голос у нее дрогнул, — то он в своей манере затаится и отомстит внезапно — так, чтобы не смогли защититься. И конечно, сначала расправится со мной!

— Не волнуйся, Настенька. А я что же дурнее его? — покровительственно притянул ее к себе Цыган. Он настроен был благодушно. — Если что-нибудь по отношению к тебе выкинет, будет иметь дело со мной. Он что, купил тебя? Ты полезный член нашей команды и вольна распоряжаться собой! Вся братва будет на нашей стороне. Им и так многие недовольны.

— Тогда смотри в оба, Санек, — успокаиваясь, попросила Настя. — Знаешь ведь, какой он хитрый. Давай его перехитрим! — повеселев, предложила она. — Пусть пока ничего не знает. Не считаешь, что нам надо лучше познакомиться? Хватит тебе отдыхать!

— Это ты дело говоришь, — охотно откликнулся Цыган. — Я завсегда готов! Но все-таки прежде в двух словах скажу то, что хотел, когда позвонил. Обманул тебя Седой, пообещав пощадить твоих девчонок! Сам мне сказал, что позволит Костылю их замочить. Так что правильно делаешь, наставляя ему рога.

— Неужели, Санечка, их никак нельзя спасти? — всплеснула руками Настя. — Их так жаль! Они не только хороши собой, но удивительно добрые девчонки.

— Думаю, что еще не поздно попробовать уговорить Седого изменить решение, — постарался успокоить ее Цыган. — Он ведь почему ими жертвует? — доверительно объяснил он. — Хочет подловить Костыля на обмане и с ним покончить. Как оказалось, и ему он стал поперек горла.

— Тогда почему ты думаешь, что его удастся уговорить? — усомнилась Настя.

— Да жаден он больно, — презрительно ухмыльнулся Цыган. — На этом надо и сыграть! Он ведь уже запродал этих девчонок. А с местью Костылю можно и погодить.

Заметив, что Настя все еще огорчена, он, приобняв ее, пообещал:

— Но ты не грусти! Мы с тобой сорвем их планы. Говорю же, не дам тебя в обиду. Скоро убедишься, что Цыган во всем покруче Седого будет!

С этими словами он перевернул партнершу на спину и со всей присущей ему энергией принялся доказывать, что его обещания — не пустые слова.

Сообщение Цыгана о смертельной опасности, угрожающей ее подопечным, несмотря на его бодрые заявления, настолько обеспокоили Настю, что всю ночь проворочавшись в постели, наутро она решила срочно переговорить с Седым и напомнить ему о данном ей обещании. Дождавшись, когда Олю и Надю их брат отвезет в школу, она выскочила из дому и помчалась в офис «Выстрела».

— Заходь, Настена! — обрадовался ей Коновалов, когда она приоткрыла дверь его кабинета. — Легка же ты на помине! Мы как раз о тебе говорили с Проней, — кивнул он на сидевшего рядом помощника. — Тут у нас возникла одна проблема, и ты поможешь нам ее решить.

— И у меня проблема, вот и приехала, — стараясь за шутливым тоном скрыть, что трусит, натянуто улыбнулась Настя. — Это личный разговор, — кивнула она на скромно потупившегося Проню.

— Знаю твою проблему. Никак соскучилась? — плотоядно ухмыльнулся Седой, подмигнув Проне. — Но мы с тобой, как всегда, решим ее опосля, наедине. А пока послушай, о чем скажет мой начальник штаба.

Настя покорно опустилась на стул, и Проня своим тихим голоском посвятил ее в суть того, что их беспокоило.

— Беда в том, что твои девчонки уже большие и все хорошо понимают, — сразу взял он «быка за рога». Наверняка усекут, что их похищают, и поднимут шухер! Вот что может сорвать операцию. Тогда и охранник станет опасен, да и мусора, которых он вызовет, могут всех повязать!

Оба, и Седой, и Проня, с беспокойством взглянули на Настю, но она лишь снисходительно усмехнулась.

— И вы так ничего не придумали? — самодовольно бросила она им. — Считайте, что этой проблемы не существует! Я ее давно решила.

Главари банды с удивлением воззрились на нее, а Настя бойко объяснила:

— В том-то и дело, что девчонки уже большие, и провести их не так легко! Им, чтоб поверили, нужна сногсшибательная легенда: романтичная, но обязательно и правдоподобная.

— Ну и такую ты придумала? — не выдержал Седой. — Не тяни, выкладывай!

— А как же? Разумеется! — победно взглянула на него Настя. — Хотя это было непросто. Помогло то, что затеяли сами Юсуповы.

— Что же они затеяли? — подал свой голосок Проня.

Настя для пущей важности сделала паузу и, усмехнувшись, продолжала:

— Скоро день рождения близняшек, и Юсуповы решили справить его в Ялте, где на гастролях находится их мамаша. Туда они и отправятся всем кагалом на частном самолете, который зафрахтует богатенький сынок.

— Ну и что с того? — ничего не понял Седой. — Давай, Настена, ближе к делу!

— Не гони коней, Василий! Пусть продолжает, — вновь подал голосок Проня. — Кажись, до меня дошло. Здорово придумано!

Приободренная его похвалой, Настя открыла свою поистине фантастичную задумку.

— Я перед девчонками разыграю спектакль. Примчусь в школу и сообщу, что все их родичи погибли в авиакатастрофе! Мол, брат повез их в Ялту показать, как там все устроил, а самолетик упал в море! Он был частным — поэтому пока об этом не объявили. А мне нужно отвезти их в детский приемник милиции.

— И что, они этому поверят? — выразил сомнение Седой.

— Еще как!— уверенно заявила Настя.— Девчонки присутствовали на семейном совете, и все знают насчет Ялты.

— Ты им скажешь, что у них погибли все родичи? Я тебя правильно понял? — спросил внимательно слушавший ее Проня. — А как же их матушка? И разве у них нет других родственников?

— Я и это предусмотрела, — с видом собственного превосходства ответила ему Настя. — Самолетик упадет на обратном пути, когда в нем будет и артистка. А единственная их родня — это тетка матери, которая находится с семьей далеко — аж в Женеве!

Ненадолго воцарилось молчание, так как Седой и Проня переваривали то, что напридумала Настя. «Надо сразу же выяснить у них все насчет девчонок, — сообразила она, глядя на их озабоченные лица. — Пока они тепленькие!»

— Кстати, эта история должна нам пригодиться также при сбыте двойняшек Юсуповых с рук, — предложила она, будто бы ничего не зная об изменившихся планах Седого. — Если они поверят, что остались круглыми сиротами и некому о них позаботиться, то охотнее согласятся отправиться к приемным родителям за океан. Так легче будет соблазнить их романтикой и новой роскошной жизнью.

— Ну это второй вопрос, надо сначала их заполучить, — уклонился от прямого ответа Седой. — Как считаешь, Проня, приемлемо то, что она предлагает? — спросил он своего помощника.

— Думаю, это именно то, что надо! Молодец, Настя! — решительно заявил «начальник штаба». — Давайте на этом и остановимся. А доставим девчонок в детдом к Воронцовой. Там и будет наш детский приемник, — деловым тоном предложил он. — Катерину впутывать не станем, а вот Софу, подругу Хирурга, заставим сыграть ментовскую воспитательницу.

— Тогда все! Считаем вопрос решенным,— властно заключил Седой и, подмигнув Проне, добавил: — Ты иди, продумай детали, а мы тут с Настеной займемся другой проблемой.

Бросив на своего начальника понимающий взгляд, Пронин вышел, плотно закрыв за собой дверь кабинета, и Седой с Настей остались наедине.

— Ну, теперь можем и пообщаться. Соскучился я по тебе, Настена, — встав со своего места, расплылся в улыбке Седой. — Все время дела да дела! С бабами повожжаться некогда. Ей-ей, говорю правду, — рассмеялся он, подходя к ней и заключая в свои медвежьи объятия. Он стиснул ее огромными ручищами так, что она, уже отвыкнув, чуть не задохнулась и, усадив, как всегда, на стол, нетерпеливо прохрипел:— Давай скидавай поскорей споднее, а то на ширинке молния разъедется!

«И что же мне могло в нем раньше нравиться? — тоскливо подумала Настя, как всегда, выполняя все, что он хотел, но на этот раз не испытывая привычного удовольствия. — Грубый красномордый мужик, потом воняет. Цыган — тот хоть красивый!» Такая необычная ее индифферентность не осталась незамеченной партнером.

— Да что с тобой, Настена? — недовольно проворчал он. — Тебя сегодня не узнать — ты словно неживая! Завела себе еще кого? — вперил в нее свой ледяной взор. — Тогда чего ко мне прискакала? Говори, живая останешься! — криво усмехнулся он.

«Так я тебе и сказала! За дуру меня принимаешь? — презрительно подумала Настя. — Ты не говоришь мне всей правды, не жди ее и от меня». Но вслух с деланной грустью сказала:

— Прости меня, Вася, за то, что у меня сегодня нет настроения! Я ведь не за этим к тебе пришла. И не потому, что завела себе другого, — она сделала паузу, не зная, как ловчее перейти к разговору по существу. — Мне сказал Цыган, что Костыль решил поубивать моих девчонок, и ты вроде на это согласен.

Седой ей не ответил, и Настя осторожно ему напомнила:

— А как же тогда, Васенька, твое обещание? Ты им жизнь обещал сохранить! Значит, передумал продать их богатым американцам?

— Что-то слишком много ты стала задавать вопросов, Настена, — грозно сдвинул брови Седой. — Лучше бы как следует делала свое бабье дело! Не суй свой нос, куда не следует!

— Вот ты, Васенька, как заговорил, стоило мне напомнить, что не держишь своего слова, — все еще контролируя себя, но постепенно закипая, упрекнула его Настя. — Почему же не указал мне на бабье место, когда вы с Проней не могли решить проблему, и понадобился мой совет?

— Ты что же испытывать мое терпение сюда пришла? — взорвался Коновалов. — Забыла, что ли, с кем говоришь? Вот, Костыль это забыл, и увидишь, скоро по нему справят отходняк!

— Значит, для тебя все одно — что Костыль, что я? — окончательно выйдя из себя, подбоченилась Настя. — Тогда не взыщи, Вася: кончилась, видно, наша с тобой любовь! Для тебя это не потеря — стоит свистнуть, и рядом будет другая. Но и с меня больше не требуй верности!

Такое от нее Седому слышать еще не приходилось! От ярости он покраснел как рак и показалось, что сейчас его хватит удар. Он хотел было придушить Настю на месте, но, вспомнив, что на ней завязана вся операция, вовремя одумался. «Нет, сейчас никак нельзя этого делать. Расправлюсь с ней после, — мстительно подумал он. — А сейчас лишь выдам аванс!»

Сдержав себя, Седой приблизился к ней вплотную и, кривя душой, хрипло произнес:

— Благодари Бога, что я к тебе так привязан, Настя. Только поэтому оставляю на первый раз твою наглость без серьезных последствий. Ведь сама знаешь, что никто не смеет так со мной говорить! — тяжело на нее взглянув, он неожиданно отвесил звонкую пощечину. — А это получай, чтобы впредь помнила свое место!

Успокоив таким образом свои нервы, Седой снова уселся за стол, а Настя, оглушенная его ударом, на подгибающихся ногах и плохо соображая, вышла из кабинета. Лишь очутившись на улице, она окончательно пришла в себя. «Все расскажу Сашке! — решила она вне себя от обиды и гнева. — Уж он-то за меня отомстит этому борову!» В этот миг она без всякой жалости начисто вычеркнула из памяти целых два года своих бурных любовных встреч с Василием Коноваловым — Седым.

— Так он, значит, над тобой снасильничал? — и без того смуглый, аж почернел лицом Цыган, когда Настя, беззастенчиво привирая для усиления эффекта, рассказала ему о том, как подло обошелся с ней Седой у себя в кабинете. — И это из-за него у тебя щека опухла?

— А я, Сашенька, зашла к нему только за тем, чтобы попытаться спасти своих девчонок. Он же мне это обещал! Ну что я плохого ему сделала? — жаловалась ему Настя на своего бывшего любовника, стараясь из мести возбудить к нему ненависть. — Вот как он мне за все отплатил! Неужели и ты способен со мной поступить так же?

Она всхлипнула, вытащила платок и сделала вид, что вытирает несуществующие слезы. «Я знаю Василия. Он затаил злобу, и не так еще расправится со мной, если Цыган меня от него не избавит, — страшась будущего, подумала она. — Только он не боится Седого, да еще Костыль. Но мокрушник не в счет».

Настя сидела рядом с Цыганом в его машине, припаркованной неподалеку от скверика на Патриарших прудах. Он примчался к ней, как только она ему сообщила, что произошло в кабинете Коновалова и, конечно, сразу же принял ее сторону в конфликте с их главарем.

— Вот уж не ожидал от него такого! Он же «законник», уважать себя должен. Зачем ему насильничать? К нему телки и так липнут, — недоумевал Цыган, не в силах поверить в подлость своего главаря.— Настя! Ты мне точно все рассказала? — строго вскинул он на нее свои шальные глаза. — Я ведь, если правда, этого ему не спущу!

— Да Бог тому свидетель! — перекрестилась Настя. — Ну сам посуди: зачем мне вас зазря ссорить? Я и не собиралась с ним иметь ничего... такого. Клянусь тебе чем хочешь, Сашенька! Ни к чему мне теперь это... после тебя, — добавила она, игриво скосив на него глаза.

— Ну ладно, убедила, — приняв трудное решение, наконец, произнес Цыган, мрачно сверкнув шальными глазами. — Я с ним напрямки разберусь! Скажу, что теперь ты моя и чтоб убрал от тебя лапы. А если не уберет, пусть тогда пеняет на себя!

Заметив, что Настя облегченно вздохнула, он хмуро добавил:

Семен МАЛКОВ

— Но ты не спеши радоваться! Сейчас мне свару с Седым затевать нельзя. Он запросто на меня братву натравит. Скажет, что не вовремя склоку затеял, да еще, чего доброго, свалит на меня всю вину в случае провала нашей операции.

— А пока ты собираешься, он со мной и расправится, — вновь пригорюнилась Настя. — Что же мне делать, Сашенька? Может, спрятаться пока где?

— Да не трухай так, подруга! Не тронет Седой тебя до поры, — твердо заверил ее Цыган. — Во всяком случае, пока не умыкнем твоих девчонок. Ну а потом я от тебя не отойду ни на шаг!

Чтобы успокоить любовницу, он протянул длинную руку и, притянув к себе, впился ей в губы. Разгорячившись, дал волю рукам и овладел бы ею прямо в машине, если бы они находились в менее людном месте. Но Настя, которую ласки возбудили не менее его самого, заметив, что в окна машины заглядывают прохожие, быстро опомнилась.

— Будет тебе, Сашенька! Нельзя! Люди же смотрят, — решительно воспротивилась она. — Потерпи, милый, до вечера!

— Ладно, твоя взяла, — согласился он, тяжело дыша и с трудом успокаиваясь. — Мне-то наплевать на этих лохов, но раз тебе так неприятно... Что же делать, Настенька, если я на тебя спокойно смотреть не могу, а уж когда ты рядом... — добавил он, как бы оправдываясь, — голову теряю!

— Ишь ты, какой горячий,— бросила на него ласковый взгляд Настя, поправляя прическу. — Потому мне и нравишься. Но все же скажи, — вновь озаботилась она, — что ты намерен делать, чтобы от меня отвязался Седой?

Цыган уже полностью обрел присущую ему самоуверенность и ободряюще пообещал:

— Как только заполучим девчонок и все будут довольны, у меня будет прямой разговор с Седым. Тебе в нашей разборке участвовать не надо.— Он сделал паузу и, нахмурясь, добавил: — Я его предупрежу, что у нас с тобой серьезно, и если от тебя не отстанет, то ему это с рук не сойдет! А он меня хорошо знает, — сверкнул шальными глазами Цыган. — Что сказал, то сделаю!

— Неужто, Сашка, ты его совсем не боишься? — недоверчиво посмотрела на него Настя. — Он же никому не прощает, кто идет против него. И всегда мстит исподтишка.

— Кто боится, тому лучше нашим делом не заниматься! — немного рисуясь, ответил Цыган. — Но, само собой, опасаюсь. Думаю, все же я не последний у нас человек, и не станет он со мной базарить, извини Настенька, из-за бабы. Их на всех хватает!

— А мне все же не верится, что нам это сойдет с рук, — с сомнением покачала головой Настя. — Седой отомстит тогда, когда мы и ждать перестанем!

— Значит, придется с ним все время быть начеку! — Цыган небрежно тряхнул кудрявой головой. — Для меня это дело привычное. И тебе советую то же самое!

Он включил зажигание и завел мотор. Потом обернулся к Насте.

— Иди и перестань трухать! — бросил он ей на прощание. — Сообща мы с тобой с Седым справимся. Не сомневайся!

Глава 10. Хитроумный план

Решив, что подготовка к похищению девочек Юсуповых в основном завершена, Василий Коновалов провел у себя в офисе «Выстрела» узкое совещание, на которое были вызваны только Проня, Костыль, Цыган и Настя. Из-за нее и время было выбрано — в полдень, когда была более свободна и ее не могли хватиться. Но все равно, провозившись с уборкой и приведением себя в порядок перед зеркалом, она по женской привычке опоздала и, войдя в кабинет, застала всех уже в сборе.

Поздоровавшись, Настя приготовилась к выговору, но Седой лишь хмуро на нее взглянул и, обратившись к остальным, бросил:

— Теперь можно начинать! Давай ты первым, Костыль! Расскажи, как все организовал, — кивнул он Башуну. — Со всеми подробностями.

— Значит, завтра, в два часа дня, мы с Цыганом и Филином будем ждать их в машине за углом школы. До калитки Настя с девчонками должна дойти сама, чтобы не вызвать подозрений у охранника или у кого-нибудь из учителей, — ровным голосом начал Костыль, словно докладывал о простом, обычном деле. — Тут мы подкатим, я и Филин выскочим, чтобы быстрее посадить их в машину, а Цыган рванет с места, — он сделал паузу, припоминая, не пропустил ли чего, и добавил: — Намеченный маршрут, которым доберемся до детдома, вам известен.

— А какие меры вы приняли, чтобы избавиться от погони, если кто-то все же поднимет тревогу? — обратив к нему щелки узких глаз, резким голоском спросил Проня. — Ты этим сам занимался или поручил Цыгану?

— Мы с ним вместе все организовали, — ответил Башун, — но выполнять будет его бригада. Пусть сам и доложит.

Все посмотрели на Цыгана, и он, тряхнув черными как смоль кудрями, самодовольно сообщил:

— В двух пунктах выбранного маршрута я создаю препятствия для погони и в одном — готовлю подставу, где мы пересядем на другую машину, чтобы без помех добраться до места. Это лучше посмотреть на схеме.

Вытащив из кармана кусок кальки, он положил его Седому на стол, и все над ним склонились, а Цыган принялся объяснять:

— Вот здесь, если за нами увяжется хвост и мы не сможем от него оторваться, будет дежурить Косой на дорожном катке и, пропустив нас, загородит им путь, отсекая погоню. — Он повел шальными глазами на подельников, как бы ожидая похвалы, и продолжал: — Если нашу машину все-таки засекут и снова увяжется погоня, вот здесь,— ткнул пальцем в крестик на схеме,— перед проходным двором будут ждать Курчавый с моими ребятами. Пропустив нас, подворотню запрут. Если погоня попытается взломать замок, они ее задержат. Устроят спор или драку под видом бдительных прохожих.

— А зачем тебе подстава, раз уйдешь от погони? — непонимающе подняла на него глаза Настя. — Боюсь, что мои девчонки не поймут, почему меняем машину, и заподозрят неладное.

— Это для подстраховки, Настя, — снисходительно объяснил Цыган. — Если ту машину засекут, то понадобится другая, чтобы без проблем добраться до цели. А твоим девкам просто скажем, что машина сломалась. И никаких проблем! — заключил он, победоносно оглядев всех своим горячим взглядом.

— Ну что же, толково придумано. Вижу, вы времени зря не теряли, — одобрительно наклонил голову Седой. — Уверен, что все у тебя, Цыган, получится, и, как всегда, ты благополучно доставишь наш товарец, — его губы тронула циничная ухмылка, — до места назначения. Теперь пусть Костыль доложит, — повернулся он к тому, — как готова к его приему Катерина.

— У Катюши полный порядок, — довольным тоном заверил главаря Башун. — Сам лично не проверял, чтобы не засветиться, но все, что она мне рассказала, подтвердила Софа — сожительница Хирурга, которую вы знаете.

Он сделал паузу, ожидая вопросов, но их не последовало, и Костыль ровным голосом продолжал:

— Все организовано солидно, так как решено Воронцову зря не подставлять. Софа сварганила липовое заявление якобы от родственников девочек-сироток, и Катюша как заведующая оформила подлинные документы, с которыми, — он цинично усмехнулся, — по липовому письму «благотворительной организации» их и передадут «ее представителю», чтобы потом мы с Хирургом «прооперировали». Так что моя хозяйка останется вне подозрений. Пусть мусора потеют, разыскивая изготовителей «липы»!

— А почему ты так уверен, что вам с Хирургом дадут их оперировать? — не выдержав, спросила его Настя, стараясь не глядеть на Седого. — Разве не знаешь, что усыновители за них уплатят много больше?

— Не больше того выкупа, который мы за них скоро получим, — хладнокровно возразил ей Башун. — Поэтому то, что добудем мы с Хирургом, будет вроде дополнительного навара. А замочить их надо! — жестко взглянул он на Седого. — Эти девки уже большие и в случае провала могут стать свидетелями.

«Так он убедит Седого, и мы с Настей проиграем, — сообразил Цыган. — Пора мне вмешаться, не то будет поздно!»

— Ты, Костыль, не лепи нам горбатого! — как всегда, резко набросился он на своего противника. — Как же они смогут стать свидетелями, если мы упрячем их за океан, да еще под другим именем? Ты что нас за фрайеров держишь? Думаю, братва не одобрит, если из-за того, что обожаешь мокруху, мы лишимся кучи «зеленых», которую предлагают за девок! А ты что молчишь, Проня? — изобразив возмущение, обратился он к тому за поддержкой.

Почувствовав, что его демарш произвел на главарей ожидаемое впечатление, Цыган бросил на Настю выразительный взгляд и умолк. А ушлый Проня, поняв, что отмолчаться не удастся, осторожно сказал:

— Правда, как всегда, находится где-то посередке. Думается мне, — бросил он взгляд в сторону Седого, — что надо сделать так: сначала забрать этих девчонок и получить за них выкуп; потом одну отдать Костылю и проверить, что нам даст их мокрушный бизнес; а вторую, — скосил он глаза на Цыгана, — сбыть за океан и посмотреть, какую выгоду мы поимеем от этого. Так все будут довольны!

Ловкий дипломат, Пронин сделал правильный ход. Костыль, Цыган и Настя было недовольно загудели, но Седой, вскинув вверх свою ручищу, прекратил начинающийся спор.

— Ша! Нечего делить шкуру неубитого медведя! Проня дело говорит,— бросил он одобрительный взгляд в сторону своего помощника. — Если все получится, скорее всего так и сделаем. А пока готовьтесь к завтрашнему дню!

Все, кроме него, поднялись и направились к выходу, но, когда были уже в дверях, Седой окликнул «начальника штаба»:

— Погоди, Проня! Нам с тобой надо еще кое-чего обсудить.

Оставшись наедине со своим помощником, Василий Коновалов некоторое время сверлил его тяжелым взглядом водянистых глаз, но, почувствовав, что пауза слишком затянулась, недовольно сказал:

— Чего же ты, Проня, не докладываешь о том, что придумал, чтобы обеспечить безопасное получение выкупа? Ведь в прошлый раз нас повязали как раз из-за никудышной организации передачи выкупа. Они смогли нас выследить.

Он мрачно насупился при воспоминании, как повязали всю его банду, и признался:

— Я, может, не так бы беспокоился, если бы опять не пришлось иметь дело с этими проклятыми Юсуповыми. Уж больно хитры оба: и отец, и сын. И столь же опасны! Но, с другой стороны, — мстительно сощурил глаза, — мне уж больно охота поквитаться с ними!

— Главная мысль состоит в том, — сообщил Проня, — чтобы не захватили нашего человека, который придет за выкупом.

Седой утвердительно кивнул, и Проня продолжал излагать свой замысел:

— Поэтому я сразу отказался от обычного способа получения выкупа. Машин к месту встречи мы посылать не будем, чтобы исключить слежку за тем, кто получит бабки. Я понятно говорю?

— Не очень, — угрюмо отозвался главарь. — Как же он оттуда смоется, этот наш человек? — насмешливо скривил он губы. — По воздуху или бегом?

— А ты, Василий, почти угадал, — впервые позволил себе улыбнуться Проня. — Примерно так он оттуда и смоется.

— Ты что смеешься надо мной? — вспылил Седой.

— Не кипятись, Василий! Разве я себе такое позволю? — укоризненно покачал головой Проня. — Мы пошлем за бабками бывшего спецназовца. Проверив бабки, он по тросу взберется на крышу дома и таким же манером спустится по другую его сторону. А там уже его будет ждать машина. Теперь все ясно?

— Так кто же даст твоему спецназовцу свободно удрать с бабками? — насмешливо посмотрел на него Седой. — Наши клиенты наверняка позаботятся об этом. Пошлют с кейсом спецназовца почище твоего!

В узких глазах Прони мелькнул самодовольный огонек.

— Я и это предусмотрел, Василий, так как ты совершенно прав, — спокойно ответил он вкрадчивым тоном. — Если посланец окажет жесткое сопротивление и сумеет хоть немного задержать нашего, то все пропало! Мусора, которые будут сидеть в засаде, могут его схватить.

— Ну и что же ты придумал, чтобы это предотвратить? — нетерпеливо спросил Седой.

— А мы поставим условие, чтобы выкуп привезла баба, — хитро прищурился Проня. — Ну хотя бы мамаша этих девчонок. Она актриска, и можно ничего не опасаться. А то еще, — хихикнул, — пришлют какую-нибудь каратистку!

— Но ты же слышал, что она на гастролях в Ялте! Срочно вызовешь, что ли, ее оттуда? — скептически взглянул на него Седой. — Да ее удар сразу хватит, как только об этом узнает.

— Сама сразу прилетит, — уверенно возразил Проня. — А если с ней кондрашка случится, все равно потребуем, чтобы прислали какую-нибудь родственницу.

Это звучало убедительно, и возникла пауза, во время которой Седой обдумывал предложение своего помощника.

— Ну ладно, согласен, — все еще озабоченно произнес он. — Но ведь Юсуповы обязательно потребуют показать им девчонок, прежде чем отвалят нам бабки. Ты об этом подумал?

— А как же? — успокоил своего шефа Проня. — Пришлось попотеть, соображая, как тут быть, но я нашел подходящий выход.

— Говори, какой! Чего резину тянешь? — одернул его Седой. — На нервы мне действуешь!

— Да ты не торопи меня, Василий, вопрос-то серьезный, и говорю тебе, я еще не все продумал, — осмелился возразить ему Проня. — Я ведь чего опасаюсь? Этот мокрушник Костыль сразу прикончит ту девчонку, что мы ему отдадим, а пока не получим выкуп, обе должны быть целехоньки.

— Ты что же собираешься их предъявить? — нахмурился главарь, выражая свое несогласие. — На это идти никак нельзя! Запросто могут выследить, где мы их прячем!

— Конечно, нет! Я еще в своем уме, — усмехнулся Проня. — Снимем на видеопленку и покажем родителям.

— Тогда не пойму, что тебя беспокоит, — удивленно поднял брови Седой. — Думаешь, Юсуповы на это не согласятся?

— А куда они денутся? — насмешливо сложил губы Проня. — Выбора-то у них не будет. Но они наверняка посмотрят, какая дата стоит на пленке! Вот меня и беспокоит, что Костыль поторопится замочить свою девку и испортит все дело. Понял, Василий?

Седой одобрительно кивнул головой.

— Ну что ж, ты молодец, Проня! Я со всем согласен. Ступай продумывай детали, а я предупрежу Костыля, чтобы до получения бабок ничего не выкинул!

Всю ночь шел дождь, и лишь к десяти утра лучи солнца, наконец, пробились сквозь тучи. Войдя в спальню, Екатерина Воронцова застала своего сожителя все еще нежившимся в постели. Первые горячие страсти уже прошли, и между ними установились ровные, почти супружеские отношения.

— Ну, неутомимый труженик, хватит лениться, — весело бросила она Башуну, который при виде ее с хрустом в суставах потянулся в постели. — Завтрак уже готов, а ты все валяешься. Не забыл, что к нам скоро придут Сергей с Софой? Она мне уже звонила.

— Сейчас встану. Я и сам уже собирался, — зевнув, соврал Костыль, который об этом даже не думал. — Иди накрывай на стол! Я только приму душ и побреюсь.— Но есть мне еще неохота,— добавил он, откинув одеяло и опуская ноги на пол.

— Ладно. Попьешь пока кофейку с тостами, а поедим, когда придут гости, — согласилась Катерина. — Все равно надо будет с ними посидеть и угостить.

Она ушла на кухню, а Башун, быстро умывшись, вскоре явился туда же.

— Мне, Катя, некогда будет особенно с ними рассиживаться. Ведь сегодня сама знаешь, какой предстоит трудный день, — напомнил он ей. — Поэтому я так долго валялся, чтобы получше отдохнуть перед делом. Так что поговорим, немного бухнем — и все! Да и тебе надо быть на работе.

— А я что, не понимаю этого, котик? — сверху вниз нежно взглянула на своего низенького сожителя крупногабаритная хозяйка, наливая ему в чашку горячий кофе. — Посидим накоротке, выпьем за удачу — и адью! Я бы их и не пригласила, если б не надо было отдать Софе ментовскую форму. Она же ей сегодня нужна!

— Это верно, — подтвердил Костыль и поинтересовался:— А где тебе удалось ее достать?

— У охранника детдома. У него жена — лейтенант, в ОВИРе работает, — кратко пояснила Катерина. — Вот я и попросила одолжить форму на пару дней. Она с Софой примерно одной комплекции.

— А не заподозрят они неладное? — обеспокоился Костыль.— Не хватает только, чтобы нас прихватили через этих мусоров!

— Можешь не волноваться! — заверила его Катерина. — Я объяснила, что взяла форму для хорошей знакомой, тоже лейтенанта, всего на один день, пока ее находится в чистке. В общем, попросила выручить, и они сразу согласились, не задавали никаких вопросов. Этот охранник у меня работает давно, и мы с ним, — добавила, запнувшись, — хорошо ладим.

Она не стала объяснять, что не только ладит с охранником, но долгое время с ним спала и, кроме того, периодически доплачивает за труды «черным налом».

От дальнейших вопросов ее выручил вызов домофона. Это пришли Фоменко и Софа. Костыль пошел их встречать, а Катерина убрала грязную посуду и заново накрыла на стол.

Внешне Сергей Фоменко и Софа забавно контрастировали. Хирург выглядел особенно длинным и тощим рядом со своей невысокой пухленькой партнершей. Но эта кажущаяся дисгармония совершенно не отражала их горячей сердечной привязанности друг к другу. А она проявлялась во всем: и в том, как Софа заботливо сняла и повесила его куртку; как предупредительно он приставил к столу стул, помогая ей сесть, и во многом другом.

Зная, что времени у него в обрез, Костыль быстро наполнил рюмки водкой и, подняв свою, предложил выпить за успех дела и за то, чтобы все сошло гладко.

— Думаю, что Катюше и Софе надоело не меньше, чем мне и тебе, — сказал он, как бы обращаясь к Фоменко, — что мы сидим без дела и в карманах у нас пусто. А нам с Хирургом разве приятно быть на иждивении у своих баб? — на этот раз сверкнул он глазками-угольками в сторону женщин. — Но теперь все! Начинается новая жизнь! Мы с Серегой вас еще свозим с шиком прогуляться на Канары. Верно я говорю? — вновь обернулся он к подельнику.

Фоменко утвердительно кивнул головой, они выпили по полной, закусили, и Катерина не удержалась от вопроса:

— Давно хотела спросить, котик, почему ты называешь Сережу Хирургом? Он же, насколько знаю, не врач. Разве не так, Софа? — она недоуменно посмотрела на подругу.

— Это прозвище, но его мне дали по делу, — с важным видом ответил сам Фоменко. — Я еще студентом начал делать сложные операции, и меня привлекли в помощь преподавателям, заметив мои способности.

Он было умолк, но потом с гордостью добавил:

— И хотя институт мне пришлось бросить, но оперировать могу почище иного дипломированного хирурга. Мне они доверяли делать то, что боялись сами, и у меня все получалось!

— Тогда, может, ты из моего Костеньки тоже сделаешь хирурга? — пошутила хозяйка. — Вы ведь вместе теперь будете работать? А Котик очень способный — можете мне поверить! — начиная хмелеть, хихикнула она.

— В этом деле, согласен, ему равных нет,— в тон ей весело подтвердил Сергей. — Но хирургия, Катюша, посложнее будет. Хотя и здесь нужен природный дар, — добавил он, подмигнув Костылю, — и, конечно, практика.

Взглянув на часы, тот заторопился. Снова быстро наполнил рюмки, и Софа тут же предложила выпить за свой артистический дебют.

— Мне никогда не доводилось играть не только в театре, но и в драмкружке. И способностей не было, да и не тянуло вовсе, — призналась она. — Но чувствую, что с ролью ментовской воспитательницы справлюсь. Можете не сомневаться!

Пока остальные закусывали, Софа вышла из-за стола и вскоре вернулась в полном милицейском параде. Она даже свои пышные волосы затянула сзади в тугой пучок. И хотя чужая форма была ей немного тесновата, выглядела вполне натурально.

— Ну кто здесь плохо себя ведет?— приняв строгий вид, обвела Софа взглядом сидящих за столом, и, не удержавшись, прыснула со смеху.

Остальных тоже развеселил ее маскарад, но Костыль, отсмеявшись, еще раз взглянул на часы и решительно встал из-за стола.

— Все! Мне уже пора,— сказал он, с сожалением глядя на недопитый графин и недоеденную закуску. — Вы можете тут погудеть еще немного, а мне надо идти. Труба зовет!

Нахлобучив кепку на свой голый череп, Башун пошел к дверям, а остальные, войдя в хмельной раж, напутствовали его звоном своих рюмок.

Несмотря на груду неотложных документов, ожидающих его подписи, Петр Юсупов, вернувшись в свой офис после тяжелого разрыва с Зиной, никак не мог заставить себя заняться делом. Угрозы разъяренной любовницы не выходили у него из головы. Какое-то шестое чувство тревожило его душу, предупреждая о надвигающейся опасности.

«Нет, не сгоряча она обещала мне отомстить, — стучала в висках тревожная мысль. — Что-то определенное задумала. Но что она может сделать? Поджечь квартиру, украсть какие-нибудь ценности или навредить как-то иначе? Зина не глупа и знает, что меня этим не проймешь, — резонно отверг он эту версию и мысленно похолодел. — Сердце подсказывает, что у нее на уме нечто более жуткое. Аж не по себе делается!»

Так ломая над этим голову, Петр просидел за своим столом битый час, пока не пришел к выводу, который взволновал его еще больше. Интуиция и логика подсказали ему, что жертвами Зининой мести скорее всего станут его малолетние сестры. Эта ужасная догадка настолько выбила его из колеи, что, как всегда, в таком состоянии он обратился к Виктору Казакову, чтобы облегчить душу и получить добрый совет.

Старый друг явился, отложив все дела, по первому его зову. Зная, что нужно сначала дать Петру высказаться, он, не задавая вопросов, сел в кресло и, обратив на него внимательные глаза за толстыми стеклами очков, приготовился слушать.

«Наверное, у Пети опять затруднения на личном фронте, — про себя решил он, близкий к истине. — Ох, уж этот проклятый любовный треугольник!»

Искренняя преданность ему Казакова и постоянная готовность прийти на помощь всегда действовали на Петра успокаивающе, и он тепло произнес:

— Спасибо, Витя, что пришел, бросив дела. Я знаю, как ты загружен и что ведешь важные переговоры. Но что стоят любые дела, когда речь идет о судьбе, а может быть, и о жизни детей? — с волнением обратился он к другу. — Разве я не прав?

— Разумеется, прав, но ты все же скажи, что случилось, — сочувственно произнес Казаков. — О каких детях идет речь?

— О моих сестрах! — с горечью и тревогой объяснил ему Петр. — Мне пришлось порвать с Зиной отношения, о которых ты знаешь. И она угрожает отомстить!

— А при чем здесь твои сестры? — не понял Виктор. — Она же тебе угрожает, а не им? Я думаю, — логично предположил он, — что она намеревается настучать о вашей с ней... — он запнулся, подбирая слово, — связи Даше. Вот, как надеется она тебе отомстить!

— Если бы так! — мрачно возразил Петр. — Я бы это пережил и считал заслуженной карой. Но Зина знает, что ни этим, ни материальным ущербом меня не проймет. Боюсь, Витя, что она со зла что-нибудь дурное сделает с девчонками, — не скрывая своего страха, признался он.— Так говорит мне предчувствие. У нее темная душа, я только теперь это осознал, и, поверь, она на такое способна!

— Что-то верится в это с трудом, — с сомнением покачал головой Казаков. — Но все равно, если есть хоть один шанс, что она может пойти на такое преступление, — твердо заявил он, — нужно немедленно изолировать от нее Оленьку и Надю!

— Вот над этим я как раз и ломаю голову, — тяжело вздохнув, сказал Петр. — С одной стороны, чувствую, что надо так и сделать, но с другой,— он растерянно посмотрел на друга, — ну как я могу ее так грубо выставить после наших... — замялся, — отношений? Ведь, может, я зря ее подозреваю? Тем более она сама заявила, что вот-вот уйдет. Только подыщет новое место.

Но Казаков с ним не согласился.

— А если твои опасения обоснованны, Петя? Разве можно так рисковать? — в его глазах за стеклами очков застыла тревога. — Это же твои родные сестры. Ты никогда не простишь себе, если с ними что-нибудь случится!

— В том-то и дело, что пока с ними ничего не должно случиться,— убежденно ответил Петр. — Зина ничего им не сделает до своего ухода.

— Но почему ты так в этом уверен? — недоуменно поднял брови Виктор.

— Не уйдет она, пока не получит расчет,— привел убедительный аргумент Петр. — Пятьсот баксов на улице не валяются! Так что не обязательно выгонять ее, как нашкодившую собачонку. Можно обождать, пока подыщет работу. Но вот что потом делать?

— Как что? Уволить и запретить видеться с сестрами! — уверенно посоветовал Казаков. — Без стеснений пригрозить, что если ослушается, то ей не сдобровать.

— Ошибаешься ты, Витя! — не согласился с ним Петр. — Зина не из робкого десятка. Что-то в ней есть темное, зловещее. А девочки ее любят, доверяют.

— Значит, надо их разубедить, открыть глаза и категорически запретить с ней общаться! — твердо стоял на своем Казаков. — А поговорить с ней и предупредить о последствиях должен не ты, а Михаил Юрьевич. Уж он-то сумеет ее как надо застращать!

— Не знаю. Все это противно и низко, — несогласно покачал головой Петр. — И если мои подозрения необоснованны — несправедливо и жестоко по отношению к Зине. Придется подождать, когда вернется отец, и посоветоваться с ним.

Он все еще оставался во власти сомнений.

Завершив очередное расследование на выезде и прилетев домой, Михаил Юрьевич Юсупов был удивлен, застав домработницу Зину в мрачном настроении. Обычно веселая и кокетливая, она лишь хмуро поздоровалась с хозяином и продолжала работать пылесосом. Когда, разобрав чемодан и приняв душ, он пришел на кухню, чтобы перекусить, она все так же хмуро поставила на стол еду и при этом не произнесла ни слова.

«Что-то здесь произошло. Неспроста Зина молчит и хмурится, — мысленно заключил Михаил Юрьевич. — Но если бы случилось что-то серьезное, то сын мне сообщил бы, — успокоил он себя, решив: надо будет все же у нее спросить. Может, обиделась на Петю или на девочек?»

После еды, подождав, когда она уберет со стола, он мягко поинтересовался:

— А почему, Зина, ты такая хмурая? У тебя неприятности?

Но она, ничего не ответив, отошла к мойке, гремя посудой и всем своим видом показывая, что не намерена объясняться. Однако, желая узнать причину такого непонятного ее поведения, Михаил Юрьевич поднялся и, подойдя сзади, мягко взял за плечи и повернул к себе лицом.

— На меня-то за что ты сердишься, Зина? По-моему, я тебя ничем не обидел,— сочувственным тоном спросил он, глядя на нее своими теплыми карими глазами. — Если кто-нибудь угрожает или несправедливо с тобой поступил, то, поверь, я сумею за тебя заступиться!

«Теперь и этот ко мне лезет, — со злым удовлетворением подумала Настя, неверно истолковав побуждения Михаила Юрьевича. — А что? Он мужик еще что надо! Стоит попробовать, — пришло ей в голову, так как прикосновение его сильных рук вызвало у нее чувственное томление. — И заодно наклепать на поганого сыночка».

— Ах, Михаил Юрьевич! — нежданно бросилась ему на грудь Настя, причитая и всхлипывая, хотя слез, разумеется, у нее не было. — Как же мне не горевать? Ухожу я от вас, хотя так привязалась к малышкам. Вы один только относитесь ко мне хорошо, — бросила на него нежный взор снизу вверх, недвусмысленно прижимаясь пышной грудью. — Только вы настоящий мужчина!

«А она явно хочет меня соблазнить, — сообразил Юсупов, тоже ощутив, что его охватывает чувственное волнение. — Необходимо сразу вправить ей мозги, — беря себя в руки, решил он, — чтобы не было дальнейших поползновений».

Он мягко, но решительно от нее отстранился, дав этим явно понять, что не намерен поддаваться на провокацию и ему не нужна любовная интрижка. Но тем не менее сочувственно спросил:

— Я все же хотел бы знать, Зиночка, причину, по которой ты от нас уходишь.

«Ага! Значит, я его не интересую. Рано же он состарился, — сообразила Настя, как всегда, трактуя происходящее в свою пользу. — Ну что же, пусть тогда ходит голодный. Такого никогда не поимеет от своей старухи! Не хочет удовольствия, получит порцию яда, — злобно подумала она. — Уж я не пожалею грязи для его сыночка!»

И, приняв скорбный вид, Настя пожаловалась:

— Если я бедная девушка, разве можно со мной обращаться, как с собачонкой? Разве я так уж плоха по сравнению с женой Пети? — возопила она, жалея себя и чувствуя, как на глаза наворачиваются настоящие слезы.

— Погоди, Зина! При чем здесь мой сын и его жена? — насторожился Михаил Юрьевич. — Петя плохо с тобой поступил?

— Еще бы! Стала бы я иначе проливать слезы? — продолжала разыгрывать из себя скорбящую жертву Настя. — Пока жена в больнице, я была ему нужна, а сейчас решил со мной порвать! Видно, она оттуда скоро выйдет, — закрыв лицо руками, она изобразила, будто рыдает.

— Ты хочешь сказать, что между ним и тобой... — Михаил Юрьевич аж задохнулся от гнева при мысли, что это правда. — И давно это началось?

— Почти сразу, как только я к вам пришла, — с фальшивой стеснительностью, не отнимая рук от лица, но следя за реакцией Юсупова сквозь пальцы, ответила Настя. — У вас дома и у него на квартире. А вы разве не замечали?

Конечно, он замечал! И Светлана Ивановна приметила, что домработница строит глазки и заигрывает с их сыном. Но, зная его чистоплотность и порядочность, они не допускали мысли, что он способен изменить Даше. Да еще в тот момент, когда она должна была родить долгожданного наследника. Михаил Юрьевич весь кипел от негодования.

— Ладно, Зина! Похоже, что наш сын поступил с тобой дурно. Я сожалею об этом, — взяв себя в руки, хмуро произнес он. — Обещаю: ему это не сойдет с рук! Однако ты и сама понимаешь, что нам придется расстаться. Тут уж ничего не поделаешь, — строго взглянув на нее, добавил он. — Но ты не горюй и спокойно подыскивай новую работу. Петр тебе помехой не будет!

Вечером накануне дня операции Цыган встретился со своим подельником Косым, чтобы проверить, все ли у того готово и нет ли каких проблем. Перед ним была поставлена сложная задача. Надо было раздобыть дорожный каток, чтобы в нужный момент перекрыть им путь возможной погоне. Когда красавец Сашка на своей новенькой «ауди» подкатил к Чистым прудам, где у них была назначена встреча, подельник уже ждал его в своей машине.

Увидев подошедшего бригадира, Косой открыл переднюю дверцу, Цыган уселся рядом с ним на соседнее сиденье и, не теряя времени, спросил:

— Ну как, не подведет тебя работяга, который обещал одолжить каток?

— Ни в коем разе! Мы с ним обо всем полюбовно договорились, — заверил бригадира Косой.

Он сделал небольшую паузу, оглядываясь по сторонам, словно их кто-то мог подслушать, и доложил ситуацию:

— Этот мой корешок работает на соседней улице. Они укладывают на ней асфальт и там же у них находится бытовка. В ней вся ихняя бригада любит бухнуть. Я у них уже свой человек. Снабжаю водярой. В их распоряжении два катка, и один на полдня отдадут мне за три пузыря. Если нагрянет начальство, — усмехнулся он, — то скажут, что отогнали в ремонт или соврут что-нибудь еще. Ребята бывалые — выкрутятся!

— Ну а если вдруг они передумают? Ведь все может случиться, — на всякий случай спросил Цыган, проверяя его смекалку. — Что будешь делать тогда?

— А у меня еще одна бутылка шнапса на этот случай заготовлена. С клофелином, — хитро прищурив, скосил на него здоровый глаз подельник. — Они свалятся в бытовке, и я угоню каток!

— Спецовку у своего кореша достал? — напомнил ему Цыган. — Без нее никак нельзя на катке разъезжать! Могут заподозрить неладное.

— Кореш-то мне свою дал, но она мне великовата. Уж больно смешно я в ней выгляжу, — ответил Косой. — Мы с ним в разных весовых категориях.

— Подгонять по фигуре уже времени не осталось! — забеспокоился Цыган.

— Я у его друга одолжил еще одну робу, — успокоил его Косой.— Он примерно моей комплекции.

— Ладно, братан. Вижу, на тебя можно положиться! — одобрительно кивнул Цыган.— Не забудь только установить там стандартное заграждение и дорожные знаки. Все должно выглядеть натурально! Как только пропустишь меня, сразу же все снова перегородишь! — строго наказал он Косому и с интересом спросил: — Кстати, где тебе удалось все раздобыть?

— В двух кварталах от нашего переулка. Там перекладывают теплотрассу, и всю улицу сплошь загородили. Я увез с одного места, никто и не пытался мне помешать, — с усмешкой взглянул тот на своего бригадира. — Так сейчас берегут государственную собственность.

Цыган немного помолчал, как бы проверяя в уме, что ему надо еще узнать у подельника, и в заключение спросил:

— А сколько с тобой еще там будет наших?

— Мне помогают Пашка Булыга и новенький, — ответил Косой. — Делают все, что скажу. Я ими доволен. Со строителями или ихним начальством мы справимся, — подумав, заверил Косой. — А с мусорами не стоит и пытаться, не то сразу повяжут. В случае чего будем ваньку валять, лепить им горбатого, чтобы помешать и затянуть время.

— Ну тогда все! У тебя, похоже, полный порядок, — довольным тоном заключил Цыган.— Будь готов!

Крепко пожав руку подельнику, он вышел из его машины, сел в свою и покатил дальше — проверять готовность засады Курчавого. До начала операции оставалось уже меньше суток.

Глава 11. Похищение

Утром того проклятого дня, когда произошло несчастье с его сестрами, Петр Юсупов проснулся в отвратительном состоянии духа. Ночью он плохо спал, а когда наконец к нему пришел сон, то приснился такой кошмар, что его прошиб холодный пот. Вроде бы он повел маленьких сестричек с собой в лес по грибы, и они заблудились. Погода была солнечной, и поэтому он не взял компаса, а когда зашли подальше, где попадалось больше грибов, все небо покрылось тучами, и ориентироваться ему пришлось по мху на деревьях. Это и подвело!

Оленька и Надя очень устали, еле шли и жаловались брату, что хотят пить и есть. Они не догадывались, что брат заблудился, а он не решался им в этом признаться.

Увидев наконец просвет между деревьями и обрадовавшись, что лес кончается, девчушки бросились к опушке, и раздался отчаянный крик — они провалились в глубокую яму, вырытую охотниками для ловли крупного зверя. Заглянув туда, Петр убедился, что обе целы, но очень напуганы, они плакали и кричали.

Петр проснулся в холодном поту от собственного крика. Придя в себя и осознав, что это был лишь сон, он с облегчением пробормотал:

— Ну, слава Богу, что не наяву! Наверное, это нервы у меня расшалились.

Все еще в подавленном настроении, он встал, направился в ванную и только под струями холодного душа окончательно обрел себя, оделся, позавтракал и отправился на работу. «Сегодня же навещу сестер, — решил он, уже сидя за рулем своего джипа. — Ночной кошмар, безусловно, вызван моим беспокойством за них. Скорее бы вернулся папа!» Он не знал, что его отец уже прилетел и находится дома.

Рассердившись на сына, Михаил Юрьевич Юсупов решил не звонить и не встречаться с ним, пока все не обдумает и не определит их дальнейшие взаимоотношения. Прощать Петру безобразное поведение, по его твердому мнению, было недопустимо. Поэтому не позвонил ему вечером, не позвонил бы и утром этого дня, если бы Михаила Юрьевича не заставили чрезвычайные обстоятельства. Было около десяти, и он у себя в офисе уже закончил просматривать деловые бумаги, когда раздался вызов междугороднего телефона. Звонил Сальников из Актюбинска, куда выехал по одному из расследуемых дел.

— У меня плохие новости, Миша! Тут кое-что удалось раскопать, — в его голосе звучала тревога, — относительно вашей домработницы. Она действительно наркоманка и, кроме того, состояла на учете в милиции за проституцию. В ее деле отмечено, что отправилась к нам — в Москву. Но главное, — подчеркнул он, — я добыл фотографию, на которой эта Зина совсем не похожа на ту, что выдает себя за нее и находится у тебя дома! Ничего себе история?

— Ты меня просто убил, Витя, — опешил Юсупов и, вскочив как ужаленный, быстро спросил: — Особые приметы у нее есть? Ведь будет отпираться! Старое фото еще не аргумент. В любом случае я немедленно изолирую от нее дочек!

— Только одна — крупная родинка на правом бедре, — сообщил Сальников. — И твоя Зина русая, а та — блондинка.

— Еду домой, — вслух принял решение Юсупов. — Спасибо тебе, Витек.

Положив трубку, Михаил Юрьевич было направился к дверям, но на полпути остановился. «Что же, я полезу к ней под юбку? — брезгливо подумал он. — Нет уж! Пусть лучше это сделает мой сынок — ему, видно, привычнее. А может, и так знает ее примету?» И он снова взял трубку телефона.

— Здорово! Ты уже прилетел? — обрадовался Петр, услыхав голос отца.

— Еще вчера,— не здороваясь, сухо ответил Михаил Юрьевич.— Должен сообщить тебе кое-что неприятное.

— А что случилось? — встревожился Петр. — С кем-нибудь нехорошо, папа?

— Даже очень нехорошо! С твоей любовницей Зиной, — гневно произнес отец. — Она не та, за кого себя выдает!

— Не может... быть, — упавшим голосом пробормотал Петр, хорошо сознавая, что это — правда. «Значит, предчувствие меня не обмануло».

— Вот ты это и проверишь. Немедленно! — приказал сыну Михаил Юрьевич. — У нее на правом бедре особая примета — большая родинка. Тебе, наверное, это известно?

— Не знаю, — сгорая от стыда и угрызений совести, пролепетал Петр, хотя тут же вспомнил, что такой родинки у Зины не видел.

— Не теряя ни секунды, отправляйся к ней и проверь это до моего приезда! — беспрекословным тоном наказал отец. — Я отдам распоряжения сотрудникам и тоже поеду домой. Там и поговорим!

Михаил Юрьевич хотел было заняться делами, но не смог. Вызвав секретаря, он передал ему подписанные бумаги, спустился на лифте и сел в свою машину, раздумывая, как быть с самозванкой. Он двинулся домой, надеясь, что сын прибудет туда раньше него. Однако знакомого джипа он не увидел и, припарковавшись, стал ждать приезда Петра.

Но вот машина Петра влетела в их переулок, бросив ее у подъезда, сын вбежал в дом, не оглядываясь и ничего не замечая вокруг. Буквально через несколько минут он выскочил обратно, охваченный тревогой, быстро сел в машину и резко тронулся. Выглянув из окошка, Михаил Юрьевич окликнул сына, но тот, очевидно, его не услышал. Тогда и он, рванув с места свой мощный «бьюик», устремился вслед за ним, стараясь не упустить из виду. «Наверное, едет в школу, — сразу догадался он. — Куда же еще?»

В условленное время Настя Линева, не испытывая ни малейших угрызений совести, подъехала на такси к школе. Изобразив на лице тревогу, она вбежала в вестибюль и потребовала срочно привести девочек Юсуповых. Персонал ее уже знал и за ними сразу послали.

— Что, стряслось чего-то у них дома? — поинтересовался пожилой охранник Савелий Петрович, до пенсии служивший в милиции. — До конца уроков недолго ведь осталось.

— Беда, Петрович! Родители в аварию попали,— всхлипывая, поделилась она с ним. — Сын сейчас там, а меня за ними прислал. Мать хочет видеть своих дочек.

Тут привели Олю и Надю. Девочки, увидев свою няню со страдальческим выражением на лице, бросились к ней с вопросом:

— Что случилось, тетя Зиночка? Ты за нами?

— Поедем скорее, бедненькие мои, — жалостливо причитая, прижала их к себе Настя. — Я вам все объясню по дороге.

— А как же наши ранцы? — в один голос спросили девочки.

— Ничего с ними не будет, — отмахнулась Настя. — Не пропадут!

И ничего больше не объясняя, взяв их за руки, потащила к выходу. Но она все же была плохой актрисой, и многое повидавший милиционер инстинктивно почуял неладное. Он собрался было их задержать, но, не найдя предлога, взял телефонную трубку и позвонил бывшему сослуживцу в районное управление.

— Иван Никитич, — поздоровавшись, попросил он его. — Тут такое дело — сразу и не объяснишь. Надо срочно проверить автоаварию. Пострадавшие — Юсуповы. Записал? Отзвони мне, как выяснишь, в школу. Я тебе этот телефон давал.

По мере ожидания ответа его охватывало все большее беспокойство. Он знал, что школьницы-близняшки Юсуповы из состоятельной семьи, и особенно богат их взрослый брат. «Неужели ему некого было послать за сестрами, кроме молодой няньки?— возникло резонное сомнение.— Ведь, когда он не мог приехать сам, за ними всегда приезжал его помощник. Нет, что-то здесь не клеится! Как я сразу об этом не подумал?» — мысленно выругал он себя.

В это время снаружи развивались драматические события почище крутого боевика. Когда Настя, ведя Оленьку и Надю, вышла из здания школы и направилась с ними к ограде, в конце переулка показался джип Петра. Машина встала — спустило переднее колесо. Петр заметался, решая: менять колесо или идти за сестрами. Тем временем из-за угла школы выехала «БМВ», двое дюжих молодцов, Петр толком их не разглядел, втащили внутрь Олю и Надю, и «бээмвэшка» быстро тронулась к выезду на центральную улицу.

Петр сначала онемел, но потом с громким криком стремительно бросился вслед похитителям. Догнать их он, конечно, не смог. В отчаянии он остановился, наблюдая, как они выезжают из переулка и пытаясь сообразить, что ему делать. Все это видел так же буквально влетевший в переулок Михаил Юсупов. Резко притормозив, он только крикнул сыну: «Садись!» Тот мгновенно рванул на себя дверь, прыгнул в машину, и они устремились в погоню за похитителями.

— Синий «БМВ» с помятым сзади бампером, — только и смог выдавить из себя Петр, приводя в норму дыхание.

— Передайте срочно по «02» о похищении и приметы машины преступников, сохраняя самообладание, отдал распоряжение
по мобильнику Михаил Юрьевич своим сотрудникам. — А ты,
Петя, возьми себя в руки, — мягко одернул он его, желая немного подбодрить. — Не падай духом! Мы догоним этих негодяев!

В этот тяжелейший для обоих момент он отпустил сыну все
его грехи.

Сидя рядом с Настей и незнакомым мужчиной на заднем сиденье «БМВ», Оленька и Надя с недоумением и страхом озира-
лись вокруг, не понимая, что происходит, и с ужасом думая о
том, живы ли их родные. Будучи достаточно большими, они знали, к чему приводят автомобильные аварии. Они видели, что в
конце переулка бежал и кричал какой-то высокий парень, похожий на брата, и менее робкая Оля, удивленно подняв глаза на
няню, спросила:

— А это не Петя там бежал? Ты же сказала, что все они погибли, — и она снова горько заплакала, хотя ей все еще не верилось,
что они с сестрой осиротели.

— Конечно, нет, бедняжка моя, — почти искренне обняв и
прижав к себе, нагло соврала Настя. — Я же сказала вам, что
самолет упал в море, и все утонули. Там очень глубоко и вытащить никого не удалось.

— Но, может, кому-то удалось спастись, просто их еще не
нашли? — перестав плакать, с надеждой спросила Оля. — Ведь
папа и Петя отлично плавают!

— Все еще возможно, дорогая моя девочка, — ласково ответила Настя, которой было их жаль, особенно Олю. — Но прямо
скажу: шансов на это мало.

— А куда мы едем и кто эти люди? — шепотом спросила сме-
лая Оля.

— Я же говорила: в детский приемник милиции. Надо решить, кто о вас с Наденькой теперь будет заботиться, — бес-
пардонно врала ей Настя. — А эти дяди — милиционеры, только не в форме.

Оленька было умолкла, но, немного подумав, спросила:

— Но ведь у нас еще осталась бабушкина сестра тетя Варя. Она нас любит и не бросит!— убежденно произнесла она, посмотрев на сестру.— Ведь это правда, Наденька?

— С ней уже говорили по телефону из милиции, — продолжала свое вранье Настя. — Она не сможет сюда приехать и взять вас в Женеву. У нее самой ведь большая семья.

Тем временем мощный «бьюик» Юсупова, который не упускал из виду похитителей, стал к ним приближаться, и Цыган, взглянув в зеркало заднего вида, заметил погоню.

— Кто-то все же поднял шухер, — тревожно бросил он сидевшему рядом с ним Костылю, прибавляя газку.— Или в школе, или тот тип, который за нами бежал. Ты же его заметил?

— Дело хреновое! Это значит, что наш номер засекли, и теперь мусора устроят облаву, — всполошившись, ткнул пальцем в зеркало Башун.

— Неужто это один из Юсуповых нас засек и гонится за нами? — Цыган удивленно скосил глаза на подельника.

— Думаю, так и есть. Или не вовремя приехал за девками в школу, или они хватились Насти, — озабоченно предположил Башун. — И, конечно, уже подняли на ноги мусоров. Значит, теперь нам хана!

— Не трухай, Костыль, прорвемся, — хмуро бросил ему Цыган, уверенный, что и на этот раз выйдет сухим из воды. — Главное, без паники! Ты ведь знаешь, я принял меры, чтобы избавиться от погони.

С большим искусством и отчаянной лихостью он гнал свой «БМВ», лавируя в сплошном потоке транспорта по намеченному маршруту, и сумел немного оторваться от преследователей. Вот уже он достиг боковой улицы, в конце которой была засада Кучерявого, визжа тормозами, с ходу повернул в нее, но, взглянув в зеркало, увидел, что вслед за ним туда въехала и серебристая машина.

— Ну что ж, не подведи нас, каточек! — злобно пробормотал Цыган, завидев, что улица перегорожена и его подельники на месте. Он резко снизил скорость, приближаясь к узкому проезду.

Михаил Юрьевич тоже еще издали увидел сужение дороги.

— Вот тут мы их и достанем!— обрадованно бросил он сыну, передав пистолет, и на полной скорости устремился к узкой горловине, настигая похитителей. — Как приблизимся, — приказал он ему, — сразу стреляй по колесам!

Но ловушка Цыгана сработала! Как только «БМВ» миновал проезд, оставленный строителями, его сразу перегородил асфальтовый каток, и ему пришлось так резко затормозить, что Петр сильно ушиб голову, чуть не разбив лобовое стекло.

— Ты что же делаешь, болван? — выскочив из машины, вне себя от ярости набросился Юсупов на слезшего с катка одноглазого водителя.— Я же мог в тебя запросто воткнуться! Разве не видел? А ну, убирай свой каток!

— Чего разорался, дядя? Сам гляди в оба! — нагло ухмыльнулся ему в лицо Косой, незаметно сделав рукой знак подельникам, чтобы подошли ближе. — Мне до тети фени твои заботы! У нас свои дела.

— Значит, ты нарочно загородил дорогу? — догадавшись и еле сдерживаясь, чтобы не свернуть шею негодяю, буквально зарычал Юсупов. — Убирайся с дороги, если хочешь быть цел!

— Ах ты старый козел! Еще мне и угрожаешь? — мигнув подошедшим подельникам, прошипел Косой и замахнулся. — На тогда, получай!

Однако привычный к таким ситуациям Михаил Юрьевич уклонился от удара бандита, и так двинул его в челюсть, что сразу нокаутировал. Двое остальных тут же набросились на него, показав себя искусными бойцами, Но подоспевший Петр помог отцу справиться с ними, и через мгновение все трое лежали в глухой отключке, плохо соображая, что же произошло.

— Садись в машину, а я отгоню каток! — крикнул Юсупов сыну, не обращая внимания на возмущенный ропот очевидцев драки, которые приняли их за бандитов, и жалели «строителей».

Не теряя времени, он взобрался на каток и, убрав с дороги, на ходу прыгнул в свою машину. Набирая скорость, они стремглав понеслись к выезду на основную магистраль. Однако, когда Юсуповы на нее выскочили, похитителей уже и след простыл.

Припарковав машину к бордюру, отец и сын Юсуповы минут десять находились в шоке. Первым пришел в себя Михаил Юрьевич.

— Ничего, Петя, еще не все потеряно! — постарался подбодрить он сына. — Может быть, негодяев уже засекла милиция? Сейчас мы это узнаем, — добавил, нажимая на кнопки сотового телефона. — Во всяком случае, бандиты выйдут на связь с нами, когда потребуют выкуп.

— Я все отдам, папа, лишь бы они вернули наших малышек живыми и здоровыми, — откликнулся Петр, который тоже уже оправился от шока.

— Нисколько в этом не сомневаюсь! — бросил ему отец и с напряженным вниманием стал слушать сообщение сотрудников. — Они их, кажется, засекли! — воскликнул он, с надеждой взглянув на Петра. — Похожий синий «БМВ» преследует патрульная машина милиции. Надеюсь, они-то преступников не упустят!

Действительно, радоваться тому, что они удачно ушли от погони, Костылю, Цыгану и Филину пришлось недолго. Остановившись на красный свет на одном из перекрестков, Костыль заметил, что постовой милиционер, внимательно поглядев на их машину, быстро достал рацию и передал какое-то сообщение.

— Похоже, Цыган, мусора нас обнаружили. Думаю те, что гнались, разглядели наш номер и передали по рации, — вновь всполошившись, мрачно предупредил Костыль подельника. — Как считаешь, смогут нас перехватить ихние патрули? — спросил он, доставая на всякий случай пистолет.

— Не бойся, уйдем! И на этот раз покажем хрен с прибором, — самоуверенно заявил тот, уповая на приготовленную подставу. — У меня для мусоров, как ты знаешь, есть еще один сюрпризик.

И когда к ним скоро прицепился новый хвост в виде мощного милицейского «форда», Цыган, увеличив скорость, погнал машину к тому проходному двору, у которого он выставил другую засаду во главе с Курчавым. Неожиданно для преследователей свернув в узкий боковой переулок и непрерывно сигналя так, что шарахались не только пешеходы, но и встречные машины, Цыган понесся по нему, все больше увеличивая свой отрыв. Тем более что «форд» проскочил поворот и вынужден был дать задний ход.

Но милицейский патруль оказался упорным и умелым. Взглянув в зеркало, Цыган с досадой заметил, что сзади вновь появился «форд». И хотя проходной двор находился уже совсем близко, Цыган на этот раз сильно испугался, так как впереди нигде не видно было ни Курчавого, ни и его людей.

— Ну и ну! Куда же они, блин, все подевались? — нервно бросил он Костылю.

— Неужто в чем-то прокололись и всех повязали? Да не может этого быть! — тут же отверг он это предположение. — Курчавый слишком хитер, чтобы мусора его на чем-нибудь подловили.

И действительно, впереди из подворотни вынырнула знакомая фигура с пышной кудрявой шевелюрой, и Цыган сразу успокоился. На глазах у близкой уже погони он, резко притормозив, въехал в проходной двор, двое подельников Курчавого закрыли створки ворот, а он сам навесил и запер на ключ пудовый амбарный замок. Сделав это, хотел было нырнуть в подъезд, но его остановил окрик из затормозившей рядом милицейской машины.

— Эй, парень, ты зачем запер ворота? Открой немедленно!

— А зачем? Я же нарочно запер, чтобы не ездили всякие, — изображая из себя простака, затеял препирательство с милиционером Курчавый, чтобы выиграть время. — Ездиют и ездиют, а у нас во дворе ребятишки играют. Задавят еще кого, чего доброго!

— Слишком много болтаешь! Открывай, тебе говорят! — приказал лейтенант, и пока бандит возился со старым замком, делая вид, что тот у него заел, распорядился по мобильнику, очевидно, другой патрульной машине: — Ловите «БМВ» на параллельной улице, — он назвал адрес и, усмехнувшись, уверенно бросил своему напарнику: — Думают от нас уйти, гады. Как бы не так! Сейчас им будут кранты!

Действительно, почти сразу на соседней улице появился другой мощный милицейский «форд», который участвовал в облаве, и остановился на обочине, карауля синий «БМВ». Проехавший мимо старенький «жигуленок», в котором находились три бандита, Настя и похищенные девочки, у сидящих в «форде» милиционеров интереса не вызвал. А когда открыли ворота, первый патруль с досадой обнаружил в проходном дворе синюю машину, за которой он безуспешно гнался.

— А у нас снова неприятность,— сделав недовольный вид, сказала Настя, когда синий «БМВ» остановился возле видавшего виды старого «жигуля» желтого цвета. — Наша машина сломалась, и здесь нас уже ожидает другая, в которую мы все должны перебраться. Так всегда бывает, когда шофера слишком сильно гонят! — для пущей убедительности добавила она и, подхватив Олю и Надю, подняла их с сиденья. — Я бы наказывала водил за это!

— Да, девочки, придется нам пересесть в другую тачку, — с любезной улыбкой, на которую только был способен, сказал Цыган, помогая Насте усадить их в салон «жигуля». — Вы уж нас извините, что так получилось. Скоро будем на месте.

И действительно, не прошло и четверти часа, как они подъехали к довольно красивому и опрятному детдому, которым заведовала Екатерина Воронцова. Как было условлено заранее, встретить вновь прибывших вышла не она сама, а Софа в милицейской форме.

— А, приехали наконец! Проходите, дорогие деточки, — приветствовала она Наденьку и Олю с умильной улыбкой. — Вы тоже пройдите с нами, — предложила она Насте, делая вид, что они между собой незнакомы. — Девочки вас знают и не будут так стесняться. Не правда ли, малышки? — спросила она у них, наградив ласковым взглядом.

Ее приветливый вид, несмотря на строгую форму с погонами, успокоил Олю и Надю, которые поначалу испуганно жались к Насте, и они все вместе прошли вслед за Софой в уютную светлую комнату, уставленную детскими игрушками, которую Воронцова отвела под приемную для маленьких «клиентов». Когда они шли, из всех дверей выглядывала любопытная детвора, и это немного успокоило девочек и даже заинтересовало.

— Милые детки! Слушайте меня внимательно, — между тем мягко обратилась к ним Софа, разыгрывая сострадательную милицейскую даму. — Так получилось, что некоторое время вам придется пожить в этом превосходном детском доме. Наше государство всегда заботится о своих маленьких гражданах, не оставляет их в беде! — с пафосом, сама удивляясь своим актерским способностям, заявила она, усадив Олю и Надю рядом с собой на небольшой удобный диванчик.

Сделав паузу, чтобы припомнить, что еще должна была сказать, она с печальным и сострадательным видом нравоучительно произнесла:

— Как ни тяжело, но вам, мои милые, надо будет привыкнуть к своему новому положению. Без родительской ласки и заботы. Мы все очень вам сочувствуем, но что поделать? — риторически возвела она глаза к небу. — Такова Божья воля! Это он дарует нам счастье и посылает тяжкие испытания, но верьте, дорогие мои, вместе мы преодолеем вашу беду!

Наденька было снова начала плакать, но ее остановила Оля, тихо спросив:

— Но почему вы так говорите? Тетя Зина сказала, что на море еще ведутся поиски спасателей и окончательно ничего неизвестно. Может, кого-нибудь еще найдут? — на этот раз заплакали они обе.

— Слезами горю не поможешь, милые мои деточки, — повысила голос Софа, бросив на Настю злой взгляд.— Конечно, хорошо бы кого-нибудь там спасли, но, к сожалению, это не реально. Однако вам не надо отчаиваться! — по-матерински прижала она их к себе. — Здесь вам будет совсем неплохо, а мы приложим все силы для того, чтобы вы снова росли в семье.

Видя, что обе перестали плакать и, не понимая, но с надеждой уставили на нее свои синие глаза, Софа важно произнесла:

— Мы, то есть милиция, постараемся разыскать всех ваших родственников по линии отца и матери. Мы знаем, что некоторые из них живут за границей, и очень богаты. Да и вы, мои миленькие, не будете им обузой, так как вас ожидает неплохое наследство, — добавила она медоточивым голосом. — Вам нужно только пережить это огромное горе и потерпеть некоторое время неудобства.

— Вы ведь знаете, что происходите из аристократического рода, представители которого живут за границей? — спросила молчавшая до этого Настя. — Вам говорили об этом родители?

— Конечно, знаем от папы и мамы, — за обеих ответила Оля.— Мы с Наденькой по папе происходим от князей Юсуповых и очень старинного боярского рода Стрешневых. Но какое это сейчас имеет значение?— совсем по-взрослому спросила Оля, серьезно подняв на Настю свои синие глаза. — Дворянские титулы ведь у нас в стране отменены.

— Тем не менее представители вашей фамилии за рубежом этим очень горды, и, мы думаем, они не оставят в беде своих юных родственниц, — вмешалась Софа и многообещающе добавила: Мы обязательно свяжемся с ними и вас об этом оповестим!

Она поднялась, чтобы на этом закончить разговор, и сказала:

— Ну что же, мои милые княжны, сейчас я вас провожу в комнату, где вы будете жить, пока мы не сможем вас получше устроить. Вам надо хорошенько отдохнуть, чтобы легче пережить свое горе! Тетя Зина пойдет с нами, уложит спать, и там вы с ней проститесь.

— Вы бы только видели спектакль, что я разыграла перед этими дурочками! — весело рассказывала Софа подруге, Костылю и Хирургу о своем актерском дебюте в роли инспектора милиции по делам несовершеннолетних. — Слышали бы тексты, которые я произносила. «Наше государство о вас позаботится, дети», — с пафосом продекламировала она. — Ну а утешала их не хуже мамаши.

Они сидели за столом в красиво обставленной кухне квартиры Воронцовой и отмечали удачное завершение преступной операции обильной попойкой.

— Если б это не было компрой, надо было бы все записать на пленку и показывать по телеку,— блестя глазами, самодовольно продолжала Софа.— Посмотрели бы в ментовке — сразу взяли бы к себе в штат, — прыснула она со смеху. — Ей-ей не вру! Можете спросить у Насти, она тому свидетельница.

— Что и говорить! Ты свою партию провела здорово! — похвалил ее Костыль, вновь наливая в качестве хозяина всем по полной. — Но я попрошу вас выпить за моего водилу Цыгана. Фартовый мужик оказался, хоть мы с ним и не ладим. Только благодаря ему ушли сегодня от погони!

— А что, эти девочки и взаправду княжеского рода, как сказала мне Настя? — спросила хозяйка, намазывая на хлеб с маслом толстый слой красной икры, которую очень любила. — В это вполне можно поверить — такие они красивые и складные. В них чувствуется порода!

— Так оно и есть, — равнодушно подтвердила Софа. — Они сами мне об этом сказали. Уже большие и все о себе знают.

— Вот поэтому с ними надо покончить, как только получим выкуп, — нахмурившись, бросил Костыль, снова наполняя рюмки. — Они могут нас выдать, если не замочим. Напрасно Седой этого не понимает!

— Неужели тебе их ничуть не жаль? Не слишком ли это жестоко, котик? — томно подняла на него глаза Катерина.

— А чего их жалеть, этих паразитов-богачей? — злобно ответил Костыль. — Сто раз правы большевики, уничтожив их как класс. У них разговор был короткий: «Аристократ? Дворянин? К стенке!» Это они из принципа их мочили, а мы, — повеселев ухмыльнулся он, — поступаем более умно: ради того, чтобы за них получить большие бабки и ментов оставить с носом!

— Да брось ты подводить идею под мокрое дело,— не выдержал его демагогии Фоменко.— Наши бабы, Костыль, так и так все узнают. Или думаешь, что они нас с тобой продадут? — он уже изрядно захмелел. — Пусть знают правду: мы за этих сопливых получим столько «зеленых», что на целый год хватит! Чего еще надо?

Не дожидаясь Костыля, он налил себе водки, а тот миролюбиво сказал: ·

— Ну чего злишься, Хирург? Большевиков это я так приплел — для красного словца. Но ты же знаешь, что с отцом девок и их братом у меня старые счеты, — напомнил он другу, — и этим я отомщу им за все! Давайте же выпьем, чтоб так оно и было! — предложил он, подняв свою рюмку.

— И чем они так тебе досадили? — спросила Софа, когда они выпили и закусили. — Сержик мне об этом ничего не говорил.

— Из-за отца этих девчонок я два раза сидел, а их брат поступил со мной еще хуже, — со жгучей ненавистью в голосе коротко объяснил ей Костыль. — По его милости я остался нищим, хотя мог бы быть несметно богат!

— Да брось ты заливать! — недоверчиво взглянула на него Софа. — Неужто так было на самом деле?

— Этот его сынок, Петр, увел у меня из-под носа богатую золотую жилу, к которой я подбирался целых пять лет, кормя в тайге комаров, — ничуть не обижаясь, злобно объяснил Башун. — Я же был геологом и, не перебеги он мне дорогу, у меня могла бы быть совсем другая судьба!

— Тогда я своими руками задушу этих сопливых девчонок, чтобы отомстить за моего дорогого котика, — заявила Катерина, глядя на него нежным взором и испытывая, как ее охватывает сладкая истома. Один вид этого неандертальца вызывал у нее сексуальное возбуждение, а выпивка усилила волнение в крови.

Не выдержав, она удивительно легко для своих габаритов и веса вскочила на ноги и, подойдя сзади, наклонившись, нежно обняла Костыля так, что его голый череп полностью утонул в ее полной груди.

— Пойдем, котик, я тебя уложу баиньки, — горячо дыша, ласково предложила она. — Не стоит нервничать! У тебя и так был очень тяжелый день, и надо хорошенько отдохнуть!

— Намек прозрачный: дорогие гости, не надоели ли вам хозяева? — натянуто улыбаясь, сказал Фоменко, с хмельным сожалением оглядывая стол, на котором оставалось еще много выпивки и закуски.

— Ты, Катюша, с нами не церемонься! Свои люди, не без понятия, — в тон ему бросила подруге Софа. — Мы с Сержиком, хоть и не молодожены, как вы, но и нам охота,— она цинично усмехнулась,—этим заняться. Пойдем домой! — позвала она его, вставая. — Видишь, им не терпится.

Вздохнув, Фоменко поднялся и молча последовал за ней, а Софа уже в дверях обернулась, с сексуальным интересом наблюдая, как подруга, расстегнув на Костыле рубашку и брюки, умело его ласкает, и они оба постанывают от удовольствия.

— Ты с нами вовек не расплатишься за своего котика! — весело крикнула она Катерине на прощание.

Глава 12. Подлецам везет

Вернувшись домой, Михаил Юрьевич и Петр Юсуповы ни о чем не могли думать, кроме спасения Оленьки и Нади из рук похитителей. Но, как говорится: два ума хорошо, а три лучше! Поэтому, еще находясь в пути, они сообщили об ужасном происшествии с детьми Вере Петровне и Степану Алексеевичу, и те немедленно выехали с дачи, чтобы вместе посовещаться, как быть.

Ждать их пришлось довольно долго, и, пока они не прибыли, отец с сыном перенервничали, ломая голову и придумывая каждый разные способы счастливого решения этой ужасной проблемы. Обнаружилось, что у них к ней совершенно разные подходы. Сходились они только в одном: пока не будет найдено подходящее решение, ни в коем случае нельзя сообщать о похищении девочек матери. Оба сознавали, что безнадежная ситуация ее может убить. У нее просто не выдержит сердце!

Но вот хлопнула входная дверь, и в гостиной, где они сидели с черными от горя лицами, появились не менее взволнованные бабушка с дедушкой. Старый профессор тяжело дышал, а у Веры Петровны были заплаканы глаза — видно, что всю дорогу проливала слезы. Степан Алексеевич молча плюхнулся на диван, а она, подойдя к зятю, с ходу потребовала:

— Рассказывай, Миша, как такое могло произойти? Я до сих пор не могу поверить в реальность случившегося. Все кажется, что это жуткий сон и я сейчас проснусь!

— К несчастью, это не сон, дорогая Вера Петровна, — морщась, как от боли, скорбно произнес зять. — Мы безответственно взяли на работу отвратительную мерзавку, впустили в наш дом ядовитую змею и сейчас пожинаем плоды своей преступной халатности! Нам с сыном нет оправдания!

— Нет, это не так, бабушка! — резко перебил его Петр.— В том, что похитили моих бедных сестричек, вина целиком моя, а не папы! Он был слишком занят и доверился мне, считая, — голос у него от волнения прервался, — что я разумный и зрелый человек. Но выходит, что зря! Я не оправдал его доверия, — он сокрушенно покачал головой, и в глазах его застыло отчаяние.

— Напрасно казнишь себя, Петя! Не так велика твоя вина! — возразил Михаил Юрьевич. — Она лишь в том, что по молодости неразумно увлекся этой красивой мерзавкой и поэтому излишне ей доверял. А это как раз входило в планы преступников, и ты попался на их удочку! Теперь я в этом уверен!

И без того подавленные происшедшим, Вера Петровна и Степан Алексеевич были окончательно сражены.

— Выходит, Петя, ты не внял нашим советам и завел любовные отношения с этой... — профессор запнулся, подбирая приличное слово, — бандиткой, в то время как жена находится в больнице? Не ожидал! — он осуждающе покачал красивой седой головой. — Ты ведь не глуп. Я согласен с отцом, что бандитской шайкой, в которую она входит, такой вариант был предусмотрен.

— А я что, отрицаю свою вину? — нервно вспылил Петр. — Но не нужно и преувеличивать! Ни в какую шайку Зина не входит. Все произошло, потому что я одумался и порвал с ней. Она обещала мне отомстить — вот и выполнила свою угрозу. — Он сделал паузу и добавил: — В жизни ей пришлось хлебнуть всякого, зналась она и с бандитами. Они, верно, ее и надоумили выбрать такой ужасный способ, — самолюбие не позволяло ему признать, что он так оплошал.

— Ошибаешься, сын! — разгорячился и Михаил Юрьевич. — Вот увидишь, следствие покажет, что она член банды похитителей и именно с этой целью к нам подослана. Ты же знаешь, она совсем не та, за кого себя выдавала. Поэтому виноват только я! Как отец и тем более детектив, я не должен был подпускать эту гадину к дочерям без основательной проверки!

— Значит, вы оба считаете, — подняла свои ясные серые глаза на мужа и зятя до сих пор только слушавшая их Вера Петровна, — что эта негодяйка и нанялась к нам с целью похищения малышек? Тогда, Петенька, ты не должен винить себя за это, — повернулась она к любимому внуку. — У тебя благородная душа, и ты не мог предугадать такой мерзости!

Чуткая и отзывчивая, Вера Петровна выдержала паузу и мягко предложила мужчинам:

— Давайте лучше обсудим, что нам следует предпринять, и как, — ее голос прервался от волнения, — сообщить о похищении деток Светочке? Ведь нельзя же держать ее в неведении? Но боюсь, что произойдет еще одна трагедия!

— Мы с Петей общего мнения: пока не найдем Оленьку и Надю или не узнаем планы похитителей, ничего говорить ей нельзя, — опустив голову, сказал Михаил Юрьевич. — Иначе мы Светочку угробим.

— Но она вот-вот позвонит, и что ты ей скажешь? — с сомнением посмотрела на зятя Вера Петровна. — Будешь обманывать?

— Ничего другого не остается. Ложь во благо — не ложь, — хмуро подтвердил он. — Если спросит, где дочки, то скажу, что гуляют или с вами на даче.

— Ладно, Веруся, не донимай зятя! Ему и без того тошно, — вмешался Степан Алексеевич. — И, кроме того, он прав! Светочке пока говорить не стоит. Я хочу знать, известно ли чего-либо о похитителях и что Михаил с Петей намерены предпринять.

— Ну, тогда наберитесь терпения и выслушайте, что мы с сыном надумали, — Михаил Юрьевич поднял голову и посмотрел на родителей жены так, словно просил у них совета и поддержки. — У меня и у Пети на этот счет разные мнения. Поэтому вы поможете нам принять верное решение! Пожалуй, начну я.

Он откинулся в кресле и прикрыл глаза, как бы еще раз обдумывая то, что собирался предложить для спасения дочерей.

Пауза затянулась. По напряженным лицам профессора и Веры Петровны было видно, что они с нетерпением ждут, что скажет зять, но он все молчал, словно еще раз взвешивал в уме все «за» и «против» задуманного. Наконец Михаил Юрьевич глубоко вздохнул и, как бы решившись, сказал:

— Мой план основан на силовом варианте освобождения Оленьки и Нади, так как за него голосуют весь мой жизненный опыт и статистика подобных преступлений. Трагические последствия похищений хорошо известны: получив выкуп, бандиты убивают заложников, чтобы ликвидировать свидетелей.

— Я этого, Мишенька, не переживу,— не выдержав, всхлипнула Вера Петровна, глотая слезы. — И Светочка тоже!

— Вот почему, по моему убеждению, нельзя допустить передачу негодяям выкупа, — мрачно глядя в одну точку, изложил свой план старший Юсупов. — Стратегия спасения дочек должна состоять в том, чтобы всячески тянуть с передачей им денег, одновременно требуя ежедневного подтверждения того, что девочки живы и здоровы.

— Ну хорошо, но как же ты их спасешь?— не выдержал напряжения Степан Алексеевич. — Бандиты ведь их надежно упрячут и если раскусят твою двойную игру, то уж точно погубят наших малышек!

— Надо все сделать так, чтобы не раскусили! Мы это сможем и тогда спасем, — с мрачной уверенностью ответил Михаил Юрьевич. — За это время мы обязаны установить, кто такие похитители, и узнать, где они прячут Олю и Надю!

Снова воцарилось мрачное молчание, сопровождаемое лишь всхлипываниями Веры Петровны, которое вновь нарушил профессор.

— Ну а что предлагаешь ты, Петя?— с надеждой взглянул он на внука.— Почему не согласен с отцом, который намного опытнее тебя? Неужели придумал что-то получше?

— У меня просто другой подход, так как я знаю мир бизнеса, — без апломба, но с верой в свою правоту объяснил Петр. — Папа привык рисковать, и у него, как правило, все получается. Но вдруг выйдет осечка? — голос его дрогнул, и он с тревогой обвел всех глазами. — Я же хочу исключить риск! Договориться с похитителями, чего бы мне это ни стоило.

— Но разве возможно договориться с бандитами? — выразила сомнение Вера Петровна. — Они тебя, Петенька, непременно обманут!

— Киднеппинг, бабушка, это тоже бизнес, хотя и преступный, — убежденно ответил ей Петр. — Им занимаются с той же целью — в погоне за наживой. И я предложу им много больше того, что запросят. Но поставлю условие: гарантию возврата сестричек!

— А они тебя все равно надуют! Нельзя же быть таким наивным, — с горьким упреком бросил Михаил Юрьевич сыну. — И деньги потеряешь, и сестер своих не вернешь!— он покачал головой и добавил:— Не считай их глупее себя. Не будут они рисковать свободой ради лишних денег!

— Нет! Я уверен, что это сработает! Ведь известно: то, чего нельзя купить за деньги, можно получить за очень большие деньги, — горячо сказал Петр. — Вот увидите: жадность их одолеет, когда сверх выкупа я предложу им миллион долларов!

— Неужели, Петенька, ты сможешь дать им такую огромную сумму? — поразилась Вера Петровна. — И это тебя не разорит?

— Думаю, что нет, хотя наверняка поставит в очень тяжелое положение, так как придется использовать все оборотные средства и золотовалютные резервы, — неуверенно ответил ей внук. — Но какое это имеет значение, когда на карту поставлена жизнь Оленьки и Надюши?

Несколько минут все молчали, мрачно размышляя. Потом Вера Петровна осторожно сказала:

— Прости, Мишенька, но мне кажется, что план, предложенный Петей, как-то надежнее. Риск остается, — не удержавшись, она всхлипнула, — и все же, если бандиты соблазнятся огромной суммой, мы получим наших малышек обратно. Бандиты ведь ходят по краю пропасти, — привела, на ее взгляд, убедительный довод Вера Петровна, — а тут им светит такой куш!

— Главное все же, не давать похитителям денег, пока не будет надежных гарантий вызволения наших девочек. В этом прав Миша, — убежденно высказал свое суждение профессор. — Только это поможет сохранить им жизнь. Петин план мне тоже по душе, но он сработает только в случае, если бандиты в качестве аванса получат мало денег. Но вот согласятся ли они на это?

Глаза у Степана Алексеевича оживились, словно его осенила подходящая идея, и он предложил:

— Я думаю, лучше всего — это совместить оба плана, использовав наиболее эффективные средства. Сначала надо затянуть переговоры под видом торга, используя приманку увеличения выкупа, а за это время для верности сделать все то, что считает нужным Миша. — Профессор с трудом перевел дыхание и продолжал: — Бандитов надо убедить, что обман не пройдет, и если они хотят получить миллион наличными, то должны в обмен отдать заложниц, а пока довольствоваться небольшим авансом. На этом стоять твердо, иначе ничего не получится! — устав от напряжения, он откинулся на спинку дивана.

Снова возникло тягостное молчание, вызванное размышлениями над его предложением. Наконец, Вера Петровна нарушила его, мягко обратившись к зятю и внуку.

— Пожалуй, то, что высказал наш дорогой профессор, — бросив одобрительный взгляд на мужа, сказала она, — больше всего дает надежду на успех. Недаром он у нас ученый-психолог, — попробовала улыбнуться, но у нее не получилось. — Попробуйте сделать так! Идея хорошая, и вы сможете ее осуществить! — с жаром произнесла она, с надеждой глядя на задумавшихся Юсуповых.

— Ну что же, недаром пословица говорит, что истина всегда находится где-то посередине, — словно очнувшись, но все еще как бы размышляя, сказал Михаил Юрьевич. — Наверное, мы так и поступим. Приезжай завтра с утра ко мне в офис, — обратился он к сыну, — и мы разработаем конкретный план действий. Как раз и Сальников сообщит нам, что ему удалось узнать в милиции.

Он поднялся, разминая затекшие мышцы, и предложил:

— А теперь, наверное, нам неплохо бы попить чайку или чем-нибудь подкрепиться. Как вы считаете, Вера Петровна? Поухаживаете за нами, холостяками? — с вымученной улыбкой посмотрел он на тещу.

— О чем речь, Мишенька? — встрепенулась она, легко для своего возраста вставая. — Пойдемте на кухню! Я вас сейчас покормлю.

Виктору Степановичу Сальникову сразу же, как только вернулся из командировки в Казахстан, пришлось вплотную заняться розыском похитителей Оли и Нади в постоянном контакте с органами милиции. Симпатичный, еще не старый инвалид, потерявший ногу в Афгане, он так и не обзавелся семьей, и поэтому большинство расследований на выезде приходилось на его долю.

— Вот что мне удалось выяснить на сегодняшний день, — сообщил он своему шефу и другу Михаилу Юрьевичу и Пете, сидя напротив них в небольшом, но уютном кабинете генерального директора детективного агентства. — Сначала доложу то, что узнал в милиции, а потом уж свои соображения.

Он поудобнее устроился в кресле, выставив вперед свой протез и, нахмурив брови, продолжал:

— Ничем порадовать вас пока не могу. Менты, как вы знаете, упустили преступников и располагают лишь одной ниточкой, которая может к ним привести. Это машина, брошенная похитителями. Но и та, как заявил ее владелец, была у него угнана, что подтверждается поданным им заявлением. Однако тут есть зацепка, — в голосе Сальникова послышалась надежда.

— Какая? — в один голос выдохнули оба Юсупова.

— Этот «пострадавший» при проверке оказался рецидивистом, дважды сидел и, по данным милиции, он входит в банду нашего старого знакомца Седого, — со значением сделал паузу Виктор. — Так что, возможно, это его рук дело!

— Милиция приступила к разработке Седого? — спросил Михаил Юрьевич.

— Нет, так как не видит веских оснований, — пожал плечами Сальников. — А я на этом не настаивал.

— Почему же, Виктор Степанович? — не понял его Петр.

— Для того, чтобы сохранить жизнь твоим сестрам! — резко бросил Сальников. — Менты только все испортят! Неужто не понятно?

— Ты прав! Мы сами возьмем Седого под колпак, — одобрил его шеф.— Куда аккуратнее их! Значит, думаешь, это он снова за нас взялся? — гневно прищурив глаза, взглянул он на друга и помощника.— Видно, битому неймется. Отчаянный, негодяй!

— Полагаю, что он, — утвердительно кивнул рыжеватым чубом, в котором уже было полно седины, Виктор. — Но подбил Седого на это, думаю, знаешь, кто? — сообщил он ему сенсационную новость. — Твой алтайский недруг и его подельник Башун, недавно бежавший из тюрьмы. Видишь, как все сходится?

Михаил Юрьевич лишь согласно кивнул головой, и Сальников продолжал:

— Я как узнал об этом, сразу подумал: ну кто еще мог выбрать для похищения именно твоих дочек? И знаешь, Миша, — с тревогой добавил он, — это здорово осложняет дело! Ведь к обычному шантажу тут примешивается личная месть!

— Миллион долларов, который я им предложу за сестер, должен их утешить! — подал голос молчаливо слушавший их Петр. — Надеюсь, это будет достаточная компенсация за причиненные нами неприятности?

— Не слишком рассчитывай на это, Петя! — отрицательно покачал головой Сальников. — Коварство и жестокость бандитов не поддаются пониманию. Твой жирный куш, конечно, сыграет нам на руку, но следить за ними придется в оба. Эти отморозки сделают все, чтобы нас обмануть!

— Согласен! Давайте подумаем, как нам выйти на банду Седого и ее «хаты»? — прервал их спор Михаил Юрьевич. — У тебя есть что предложить, Виктор?

— Для этого у нас только два пути, — как бы рассуждая, произнес его верный друг и помощник. — Нужно срочно сделать то, что не смогли менты: разыскать скрывающегося Башуна и эту вашу Зину, которые приведут нас в логово бандитов. Но в обоих случаях, — он понурил голову, — это очень трудная задача, так как уверен, что они живут под чужими именами.

— И мы ее обязательно решим! Деваться нам некуда, — твердо заявил Михаил Юрьевич, веря в счастливую судьбу. — Ты, Виктор, возьмись за розыск этой «Зины», которая наверняка входит в ближний круг подельников Седого. Ты, Петя, помоги ему в этом и, как только похитители выйдут на связь, начни с ними переговоры, — распорядился он. — А я тем временем найду нашего «заклятого друга» Башуна.

Он поднялся, высокий и мощный, излучая уверенность в достижении успеха, и лица у Петра и Сальникова просветлели.

— Ну что же, теперь — за дело! Будем держать постоянную связь и собираться для совета и корректировки плана, — напутствовал он их, провожая из кабинета.

Выйти на след Костыля Михаилу Юрьевичу помогли опыт расследований и природная сообразительность. Понимая, что искать преступника, скрывающегося под чужой фамилией, в таком мегаполисе, как столица, все равно что иголку в стогу сена, он перебрал в уме все практические приемы и, наконец его осенило. «Надо проверить, не было ли у Башуна друзей среди сокамерников? Ведь он долго просидел в тюрьме, — с пробудившейся надеждой подумал он. — Если это так, с кем-нибудь из них он мог сохранить связь!»

Узнав, где сидел Костыль и телефон начальника тюрьмы, он туда позвонил и, представившись, сказал:

— Мое агентство ведет расследование дела, связанного со сбежавшим от вас заключенным по фамилии Башун. Мы щедро заплатим за любую информацию, которая помогла бы, если не разыскать, то хотя бы установить с ним связь, — пообещал, стараясь заинтересовать начальника. — Не могли бы вы ее нам предоставить или рекомендовать кого-нибудь из своих служащих?

— Отчего же? Это можно, — любезно отозвался собеседник. — Один наш очень опытный сотрудник из охраны следит по моему заданию за взаимоотношениями наших зеков, и думаю, что он сможет оказать вам нужную помощь. — Начальник тюрьмы, конечно, имел в виду Шевчука, который был с ним в дружбе и часто преподносил ценные подарки.

— Тогда будьте уж так добры и передайте, чтобы он позвонил ко мне в офис по этому телефону, — попросил его Юсупов, назвав свой номер. — Поверьте, что он останется нами доволен и, думаю, — мягко добавил он с прозрачным намеком, — что вы тоже.

Через полчаса ему позвонил Шевчук, Михаил Юрьевич тут же послал за ним машину, а еще через полчаса толстый охранник уже входил к нему в кабинет.

— Сначала скажите мне, для чего вам понадобился этот Костыль, то есть сбежавший заключенный Башун? Вы помогаете его ловить? — не успев присесть, с плохо скрытым беспокойством спросил охранник. — По телефону спросить об этом было неудобно.

— Мы не милиция, и нам это ни к чему, — почуяв неладное, не стал открывать ему правды Юсупов.— Просто нужно с ним срочно связаться и за хорошую плату получить сведения по одному очень важному делу. Так вы сможете мне в этом помочь?

— Пожалуй, смогу, — немного поколебавшись, ответил Шевчук, на которого современное оборудование офиса и сам гендиректор агентства произвели солидное впечатление. — Однако хочу предупредить, что вам это недешево встанет, — добавил он, нагло взглянув ему в глаза. — Сами понимаете, сведения закрытые, да и начальник не так просто отпустил меня в рабочее время.

— Не беспокойтесь, мы надеемся на дальнейшее сотрудничество с вами и не будем скупиться, — заверил его Юсупов. — Итак, что вы можете мне сообщить о том, как найти Башуна?

— С ним, как вы понимаете, связи нет, и нам неизвестно, где он находится, — осторожно, обдумывая каждое слово, произнес Шевчук, боясь сболтнуть такое, что могло бы его разоблачить. — Но я помогу найти человека, который дружил с Костылем, был освобожден и наверняка держит с ним связь.

— И кто же этот. человек? Он проходил по одному делу с Башуном? — Юсупов открыл блокнот, чтобы записать данные. — Наверное, из одной с ним преступной группировки?

— Совсем нет. Хирург — такая у него была кличка — проходил по другому делу. До тюрьмы они с Костылем не знали друг друга. Но в камере были неразлучны. И когда медик вышел на свободу, то продолжал держать с ним связь. Приходил в дни свиданий, и прочее, — пояснил Шевчук.

Он сделал паузу и, хитро взглянув на Юсупова, добавил:

— Мне показалось, что их связывает не только дружба. Похоже, они вместе задумали какое-то воровское дельце. Вот почему я уверен, что через этого типа вы непременно выйдете на Костыля, — заключил Шевчук и, достав из кармана шпаргалку, продиктовал: — Зовут его Сергеем Фоменко, а впрочем, вот здесь все записано: и его адрес, и номер уголовного дела, — сказал он, передавая бумагу Юсупову. — Из него вы узнаете, с кем он был связан на воле, и легко отыщете.

— Ну что ж, вы нам очень помогли, — довольным тоном отозвался Юсупов и, вырвав листок из блокнота, что-то быстро на нем написал. — Пройдете с этим к главному бухгалтеру, — сказал он, протянув листок Шевчуку. — Надеюсь, сумма гонорара вас удовлетворяет?

Толстый охранник, пробежав глазами записку, молча поднялся, но по яркому румянцу, выступившему на его лоснящемся щекастом лице, было видно, что оплата за информацию намного превысила то, на что он рассчитывал.

Розыски Насти завели Виктора Степановича Сальникова в тупик. Разумеется, никакой «Зины Шишкиной», похожей на ту, что помогла похитить Олю и Надю, он отыскать не смог. Однако логика опытного оперативника подсказала ему, что преступницу нужно искать под другим именем среди подельников Седого. Через милицейские источники удалось узнать, что шайка этого «законника» действует под вывеской охранного бюро «Выстрел», а он сам его возглавляет.

Виктор Степанович, не теряя времени, под видом заказчика отправился в офис «Выстрела», но ни Насти, ни Седого там не застал, а переговорил лишь с Проней, представившимся заместителем начальника. Поторговавшись с ним для виду, Сальников ушел ни с чем, договорившись, что на следующий день придет на прием к его шефу. Он не мог знать, что Насте велели здесь не показываться, пока не закончат дело с похищением.

Его хитрые разговоры с рыжей девицей, сидевшей в приемной начальника на месте секретаря, также не принесли никакой полезной информации. Изображая весельчака и откровенно заигрывая, он задал ей вопрос вроде бы в шутку, но с далеко идущей целью:

— Слышал, что ваш шеф обожает брюнеток. Почему бы вам не покраситься, чтобы ему это было по душе?

— Кто это вам сказал? — возразила девица, кокетливо стрельнув в него глазами. — Наш Коновалов тот еще кобель, — снизила она голос до полушепота, — но любит светленьких. Брюнетки — это исключение, — не говоря всей правды, фыркнула она и призывно улыбнулась симпатичному, щеголеватому клиенту. — А рыженькие вас совсем не интересуют?

Отпустив ей пару дежурных комплиментов и не скрывая, что разочарован, Сальников покинул офис «Выстрела». В розыске пособницы похитителей ему пока не везло, зато неожиданная удача выпала на долю его напарника.

Валяясь у себя дома на постели, как приказал ей главарь, Настя, деятельная по своей натуре, изнывала от тоски, не зная, чем заняться. Читать она не любила, к музыке была равнодушна, а телек не смотрела из-за надоедливой рекламы. Цыган приходил к ней под вечер, а днем одолевала скука. Поэтому она очень обрадовалась, когда позвонила Софа и сказала:

— Мне надо с тобой встретиться и поговорить. Дело неотложное!

— А Седой на нас не взъестся? Он же запретил мне из дому нос высовывать, — для порядка возразила Настя. — Боится, что меня зашухерит кто-нибудь из моих бывших хозяев.

— Насколько знаю, эти господа общественным транспортом не пользуются, — язвительно заметила Софа и предложила выход. — Давай встретимся около входа в твое метро, и никто из них тебя не застукает. Я как раз и звоню тебе снизу, из вестибюля. Жду через пятнадцать минут!

Настя быстро оделась и, не приводя себя в порядок — не к кавалеру спешила — выбежала на улицу и быстрым шагом направилась к Сухаревской площади, где у метро ее уже ожидала Софа.

— Ну, что тебе от меня надо? — подходя, спросила у нее Настя.

— Сегодня Седому звонил фирмач. Есть покупатели на Олю. У Катерины устроят смотрины, и девчонку надо к этому подготовить, — коротко и деловито объяснила Софа. — Мне потребуется твоя помощь.

— А в чем именно?

— Ты должна придумать, что ей надо сказать, чтобы вела себя хорошо и не заартачилась,— четко поставила задачу Софа.— Это для начала, — усмехнулась она, — а там будет видно по ходу пьесы.

— Хорошо, я подумаю, — согласно кивнула Настя. — Сочиним ей сказочку про заграничных родственников. А когда смотрины?

— Через пару дней. Так что у тебя есть время до завтра. Я позвоню, — так же лаконично ответила Софа и озабоченно добавила: — Но учти, главная трудность в том, что сестры не хотят расставаться. Придумай, как их убедить!

Она уже повернулась, чтобы спуститься в подземный переход, но в этот миг произошло непредвиденное! Неподалеку раздался громкий окрик:

— Зина! Неужто это ты?

Сначала Настя никак на него не среагировала, справедливо сочтя, что к ней это не относится, но затем в ее мозгу как током дернуло: «А что, если это он?», и, скосив глаза в сторону, откуда раздался крик, она обомлела. У обочины, около своего джипа стоял Петр и махал им только что купленной газетой.

Решение пришло мгновенно. Не говоря ни слова и не оборачиваясь, Настя схватила недоумевающую Софу за руку и увлекла в подземный переход к входу в метро.

— Задержись немного у входа, а мне надо смыться! — срывающимся голосом бросила она растерявшейся подельнице. — Я потом все объясню! — и, не заходя в метро, бросилась к другому выходу из перехода, но не выбежала наружу, а спряталась за одним из торговых киосков.

Петр так сразу ничего и не сообразил. Высокая блондинка, очень похожая на Зину, не отозвавшись, что было понятно, вдруг почему-то вместе с маленькой подругой стремительно скрылась в подземном переходе, словно испугавшись его окрика. Это было подозрительно, и Петр, расталкивая людей, ринулся вслед за ними. Однако у входа в метро он настиг только ее пухленькую подругу.

— Куда подевалась Зина? — схватив ее за плечо, резко выдохнул он, озираясь по сторонам и проникаясь мыслью, что снова упустил мерзавку.— Говори скорее, не то плохо будет! В метро убежала?

— Ты чего пристаешь, козел? Какую еще Зину выдумал? — завизжала Софа, до которой дошло, что произошло и кто он такой. — А ну отцепись, а то заночуешь в милиции!

На ее крик стали останавливаться прохожие. В сторону Петра посыпались угрозы. «Зину я упустил! Как же задержать эту?» — с отчаянием подумал он, и продолжающиеся угрозы вызвать милицию подсказали ему выход.

— Ну и зовите ментов, я ее не отпущу! — заявил он добровольным защитникам. — Она ко мне в карман залезла, воровка, а я ей должен прощать?

— Врет, подонок, со зла! — истошно завопила от неожиданности Софа. — Стал меня лапать, а я не далась. Чего смотрите на него, боитесь, что ли? Мужики вы или нет? — стыдила она своих заступников.

Те угрожающе двинулись на Петра, но у него был такой свирепый вид, что они в нерешительности остановились. Никто не хотел начинать первым. Но тут из дверей метро показался низкорослый молоденький милиционер, которого буквально силой тащила за собой какая-то старушка.

— Что происходит, граждане? — спросил он толпу, почему-то не обращаясь к Петру, который продолжал держать притихшую Софу. Она была уже не рада, что затеяла этот скандал.

— А вот этот тип пристает к девушке, — раздались голоса в толпе, которая на глазах поредела, собираясь полностью растаять.

— Я поймал ее за руку! Она лезла ко мне в карман, — коротко объяснил Петр, покраснев от непривычной лжи.

— Врет со зла, паскудник, — прошипела Софа, с ненавистью глядя на своего обидчика. — Пусть покажет, что я у него украла!

Но милицейский мальчик был совсем неопытным и не знал, как поступить.

— Ладно, граждане, расходитесь! — с начальственной важностью бросил он зевакам. — А вы, — властно кивнул он Петру и Софе, — пройдете со мной в комнату милиции. — Там составим на вас протокол.

— Правильно! Там разберемся, — поддержал его Петр, которому только этого было и надо.

Не успела Софа выразить свое возмущение, как, подхваченная с двух сторон Петром и милиционером, очутилась в комнате милиции. Там, немного повыламываясь, Петр перед ней извинился, ее отпустили, а он, откупившись солидным штрафом, узнал, что хотел: кто она такая и где проживает. Это его немного утешило.

На следующий день, как и было договорено, Настя отправилась на встречу с Софой, вполне довольная собой. Поразмыслив вчера вечером, она придумала, на ее взгляд, подходящие аргументы, которые помогут убедить маленькую Олю согласиться поехать в Америку к приемным родителям. Когда сожительница Хирурга позвонила и, волнуясь, назначила ей встречу в кафе, которое находилось на первом этаже ее дома, Настя самодовольно рассмеялась.

— Да что ты так переживаешь, Софочка? Неужто очень боишься, что попадет от Седого, если не сумеешь уговорить девчонку? Успокойся! Я придумала такое, — заверила она ее, — что у нас с ней проблем не будет.

— Ты угадала. Мне не по себе, — нервно произнесла Софа, — но совсем по другой причине. Непонятно, почему это ты так спокойна? Забыла, что вчера произошло?

— А чего из-за этого расстраиваться? Он же меня не застукал и как следует не разглядел. Ты же сказала и ему, и в милиции, что меня совершенно не знаешь, а разговаривала с торговкой, которая навязывала свой товар, — постаралась ее успокоить Настя. — И сама говорила, что Петр потом успокоился и даже перед тобой извинился. Разве не ясно, что поверил? Я же перекрасилась в блондинку, и он такой меня не знал!

— Хорошо бы так, но мой Сержик опасается, что мы влипли, — расстроенно сказала Софа. — Ведь теперь этот Петр знает, кто я такая, и если не поверил, то может выследить!

Такой вариант таил в себе угрозу, и, осознав это, Настя испуганно замолчала.

— Ладно, обсудим это при встрече, — закончила разговор Софа. — Видишь, как опасно тебе выходить из дому? Поэтому встретимся в вашем кафе. Тебе ведь нужно лишь спуститься по лестнице да пробежать тридцать метров. И все же будь осторожна!

Небольшое кафе «Астра» было отделано с роскошью в расчете на богатую публику, и цены там были соответствующие. Когда Настя, проведя не менее получаса перед зеркалом, вошла туда в полной красе, Софа уже сидела в углу за маленьким столиком и с ходу на нее набросилась.

— Ты что же так расфуфырилась? На свидание, что ли, пришла? — упрекнула, неодобрительно прищурив глаза. — Неужели не соображаешь, что не должна бросаться в глаза, раз тебя разыскивают?

— Хватит поучать, не маленькая! — огрызнулась Настя. — Лучше скажи, заказ сделала? А то без этого здесь нельзя.

— Заказала кофе с сочниками. А ты есть, что ли, хочешь? Ведь только из дома, — удивленно взглянула на нее Софа.

— Есть нет, а вот выпить бы не отказалась. — Насте захотелось расслабиться. — Ну так что, рассказать, какую лапшу я придумала для нашей дурочки?

— С выпивкой перебьешься, и твою лапшу разжуем потом, — не поддержала ее Софа. — Куда важнее обсудить, насколько опасен для нас с Сержиком твой Петр, если он все же меня выследит.

Ее недружелюбное поведение и поучительный тон разозлили Настю. Она подождала, когда уйдет официант, который принес им заказ, и презрительно усмехнулась:

— Не пойму, вы-то чего с Хирургом так трясетесь? Тебе предъявить ментам пока нечего, и он вышел по чистой. Это нам с Костылем светит небо в клетку, если поймают!

— Неужели не ясно, что из-за тебя я оказалась у них под колпаком, а мы с Костылем намертво завязаны, — понизив голос, нервно объяснила Софа. — Стоит его с нами засечь — мы с Сержиком горим ярким огнем!

— Чего же вы с ним хороводитесь, раз так боитесь? — презрительно бросила Настя. — Ведь, как я понимаю, Костыль у Катерины на нелегальном положении, а вы с ним часто встречаетесь. Думаешь, вас никто не видел и не могут стукнуть в ментовку?

— Ну и что? Костыль живет у Кати на законном основании, зарегистрирован в милиции как Георгий Шилов. У него надежная ксива. Можешь звать его Жорой, — усмехнулась Софа. — И если поймают, мы ничего не знаем. Кому известно, что они с Сержиком были в одной камере?

«Значит, он теперь — Шилов? Теперь ты у нас в руках, Костыль! — злорадно подумала Настя, сразу сообразив, каким образом можно избавиться от этого ненавистного мокрушника, если им с Цыганом понадобится. — Стоит нам только стукнуть — и ты снова окажешься за решеткой».

— Ну а теперь — куда хуже! — не скрывая страха, объяснила Софа. — Если нас выследят как твоих соучастников и прихватят вместе с Костылем, тогда нам уж точно не отвертеться! Пойдем под суд вместе с ним!

— Ладно, перестань скулить! На нервы мне действуешь, — грубо оборвала ее Настя. — Зачем паниковать раньше времени? Вот увидишь, Юсуповы от тебя отстанут, — чтобы успокоить, заверила она подельницу. — Только держись твердо — не знаю ее, и все! Лучше послушай, какую сказочку я сочинила, чтобы ты уговорила Олю.

И пододвинув стул, чтобы ее лучше слышала Софа, принялась рассказывать об американских родственниках Юсуповых, за которых собиралась выдать девочке богачей, желающих стать ее приемными родителями.

— Нет, я не согласен! То, что ты предлагаешь, слишком сложно и потребует много времени, а у нас его кот наплакал! — возразил Михаил Юрьевич Юсупов, выслушав план действий, разработанный Сальниковым.

Они вместе с Петром находились в его кабинете и с утра обсуждали, как им быстрее выйти на похитителей, проследив связь с ними Софы. В том, что она входит в их шайку или является пособницей, сомнений не было. Наблюдение за ее квартирой сразу установило, что она сожительствует с Хирургом-Фоменко. Теперь всем было ясно, что Петр не ошибся, и «блондинкой» была сбежавшая домработница.

— Ты прав, что я сумею-таки взять обоих за бока и все из них вытрясти, но не учел, — продолжал Михаил Юрьевич, — сопротивления, которое они, безусловно, окажут. Хирург, как я выяснил, — твердый орешек и его подруга тоже та еще стерва! — убежденно добавил он. — С ними придется повозиться, прежде чем они откроют рот.

— А что ты предлагаешь, папа? У тебя есть лучшая идея? — волнуясь, подал голос Петр.— По-моему, Виктор Степанович нашел верный путь, как нам поймать Костыля и от него узнать, где прячут Олю и Надю. Что же еще можно сделать?

— Для этого у нас есть только одно эффективное средство, — уверенно ответил ему отец. — Установить за Фоменко и его сожительницей слежку, чтобы привели нас к Костылю-Башуну. А для ускорения нам с Виктором надо взяться за это самим. Мы поопытнее других наших сотрудников.

Он взглянул на Петра и Сальникова, как бы ища одобрения, и они молча кивнули в знак согласия.

— Тогда сделаем так, — оживился Михаил Юрьевич. — Я продолжу разработку Фоменко. Мне уже удалось выйти на других фигурантов его уголовного дела и установить, с кем он контактирует. Так что наблюдая за ним и не упуская из виду тех, с которыми держит связь, — зажигаясь азартом, открыл он свой план, — я найду Костыля, — в сердцах стукнул кулаком по столу, — и очень скоро!

— Значит, я так понимаю, Миша, что мне надо незаметно проследить за его подругой, Софой, которая вывела бы нас на Костыля или непосредственно туда, где прячут наших девочек, — проницательно посмотрел на него из-под свисающего непокорного чуба Сальников. — Ведь она или эта мерзавка Зина наверняка как-то связаны с маленькими заложницами. Разве я не прав?

— Ты верно все понял, Витек, — одобрительно кивнул ему Михаил Юрьевич. — Именно это внушает мне надежду на скорый успех в поисках дочек. Ведь не мужики же будут возиться с маленькими девочками? За ними нужен женский уход, и бандиты понимают, что пока не получат выкуп, дети должны быть в порядке, — убежденно добавил он.

— И для этого используют их обеих! — тоже зажигаясь его уверенностью, подхватил Сальников. — Конечно, ты прав! Тем более что Зину наши девочки знают, и думаю, что ей доверяют, так как эта прохиндейка чем-то задурила им головы.

— То, что мы знаем об этой Софе, говорит, что она бессовестная и ушлая баба, и наверняка, Витек, постарается тебя обмануть, если заметит слежку, — серьезно посмотрел на друга Михаил Юрьевич, но тут же его губы тронула улыбка. — Хотя не думаю, что ей это удастся. Не тот случай!

— Постараюсь оправдать ваше доверие, начальник! — шутливо отдал ему честь Сальников. — Не может того быть, чтобы она оказалась похитрее меня.

Михаил Юрьевич и Петр дружно рассмеялись, настолько нелепым казалось такое предположение. Все трое были уверены, что сумеют превзойти бандитов умом и находчивостью. Но они не учли решающую роль, которую в этом может сыграть Господин Случай!

Виктор Степанович Сальников вот уже второй час незаметно сопровождал Софу по городу, заходя вслед за ней во все магазины, где она делала покупки. Ей и в голову не приходило, что внешне ничем не приметный, обычного вида работяга, на которого не обратила бы внимания ни одна сексуально озабоченная женщина, это сыщик, ведущий за ней слежку.

— Ты бы, Софочка, купила чего-нибудь вкусного на зуб положить, — попросил за завтраком Фоменко. — Вчера днем забежал домой пожрать, а холодильник совершенно пуст. Хорошо, что хлеб был да чищеная картошка в кастрюле. Ее и сварил.

— А чего удивился? Без денег ничего ведь не отпускают! Вот пойду сегодня и закуплю все, что надо. На целую неделю! — ответила Софа в своем бесшабашном стиле. — Ты вчера подкинул мне бабок, и пожалуйста, — будет у нас, что поесть. Куплю и вкусненькое, и то, что еще больше любишь, — насмешливо взглянула она на сожителя, — пару литровок прозрачной!

Накануне в связи с успешным началом нового бизнеса Хирург получил от Прони солидный аванс, который после мучительных колебаний вручил своей сожительнице. Альфонс со стажем, привыкший жить за счет женщин, он не баловал их щедростью, но Софа пока не зарабатывала, и в доме было шаром покати! Теперь она смогла сделать необходимые закупки.

— Когда вернешься домой-то? К Седому зайдешь? — спросил он у Софы перед ее уходом. — Пора и тебе получить аванс!

— А чего мне делать у этого альбиноса? — обернувшись, бросила она. — Я ведь сейчас в штате у Катерины. Это он с ней рассчитываться будет. Но у них в детдоме аванс еще нескоро.

— Ты туда, что ли, направляешься? — спросил Фоменко. — Неужели она тебя загрузит работой?

— Нет, я к ней ненадолго. Мне надо лишь морально обработать твоих пациенток, — цинично усмехнулась Софа. — Хотя думаю, что они все же к тебе не попадут. Слишком хорош «товар»!

Она отперла дверь и уже с лестничной площадки крикнула:

— К обеду вернусь! Обмоем начало твоего богатства.

На почве безденежья Софа последнее время редко посещала магазины. Вот почему она, сама того не ведая, так долго мурыжила Сальникова, таская за собой не только в продовольственные супермаркеты, но и в магазины модной одежды. Там она ничего в этот раз не купила, но кое-что присмотрела для себя, и своего Сержика.

Покончив с магазинами, Софа, так и не заметив за собой слежки, прямиком отправилась в детдом Катерины, повторяя про себя и боясь опустить нужные детали легенды, придуманной Настей для того, чтобы удалось разлучить сестер-близняшек.

«Значит, этот богатый американец — дальний родственник их отца, потомок бежавших от революции князей Юсуповых, — мысленно зубрила она эту сказку, удивляясь хитроумности подельницы. — Узнав о постигшей их беде, он хочет им помочь, но сперва возьмет только одну для того, чтобы лучше познакомиться и привыкнуть. Если Оля понравится, примет и Надю. Если нет, то вернет назад, к сестре».

Целиком поглощенная этой думой, Софа проделала весь путь до детдома сначала на троллейбусе, а потом два квартала пешком. И ни разу не обратила внимания на сопровождавшего ее в поездке скромного «работягу». Но, когда шли пешком, она инстинктивно почувствовала беспокойство. Ей показалось что-то знакомое в человеке, который сошел вслед за ней с троллейбуса и, поотстав, не спеша двигался в том же направлении, что и она.

Уже подойдя к опрятному зданию детдома, где в комнате «для приемов» находились разыскиваемые Сальниковым заложницы, ее вдруг осенило. Виктора Степановича подвела его инвалидность. Несмотря на отличный протез, он все же слегка прихрамывал, и это помогло Софе вспомнить, что она видела похожего человека по крайней мере еще в двух местах. И конечно, поняла, что это — не простое совпадение.

«Хрен тебе в сумку! — грубо выругалась она про себя, остановившись и лихорадочно думая, как теперь быть. — Ну я и раззява! Чуть-чуть все не погубила». И решение пришло само собой. Для вида подумав немного еще и будто бы что-то вспомнив, она изобразила досаду и повернула обратно, уводя Сальникова от цели его поисков.

Непостижимая и изменчивая фортуна по непонятным причинам оказывала покровительство преступникам.

Часть III. УСПЕХ НАПОЛОВИНУ

Глава 13. Воровские разногласия

Константин Башун ехал к своему главарю в офис «Выстрела», настраиваясь на решительную схватку. Он целиком еще был под впечатлением телефонного разговора, состоявшегося у него накануне с Хирургом, и с трудом сдерживал душившую его злость.

— Нужно кончать, Костя, с двойной игрой, которую затеял твой Коновалов, — по голосу Фоменко чувствовалось, что он сильно расстроен. — Днем у меня была встреча с Власычем, и он велел передать Седому, что порвут с ним договор, если не начнет действовать. Поступили заказы, а они не могут их выполнить!

— Погоди, Серега! А при чем здесь я? Почему твой Власов сам не предъявит претензии Седому? — удивленно возразил Башун. — Он ведь представляет одну из сторон, подписавших этот договор.

— Да говорил он с Коноваловым, и не один раз,— раздраженно ответил Хирург. — Но толку от этого никакого — тянет волынку. Может, отдаст нам все-таки девчонок Юсуповых? — с надеждой добавил он. — Попробуй навалиться на него!

От аванса, выданного им Седым, у обоих уже ничего не осталось, и Костыль прибыл в офис «Выстрела» в самом что ни на есть боевом настроении. Когда вошел в кабинет начальника охранного бюро, там, кроме хозяина, как обычно, находился его помощник Пронин.

— Ну садись, выкладывай, чем недоволен, — небрежно бросил Седой, но в его глазах застыла настороженность. — Я это по твоему голосу понял.

— Хочу знать, думаешь ты выполнять договор с медиками или нет? — с ходу обрушился на него Башун. — Зачем водишь их за нос?

— С чего это ты взял? — потемнев лицом, вперил в него ледяной взгляд Седой. — Не забывайся, Костыль! Я ведь тебя предупреждал.

— Да не базарить я пришел! — раздраженно бросил Башун. — Но и без гроша в кармане сидеть не согласен, когда бабки сами идут в руки. Почему не отдаешь нам с Хирургом девчонок?

— Ты не прав, Костя, — как всегда вовремя, своим тонким голоском погасил начинающуюся перебранку Проня. — Не останешься ты без бабок! Ведь получил аванс? А как хапнем за этих девочек выкуп, то твоей доли хватит на целый год фартовой житухи!

«Сказать им, что ли, о моей мести Юсуповым? — немного успокоясь, подумал Башун, и тут же отказался от этой мысли. — Нет, не поймут! Для них существуют лишь собственные интересы».

— Да разве не я предложил взять за них выкуп? — проворчал он, решив все же не сдавать своих позиций. — Но что из этого выйдет, еще неизвестно, а медики предлагают верные бабки. Мы же все равно их живыми не отдадим? — привел он, как ему казалось, убедительный аргумент.

— Это так, — согласно кивнул главарь, — но спешить не стоит. Проня! — сделал знак он помощнику. — Объясни Костылю, почему с заказом медиков нам нужно немного обождать.

Сказав это, Седой про себя усмехнулся. «Хрен ты у меня получишь, а не этих соплячек! Наверное, продам обеих. До чего же оборзел — аж с кулаками на меня лезет. Почему так рвется их замочить? Да он просто садист!— с презрением подумал он о своем подельнике. — Надо с ним кончать, без него лучше будет».

— Значит, так, Костя, — тихим голосом объяснил Пронин. — Пока не предъявим требования и не получим от родственников выкуп, трогать девчонок нельзя. Сам знаешь, что на видеопленке, которую мы им предъявим, — он сделал значительную паузу, — имеется дата, и, значит, обе должны быть в полном порядке. Понятно? — поднял он свои щелочки-глаза на строптивого подельника.

Убаюканный его вкрадчивой речью, Башун молча почесал бритый затылок, и Седой, решив на этом закончить с ним разговор, поднялся.

— Ну все, Костыль! Надеюсь, тебе ясно, что торопиться с заказом медиков не стоит. Иди и не волнуйся! Скоро набьешь все карманы «зелеными», — скривив в усмешке губы, добавил он напоследок. — Девать их будет некуда!

— Ты мне так и не сказал, отдашь или нет девчонок Юсуповых? — уже сделав шаг к двери, обернулся к нему Башун.

— Поживем — увидим, — уклончиво бросил ему вслед Седой. — Сделаем, как нам будет выгодней!

«Значит, решил меня обмануть, — уходя, мрачно подумал Башун. — Но и я не фраер! Все будет по-моему, — мысленно решил он. — Даже если придется, хитрый альбинос, схватиться с тобой насмерть!»

Изменив Василию Коновалову, Настя с согласия своего нового любовника Цыгана продолжала иногда с ним встречаться, боясь ему отказать, пока не настанет подходящий момент. И он наступил раньше, чем они оба предполагали. Седого, не пропускавшего ни одной юбки, хозяйка которой ему приглянулась и отвечала взаимностью, все же по-прежнему влекло к бывшей возлюбленной.

Подобное случилось и в этот раз. Проведя ночь с похотливой, но ленивой в постели дамочкой, так называемой бизнесследи, которая явилась к нему в офис «Выстрела» по вопросу охраны своей фирмы и прельстилась исходившей от него мужской силой, Василий с тоской вспомнил горячие ласки Насти. «Паши вот на таких, — недовольно подумал он, уходя поутру от бизнесменки. — Так вела себя, будто наняла работника».

— Надо повидаться с Настеной, восстановить наши теплые отношения, — вслух пробормотал он, спускаясь в лифте роскошной новостройки. — Нечего пачкаться со всякими!

Занимаясь текущими делами, Седой в течение дня несколько раз вспоминал о ней, испытывая непреодолимое желание, и, не выдержав, отдал распоряжение своему помощнику Проне:

— Пошли машину за Настей! Она сейчас не у дел, пусть займется продажей девчонок Юсуповых, — пояснил он. — Неохота мне отдавать их мокрушнику, раз он передо мной хвост задирает! И свою зазнобу хочу порадовать: ей почему-то жаль этих соплячек.

— Понятно, баба есть баба. Чего с них взять? — привычно поддакнул своему шефу Проня. — А что ты конкретно хочешь ей поручить?

— Дашь ей машину, чтобы съездила на фирму. Пусть уговорит купить и эту вторую княжну — Надю, — коротко объяснил Седой. — Если потребуется, устроит смотрины девчонки в детдоме.

— Но тогда об этом может прознать Костыль, — обеспокоился Проня. — Он ведь снова будет возникать, Вася!

— А мы все свалим на Настену, — хитро подмигнул ему Седой. — Вот и стравим его с братками, они ведь за нее горой! — и, став серьезным, добавил: — Мне это наруку, раз решил с ним разделаться.

— В этом ты прав, — одобрил его Проня. — Но мне кажется, Василий, что тебе зазнобу все же пора сменить, — тихо добавил он.

— Это почему же? — подозрительно взглянул на него Седой, так как знал, что его помощник зря слов на ветер не бросает.

— Потому, что твоя Настя слишком уж привечает Цыгана, — не глядя на шефа, тонким голоском сказал Проня. — Сам знаешь, что красавчик давно к ней шары подкатывает. Но раньше она давала ему от ворот поворот.

— А теперь что? Говори, не бойся! Знаешь ведь, что я ее не ревную,— натянуто усмехнулся Седой. — Не жена она мне, и потом — для хорошего кореша ничего отдать не жалко.

— Тебе видней, как с ней быть, — покорно склонил голову Проня. — Но все же, Василий, если они с Цыганом спелись, поменьше ей доверяй!

Он ушел выполнять задание главаря, а Седой задумался, впервые ощущая, что намек помощника на измену Насти его глубоко задел. Ведь сколько раз он подкладывал свою любовницу под «нужных людей», и никогда это не задевало его самолюбия и даже нисколько не волновало! А сейчас он испытывал, как в душе поднимается мутная волна озлобления и против Насти, и против Цыгана.

Но Василий Коновалов был слишком хитер и коварен, чтобы выдать свои истинные чувства. Поэтому, когда вошла его испытанная любовница, сверкая красотой, кокетливо выставив грудь и покачивая крутыми бедрами, он широко улыбнулся, охваченный вожделением. «Разберемся потом, — мелькнула в голове мстительная мысль, отходя на задний план. — Уж больно хороша телка!»

— Ты что-то похолодала ко мне, Настена! Лишний раз и не позвонишь,— мягко пожурил он ее, изобразив, как мог, приветливую улыбку. — А я тут тебя не забыл, хочу вот поручить дело по душе. Помнишь, о чем меня просила?

— Ну что ты, Вася? — с лица Насти исчезло настороженное выражение, и она повеселела. — Я всегда у тебя по первому зову.

— Ладно, это мы проверим после, — глядя на нее с откровенным вожделением, ухмыльнулся Седой. — Ты просила не отдавать твоих девчонок Костылю. Разве не так?

— Разве что-то изменилось? Ты же обещал одну Костылю?

— Могу и передумать! Если будешь себя хорошо вести, — полушутя ответил Седой и серьезно добавил: — Мне мокрушник, может, не нравится еще больше. Но, чтобы ему отказать, нужна альтернатива!

— Чего-чего? — не поняла Настя. — Ну и словечки знаешь. Ты у нас, Вася, прямо ученый!

— Ничего мудреного. Это значит — встречное предложение, — с важным видом объяснил Седой. — Если на девчонку Костыля найдется такой же купец, как на ее сестру, я ему тогда... вот, — сделал он похабный жест, — что покажу. Для того тебя и пригласил.

— А я подумала, что для другой надобности, — бросила на него насмешливый взгляд Настя и, привычно возбудившись при воспоминании о страстных свиданиях с ним в этом кабинете, подошла вплотную и прижалась пышной грудью.

Вместо ответа Седой резко обхватил ее своими огромными ручищами и, вне себя от охватившей его страсти, поволок к видавшему виды продавленному дивану.

— Погоди, ненормальный, дай мне джинсы снять, — горячо шепнула ему Настя, тоже сгорая от жгучего желания. — Под ними ничего нет — знала ведь, что тебе нужно.

— Не пойму, что за баба наша Настя? Не больная она на это место? — сделав похабный жест, спросил хитрый Проня у Цыга-

на с таким простецким видом, будто ему невдомек, что тот пита-
ет к ней страстные чувства.

— А почему ты так думаешь? — зло повел на него шальными
глазами Цыган.

— Да разве сам не видишь? — с наивным выражением лица
объяснил тот, чтобы спровоцировать красавца на откровенность.—
Уж я-то знаю, как наш шеф ее огуливает, а она и другим не отказывает. Ей, наверное, все мало? Эта как болезнь называется?

— Ты, сморчок, брось языком трепать! — пришел в ярость
Цыган. — Не то вырву его из твоей вонючей пасти, и в ж... засу-
ну! Не посмотрю, что состоишь в холуях у Седого!

— Ну вот ты, Сашок, и обиделся, — миролюбиво посетовал
Проня, продолжая свое подлое дело. — Значит, правду говорят,
что и с тобой она тоже крутит. Но я, ей-Богу, не вру! Только
сегодня сам ее привозил к нему... как холуй, — зло стрельнул на
Цыгана узкими глазками. — А что делать, коли приказано? Ну
они там и давали! Ну и крику было! Мне аж за дверью не по себе
стало, — подлил масла в огонь.

— Вот даже как? Значит, Седой опять над ней снасильничал? — еще больше разъярился Цыган. — Ну я с ним сейчас поговорю! Настя нужный нам человек, а не телка, над которой можно издеваться!

— Не похоже было, чтобы насильничал, — спокойно возразил Проня. — Она, по-моему, от бабьего удовольствия орала. Как
всегда, — не без ехидства добавил он своим тихим голоском.

Не в силах его больше слушать, потеряв над собой всякий
контроль, Цыган ворвался в кабинет к своему ненавистному главарю. У него был такой безумный вид, что Седой, как обычно,
сидевший за столом, даже приподнялся.

— Что стряслось, Сашка? — изумленно воззрился на него
своими водянистыми глазами.

— А ты чего выделываешь с Настей? — крикнул ему в лицо
Цыган. — Зачем над ней насильничаешь? Это беспредел!

— Неужто она сама тебе так все объяснила? — недоверчиво
покачал головой Седой, снова садясь и будто бы не обращая больше внимания на то, что его соперник взбешен и еле владеет со-

бой. — Обманывает она тебя, кореш, — добавил с сочувствием, больше похожим на издевку. — Все у нас было, как обычно, по взаимному согласию.

— Врешь, Седой! Я ей верю, а не тебе! — вне себя крикнул Цыган. — Оставь ее в покое! По-хорошему говорю!

— Зачем же так горячиться из-за бабы? — сдерживая гнев, поскольку дорожил подельником и знал его отчаянный нрав, поморщился главарь. — Бери ее себе за ради Христа-Бога! Еще раз говорю: не насильничал я! Да разве мы впервой этим с ней занимались?

— Сам знаю, что не впервой, — хмуро бросил Цыган, успокаиваясь. — Но теперь она моя, Седой, и ты это учти! Иначе разойдутся наши пути-дороги.

— Крепко она забрала тебя в сети, кореш, — с деланным спокойствием покачал головой главарь, не выказывая, что в душе у него кипит злоба. — Но Настя это умеет. Раз так, можете гулять, голуби! — заключил он, отводя от Цыгана глаза, и угрюмо добавил: — Однако за то, что пыталась нас поссорить, я ее накажу.

— Говори прямо, что хочешь с ней сделать! — снова нахмурился Цыган, сжав кулаки. — Но знай: я ее в обиду не дам!

— Опять ты за свое, — с досадой поморщился Седой. — Я же сказал: гуляйте! Передай только, что отменяю задание, которое дал ей насчет второй девчонки Юсуповой. Тут уж на меня не обижайтесь!

Когда вечером Сашка Цыган рассказал Насте о своем крутом разговоре с их главарем как о своей победе над ним — о согласии больше не вставать между ними, она с сомнением покачала головой.

— Думаю, радоваться нам еще рано. Я знаю Василия: он затаил на нас зло, но этого не показывает. Пока мы ему нужны,— вздохнув, убежденно произнесла она. — Напрасно ты ему веришь!

— Может, ты и права. Придется ухо держать востро, — согласился Цыган и, вспомнив об угрозе Седого наказать Настю, спросил: — А что за задание он тебе дал? Ты ничего мне об этом не говорила.

— Этим он и купил меня, Сашенька, иначе я ни за что бы ему не далась! — с видом невинной жертвы и бессовестно привирая, ответила Настя. — Знал, подлец, что мне жаль девчонок и хочу спасти их от Костыля.

— Так что же он тебе поручил? — нетерпеливо перебил ее Цыган.

— Поехать к фирмачам и добиться, чтобы нашли покупателя на мою вторую княжну, Наденьку, — объяснила ему Настя. — Сказал, что тогда у него будет резон отказать Костылю. По-моему, Седой тоже ненавидит мокрушника.

— Знаю. Он задумал с ним покончить, — спокойно, как о ничего не стоящем пустяке, подтвердил Цыган. — Но пока затаился. Как паук плетет паутину и ждет подходящего момента. — Он сделал паузу и угрюмо добавил: — Мне жаль, Настя, но у тебя ничего не выйдет. Девчонку ты не спасешь!

— Это почему же? У меня все получится! Я уговорю фирмачей — вот увидишь! — с энтузиазмом воскликнула Настя.

— Седой велел тебе передать, что отменил задание. В отместку за то, что нас с ним стравила, — насупив брови, просто объяснил Цыган. — Так прямо и сказал!

Видно, Настя уже настроилась отвоевать Наденьку у Костыля, и ответный удар, нанесенный ей Седым, попал точно в цель. Она сразу как-то поникла, и некоторое время оба молчали. Потом Цыган, бесшабашная натура которого не переносила тоски, чтобы приободрить подругу, сказал:

— Ну и чего ты из-за этого так расстраиваешься? Дочка она тебе, что ли? Да и Седой, может, еще передумает. Видишь, у него семь пятниц на неделе!

— Нет, не передумает, — с мрачной убежденностью возразила Настя и самолюбиво добавила: — И я Седого больше об этом не попрошу. У меня есть и другой путь спасти девчонку!

— И какой же? — повеселев, усмехнулся Цыган. — Задушить Костыля в объятиях?

— Почти угадал, — не принимая его юмора, серьезно ответила Настя. — Насчет объятий ничего не получится, потому что я на дух его не переношу. Но ты попал в точку, так как я собираюсь заложить этого мокрушника. Не станет Костыля — не будет и проблемы. Разве не так?

— Претит мне стукачество! Стоит ли тебе мараться, Настенька? — брезгливо поморщился Цыган. — И братва узнает, не простит. Давай я его лучше замочу!

— Не бери в голову, Сашка! Что я, в ментуру стучать собираюсь? — успокоила его Настя. — И тебе марать руки об эту падаль не стоит! Я хочу навести на него Юсуповых, и они нас от Костыля избавят. Это уж точно!

Принятое решение воодушевило Настю. У нее вмиг поднялось настроение, а вместе с ним проснулись и чувственные эмоции. Она бросила на любовника горячий взгляд, и тот мгновенно откликнулся на ее призыв. Цыгана давно уже тяготил этот разговор, и, вскочив с места, он нежно обнял свою зазнобу, поднял на руки и как драгоценную добычу понес в спальню.

Разбирая деловую почту, Петр Юсупов сразу приметил среди солидных конвертов с отпечатанными адресами и типографскими штампами совсем простенький, надписанный от руки неровным почерком. «Наконец-то они прислали свои требования», — подумал он, чувствуя, как часто застучало у него сердце. Его ничуть не удивило, что похитители направили их ему, а не отцу. Понимал, на чье богатство зарились, готовя свое преступление.

Быстро схватив конверт и резко отодвинув в сторону кипу писем, он вскрыл его и убедился, что ошибся: письмо оказалось от Зины. В нем говорилось:

«Петя! Я знаю, что ты меня проклинаешь за то, что сгоряча натворила, когда так жестоко со мной порвал после наших незабываемых встреч.

Пишу тебе не для того, чтобы оправдываться! Теперь, когда боль обиды уже не та, что толкнула меня на ужасную месть, сама понимаю, что нет и не может быть мне прощения за совершенное преступление!

Я хорошо сознаю, что никогда уже не испытаю счастья вместе с тобой, и возврата к прошлому нет. Но сейчас, когда я одумалась и меня мучит совесть, мне хочется, насколько возможно, поправить то, что наделала, потеряв от горя рассудок. К несчастью, вернуть вам Оленьку и Надю уже не в моих силах, но сообщу то, что знаю, и надеюсь, это поможет их спасти.

Когда я в ярости думала о том, как бы отомстить, мне встретился один тип, которого знала раньше. Это — нехороший человек, Петя! Он бежал из тюрьмы и скрывается под чужим именем. Я его только что узнала — Георгий Шилов. А кличка у него была Костыль. Оказалось, что он связан с теми, кто ворует людей, и он враг и тебе, и твоему отцу. Вот как мир тесен! Это он все организовал, а мне уже нельзя было идти на попятный. Иначе бы он меня убил!

Девочек я с тех пор не видела. Знаю только, что подлецы будто бы хотели их продать за границу, когда получат выкуп. Но верить этому Костылю нельзя! Он может их убить. Это — мокрушник со стажем! Найдите его, пока не поздно!

Я понимаю, Петя, что не заслуживаю пощады. И все же прошу меня ему не выдавать. А я обязательно сообщу сразу, если что-нибудь узнаю о твоих бедных сестричках. Да простит меня когда-нибудь Бог! Зина».

Прочитав письмо, Петр испытал двоякое чувство. Гневное негодование на преступницу, сделавшую жертвами своей мести ни в чем не повинных девочек, странным образом смешалось с самолюбивым удовлетворением, что оказался прав, и Зину толкнула на это не подлая корысть, как соучастницы банды, а ее несчастная любовь к нему и жажда мести.

Выйдя из оцепенения, Петр Юсупов, не теряя времени, позвонил отцу.

— Это уже кое-что, — выслушав его взволнованное сообщение, обрадованно сказал Михаил Юрьевич. — Не знаю, совесть у нее заговорила или причина в чем-то другом, но, думаю, она скоро снова выйдет с тобой на связь, и это может нам здорово помочь.

Он на мгновение прервался, размышляя, и добавил:

— Если установит контакт, пообещай ей, что не будем преследовать, и сули золотые горы, лишь бы помогла найти и вернуть наших малышек!

— Само собой, папа. Я уже об этом подумал, — ответил Петр. — Ты считаешь, она не побоится? Поверит?

— Ее к этому, видимо, вынудят обстоятельства, — высказал предположение Михаил Юрьевич. — И поверить ей придется, если выбора нет.

— Ты сам установишь адрес, где укрылся Башун, или мне этим заняться?

— Мне это проще сделать. Занимайся своими делами, а я буду держать тебя в курсе. Все! Не будем терять времени, — заключил Михаил Юрьевич, прерывая связь.

Чтобы установить адрес Воронцовой, по месту жительства которой был зарегистрирован «гражданин Шилов», ему потребовалось не более пятнадцати минут. Он хотел было вызвать к себе Сальникова, но передумал и, предупредив секретаря, быстро спустился к машине. Подъехав к красивой восьмиэтажке в переулке, примыкающем к Тверской, с трудом нашел место для парковки, и решил прежде всего переговорить с жильцами дома.

Дело было привычным, и, представившись оперуполномоченным милиции, он завязал разговор со словоохотливыми старушками и мамашами, гулявшими с детьми во дворе дома.

Как вскоре выяснилось, большинство из опрошенных видели невысокого человека, по-видимому, проживавшего в квартире Воронцовой.

— А вы знаете хозяйку квартиры? Кто она такая, и почему сдает ее в наем? — продолжал расспросы Михаил Юрьевич. — Она материально нуждается?

— Да что вы! Она ведь всегда хорошо выглядит и одевается, — в один голос заявили соседки. — Мы ее знаем, так как эта Воронцова заведует детдомом, куда поместили сынишку наших жильцов, погибших в автокатастрофе.

— А вот и она сама идет, — воскликнула одна из них, указывая на вышедшую из подъезда громоздкую, тучную даму. — Можете у нее спросить.

Михаил Юрьевич быстрым шагом настиг Катерину и, показав удостоверение в красных корочках, вежливо сказал:

— Прошу извинить, гражданка Воронцова, но я должен задать вам несколько вопросов относительно вашего жильца.

— А в чем дело? — остановившись, спросила она, заметно побледнев, несмотря на толстый слой макияжа.

— Да ничего особенного. У нас перерегистрация приезжих, — с равнодушным видом объяснил Юсупов. — Мы послали Шилову повестку, а он почему-то не явился. Заболел, что ли?

Но ушлую Воронцову трудно было провести. «Не больно-то похож ты на посыльного, — испуганно подумала она, правильно оценив слишком солидный вид «опера».— Ищут они моего котика!» И, не растерявшись, с деланным спокойствием бросила:

— А кто его знает! Он у меня больше не живет. Отказала ему, — находчиво соврала она «сыскарю». — Обещал оплатить за месяц вперед, но обманул. А мне одной трудно растить ребенка. Сами понимаете!

— Не знаете, куда переехал Шилов? Ведь, наверное, обещал отдать долг? — на всякий случай спросил Михаил Юрьевич, хотя заранее предугадывал ответ. Нутром чуял фальшь в ее поведении.

— Да я уже простилась со своими денежками, — с наигранным раздражением махнула рукой Катерина. — Как же, расплатится он, держи карман шире! Не надо было мне, дуре, пускать к себе этого проходимца!

— Понятно. Еще раз извините за беспокойство, — так же вежливо завершил с ней разговор Михаил Юрьевич, как и начал. Но про себя подумал: «Она явно испугана и лжет. Наверное, с ним спит. Надо установить наблюдение!»

Катерина Воронцова только внешне сохранила снокойствие, разговаривая с «опером». Разволновавшись, она еще с дороги позвонила домой, где, ничего не подозревая, отсиживался ее «котик».

— За тобой вовсю охотятся менты, а ты себе и в ус не дуешь! — с испугу резко обрушилась она на своего возлюбленного. — Они ищут Шилова, понимаешь?

— Значит, установили, что это липа,— после минутной паузы упавшим голосом отозвался Башун. — Придется мне от тебя срочно линять, Катюша!

— А разве нельзя и так обмануть ментов? — возразила Воронцова, которую не устраивала подобная перспектива. — Ведь они ищут Шилова, и я им сказала, что выгнала его за неуплату.

— Это ты правильно сделала, — уже бодрее похвалил ее Башун. — Но увидишь, они не отвяжутся! Могут нагрянуть к нам с проверкой, — озабоченно добавил он.

— Значит, тебе срочно нужны новые документы, котик, — волнуясь, сказала Катерина. — Ты их сможешь раздобыть?

— Новая ксива не поможет! Мусора сразу усекут, что это тоже липа, — отвел ее предложение Башун. — Тут нужно что-то другое придумать. Надо исхитриться получить подлинные документы. Но как это сделать?

Он долгую минуту лишь сопел в трубку и, ничего не придумав, заключил:

— Ладно, давай с тобой пока поразмыслим. Думаю, что сегодня мусора у тебя больше не появятся. За это время, может, что и придет в голову.

Однако первой осенило не его, а Воронцову. Придя на работу, она больше ни о чем не могла думать, и подходящая идея не заставила себя ждать. Обрадовавшись, сразу стала звонить домой и после третьего раза, как было условлено, Башун взял трубку.

— Котик, кажется, я нашла выход! — задыхаясь от радостного возбуждения, сообщила ему Катерина. — У тебя будут подлинные документы, если мы с тобой быстренько зарегистрируемся! Ты не возражаешь?

— Да я хоть с чертом зарегистрируюсь, лишь бы ментовку обмануть, — сразу оценив ее хитрую идею, весело пошутил Башун, но тут же, скиснув, добавил: — Но ведь ни старый паспорт, ни эту липу в загс не предъявишь!

— Но почему? — возразила Катерина. — На этого Шилова, как я поняла мента, розыск ведь не объявлен. Они только лишь что-то подозревают.

— Ты снова права, Катюша! — воспрянул духом Костыль. — В загс они пока не сунутся. Тупым мусорам это и в голову не придет!

— А там ты возьмешь мою фамилию, — весело подхватила Воронцова, — и они пусть ловят ветер в поле!

Она вдруг замолкла, о чем-то думая, и озабоченно произнесла:

— Но как нам преодолеть бюрократию, чтобы провернуть все это побыстрее? Ведь у них в загсе определенный срок.

— А это уж предоставь мне! Я найду подходящий предлог, так как у них есть разные лазейки, чтобы ускорить регистрацию, — успокоил ее Башун. — Так что готовься, Катюша, втихую отпраздновать нашу свадьбу!

Он помолчал и уже совсем весело пошутил:

— Значит, скоро в твоей квартире появится новый жилец — законный супруг господин Воронцов. Ничего не скажешь, очень красивая фамилия, куда лучше прежней! Мне надо срочно подыскать новый парик и маленькие усики, чтобы ей соответствовать, — хохотнул в трубку. — Да чтоб соседи не скоро обнаружили подмену.

Георгию Шилову, которым представился Башун в загсе, и правда, удалось оформить брак с Екатериной Воронцовой с астрономической быстротой под предлогом отъезда за границу, который подсказали ему сами служащие за хорошие деньги. Свою женитьбу они отметили в узком кругу вместе с Софой и Сергеем Фоменко, но зато упились, как говорится, до «положения риз».

Кульминацией их домашнего празднества было появление новоиспеченного господина Воронцова в неузнаваемом гриме, который он уже успел приобрести и освоить. В самый разгар попойки, выйдя вроде бы по нужде, он появился в новом обличье, вызвав сначала дружный хохот, а потом и восхищение. Перед глазами изумленной публики предстал малознакомый молодой человек, внешность которого не только не отталкивала, но вполне могла считаться приличной.

Модные туфли на толстой платформе делали рост господина Воронцова значительно выше, чем у прежнего жильца Катерины. Новый светловолосый парик с аккуратным пробором был совсем не похож на черные космы Шилова, стянутые сзади резинкой. А красивые светлые усики щетинкой скрадывали неприятное впечатление от длинного, свисающего на верхнюю губу носа.

В общем, приятели повеселились от души, наелись и напились вволю, а наутро, честно отдав должное благоприобретенной супруге добросовестным трудом в постели, Костыль, как никогда, почувствовал себя уверенно. Приняв холодный душ и опохмелившись, несмотря на возражения Катерины, он решил отправиться в офис «Выстрела» для серьезного разговора с главарем.

— Теперь, имея на руках настоящие документы, я не так завишу от Седого, — объяснил он ей свое намерение. — Если с ним не договорюсь, как только получу свою долю, пошлю его к... — он хотел грубо выругаться, но сдержался — жена все же, — к едрене Фене!

Невольно приосанившись, он вскинул на нее маленькие глазки, в которых горел азарт, и открыл свой план:

— Мы организуем свою фирму и сами будем поставлять медикам наш товар. Ты же слышала, как мы вчера об этом толковали с Хирургом? Седой нам только мешает, а доля его больше, чем у всех! — злобно добавил он.

— А получится ли у нас без него? — усомнилась Катерина, но чувствовалось, что ее тоже одолевает жадность и она целиком на стороне мужа.

— Почему же нет? — убежденно произнес Башун. — Вся связь с медиками у нас, операционную для Хирурга оборудовали у тебя в подвале, наших доноров будем держать тоже в твоем детдоме. Что же, мы их сами раздобыть без Седого не сможем? — вопросительно стрельнул в нее черными глазками. — Как бы не так! Если своих сил не хватит, найду сколь угодно помощничков!

— И не побоишься мести Седого? — опасливо покачала головой Катерина.— Он и его братва тебе этого не простят!

— Волков бояться — в лес не ходить, — махнул рукой Башун. — Все под Богом ходим. И Седой ни от пера, ни от пули не застрахован. Любого замочу, кто на меня полезет! Они Костыля знают!

Видя, что Катерину не успокоил, он постарался это исправить.

— Но ты не пугайся заранее! Я постараюсь добром с ним договориться. Так сказать, попрошусь на откуп. Известно, лучше худой мир, чем добрая ссора. Ему это будет выгодно!

В таком боевом настроении Башун прибыл в офис «Вымпела», но Седого там не застал. Зато в его кабинете, как всегда, находился Пронин, сидя за столом шефа и перебирая деловые бумаги.

— Заходи, Константин! Чего встал в дверях?— приветливо бросил он Костылю, но его щелки-глаза смотрели настороженно.— Может, я чем смогу помочь?

«А ведь и так Седой всегда делает то, что подсказывает Проня, — подумал Башун. — Послушаем-ка сначала, что он скажет на мое предложение». Вслух же, присев возле стола и скрывая, что волнуется, как бы колеблясь, произнес:

— Да не знаю, может, и стоит с тобой это обсудить? У меня тут возникло одно, на мой взгляд, полезное предложение.

— Выкладывай его, не стесняйся! — с любопытством уставил на него узкие глазки Проня. — От моего совета оно хуже не станет.

— Вот ты был свидетелем, как мы схватились с Седым из-за того, что не отдает нам с Хирургом тех, кто нужен, чтобы выполнить заказ медиков. И он нам их так и не отдал. Ведь это правда? — тяжело взглянул он на Проню.

Но «начальник штаба» Седого на это не отреагировал, и Башун продолжал:

— Этот бизнес, как ты знаешь, предложили мы с Хирургом, и у нас есть обязательства перед медиками. А у нашего шефа сейчас другие планы. Может, более полезные, не спорю. Но мы с Хирургом свои планы менять не хотим!

— Ты что же, решил Седому не подчиняться? — насторожился Проня, поняв, куда он клонит. — Головой рискуешь, Костыль! Думаешь, братва поддержит? Ошибаешься! Забыл, кто тебя вытащил из тюрьмы?

— Да ничего я не забыл! — с досадой возразил Башун. — Просто не хочу быть в его руках марионеткой. Ведь нам можно полюбовно договориться, к взаимной выгоде. Вот я и пришел для этого.

— Ну тогда говори, чего предлагаешь? — нахмурился Проня.

— Хочу получить согласие Седого, чтобы моя бригада вместе с Хирургом выполняла заказы медиков самостоятельно, — перешел к делу Башун. — Ничем другим мы заниматься не будем. Но и помощи не попросим. Пусть Седой, — он выдержал паузу, — сам установит, сколько от стоимости заказа нам отстегивать в общак. Однако вести дела будем сами. По-моему, это всем на руку!

Он замолчал, вопросительно глядя на Проню, но «начальник штаба» не торопился с ответом. Наконец, видимо, обдумав предложение Костыля, тихим голосом, но уверенно заключил:

— Думаю, Седой не пойдет на это. И не потому, что невыгодно. Он расценит твое предложение как желание отколоться, дезертировать. И братва так поймет. Если тебе это разрешить, Костыль, что у нас тогда начнется? — прищурив и без того узкие глазки, зло взглянул он на подельника. — Молчишь? Видно, до самого дошло, что не туда загнул!

Снова возникла длительная пауза, так как сраженный его логикой, Башун не нашелся, что на это ответить. Но в заключение хитроумный помощник Седого неожиданно сказал:

— Но кое в чем, Костыль, ты прав, и я на вашей с Хирургом стороне. Так, как сейчас, дела вести нельзя! Девчонок надо было отдать вам. И я тебе говорю, одну из них получишь сразу, как только в наших руках окажется выкуп! Со второй, — он театрально развел руками, — у нас ничего уже не получится.

— Это почему? — упрямо набычился Костыль. — Ведь можно кого-нибудь еще предложить усыновителям.

— Ну зачем тебе ссориться с шефом? Ведь он обещал фирмачам именно эту княжну, — не задумываясь, соврал Проня. — Братва не поймет, почему из-за твоей прихоти мы должны упускать выгоду. Все! — решил он подвести черту под их разговором. — Смирись с этим и не базарь! Нам сейчас светят огромные бабки, и распри совсем ни к чему.

Башун молча поднялся и вышел из кабинета, но по его мрачному лицу, на котором застыло выражение тупого упрямства, трудно было сделать вывод, что миротворческие уговоры Прони увенчались успехом.

Глава 14. Щедрые заказчики

В полдень Василию Коновалову позвонили из офиса посреднической фирмы и пригласили на совещание к исполнительному директору. Шефа на месте не было, и трубку взял Пронин. «Ага! Значит, крупный заказ хотят сделать, — сразу сообразил помощник Седого и порадовался. — Пора уже. Бабки нужны!»

— Хорошо, мы ему это передадим, — ответил он бодро и поинтересовался. — А по какому вопросу совещание?

— Поступил заказ из Штатов от солидного клиента на усыновление ребенка. Необходимо обсудить условия и сроки его выполнения, — коротко ответил ему женский голос, очевидно, секретаря директора. — Ждем его к половине третьего.

Получив сообщение, Пронин, не теряя зря времени, по мобильному связался с Седым, который все еще забавлялся в постели с очередной пассией, и передал приглашение фирмы «Здоровье».

— А они больше ничего не сказали? — спросил его шеф, решительно отстраняя волосатой ручищей грудастую блондинку, которая с недовольным видом тянула его к себе. — Я имею в виду требования заказчика.

— Узнаешь все на совещании у директора. Но хочу предупредить, Василий, — озабоченно сказал «начальник штаба», — что если им требуется грудной, то нам его придется еще поискать. Да и неизвестно, есть ли у Воронцовой подходящий малыш? Если заказ срочный, постарайся убедить их взять нашу княжну!

Он замялся, сомневаясь, надо ли говорить, но все же добавил:

— Девчонку надо сбыть с рук еще и потому, что ее наверняка замочит Костыль, если сейчас выгодно не продадим!

— Думаешь, осмелится? Не понимает, что тогда ему амба? Мокрушник ума еще не лишился, — несогласно бросил Седой, хотя сознавал, что тот вполне на такое способен, и все же добавил: — Но сопливую княжну постараюсь продать в первую очередь, если предложат подходящую цену.

Несмотря на бурные протесты пышной дамы, его богатой клиентки, которая явно рассчитывала, что их свидание продлится весь день, Коновалов ее покинул, быстро собрался и к назначенному времени прибыл в офис «Здоровья». В кабинете исполнительного директора, кроме знакомого ему лощеного фирмача, находился еще один солидный господин, по внешнему виду — иностранец.

— Знакомьтесь! — представил их друг другу директор. — Это наш американский партнер, мистер Ричардсон, — с почтением указал он на солидного господина, который приподнялся в кресле с любезной улыбкой. — А это, — указал он на вновь прибывшего, — бизнесмен Василий Коновалов, который будет непосредственным исполнителем вашего заказа, если мы придем к соглашению. Ведь наша фирма, — улыбнулся он, — лишь посредник в данной сделке.

— Тогда давайте перейдем к ее существу, — без предисловий деловито сказал американец. — Как у нас говорят, время — деньги! Я представляю фирму, оказывающую услуги богатым бездетным семьям в решении их проблем, — сообщил он Коновалову, говоря по-русски почти без акцента. — И сюда прибыл лично, чтобы помочь в этом одному миллиардеру, который согласен на любые затраты, — подчеркнул он последнее, остро взглянув на обоих из-под густых бровей.

— А почему вы ищете ребенка в России? — так же прямо и по-деловому спросил у него Седой.

По-видимому, американец ждал этого вопроса, потому что, не задумываясь, дал ответ, словно он у него был уже готов.

— Наш клиент платит большие деньги, и ему не нужны осложнения, которые возможны, если мы возьмем ребенка у себя. Кроме того, иностранные дети, не владея языком, более покорны и лучше приживаются в новой семье. Россию мы выбрали потому, что всему миру известна красота вашего народа.

Так же лаконично и четко высказал он требования заказчика.

— Мои клиенты — пожилая чета, и совсем малолетние дети им не подходят, с ними слишком много возни. Пол ребенка тоже не имеет значения. Но возраст должен быть таким, чтобы еще оставалась возможность положительно повлиять на его воспитание и образование. Короче, у них в доме есть все, кроме юного существа, с кем можно было бы общаться и получать от этого радость, которая им не дана. Но уже сформировавшиеся подростки им тоже не подходят.

Он сделал паузу и сказал главное:

— Мы заплатим немалую сумму, которую согласовали с вашим посредником, если ребенок будет соответствовать тому, что сказано, и еще двум условиям. Во-первых, он должен быть красив, здоров и обладать хорошей наследственностью, а во-вторых, должен быть хорошо воспитан, и притом — обязательно круглым сиротой. Как видите, — с сочувствием взглянул на своего подрядчика, — задача у нас с вами совсем не простая!

«До чего же фартит, — обрадованно подумал Седой. — Ведь это как раз то, что надо!» Но, решив набить себе цену, выдержал значительную паузу и только тогда медленно и важно произнес:

— Пожалуй, смогу вас обрадовать. Есть у нас на примете вполне подходящая девочка семи-восьми лет. Совсем недавно осиротела и находится в детском доме. Она очень красива, вполне здоровая и хорошо воспитана, даже немного владеет английским. А насчет наследственности можете сами судить: по отцу происходит от бывших русских князей.

— Приятная неожиданность. Неужели все это правда? — оживился американец. — Нашему клиенту это должно понравиться! Мы демократическая страна, но иметь в семье аристократку и у нас престижно! А с документами у нее все в порядке? И как насчет родственников?

— То, что она княжеского рода, — это подлинный факт! Все нужные документы у вас будут, — заверил его Седой. — Родственников нет. Ну а если кто найдется, им ее у вас будет уже недостать.

— Что правда, то правда, — с удовлетворенным видом согласился американец. — А когда можно будет на нее посмотреть? — деловито спросил он.

— На днях мы это вам устроим, — с важным видом ответил Седой и задал вопрос, который давно вертелся на языке: — Сколько вы нам за нее предложите?

— Вот эту сумму, — вместо американца ответил фирмач, протягивая ему лист бумаги, на котором в ряд выстроились цифры со многими нулями. — Вычтите из этого лишь десять процентов нашего гонорара.

По красным пятнам, сразу выступившим на лице, и его алчно заблестевшим глазам было видно, что предложенная сумма на много превзошла ту, на которую рассчитывал Седой, но он сдержал свои эмоции и, поднявшись, с деланным спокойствием заключил:

— Ну что ж, это подойдет. На днях дам знать, когда и где устроим смотрины.

В качестве приемной для знакомства усыновителей с детьми Екатерина Воронцова вначале предполагала использовать свой кабинет заведующей. Но поскольку его пришлось бы переоборудовать, она передумала и отвела для этой цели другое помещение — библиотеку. Туда принесли кушетку и пару мягких кресел, постелили ковер и заполнили все свободные места красивыми дорогими игрушками.

В это уютное помещение, располагающее к доверительной беседе, накануне визита заказчиков «милицейская воспитательница» Софа привела маленькую Олю, чтобы привыкла к обстановке и была готова к разговору с важными гостями. Усадив девочку на кушетку и расположившись напротив нее в кресле, она мягко произнесла:

— Ну вот, Оленька, кажется, удалось отлично устроить твою судьбу. Ты даже не ожидаешь, какое тебе светит прекрасное будущее!

В ярко-синих глазах девочки на мгновение зажглось любопытство, но они тут же померкли, и она тихо спросила:

— Значит, никому так и не удалось спастись? И нет больше надежды?

— Нет, моя бедненькая сиротка! — уверила ее Софа, изобразив на своем лице горячее сочувствие. — Никого даже вытащить не удалось. В том месте слишком большая глубина. Считают, что все погибли при ударе самолета о воду.

Она сделала паузу, сама удивляясь тому, как ловко умеет врать, и с жаром продолжала:

— Да, вас с сестрой постигла тяжкая трагедия, но Бог милостив, и твоя судьба, Оленька, благодаря нашим усилиям счастливо определилась. Я уверена, что скоро мы так же хорошо устроим и Наденьку.

И хотя Оля промолчала, убедившись в том, что она внимательно ее слушает, Софа продолжала:

— Ты знаешь, что родственников папы у нас в стране не осталось. Они либо погибли от репрессий, либо эмигрировали. Вот мы и послали запросы во все концы света. И что же ты думаешь? — лицо ее изобразило фальшивую радость. — Получили ответ! Из Соединенных Штатов!

— Из Америки? — глаза Оленьки округлились от изумления. — От кого же?

— От родственников со стороны твоей бабушки, имя которой ты носишь! — продолжала самозабвенно врать ей Софа. Эту легенду она отработала вместе с Настей.— Ее родичи Стрешневы бежали от революции за границу, переведя туда свой капитал, и их дочь потом вышла замуж за американца.

— Какая же она мне родственница? — с сомнением вырвалось у Оли. — Кто же она мне будет? И почему до сих пор молчала?

— Она тебе вроде троюродной бабушки, но ничего о вашей семье не знала, — без запинки ответила Софа. — И хотя уже забыла наш язык, но любовь к родине и фамильную гордость в душе сохранила.

Обманщица сделала паузу, чтобы перевести дыхание, и с облегчением завершила свою лживую историю истинной правдой:

— Сейчас они с мужем живут там в красивом курортном городке Уэст-Палм-Бич. Очень богаты, но совсем одиноки: детей и близких родственников у них нет. Приглашают тебя пожить у них!

— А где он находится... этот... Палм-Бич? — заинтересовалась Оленька. Она не запомнила полного названия города, но оно ей понравилось. — Наверное, на юге Калифорнии?

— Нет, как раз наоборот — на юго-западе Штатов, во Флориде, — обрадованно подхватила Софа, уверовав, что уговорила девочку. — Говорят, что там красота — просто неописуемая! А их вилла — настоящий дворец с мраморным бассейном и всем прочим. Как в кино!

Не сдержав эмоций, Софа вскочила с кресла и подсела к девочке, обняв ее за худенькие плечи.

— Теперь ты, Оленька, знаешь все и готовься завтра встретить здесь гостей! Твои родственники — пожилые. Поэтому поручили повидаться с тобой и поговорить доверенным людям. Постарайся же, — строго посмотрела на притихшую девочку, — произвести хорошее впечатление!

Софа сочла было, что все в порядке, но Оля неожиданно отказалась.

— Спасибо вам и всем, кто о нас заботится, но одна, без Наденьки, я никуда не поеду! — тихо, но решительно заявила она, опустив золотоволосую головку. — Я свою сестричку не брошу!

«Ну мы и дуры! — мысленно выругала себя и Настю Софа, так как этот очевидный вариант они не предусмотрели, полагаясь на то, что девочку соблазнит сказочная экзотика, которую она видела в кино и на телеэкране. — Как же мне ее уговорить? — она растерялась, не в силах придумать подходящий аргумент. — Что же надо сказать?»

Так и не сообразив, что ответить Оле, она не нашла ничего лучше как ей пообещать:

— Ладно, деточка, не волнуйся! Мы постараемся и это уладить. Им, конечно, трудно будет привыкнуть сразу к двоим. Слишком уж хлопотно! Ты ведь уже большая и это понимаешь? — с укором сказала вставая. — Но мы попробуем все же уговорить! Ты только завтра не капризничай...

— Так ты говоришь, что девчонка зафардыбачилась? — недовольно посмотрел на Проню Седой, когда тот сообщил, что Оля согласна поехать к своим новым «родственникам», но не хочет разлучаться с сестрой. — Я так и не понял: можем мы приглашать американца или нет?

— А чего откладывать? Ее обработали как следует! Надо лишь предупредить, что будет просить, чтобы вместе с ней поехала и ее двойняшка, — заверил шефа Проня, и, подумав, добавил:—

Ты бы спросил их, Василий, может, согласятся и на вторую? И бабок больше бы огребли.

— Это здорово все осложнит и затянет. И потом — мы же обещали вторую Костылю, — возразил Седой. — Не лучше просто как-то обмануть эту девчонку?

— На худой конец, и это сгодится, но потом у нас могут возникнуть проблемы с заказчиком, — озабоченно ответил Проня. — Лучше все же их предупредить. Может, клюнут? А Костыля, — с усмешкой добавил он, — предоставь мне. Уж как-нибудь я с ним это улажу.

«Начальник штаба» и на этот раз оказался прав. Когда Василий Коновалов созвонился с заказчиками и, пригласив на смотрины, обмолвился о возникшем препятствии, к его удивлению, они отнеслись к этому с большим интересом.

— Мистер Ричардсон спрашивает, так ли хороша вторая, как и первая? — спросил его фирмач после короткой паузы, во время которой он успел сообщить новость американцу.

— Точная копия первой, — заверил Седой, но спросил: — А не затормозит это нашу сделку?

— Ни в коем случае! — ответил посредник. — Мы немедленно свяжемся с нашим заказчиком, и если он не согласится, то найдем и других, не менее подходящих. Так что можете обещать девочке, что ее желание пусть и не сразу, но будет выполнено.

— Это вы ей скажете сами сегодня, во время встречи, — повеселев, заключил Седой. — Ждем вас в шесть в детском доме. Запишите его адрес!

Даже с учетом современных достижений связи, он и представить не мог, что всего через час, когда над чудесным городком Уэст-Палм-Бич только вставало жаркое южное солнце, переговоры с заказчиком, мистером Генри Фишером, уже состоялись и, по сути, принесли положительный результат.

Генри Фишер, коренастый пожилой мужчина с широким добродушным лицом и большой плешью в рыжеватых вьющихся волосах, обладал заурядной внешностью, и вышел, так сказать, из самых низов. Да и разбогател, занимаясь не высокими технологиями, а совсем не почитаемым бизнесом — уборкой мусора и бытовых отходов. Может быть, именно по этой причине ему так понравилось, что предложенная русская девочка не только хороша собой, но и обладает аристократической родословной.

Звонок мистера Ричардсона из Москвы застал хозяев одной из самых роскошных вилл города во время легкого раннего завтрака. Несмотря на солидный возраст, а может быть, именно поэтому, супруги Фишеры большое внимание уделяли своему здоровью, и только вернулись с утренней пробежки.

— Знаешь, Салли, нам предлагают взять сразу двоих: вместе с этой девочкой Олей — также и ее сестру-близнеца, — сообщил Фишер супруге, отложив в сторону трубку. — Говорят, обе одинаково хороши!

Глаза его жены Сары, худощавой крашеной блондинки с подтянутой спортивной фигурой, расширились от удивления.

— Ну и ну, Генри! — эмоционально воскликнула она.— Мы с тобой не знаем еще, как получится с одной, а тут придется иметь дело сразу с двумя! Удастся ли нам справиться с ними? — усомнилась она. — По-моему, это может плохо кончиться.

— А чего мы теряем, Салли? — резонно рассудил бизнесмен. — Не получится, значит, так суждено! Мы же сознательно решили рискнуть ради нового интереса в жизни? Только представь себе: у нас в доме будут расти сразу две настоящие русские княжны! Разве не интересно? Кто из наших друзей и знакомых может этим похвастать?

— Ты прав, дорогой, но опасаюсь, что это чересчур осложнит нашу жизнь, — со вздохом произнесла Сара. — И потом боюсь, что общение с сестрой помешает девочке к нам привыкнуть.

— Наоборот, она не будет так тосковать, и они обе быстрее к нам привыкнут. Если, конечно, будем к ним хорошо относиться, — убежденно возразил Фишер.

— Это ты верно говоришь, Генри, но все-таки, — настаивала на своем супруга, — давай примем пока только одну. И если с ней поладим, то возьмем к себе и ее сестру. Заплати там, сколько надо, чтобы она пока пожила в России и ни в чем не нуждалась. Ты знаешь, как это уладить.

Блестящий черный лимузин Седого резко затормозил перед офисом «Выстрела». Из машины вылез глава бюро и быстрым шагом направился в свой кабинет, где его уже с нетерпением ждал Проня.

— Ну, каковы результаты этой сделки? — спросил он, блестя узкими глазками от радостного возбуждения, лишь только шеф вошел в кабинет.

— Вот уж не думал еще вчера, что так хорошо все закончится, — плюхнувшись в свое кресло и отдуваясь, с довольным видом произнес Седой. — Особенно во время смотрин, когда девчонка заартачилась. Хорошо еще, что она им так понравилась, что хором пообещали вслед за ней привезти сестру.

Он взглянул на Проню и презрительно ухмыльнулся.

— Эти лохи ведь и за вторую соплячку нам заплатили! Ты мог предположить такое? Ну и фрайера! Будто теперь они ее получат.

— Не такие уж они фрайера, — весело возразил Проня. — Знают, что никуда от них не денешься, если собираешься и дальше вести с ними дела. Но это хорошо, что заплатили авансом, потому что ни бабки, ни девку мы им теперь не отдадим. Придумаем форс-мажорные обстоятельства. Чтоб не предъявляли претензий.

— Как ты сказал? — непонимающе воззрился на него Седой. — Это что еще за форс... — запнулся, — какие-то обстоятельства?

— Независящие от нас причины, — с деланной скромностью, чтобы не обидеть шефа, объяснил Проня. — Ну вроде пожара там или наводнения. Для бизнеса — это обычное дело.

— Выходит, мы можем отдать ее Хирургу с Костылем, а им лепить горбатого: мол, погибла при пожаре? — сообразил Седой. — Ну и башка у тебя, Проня! Цены ей нет, — похвалил он помощника.

— Цена у всего есть, — вполне резонно заметил Проня, и в его щелочках-глазах зажглись алчные огоньки. — Ты лучше скажи, сколько тебе отвалили и что из этого приходится на мою долю? — спросил он и усмехнулся. — Тогда станет ясно, как меня ценишь.

Седой весело рассмеялся. Чувство юмора ему было не чуждо.

— А ты забыл разве, что чем меньше будешь знать, тем дольше проживешь? Сколько отвалили — коммерческая тайна. А тебе причитается только от этой сделки — пятьдесят штук баксов! Разве плохая цена, если учесть, что целые дни портки просиживаешь в кабинете?

— Ну, это еще не значит, что я меньше других рискую, Василий, — вяло возразил Проня. — Однако цена меня вполне устраивает, и я не прочь получить «зелененькие» на руки.

— Толково сказано! И я им сказал то же, — одобрительно кивнул головой шеф.

— Фирма «Здоровье», через которую проходит оплата, перечисляет ее на счета клиентов, но я потребовал выдать нам аванс, то есть половину, наличными.

Коновалов расплылся в улыбке и хлопнул ладонью по объемистому кейсу, который принес с собой и который теперь лежал перед ним на столе.

— Вот они, наши «зелененькие», — почти ласково произнес он, открыв его и любуясь на аккуратные пачки долларов в банковской упаковке. — Сейчас и тебе, Проня, отстегну твою половину!

Им и раньше иногда перепадал крупный куш после удачного преступного промысла, но оба: и главарь, и его помощник, не могли оторвать жадных глаз от вожделенного богатства.

Хирург, обеспокоенный отсутствием заказов от медиков, уже было собрался связаться со своим старшим партнером, как тот позвонил ему сам.

— Поступил крупный заказ, — коротко объявил Власов. — Надеюсь, вы готовы к работе? Помещение для этого оборудовали? — Он заметно нервничал. — Нам этот заказ упускать нельзя!

— У нас-то все в ажуре. И медкабинет оборудовали, чтобы оперировать прямо на месте, и подходящие объекты есть, — немного привирая, ответил Хирург. — А вот куда ты пропал — это загадка, — высказал он недовольство.— Почему от вас нет заказов? Так дело не пойдет!

— Почему? По кочану! — разозлился Власов. — Сам ведь знаешь, что вы у нас — на подхвате! Не заказывали потому, что пока управлялись сами.

Он перевел дыхание и язвительно бросил:

— Ты, Серега, что же, вообразил, будто и взаправду хирург? Раз и навсегда запомни: будешь и впредь делать только то, что мы скажем. И тогда, когда сами не управимся.

— Вот как ты, Ленчик, заговорил? Раба себе нашел? Значит, вы — беленькие, а мы — черненькие? — вспылил самолюбивый Фоменко. — Вы там будете сливки снимать, а мы — лапу сосать, пока не облагодетельствуете? Не о чем нам тогда говорить! — в ярости крикнул он и швырнул трубку.

«Зря я погорячился! Что теперь буду делать? — быстро остыв, запаниковал Хирург.— Не свою же подпольную фирму открывать?» Но, видимо, и Власову не была нужна ссора, и он тут же позвонил снова.

— Ладно, Серега, не лезь в бутылку! Извини, если чем обидел, — миролюбиво сказал он. — Не время сейчас ссориться. Дело-то серьезное, и больших бабок стоит. Но об этом нельзя по телефону, — сделал паузу. — Жду тебя через час у Большого театра!

Не дожидаясь ответа, Власов положил трубку, а Фоменко, обрадованный тем, что все обошлось, быстро собравшись, отправился к месту встречи. Когда он туда прибыл, Леонид, как всегда, щеголевато одетый, уже сидел на лавочке, делая вид, будто читает газету. Увидев Сергея, он сразу поднялся и пошел рядом с ним вдоль фонтана.

— Срочно нужна почка от здорового подростка. Сможешь добыть в течение недели? — быстро спросил он и усмехнувшись добавил: — Получите столько, что полгода вам лапу сосать не придется!

— За неделю не берусь, а вот за две, думаю, что смогу, — прикинув в уме их с Костылем шансы, ответил Фоменко. — У нас там есть подходящий донор, но с ним могут возникнуть проблемы.

— Хорошо, пусть будет так, — угрюмо согласился Власов. — Придется потянуть время. Деваться-то нам некуда!

Он сразу же ушел, а обрадованный Хирург прямо с дороги позвонил домой Башуну.

— Лед тронулся, Костя! Пробил наш час, и мы начинаем дело! — возбужденно объявил он ему. — Только что виделся с Власычем и получил от него срочный заказ. Нужна эта девчонка!

— О чем речь! Не волнуйся, сделаем так, как мы решили, — хладнокровно заверил друга Костыль. — Они могут подождать хотя бы пару дней? — деловито спросил он.

— Дают нам не больше недели, — соврал на всякий случай хитрый Фоменко. — Думаешь, успеем? — с сомнением спросил он.

— А чего же не успеть? Нам только надо пошевелить мозгами, какой для нее придумать несчастный случай, — спокойно ответил Костыль.

— Ладно, чего-нибудь да придумаем, — приободрился Фоменко. — Нам нельзя упустить этот заказ. Власыч сказал: куш — что надо!

Наутро в чистенькую детскую спальню на шесть коек, где вместе с другими девочками находились Оля и Надя, пришла заведующая Воронцова в сопровождении худого длинного мужчины в белом халате, белой шапочке и в больших темных очках, закрывавших глаза. В нем лишь с трудом можно было узнать Сергея Фоменко.

— Девочки! — строго сказала им Катерина. — Этот дядя — доктор, который будет брать у вас анализы, так как сейчас бушует эпидемия заразного заболевания. Вы ни на что не жалуетесь, но провериться все же не мешает. Поэтому сразу после завтрака, — повысила она тон, — всем надо будет пройти в медкабинет!

— Не бойтесь, малышки, я вам больно делать не буду, — заверил их «доктор». — Только проверю, нет ли сыпи и посмотрю горлышко.

— Ну вот, Сергей, я свое дело сделала и умываю руки, — заметно волнуясь, сказала ему Воронцова, когда они шли по коридору к ее кабинету. — Что дальше намерен делать? Смотри, не подведи меня!

— Да не трясись ты так, Катерина! — ободряюще взял ее за руку Фоменко. — Я же сразу переведу эту Надю в «карантин», который оборудовал в подвале без твоего ведома. В случае чего держись твердо: ты ни о чем не знала!

— Но нас же видели вместе? — не успокаивалась Воронцова.

— И что с того? Мало ли проходимцев шляются по детским учреждениям? — с усмешкой взглянул на нее Хирург. — Оправдаешься той «липой», которую я тебе якобы предъявил.

В дальнейшем все шло по его сценарию. Осмотрев для порядка всех детей, чтобы не вызвать подозрений у персонала, он, разумеется, нашел «опасные симптомы» у маленькой Наденьки и немедленно перевел ее в оборудованный им в подвале «временный изолятор».

— У меня нет еще полной уверенности в том, что девочка действительно больна. Поэтому пусть пока побудет здесь, — объяснил он нянечкам и Оленьке, которая ходила за ним как тень, беспокоясь за свою сестричку. — Если отправлю в больницу, то она там уж точно заболеет.

— А что все-таки с ней? — спрашивали они у «доктора», и он, пожимая плечами, отвечал всем одно и то же: — Похоже на ветрянку, но я не уверен. Во всяком случае, пока не выясню, пусть полежит отдельно от остальных детей.

Это звучало убедительно, вскоре все от Хирурга отстали, и он по сотовому позвонил Башуну.

— Послушай, Костя, я девчонку уже изолировал и собираюсь завтра начать подготовку к операции. Прошу тебя, — его голос прерывался от волнения, — не теряя времени, добиться согласия Седого. Иначе у меня ничего не получится! Честно признаюсь тебе: я его боюсь!

— Вижу, ты уже наложил в штаны, — презрительно рассмеялся Костыль. — Чего так испугался? Ведь мне отвечать, а не тебе! Свалишь все на меня!

— Нет, я не смогу! — взмолился Хирург. — Прошу тебя: поезжай и договорись! Он у себя в конторе, мною проверено.

«Да он в истерике от страха, — презрительно подумал Костыль о своем друге и пособнике. — Ничего не поделаешь, придется снова идти на поклон к Седому. Хирург — хитрый, его не проведешь!»

Нацепив на голову парик и приклеив усики, без которых не выходил теперь из дому, он отправился в офис «Выстрела», заранее настраиваясь на тяжелую схватку со своим главарем. Но, к его удивлению, на этот раз все обошлось мирно.

— Ну что же, валяйте, орелики! — равнодушно бросил ему Седой, когда он сообщил о срочном заказе и о том, что они с Хирургом уже поместили Надю в «изолятор» для подготовки к операции. — Пусть это будет нашим почином в бизнесе с медиками. Только не спешите!

— Это почему же? — настороженно взглянул на главаря Костыль. Он все никак не мог поверить, что тот пошел ему навстречу. — Ведь заказ срочный!

— А ты послушай, что тебе Проня скажет, — Седой кивнул в сторону своего помощника, который, как всегда, сидел поблизости в кресле. — У него на этот счет есть дельные соображения.

Костыль тупо уставился на Проню, а тот, не глядя на него, будто размышляя, произнес:

— Как бы медики нас ни торопили, но, думаю, девчонку губить еще рано. Не то придется об этом пожалеть!

— Да ты что?— буквально взвился Костыль. — Они такие бабки нам отваливают! И договор же у нас с ними! С выкупом еще неизвестно как выйдет, а тут верняк!

Он еще не знал, что за Надю Седой получил немалый задаток.

— А чего это ты так злишься? Успокойся и выслушай, что тебе говорят, — невозмутимо продолжал Проня своим тонким голоском. — Я же тебе обещал и Седой подтвердил — девчонка будет твоя! Но не раньше, чем получим выкуп! Мы их с сестрой еще не сняли на видик.

— Хреновина это все! Чего ты Проню всегда слушаешь? Какие-то съемки выдумал, — в ярости подступил Костыль к Седому. — И без этого получим выкуп, никуда Юсуповы не денутся!

— Хватит базарить, Костыль! — грозно рявкнул на него главарь. — Запомни хорошенько, что сказал Проня, и Хирургу передай! Если ослушаетесь — живыми закопаю!

Но Костыль не был бы самим собой, если бы его можно было запугать. Он круто повернулся и, не сказав ни слова, вышел из кабинета. Все внутри у него клокотало от злобы. «Я раньше тебя замочу, проклятый альбинос!» — яростно бормотал он, твердо решив поступить по-своему.

В день отъезда сопровождать Олю в Соединенные Штаты в детдом прибыл мистер Ричардсон с помощницей Мэри Конно-ри. Эту молодую ирландку, своего секретаря, он привез с собой специально, чтобы ухаживать в пути за маленькой девочкой. Она раньше работала стенографисткой у американского бизнесмена, часто вместе с ним посещала Москву и могла говорить по-русски на бытовом уровне.

Пока будущую юную путешественницу умывали и собирали в долгий путь, он вместе с Прониным и Воронцовой, запершись у нее в кабинете, занялся проверкой сопроводительных документов. Весь набор этих фальшивок был выполнен на самом высоком профессиональном уровне, так что невозможно было отличить их от подлинных. Хотя был и один настоящий документ — ходатайство американской благотворительной организации, которую представляла фирма мистера Ричардсона.

Ловкий и предусмотрительный Проня, проконсультировавшись с юристами и потратив кучу денег, сумел подготовить все, что требовалось. Тут были копии всех документов, по которым сестер-близнецов Юсуповых поместили в детдом, копии постановлений органов власти, удовлетворивших просьбу американцев и разрешивших отъезд сироты за рубеж и даже «подлинник» свидетельства о рождении близнецов.

После того как весь пакет документов был тщательно проверен и передан мистеру Ричардсону, все стороны подписали соответствующий акт, и Воронцова распорядилась привести Олю. Девочка была чистенько одета, аккуратно причесана и, несмотря на заплаканный вид, радовала глаз своей красотой.

— Ну что ты, глупенькая, так расстраиваешься? — с доброй улыбкой обратился к ней мистер Ричардсон. — Ведь знаешь, что и твоя сестричка скоро последует за тобой. Твой дядя Генри и тетя Сара уже заплатили много денег, чтобы здесь ее никому не отдавали. Теперь все зависит от тебя, малышка. Ты должна с ними подружиться!

— А если я им не понравлюсь? Тогда Наденьку не возьмут?— глаза у Оли вновь наполнились слезами. — И я ее больше никогда не увижу?

— Вот ты опять за свое! — мягко пожурил ее американец. — Я же тебе прошлый раз все объяснил и повторяю снова, — беззастенчиво соврал он девочке. — Если им не понравишься, то мы вернем тебя обратно, и вы опять будете вместе!

— Он назвал миссис Фишер Сарой. Они что, евреи? — толкнув в бок, шепотом спросила Воронцова у сидящего рядом Прони. — Хотя в Америке все богачи из ихнего племени, — язвительно сложила она губы.

— Может, так, а может, нет. Имя еще ни о чем не говорит,— так же тихо ответил ей всезнающий Пронин. — Сара, Салли — очень распространенное там имя, взятое из Библии. Хотя фамилия смахивает на еврейскую. А чего тебя это так трогает?

— Да я просто подумала, что в этом случае ерунда получается, — усмехнулась Воронцова. — Концы с концами у нас не сходятся!

— Это почему же?

— А потому, что мы их выдаем Оле за ее родичей. Разве не так? — насмешливо посмотрела она на Проню. — Хороши родственнички для русской княжны!

— Брось, Катерина! Будто не знаешь, что это — сказочка, придуманная лишь для того, чтобы сбыть девку с рук, — зашипел на нее Проня. — Уймись, не дай Бог, нас услышат.

В это время принесли дорожную сумку с Олиными вещами, и американцы сразу заспешили.

— Пожалуй, нам уже пора! — спохватился мистер Ричардсон, взглянув на часы. — До вылета осталось всего несколько часов.

— Я хочу проститься с Наденькой! — опустив голову, тихо, но твердо сказала маленькая Оля. — Она не может сюда прийти. Пожалуйста, позвольте мне к ней сбегать, — просительно посмотрела она на американцев. — Я очень быстро!

— А что с ней такое? — насторожился Ричардсон. — Она что, заболела?

Воронцова было открыла рот, чтобы объяснить, что Наденька в карантине, но ее опередил находчивый Пронин.

— Да вовсе она не больна! Просто ее сейчас обследует врач, — успокоил он американца. — Через десять минут Наденька будет

244

здесь, и мы даже снимем на память, как вы с ней попрощаетесь, — добавил он, обращаясь к Оле и доставая принесенную видеокамеру.

Поскольку Воронцова растерянно молчала, Проня, бросив на нее злобный взгляд, бодро воскликнул:

— Ну, чего же мы ждем? Давайте скорей сюда Наденьку! Она же совершенно здорова. А доктор пускай пока займется другими детьми.

Таким образом за Наденькой немедленно послали. Неисповедимая Судьба сжалилась над маленькими княжнами. Сама того не подозревая, Оленька спасла жизнь своей сестре.

Накануне вечером Сергей Фоменко так и не смог дозвониться к Костылю, чтобы узнать, чем кончились переговоры с Седым. Выйдя из кабинета Седого, Костыль направился в ресторанчик «На Лесной», чтобы успокоить расшалившиеся нервы и утопить в вине гнев и досаду. Домой он вернулся лишь поздней ночью, в полубесчувственном состоянии, к большому неудовольствию жены Катерины.

Только наутро Хирург смог связаться с подельником. «Господин Воронцов» к этому времени уже немного проспался и, несмотря на головную боль, бодрым тоном, значительно приукрашивая факты, объявил:

— Все, Серега, начинаем работу! Седой в присутствии Прони дал «добро». Отдает нам девчонку. Я даже не ожидал, что мы с ним решим это миром.

— Вот, значит, почему тебя весь вечер не было, — высказал догадку Хирург. — Наверное, отметили восстановление старой дружбы. Где заседали? В сауне?

— В нашем кабаке «На Лесной», — не стал открывать ему правды Костыль, твердо решив выполнить заказ вопреки воле главарей банды. — Пришел ночью, и Катюха на меня до сих пор злится.

— Значит, я могу приступать? — с надеждой спросил Хирург.

— Хоть завтра! — уверенно бросил ему Костыль. — Можешь обрадовать своих коллег-медиков. Не забудь им сказать, — жестко добавил он, — что это я, а не Седой, их сторонник, и только на меня они могут рассчитывать, если хотят, чтобы наш договор выполнялся!

Окрыленный тем, что все утряслось и скоро он отхватит изрядный куш за своевременное выполнение заказа, Сергей Фоменко помчался в детдом и, засучив рукава, начал подготовку своей маленькой пациентки к операции. Он был выдержан, хитер и умел, когда надо, быть мягким и вкрадчивым. Поэтому Наденька безропотно позволяла делать с собой все, что нужно было этому «доктору».

Ему понадобилось не более двух часов, чтобы подготовить инструменты и наркоз. Но когда он уже собирался надеть на Наденьку маску, произошло непредвиденное: в запертую дверь подвальной комнаты громко постучали!

Хирург сразу же отложил в сторону маску и, подойдя к двери, недовольно спросил:

— Чего надо?

— Доктор! Тут приехали и немедленно требуют привести к ним Надю! — задыхаясь от быстрой ходьбы, сообщила посланная нянечка. — Мне велела передать вам заведующая.

— Но это сейчас невозможно! Я провожу обследование, — с перепугу закричал Фоменко, но когда до него дошло, какой опасности подвергнется, если сюда придут, то быстро добавил: — Я ее сам могу привести, но не раньше чем через пятнадцать минут.

Нянечка ушла, а Хирург лихорадочно стал соображать, как ему поступить. «Хорошо еще, что я не успел ничего сделать. Тогда произошла бы катастрофа! — мысленно ужаснулся он.— Но ведь засвечиваться мне тоже нельзя! Что же делать?»

Однако долго мучиться ему не пришлось. Снова раздался резкий стук, и срывающийся на крик тонкий голос Прони потребовал:

— Открой дверь, Фоменко, да по-быстрому!

Голос помощника Седого спутать с кем-либо было трудно, и Хирург, замирая от страха, повернул ключ в замке. В комнату сразу ворвался Проня, запер дверь и, схватив его за отвороты халата, не обращая внимания на Надю, завопил:

— Ты что же это делаешь, ублюдок? Не терпится выпотрошить? Как посмел?

— Да я... да мне... Костыль., — пролепетал Хирург, у которого душа ушла в пятки, — сказал, что можно. Мол, Седой разрешил! — добавил он окрепшим голосом, так как говорил правду.

— Вот, значит, как, — беря себя в руки, бросил Проня. — Ну ладно! Мы с Седым разберемся! И если врешь — готовь белые тапочки!

Он подошел к Наденьке, которая продолжала лежать, испуганно тараща глаза и понимая лишь, что взрослые дяди из-за чего-то ссорятся.

— Пойдем со мной, девочка! — сказал, с трудом изобразив на лице умильную улыбку. — Я отведу тебя к твоей сестре.

Хирург услужливо кинулся, чтобы помочь ему снять Надю с хирургического стола, но Пронин остановил его резким движением руки.

— Сам управлюсь, — бросил, словно выплюнул, презрительно глядя на потрошителя. — Вряд ли мы с тобой теперь поладим!

Он обхватил Наденьку маленькими жилистыми ручками и легко поставил на пол. Потом сам же помог ей надеть платье, причесал и повел попрощаться с сестрой.

Глава 15. Ультиматум бандитов

— Вот, что я сочинил,— сказал на следующий день Пронин, протягивая Седому листок бумаги, на котором было начертано всего несколько строк — текст ультиматума похитителей. — Пора уже передать это Юсуповым. Видеокассета готова, и ее можно им предъявить.

— А сможет ли богатый сынок собрать так быстро пол-лимона зелени налом? — усомнился главарь, пробежав написанное глазами. — И вообще, есть ли у него столько?

— Есть и втрое больше! — уверенно ответил Проня. — Я навел справки. Ничуть не сомневаюсь, что и нал они уже для нас приготовили, — усмехнулся он. — Ведь не дурные и ждут не дождутся, когда предъявим им требования.

Седой с уважением посмотрел на своего хитроумного помощника и, вернув ему бумагу, одобрительно произнес:

— Добро! Звони этому молокососу и назначай встречу. Вот, только сомневаюсь, согласятся они послать с выкупом мамашу? Она вроде бы еще в Ялте?

— Прилетит! Все бросит ради своих дочек, — заверил его Проня. — Ну а если найдут кого-нибудь еще, то какая нам разница?

— Нет! На это соглашаться нельзя! — категорически возразил Седой. — Либо она, либо другая близкая родственница, чтобы они не сделали подставу!

— В этом ты прав, Василий, — согласился с ним Пронин. — Так я им и скажу!

— Ну а кого ты решил послать на встречу с этой бабой? — спросил у него главарь. — Кого-нибудь из наших бывших спецназовцев?

— Таких, чтобы отбились от кого угодно, у нас хватает. А вот чтобы ловко и быстро карабкались по стенам — кот наплакал, — посетовал Проня. — Я говорил с каждым, и никто толком этого не умеет, хотя их специально обучали. Может, поручим забрать бабки Костылю? — вопросительно посмотрел он на шефа. — Или ты ему не доверяешь?

— Бабки-то ему доверить можно. Я и сам хотел предложить, чтобы мы их временно схоронили в сейфе у его Катерины, — раздумчиво протянул Седой. — И подготовка у него для этого есть: геологом был, по скалам лазил!

— Ну так что: поручим? — осторожно спросил Проня, зная ненависть главаря к их мокрушнику. — Между прочим, он сам напрашивался.

— Не хотелось бы,— поморщившись, признался Седой. От верного помощника у него секретов не было. — Это укрепит его авторитет среди братвы и помешает мне его убрать! Тебе ясно?

Они оба немного помолчали, размышляя, но затем Пронин, видимо, не найдя другого решения, осторожно сказал:

— Думаю, придется на это пойти, Василий. Бабки слишком большие, чтобы ими рисковать! А Костыль справится. И отобьется в случае чего и по стене мигом вскарабкается. Если же он подведет, — его узкие глазки хитро блеснули, — мы натравим на него братву и замочим, даже в тюряге.

Пронин знал, как убедить своего главаря! Седой одобрительно хмыкнул и, внешне не выказывая своих эмоций, с важным видом бросил:

— Пожалуй, так и сделаем. Ты просто у нас, как шахматист, Проня,— похвалил подельника. — Рассчитываешь все на несколько ходов вперед!

В этот же день в офисе у Петра Юсупова раздался телефонный звонок, и тонкий голос попросил связать его с руководителем концерна.

— А кто его спрашивает? Представьтесь, пожалуйста, — отвечала телефонистка.

— Скажите, что звонят насчет его сестер, — пропищал голосок.

Немного удивившись, диспетчер передала это секретарю, та — своему шефу, и Петр немедленно схватил трубку. «Вот оно и началось! — с волнением подумал он. — Наконец-то будет ясность».

— Юсупов слушает, — произнес он твердо. — Что вы хотите мне сообщить?

— Новокузнецкую улицу знаете? — вместо ответа спросил тонким голосом неизвестный. — Тогда запишите адрес. Возле этого дома вас с завтрашнего дня, ровно в десять, будет ждать наш человек. Невысокий, в спортивном костюме. Ему отдадите пятьсот штук баксов в прочной сумке и получите своих девчонок! Порядок передачи сообщу через полчаса, — заторопился шантажист. — Ждите звонка!

Не раздумывая, Петр по мобильной связи разыскал отца и сообщил, что похитители объявились.

— Все ясно: будет звонить с другого таксофона,— выслушав, мрачно произнес Михаил Юрьевич. — И все же постарайся, сколько будет возможно, затянуть с ним переговоры. Может, нам удастся засечь, — в его голосе прозвучала слабая надежда. — Я немедленно свяжусь с друзьями из ФСБ.

Распорядившись, чтобы его больше ни с кем не соединяли, Петр с нетерпением стал ждать нового звонка, и вскоре он последовал.

— Слушайте внимательно! Эти требования обязательны! — пропищал тонкий голосок. — Выкуп пусть привезет женщина:

мамаша или близкая родственница. Мы всех знаем. Никаких обменов на месте! Заложниц получите, когда у нас будут бабки!

— А какие гарантии, что мы их получим? — быстро спросил Петр, боясь, что бандит прервет связь.

— Девчонки живы и здоровы. В этом убедитесь, когда посмотрите посланную вам видеозапись, — пропищал голосок.— А самих получите ровно через час после передачи выкупа. Запишите адрес!

— Еще одну минуту! У меня есть встречное предложение! Я вдвое увеличу выкуп! — запомнив, где будет встреча, буквально крикнул в трубку Петр, чтобы заинтересовать бандитов и продлить телефонный разговор.

Но ему удалось это лишь наполовину. Проню сразу заинтриговал его посул удвоить выкуп, но он был достаточно осторожен, чтобы не попасть в ловушку.

— Хорошо! Послушаем, что предлагаете. Ждите звонка, — торопливо ответил он, снова прерывая связь.

«Ловкие негодяи! Трудно нам с ними придется», — удрученно подумал Петр, набирая номер отца, чтобы посоветоваться, как быть дальше.

— Ну как? Не удалось прицепить к нему хвост? — на всякий случай спросил, хотя и был уверен в неудаче. — Я сделал все, что мог, но он оказался хитрее.

— Я этого ожидал. Мы повторим попытку, когда он снова тебе позвонит, — постарался успокоить его отец. — Ты хорошо все продумал, что ему скажешь? Сомневаюсь, что они на это купятся, раз такие хитрые и осторожные!

Когда Проня позвонил снова, Петр ему с ходу выложил то, что должно было, по его мнению, разжечь в бандитах алчность:

— Предлагаю вам не полмиллиона, а миллион долларов наличными! Деньги уже готовы!

Его расчет оказался верным. Завороженный огромным кушем, плывущим им в руки, Проня молчал, и Петр с воодушевлением продолжал:

— Думаю, вы знаете, что мы не простаки. Обмануть нас, как других, получив выкуп и не вернув заложниц, вам не удастся! Но я своими сестрами дорожу и их жизнь оцениваю вдвое выше!

— Ладно, все понял, — опомнившись, заторопился Проня. — Говорите скорее, что предлагаете?

— Мое условие: сохранить жизнь и вернуть невредимыми сестер! Риск для вас в этом есть, но миллион долларов того стоит! Пожертвовать же, не зная, как поступите, могу лишь сравнительно небольшой суммой, а все остальное отдам только в обмен на наших девочек.

— О какой сумме идет речь? — деловито перебил его Проня.— И какие гарантии даете, что получим остальное?

— Сумма немалая: сто тысяч баксов, — сдерживая радость, так как почувствовал, что бандит клюет на приманку, ответил Петр. — А в качестве гарантии мы оформим через посредника какую-нибудь фиктивную сделку, по которой я выплачу вам требуемую неустойку. Ваша безопасность будет обеспечена!

— Ладно, подумаем! Лимон «зелени» — это аргумент, — торопливо согласился тонкий голосок. — Сегодня же дадим ответ.

Только Петр положил трубку, по сотовому ему сразу позвонил отец.

— Удача, сынок! Мы установили, кто тебе звонил, и за этим мозгляком уже наблюдают, — обрадованно сообщил Михаил Юрьевич. — Но сам понимаешь, что брать его нельзя — слишком велик риск! — Он сделал паузу и с надеждой добавил: — Но теперь мы начнем действовать!

Был конец рабочего дня, и, не дождавшись обещанного звонка похитителей, Петр Юсупов собрался ехать домой и распорядился, чтобы вызвали его машину. «Ничего, они обязательно дадут знать о своем решении, — успокаивал он себя. — Им наверняка известны номера всех моих телефонов». И оказался прав, так как похитители связались с ним по сотовому в тот момент, когда он уже садился в поданный к подъезду лимузин.

— Ваше предложение принято, — объявил все тот же тонкий голосок. — Встреча с нашим человеком переносится на день, а завтра к вам подъедет посредник для составления задним числом договора и акта о приемке заводом «Цветмет» вторсырья на оговоренную сумму. Согласны?

— Возражение лишь одно, — твердо сказал Петр. — Я подпишу его и произведу расчет только в обмен на своих сестер!

— Это само собой разумеется, — подтвердил Проня. — О деталях договоритесь с посредником.

Получив это сообщение, Петр с дороги незамедлительно связался с отцом. Михаил Юрьевич был еще в своем офисе и пригласил его заехать туда.

— Мы тут как раз сидим с Виктором и обмозговываем план действий. У него есть новая информация, — сообщил он сыну. — Вместе все и обсудим.

И действительно, Виктор Степанович привез важные сведения. Слежка, установленная за Воронцовой, а теперь и за Прониным, неожиданно выявила, что они в сговоре. Только за один день «хиляк», как его прозвали сыщики, трижды посетил ее детдом, не имея к нему никакого отношения. С учетом того, что у нее до этого скрывался бежавший из тюрьмы Костыль, этот факт давал основание Виктору Степановичу для решительных выводов.

— Теперь уже нет сомнения, что похищение наших девочек совершено при участии этого бандита Костыля, — высказал он свое мнение. — Упомянутый в письме Зины «плохой человек», скорее всего он и есть. И Башун, и работник охранного бюро Пронин — члены одной шайки!

— Ты уверен в том, что если мы захватим Пронина, то сможем узнать, где прячут детей, и освободить Оленьку и Надю? — волнуясь, спросил у него Петр.

— Конечно! Это — самый верный способ, — убежденно ответил Сальников, но добавил: — Если удастся его сломить и «расколоть».

— Не сомневайся! Он у меня все скажет!— с жестким блеском в глазах заверил сына Михаил Юрьевич. — Даже отпетые бандиты дорожат своей шкурой!

— Будь уверен, Петя, твой отец и мертвого может заставить говорить, — мрачно усмехнулся Сальников. — Однако риск все же есть, если об этом как-то прознают бандиты, — озабоченно добавил он.

— Риск есть в любом случае. В этом весь трагизм нашего положения, — хмуро бросил Михаил Юрьевич. — И по-моему, нет иного выхода, как попытаться немедленно схватить Пронина!

Некоторое время все трое молчали, напряженно размышляя, но Петр прервал его, решительно заявив:

— Нет! Я против этого! Слишком много риска!

— Значит, ты все-таки за свой вариант? — несогласно покачал головой Михаил Юрьевич. — Ведь разоришься, сын, и, главное — понапрасну, так как в этом случае риску еще больше!

— Но почему же? Не понимаю! — резко бросил Петр, убежденный в своей правоте. — Разве то, о чем я договорился, не позволяет мирно получить наших девочек обратно?

— А ты надеешься, сын, что они выполнят договор? Не знаешь бандитской натуры? — не в силах держать себя в руках, раздраженно воскликнул Михаил Юрьевич.— Конечно, твой миллион их прельстит и они постараются его хапнуть, но наших малышек все равно не отдадут!

— Отец прав, Петя! Риску будет значительно больше потому, — счел нужным добавить Сальников, — что, завладев такими большими деньгами, им надо будет хорошо спрятаться от правосудия. Они постараются обрубить все концы, чтобы не осталось никаких свидетелей, — опустив голову, скорбно добавил он.

— С этим можно было бы согласиться, если бы вы учитывали преимущество, которое дает мое предложение, — не сдавал своих позиций Петр. — А оно в том, что риск значительно уменьшается именно из-за «морковки», которую я буду держать перед носом осла, — я имею в виду жадность главарей банды.

Видя, что завладел вниманием отца и Сальникова, он уверенно продолжал:

— Я понимаю, что негодяи сделают все, чтобы нас обмануть, но мой расчет строится на том, что пока не получат этот крупный куш, они не тронут наших девочек! И мы сможем, — он взглянул на отца и Виктора Степановича, как бы прося у них одобрения, — за это время получить дополнительные данные о том, где находятся Оля и Надя, и получше подготовиться к их освобождению.

Его доводы были убедительными, и после непродолжительного молчания Михаил Юрьевич, с уважением взглянув на сына, заключил:

— А что? Дельно рассуждает Петя! Ты согласен со мной, Витек? Мы ведь и правда, не совсем готовы, чтобы применить силовой прием против Башуна. Предложенный план позволяет выиграть драгоценное время!

— Вполне согласен! — одобрительно склонил голову Сальников. — Так и будем действовать. Нам остается решить, — напомнил он, — кто пойдет передать выкуп, раз ты не хочешь вызывать сюда Светлану.

— Выбор у нас небольшой, — мрачно отозвался Михаил Юрьевич, — да и срок — всего один день. Надо поговорить с Верой Петровной и Дашей.

— Давайте сначала я попробую уговорить жену, — предложил Петр. — Она моложе бабушки, и нервы у нее покрепче. Думаю, не откажется.

На этом они и порешили, после чего разъехались по своим одиноким квартирам.

Только что врач закончил очередное обследование, и у Даши было отличное настроение, так как ее беременность развивалась вполне благополучно. Об этом она радостно объявила Петру, который дожидался результатов в уютном холле перед ее палатой.

— Представляешь? Оно уже живет там, крохотное существо, — изумляясь происходящему внутри нее таинственному процессу, сказала Даша, приложив руку мужа к своему животу. — Его можно видеть с помощью приборов, врачи думают, что у нас будет мальчик. Неужели тебя это не радует?

— Ну конечно же! Как же может быть иначе? — заверил ее Петр. — Мне очень даже хочется поскорее стать отцом, хотя я совершенно не умею обращаться с детьми. Теперь ты довольна?

— Ты все шутишь, Петя, а я говорю серьезно! — мягко упрекнула мужа Даша.— Пора тебе задуматься о том, как будешь воспитывать своего сына. Это не менее важно, чем твои служебные дела!

«Надо поговорить с ней о главном, — решил Петр, который только и думал о том, как уговорить ее передать похитителям выкуп. — Сейчас наиболее благоприятный момент!»

— Дашенька, для меня сейчас ничего не может быть важнее вызволения от бандитов моих сестер! И разве тебе безразлична их судьба?— мягко сказал он, взяв жену за руку и усаживая рядом с собой.— Я просто не могу думать ни о чем другом!

— Как ты можешь такое говорить, Петя? — возмутилась Даша. — Я же люблю близняшек всей душой! Но что толку это обсуждать? — печально склонила она голову.— Мне остается лишь надеяться на счастливый исход. И сердце подсказывает, — добавила с искренней надеждой, — что все обойдется!

— Тут не надеяться надо, а действовать! — хмуро произнес Петр и, слегка сжав ее руку, наконец горячо высказал то, что хотел и никак не решался сказать.

— Именно сейчас необходима твоя помощь, Дашенька! — в голосе Петра звучала мольба. — Только ты можешь нас с отцом выручить, так как мы в очень трудном положении!

— Меня не нужно об этом просить, Петя! — укоризненно посмотрела на него Даша. — Но чем я-то могу помочь?

— Нужно, чтобы завтра ты передала похитителям выкуп. Я его уже приготовил,— коротко изложил Петр суть дела. — Это небольшой чемоданчик с деньгами. Вся операция займет не более четверти часа. Время встречи — десять утра.

— Ну это ведь может сделать любой! — недоуменно подняла на него глаза Даша. — Почему именно я должна...

— Похитители поставили обязательным условием, чтобы выкуп был передан им кем-либо из женщин нашей семьи, желательно мамой. Это понятно, они опасаются засады, и для встречи им безопаснее иметь дело со слабой женщиной, чем с сильным противником.

— Значит, между вами может произойдет схватка?— испуганно спросила Даша. — А как же тогда я смогу так быстро вернуться в больницу? Если вообще после этого, — она укоризненно покачала головой, — останусь жива!

— Ты за кого меня принимаешь? Я же не идиот, — возмутился Петр. — Сказал же, никакая опасность тебе не угрожает! Поскольку на этот раз мне удалось уговорить папу выкупить наших малышек, заплатив за них бандитам много денег. Никаких схваток с ними не будет!

Он сделал паузу и, предупреждая неизбежный вопрос, мягко добавил:

— Я решился попросить тебя только потому, что у нас с папой нет выбора. Мама далеко, и он до сих пор держит ее в неведении, боясь, что не выдержит сердце. Остается бабушка, но и с ней из-за возраста на нервной почве тоже что-нибудь может случиться! Ты же, Дашенька, — с надеждой тепло поглядел ей в глаза, — намного моложе и здоровей, чем они.

Зная, как жена заботится о рождении их первенца, Петр справедливо ожидал от нее если не отказа, то во всяком случае сопротивления, но, как ни странно, Даша сразу же согласилась.

— Хорошо, Петенька, я сделаю все, что нужно, — вздохнув, тихо произнесла она, хотя материнский инстинкт упорно предупреждал ее об опасности. — Конечно, мне надо поехать на эту встречу, а не твоей маме и не Вере Петровне.

Приняв решение, Даша, ободряюще посмотрела на мужа и добавила:

— Я уверена, Петенька, что все у нас закончится благополучно: и моя вылазка из больницы, и возвращение домой наших дорогих близняшек! Итак, жду тебя завтра, — улыбнулась ему на прощание.

Говоря это, она очень хотела надеяться, что все так и будет. Однако непредсказуемая судьба решила послать им новое испытание.

Прямо из больницы Петр Юсупов отправился в ресторанчик «На Лесной», где похититель, позвонив еще утром, назначил встречу со своим посредником. Войдя в небольшой зал этого заведения, он по описанию, сделанному Проней, быстро отыскал глазами приметного толстяка в пестром велюровом пиджаке, который не спеша прихлебывал из большой кружки пиво в укромном уголке справа от пустой эстрады.

— Можете говорить обо всем, не боясь, что нас подслушают, — без церемоний и не представившись, сказал толстяк, как только Петр присел за его столик. — Это вполне надежное место.

— А чего мне, собственно, опасаться?

— Не скажите! — вкрадчивым говорком объяснил толстяк. — Вы нисколько не меньше заинтересованы, чтобы в милиции не узнали о наших переговорах. Ведь тогда все пропало!

Петр промолчал, понимая, что посредник прав, и тот продолжал:

— Я юрист по образованию и конфиденциально оказываю услуги по щекотливым вопросам всем, кому это нужно. В данном случае выступаю от имени бригады сборщиков металлолома, прибывших с периферии. Но кто стоит за ними, — добавил он, остро взглянув на собеседника, — не знаю и знать не хочу.

— Покажите мне подготовленные документы! — потребовал Петр. — Сами понимаете, что такая крупная сделка должна быть оформлена аккуратно, чтобы не возникло ненужных вопросов.

— Можете не сомневаться! Не первый год замужем, — доставая пачку бумаг, самодовольно усмехнулся толстяк, показав целую выставку золотых зубов. — Документы оформлены надлежащим образом: и печати, и нотариальные копии подлинные. Так что, — заверил он,— при любой проверке сойдут.

— Ладно, посмотрим! — согласился Петр, принимая у него пакет документов.

Быстро пробежав глазами представленное посредником, он убедился, что все оформлено с большим профессиональным мастерством. «Ну и грамотные пошли преступники,— поразился он.— Огорчительный факт! Ведь для того, чтобы разоблачить изготовителей фальшивок, нужно быть еще большим профессионалом». Но вслух сказал:

— Пожалуй, здесь имеется все, что подтверждает законность сделки. Копия лицензии сборщиков, опись и сертификаты их продукции не вызывают явных сомнений. Договор также соответствует принятым образцам и составлен вполне грамотно.

Он с усмешкой взглянул на толстяка:

— По всему видно, что вы способный профессионал. Вам не жаль, что свой талант расходуете таким образом?

— Представьте, нисколько! — ухмыльнулся толстяк. — Честным трудом столько не заработаешь. Значит, согласны подписать? — спросил уже деловым тоном.

— Да, подпишу в таком виде, — согласно кивнул Петр и подчеркнуто жестко добавил: — Но только получив взамен то, за что в действительности плачу такую огромную плату!

— Хорошо, я передам это дословно своему заказчику. Но сами понимаете, что мне невдомек, — с хитрой улыбкой ответил посредник, — о чем вы говорите.

Оставив Петру копии для более подробного изучения, он собрал в кучу остальные бумаги и уложил в свой кейс.

— Не удостоите чести выпить со мной по рюмочке за удачное завершение этой сделки? — повеселев, предложил маклер и сделал знак официанту, чтобы тот подошел к их столику.

— Не удостою, — серьезно ответил Петр.

Бросив на толстого маклера презрительный взгляд, Петр повернулся к нему спиной и направился к выходу из ресторана.

— Ну вот мы и договорились, Василий, — удовлетворенно сказал в тот же день Пронин своему главарю, когда они, сидя у него в кабинете, в последний раз тщательно обсуждали предстоящую операцию по получению выкупа. — Завтра, дай Бог, получим нехилый авансец, а там, глядишь, и лимон «зеленых» нам отвалят.

— Жадность фраера сгубила, — угрюмо бросил ему Седой. — Всем нутром чую, что они нас на этом хотят купить. Начнут мочалу тянуть, чтобы получить своих девок, и могут всех повязать!

— Может, и так, но мы их перехитрим! — уверенно произнес Пронин, и в его узких глазах зажглись азартные огоньки. — Не бойся, Василий! И девчонок им не вернем, и лимон оттяпаем!

— Легко сказать, да сделать это непросто, — вздохнул Седой. — Боюсь, как бы ты не перехитрил сам себя. Без соплячек они тебе лимон не выложат. Ведь не идиоты же!

— Это уж точно! — спокойно подтвердил Проня. — По тому, как вели переговоры, очень даже умные. Но мы их все равно проведем, — с ухмылкой взглянул он на Седого. — Вот увидишь!

Проня сделал паузу и открыл свой план.

— Лимон целиком заиметь, конечно, нам вряд ли удастся, но большую его часть мы получим. И вот каким образом. — Он снова хитро взглянул на своего главаря. — Мы потребуем, чтобы всю сумму или больше половины положили в банковский сейф на предъявителя. Ведь письменный договор — это лишь формальная гарантия, а не бабки!

— А как мы их потом оттуда получим, если не отдадим заложниц,— усомнился Седой. — Там нас как раз и прихватят!

— Не успеют! — заверил его Проня. — Сделаем так. Пригласим с ключом от сейфа якобы для обмена на девок, захватим посланца и немедленно завладеем бабками. Если все провернем в темпе, будет полный порядок! Дело это рисковое, но и цель того стоит, — убежденно заключил он.

— Ты думаешь, они на это купятся? Ведь сам говоришь, что они не дураки, — с сомнением покачал головой главарь. — Не используют встречу для захвата?

— У нас от этого мощная защита, — хитро прищурился Проня. — Уж слишком дорожат своими девками! Мы предупредим, что если словчат, то сразу обеих замочим, и будь спок, Василий, они сделают все так, как скажем!

Это убедило Седого. Он немного подумал и одобрительно сказал:

— Ладно, так и сделаем! Ты все по уму придумал, Проня. А как Костыль, — перешел он к главному вопросу. — Хорошо подготовился к завтрему?

— Все сделано в лучшем виде, сам проверил, — довольным тоном доложил помощник. — На крыше будет дежурить Курчавый. Он скинет трос сразу же, как только Костыль получит бабки, и поможет ему быстрей подняться.

— А не устроят они все же там засаду? — обеспокоенно спросил Седой. — Вы не заметили ничего подозрительного?

— Мы каждый день ведем наблюдение — пока все чисто. Но они и не пойдут на это! — убежденно бросил Проня. — Хотят получить девчонок живыми!

— Где их будет ждать наша машина? За рулем Цыган?

— Само собой. Лучше его у нас нет, да к тому же фартовый, — коротко ответил Проня. — Машина будет ждать за углом в переулке по другую сторону соседнего дома. Они перебегут по крышам, но спустится вниз один Костыль, а Курчавый отвяжет трос и через чердак проникнет на лестничную клетку.

— А его не повяжут? Зачем такие сложности? — несогласно взглянул на него Седой. — Разве не лучше спуститься обоим и дать деру?

— Я уверен, что преследования не будет, но все же принял меры на этот случай, — спокойно объяснил ему «начальник штаба». — Курчавый отвяжет трос, чтобы не заметили, куда бежал Костыль. А сам незаметно укроется в снятой им квартире. Даже на улицу выходить не понадобиться.

— Да уж! Выдумки тебе не занимать, Проня, — не сдержал своего восхищения Седой. — Не знаю, что бы я без тебя делал!

Взглянув на часы и считая, что главное они уже обсудили, Седой поднялся.

— Ладно, поеду! У меня ответственная встреча, — с важным видом сказал он своему помощнику. — А ты свяжись с Костылем и вместе с ним еще раз проверь готовность остальных.

«Знаю, что у тебя за встреча. Очередная баба. Ну и кобель!» — мысленно усмехнулся Проня, но внешне не повел и бровью.

— Все будет сделано в лучшем виде. Не сомневайся, Василий, — заверил он шефа, провожая его преданным взглядом.

Однако уже в дверях тот остановился:

— Да, забыл тебя спросить: кого они посылают с бабками?

— Беременную сноху вместо мамаши, — с усмешкой ответил Проня.— Артистка еще на гастролях. Ей, верно, ничего не сказали, — предположил он. — Иначе бы сразу прилетела.

— Тогда порядок! — успокоенно бросил Седой и вышел из кабинета.

Установленная Виктором Сальниковым слежка за квартирой Воронцовой быстро обнаружила, что у хозяйки появился постоянный жилец — ее законный супруг Георгий Михеевич. Внешне он очень напоминал прежнего — Башуна, но был выше ростом и обладал пышной блондинистой шевелюрой.

— А хозяйка своих вкусов не меняет,— усмехнулся Сальников, делая очередной доклад шефу. — Муж на полголовы ниже ее. Но вот что странно, — замялся он, как бы припоминая. — По-моему, его зовут так же, как прежнего.

— Константином, что ли? — сразу насторожился Михаил Юрьевич. — Неужели ты думаешь... — у него даже глаза округлились от изумления. — Нет, этого быть не может, — отрицательно покачал головой. — Уж слишком велика была бы наглость!

— Но сам посуди, Миша! И того все звали Жорой, и этот ее муж Воронцов Георгий Михеевич. Я ведь не Костыля имею в виду, а того, чьим паспортом он воспользовался, — пояснил Сальников, заметив, что шеф недоумевающе пожал плечами. — Кстати, как думаешь, почему этот тип принял фамилию жены? Очень подозрительно!

Виктор Степанович на минуту задумался и решительно заключил:

— Нет! Слишком много совпадений. Что-то здесь не так! Я почти уверен, что этот Воронцов и есть сбежавший Башун, он же Шилов, он же рецидивист по кличке Костыль. Жаль, что никогда не видел его в лицо, — посетовал он. — Иначе бы обязательно опознал.

— Ты уверен в этом? — с сомнением произнес Михаил Юрьевич, рассматривая фотоснимки мужа Воронцовой, сделанные их сотрудником. — Уж я-то Башуна узнал бы! И в тайге с ним встречался нос к носу, и здесь, в Москве.

Он повертел в руках снимки и отрицательно покачал головой:

— Нет, не похож! Лишь немного напоминает складом фигуры.

— Но все же, Миша, тебе надо лично за ним понаблюдать из нашей машины, — подумав, предложил Сальников. — Я уверен, если это Костыль, ты его узнаешь!

— А что это сейчас нам даст? — не согласился Юсупов. — Завтра уже отвезем бандитам задаток и постараемся не упустить посланца. Он и будет,— с надеждой взглянул на друга, — той ниточкой, которая поможет распутать клубок!

— Не слишком на это уповай, Миша, — резонно заметил Сальников. — Они ведь тоже ребята не промах и постараются нас провести. Что тогда?

— Тогда и займемся вплотную Башуном, — отрезал Михаил Юрьевич, решив на этом закончить спор. — Ничего другого нам не останется!

Но не тут-то было. Сальников не отступал.

— Нет, Миша! Тогда уже будет поздно, — твердо заявил он и, взглянув на часы, поднялся. — Ты сейчас поедешь с нами к дому Воронцовой и своими глазами полюбуешься на ее муженька. Если это будет и правда Костыль, — голос его звучал требовательно и жестко, — то у нас будет ниточка куда надежнее, чем посланец, которого мы наверняка упустим!

Помощник Михаила Юрьевича редко позволял себе с ним такой тон, и шеф уже хотел было его одернуть, но, осознав, что Сальников прав, смягчился.

— Ладно, Витек, твоя взяла! — сказал он, тоже вставая. — Поехали! Но почему ты думаешь, что мы сейчас его застанем?

— А он через сорок минут придет домой обедать, — повеселев, объяснил Сальников. — Мы уже неплохо знаем его расписание дня. Наверное, Воронцова, — усмехнулся он, — недурно готовит.

И действительно, долго ждать мужа Воронцовой им не пришлось. Не прошло и четверти часа, как к подъезду дома подошел плотный блондин в легкой спортивной куртке и полотняных джинсах.

— Это он! — толкнул локтем Михаила Юрьевича Сальников. — Ну как: похож?

— А что? Пожалуй, ты прав, Витек, — вглядевшись в «Воронцова», задумчиво протянул Юсупов. — Не только похож, а это точно Башун, — уже уверенно добавил он. — Только нацепил парик, наклеил усы и даже походку изменил. То, как утка, переваливался с боку на бок, а сейчас словно на пружинах подпрыгивает.

— Так это понятно: видишь, на каких платформах ходит? Вот почему он и ростом выше кажется, — усмехаясь, объяснил Сальников. — Ну что, Миша, может, стоит нам взяться за него вплотную? — вопросительно скосил он глаза на шефа. — Это же — верняк!

— Честно скажу, руки чешутся спустить шкуру с этого негодяя! — признался другу Юсупов, глядя вслед входящему в подъезд Костылю. — И я разделяю твое убеждение. Взявшись за Башуна, мы скорее найдем наших девочек.

— Тогда что же тебя держит, Миша? — вырвалось у Сальникова. — Время же драгоценное теряем!

Михаил Юрьевич посмотрел на друга, и впервые тот прочитал в глазах своего железного шефа неуверенность, граничащую со смятением.

— Очень боюсь ошибиться, Витек! — честно признался он.— А вдруг Петя прав, и можно спокойно получить обратно Оленьку и Надю за деньги? С Башуном же огромный риск, — голос его дрогнул. — Страшно подумать, какие грозят нам последствия, если бандиты узнают, что мы схватили подонка. Этого я себе никогда не прощу!

— Не верю я, что у Пети выгорит то, что затеял, — с мрачным упорством стоял на своем Сальников. — Слава Богу, знаю психологию бандитов. Все равно нам придется раскалывать Костыля, но может оказаться слишком поздно!

Некоторое время они сумрачно молчали, пока Михаил Юрьевич не принял окончательного решения.

— Все! Поехали отдыхать, Витек, — деловито распорядился он. — Завтра нам предстоит тяжелый день. Пока будем действовать по намеченному плану!

Глава 16. Трагическая неудача

Утром в день передачи выкупа Михаил Юрьевич Юсупов встал с головной болью. Всю ночь его мучили какие-то кошмары, он не выспался и скверно себя чувствовал, несмотря на ярко светившее солнце и прекрасную теплую погоду.

Однако, приняв холодный душ и растеревшись жестким полотенцем, он пришел в норму, выпил чашку черного кофе с бутербродом и был готов к действию.

Первым ему позвонил Сальников.

— У нас все готово, Миша,— доложил он шефу.— Ждем посыльного на четырех машинах. Две припаркованы на Новокузнецкой и еще две — в переулке за углом дома. По две в разных направлениях. Таким образом, как только он повезет выкуп, куда бы ни отправился, за ним тотчас последует наша машина. В пути ее нагонят остальные и, сменяя друг друга, проводят до места.

— Хорошо, действуйте! — напутствовал его Юсупов. — Удачи тебе, Витек!

Не успел он положить трубку, как позвонил Петр.

— Папа! Звоню с дороги, — предупредил он. — Мы с Дашенькой едем к тебе. Хочу, чтобы ты проинструктировал ее на всякий случай. Деньги со мной.

— Не слишком ли это рискованно, сын? Ты ведь без охраны? — обеспокоился Михаил Юрьевич. — Отобьешься, если нападут?

— Со мной, кроме Даши, никого нет, но я вооружен, — ответил Петр и, чтобы успокоить его, добавил: — Меня сопровождает машина с телохранителями. Они пособят в случае чего.

— А не переполошатся из-за этого бандиты? — еще больше встревожился отец.

— Не беспокойся, папа! Они мною предупреждены и не возражают против этого. Сто тысяч баксов — большие деньги!

— Это так, но все равно странно, — выразил сомнение Михаил Юрьевич.— Ведь похитители очень осторожны, и такая покладистость — не в их стиле.

— В данном случае им нечего бояться, так как знают, что меня охраняет не милиция и что я сам заинтересован, чтобы все прошло гладко и жизнь моих сестер не подвергалась опасности, — объяснил Петр.

Вскоре он вместе с Дашей уже входил в просторный холл родной квартиры.

Михаил Юрьевич обнял и расцеловал свою красавицу сноху.

— Как себя чувствуешь, будущая мамаша? — отстранившись и осматривая ее изменившуюся фигуру, справился он. — Вид у тебя цветущий!

— Да бросьте, Михаил Юрьевич! Не надо меня утешать, — небрежно махнула рукой Даша. — Я знаю, что расплылась и подурнела. Но что поделать — природа того требует! Надеюсь, что это временно, — с улыбкой добавила она.

— Молодец, правильно рассуждаешь! — похвалил ее свекор. — Все нормальные женщины через это проходят и становятся еще привлекательнее. Спасибо тебе за то, что пришла нам на помощь! — в порыве благодарности он снова горячо обнял Дашу.

— Ого, папа, какие нежности! Я ревную, — шутливо запротестовал Петр.— Да и поосторожней с ней надо! Дашенька охотно помогает спасти малышек потому, — добавил, тепло взглянув на жену, — что их любит и они ей не чужие. Ты лучше расскажи, как ей надо вести себя и что делать.

Они прошли в гостиную, уселись за журнальный столик, и Михаил Юрьевич коротко объяснил Даше нюансы ее задачи.

— Первое, что тебе нужно помнить, когда подойдет тот, кто соответствует описанию, — это молча выслушать пароль. Ты ведь его помнишь?

— «Погода у нас хорошая, а на юге лучше», — заученно произнесла Даша, и он продолжал:

— Потом ключиком отпереть цепочку на руке и передать ему инкассаторскую сумку, — напомнил Михаил Юрьевич. — Сделав это, можешь повернуться и уйти.

— А если все-таки возникнут непредвиденные осложнения, — вмешался Петр. — Как ей тогда быть?

— Если к тебе подойдет не тот, кого ждем, или возникнут сомнения, тогда ты, Дашенька, — предупредил сноху Михаил Юрьевич, — должна попытаться какими-нибудь вопросами или уловками немного затянуть время. — Например, сделать вид, что не можешь открыть замочек цепочки. Благодаря этому микрофону, — указал он на брошку, приколотую к ее платью, — мы это услышим и сразу придем к тебе на помощь!

— Но этого не должно произойти! — снова вмешавшись, заверил жену Петр. — Я все организовал так, Дашенька, чтобы исключить всякие неожиданности!

Он взглянул на часы и заторопился.

— Все! У нас уже нет больше времени. Пора ехать!

— С Богом! — напутствовал их, провожая, Михаил Юрьевич. — Я тоже отправлюсь туда минут через двадцать.

— Мне все же, Петенька, немного не по себе, — призналась Даша, когда в его джипе они уже катили в сторону набережной Москвы-реки, собираясь пересечь ее и вдоль обводного канала выехать на Новокузнецкую. — Вроде бы чего проще: передала мешок с деньгами из рук в руки, повернулась и ушла. Но никак не могу успокоиться — страшно!

— Ну чего ты опасаешься? — не отрывая взгляда от дороги, бросил Петр. — Мы же тебе объяснили, что все должно пройти спокойно.

— Но это же придет бандит, Петя! От них всего можно ожидать, — понурив голову, боязливо произнесла Даша.

— Да брось ты эти мысли! — стараясь придать голосу строгость, потребовал Петр. — Не съест он тебя! Его интересуют только деньги. Получит их и уйдет! Тебе вовсе не нужно волноваться.

Тем временем его машина, свернув с набережной канала в кривой переулок, выехала на Новокузнецкую улицу. Припарковав джип недалеко от места встречи, Петр помог жене выйти, и Даша не спеша отправилась к дому, где ее должен был ждать посланец похитителей. Инкассаторскую сумку она крепко держала в левой руке, примкнув к ней цепочкой еще в дороге.

Константин Башун, топтавшийся уже десять минут у подъезда, еще издали заметил приближающуюся к нему Дашу. Он узнал ее по фотографиям, которые накануне передал ему Проня. Такую красотку не узнать было трудно! Несмотря на расплывшуюся фигуру, что внешне скрадывалось широкой спортивной курткой, бывшая манекенщица двигалась легко, а макияж и пышные длинные волосы делали следы беременности на ее лице почти незаметными.

Не выдержав напряжения, Костыль сделал несколько шагов ей навстречу и сказал, как выдохнул, слегка перепутав текст пароля:

— Сегодня хорошая погода, но на югах она получше!

Услыхав знакомую фразу, Даша уже было вытащила из кармана ключик, но, повторив в уме слова пароля, насторожилась, отметив несоответствие. Отступив инстинктивно на шаг назад, она вспомнила инструкцию свекра и попросила:

— Повторите, пожалуйста снова то, что сказали!

— А зачем тебе это? — не понял туповатый Костыль и грубо потребовал, протягивая руку. — Давай сюда мешок, да поживее!

— Вы неверно назвали пароль, — не сумев ничего придумать, тихо, но твердо ответила Даша. — Не могу без этого отдать. Будьте добры, повторите!

Но Костыль, в детстве сидевший по два года в каждом классе, ничего уже другого не помнил.

— Еще чего! Сказал все, что надо. А ну, отцепляй мешок, — свирепо выкатил он глаза, — Не то мозги вышибу!

— Ладно, только не кричите! Сейчас отдам, — не на шутку испугавшись, пролепетала Даша, лихорадочно вспоминая, что ее учил делать в этом случае Михаил Юрьевич. — Вы меня так напугали, что забыла, куда положила ключик,— нашлась, что ответить, суетливо шаря по карманам.

— Сейчас так врежу, что сразу вспомнишь, где он лежит! — приходя в ярость, крикнул Башун, сделав угрожающий шаг вперед.

Все это слышали помощники Михаила Юрьевича, сидевшие вместе с ним в ближней машине. При первых же признаках опасного для Даши изменения ситуации они приготовились немедля прийти к ней на помощь. Возникшую заминку видел и спрятавшийся за трубой на крыше дома подельник Башуна Курчавый, который, насторожившись, приготовил трос, чтобы сразу сбросить его вниз, как только понадобится.

Но совершенно неожиданно для них там оказался еще один заинтересованный свидетель, который в этот момент находился к месту действия значительно ближе остальных и перепутал все карты!

Красавица блондинка Кира, которая несколько лет вместе с Дашей работала манекенщицей в фирме модной одежды и все это время с ней тесно дружила, возвращалась домой от матери, которая проживала по причудливому стечению обстоятельств как раз на Новокузнецкой улице. Последний год Кира, заключив выгодный контракт, находилась безвыездно за границей. Беспечная эгоистка, привыкшая жить в свое удовольствие, Кира меняла любовников по мере того, как они ей надоедали.

Прибыв накануне из далекой Австралии, где уже наступили зимние холода, Кира, воспользовавшись чудесным летним днем, решила навестить свою мать и прогуляться по родному городу, который, будучи коренной москвичкой, очень любила. Узнав от матери новости о семейных делах и одарив ее заморскими подарками, она налегке вышла из дома, но, пройдя не более ста метров, остановилась как вкопанная, не веря собственным глазам. Прямо напротив нее, на другой стороне улицы стояла и о чем-то спорила с отвратительным приземистым мужиком не кто иная, как Даша! Они не виделись больше года, лишь изредка переписывались. Зная, что подруга в больнице, она намеревалась навестить ее там — и вдруг такая встреча!

Кира стояла, не желая мешать разговору Даши с незнакомцем и надеясь, что подруга ее заметит. Она не слышала, о чем шла речь, но, судя по всему, они явно ссорились. Мужик что-то требовал, а Даша не соглашалась! Затем она, поддавшись его требованиям, стала отстегивать от руки сумку, очевидно, с деньгами, и этот вымогатель вырвал ее у Даши с такой силой, что беременная подруга, потеряв равновесие, неловко свалилась на землю, ударившись головой о кирпичную стену дома. Это было уже слишком!

— Ах ты урод! Что вытворяешь, подонок? — завопила Кира и, стремительно перебежав улицу, мертвой хваткой вцепилась в незнакомца, который почему-то оставался на месте. Рослая и сильная, она так крепко ухватила его за куртку, что бандит никак не мог от нее вырваться.

— Тебе что, курва, жить надоело? — свирепо рявкнул на нее Костыль, не в силах справиться с невесть откуда взявшейся безумной бабой. — Отстань! У нас свои дела.

— Негодяй! На помощь! — не отпуская его куртки, продолжала вопить Кира, вне себя от вида лежащей на земле подруги, по-видимому, потерявшей сознание:

— Человека убили!

Находясь в горячке, она была невменяема и думала лишь о том, чтобы не упустить подонка, не замечая, что со всех сторон бегут к ней на выручку здоровенные мужики.

«Придется мочить эту суку, — мрачно подумал бандит. — Иначе повяжут!» И, выхватив пистолет, трижды в упор выстрелил в Киру, убив наповал. Выпустив из рук куртку, она упала навзничь, а Костыль одним махом подскочил к стальному канату, мигом пристегнулся к нему, щелкнув карабином замка, и Курчавый помог ему вскарабкаться на крышу невысокого дома.

Такой вариант не был предусмотрен, и ошеломленные преследователи на полпути остановились.

— Немедленно вызвать «скорую»! Оцепить здание и блокировать все входы и выходы! — придя в себя от неожиданности, скомандовал Михаил Юрьевич, который уже со стыдом и горечью осознал, что бандитам удалось его провести.

Подчиненные бросились выполнять его распоряжения. Забравшись на крышу дома и обежав его окрестности, они, естественно, ничего не обнаружили. Из двух подъездов никто, кроме жильцов, не выходил, и прятавшихся там тоже не было. Бандитов и след простыл. Вместе с деньгами.

Прибывшая машина «скорой помощи» нашла у Даши, уже успевшей прийти в себя, легкое сотрясение мозга. Петр хотел было отвезти жену на своей машине, но она несогласно покачала головой.

— Пусть меня доставит обратно «скорая». Так будет быстрее, — сказала Даша. — И еще, Петя, — нахмурив брови, добавила она со слезами на глазах. — Я никогда не смогу тебя простить, если потеряю ребенка!

Петру нечего было сказать в свое оправдание, и он молча пошел к машине, чтобы поехать вслед за женой в больницу. А Михаил Юрьевич вместе с другом Сальниковым, остро переживая постигшую их неудачу, остался для объяснений с милицией, прибывшей в связи с убийством злосчастной Киры. Непостижимы воистину человеческие судьбы! Ну кто мог предположить, что этой беззаботной красавице предначертан такой скорый и ужасный конец?

Несмотря на то что получение выкупа не обошлось без мокрухи, Василий Коновалов решил отметить воровскую удачу обильной выпивкой в тесном кругу «виновников торжества». Половину куша по его заданию Башун спрятал в сейфе заведующей детдомом, а вторую — распределил между участниками, оставив аж тысячу баксов на гульбу.

По этому случаю в ресторанчике «На Лесной» за столом, ломившимся от всего лучшего, что только имелось в меню, собралась компания в двенадцать человек. Седой, естественно, возвышался посередке, рядом с ним сидели Проня и Костыль, а далее Катерина, Цыган с Настей, Софа с Хирургом, жена Прони, новая любовница главаря и Курчавый со своей сожительницей.

После двух часов празднества выпито ими и съедено было уже немало. Все немного подустали от танцев, и, когда дамы отправились приводить себя в порядок, мужчины присели передохнуть, и разговор, естественно, зашел о продолжении начатого дела. Завел его сам главарь.

— Ну что же, голуби мои, отхватили мы с вами порядком. На время хватит, чтобы штаны поддержать, — насмешливо оглядел он всех своими холодными водянистыми глазами. — Может, стоит еще ощипать этих лохов? Вот уж не знал, что их так легко купить! Опасался, что раскусят нашу хитрость.

— Надо было видеть, как они растерялись, когда я втащил Костыля на крышу, — весело вытаращив глаза, поддержал главаря Курчавый. — Наверное, сидели, спрятавшись, ожидая, когда он отправится с бабками, чтобы прицепить хвост. И откуда их столько высыпало? — подивился он. — Я с крыши видел только мужика пузатой, который ее дожидался в джипе.

— Неужели они эту бабу выпустили для того, чтобы помогла меня повязать? — с сомнением взглянул на Седого Костыль. — Уж больно хороша она для спецназовки, даже мочить было жалко, — пьяно ухмыльнулся он. — Но вцепилась в меня профессионально. Сильная, стерва!

— Вряд ли. А зачем им это было надо? — вместо главаря ответил ему Проня. — Похоже, что эта дуреха сама нарвалась на свою погибель. Совсем случайно! Какая-то знакомая пузатой.

— Не скажи! — возразил Костыль. — Беременная нарочно мне лишние вопросы задавала, словно тянула время, дожидаясь, когда эта в меня вцепится.

— Тогда объясни, зачем им понадобилось тебя хватать? — разозлился Проня. — Они же своих девок хотели вернуть, а теперь у них все рухнуло!

Туповатый убийца не нашелся, что на это сказать, но за него ответил умный Хирург.

— Думаю, они изменили свой план. Раскусили, что по-хорошему заложниц не получат, — предположил он. — И свои бабки терять не захотели!

— Решили, что им удастся меня расколоть? — презрительно усмехнулся Башун и с мрачным самодовольством добавил: — Но для этого сначала надо было взять меня живым. Так я им и дался!

— Нет, что-то здесь не вяжется, братцы, — не согласился Проня. — Юсуповы не из тех, кто пожалеет бабок, чтобы выручить своих из беды! Уверен, что осечка произошла случайно! А бросились они не Костыля вязать, а беременную спасти.

Курчавый, до сих пор молча прислушивавшийся к разговору, поддержал Проню.

— Все так и было! Им их девчонки нужны, а не Костыль, — решительно заявил он. — За бабки получить их было надежнее. Не стали бы они рисковать!

Уже порядком пьяный, Цыган, пристукнув кулаком по столу, резко бросил:

— Зачем бодягу разводить! Ведь решили уже с них обещанный лимон урвать? Вот и надо жать до конца. Уверен, что они не отступятся!

— А что? Правильно, — счел нужным вмешаться главарь.— Почем мы знаем, что у них на уме? Скорее всего это случайность, и Юсуповы сами не рады тому, что вышло. Сделаем так: Проня завтра свяжется с богатеньким сыночком и все выяснит. Согласны?

Никто не возражал, и воцарилось молчание, которое нарушил Хирург.

— Мне Проня не дает обработать девчонку, а у нас горит заказ! В детдоме заменить ее некем, — пожаловался он, глядя на Седого. — Как же мне быть?

— Я же сказал: ты ее получишь! А медики обождут, — снова вместо главаря ответил его помощник, злобно сверкнув узкими глазками.— Ишь, как не терпится тебе ее выпотрошить!

— Не торопись, Проня! — остановил его Седой. — Или забыл, что мы продали эту соплячку? Вряд ли нам стоит терять выгодных заказчиков. И даже шансов на получение лимона от Юсуповых у нас не будет, если отдадим ее Костылю с Хирургом!

— Их и так нет! — резко возразил Башун. — Его уже порядком развезло. — Вы ведь тю-тю! Уже отправили одну в Америку. Что предъявите Юсуповым за лимон? — пьяно осклабился он, насмешливо глядя на своих главарей.

«Похоже, мокрушник прав, — подумал Седой. — Какой теперь толк от одной девчонки? Юсуповым ведь подавай обеих!» И он вперил свои белесые глаза в помощника, как бы требуя ответа. Но тот, хоть и был пьян, не растерялся.

— Я об этом уже думал. Еще когда отправляли первую, — с самодовольным видом сообщил он подельникам. — Все дорогу будем лепить им горбатого! Если снова потребуют доказательств, покажем оставшуюся. А о второй скажем, что заболела. Мы ведь все равно их не вернем!

— А как же нам быть с заказом медиков? — не отступал от своего Фоменко. Ему, обычно осторожному, как выпьет — море было по колено. — Они не могут больше ждать!

— Да что такое: на этой соплячке свет клином сошелся? — рявкнул на него Седой, который пил больше всех, не пьянея. — Почему не нашли ей замену? Слушай, Цыган! — требовательно посмотрел он на смуглого красавца. — Ты же мне говорил, что Косой с Филином подобрали уже нескольких пацанов. Почему не доставишь в детдом?

— Спроси это у Костыля! — зло бросил Цыган. — Думаешь, им удовольствие вожжаться с чумазыми?

— Катерина говорит, что для них там еще нет места, — угрюмо буркнул Башун. — Она уже освободила бельевую, но надо сделать ремонт.

— Какой на ... ремонт? — матерно выругался Седой, аж побагровев от злости. — Передай своей бабе, — поглядел на него так, словно был готов съесть живьем, — чтобы завтра к обеду там стояли нары. А ты, — приказал он Цыгану, — привози туда свою пацанву!

— Надеюсь, Хирург, что у тебя теперь по уши будет работы, — ехидно заметил Проня.— И ваши медики будут довольны, и наш общак аж распухнет от «зелени»! Предлагаю выпить за такую заманчивую перспективу!

Это было сказано вовремя, и разрядило обстановку. Все сразу заулыбались и вновь потянулись к бутылкам.

Новенький «форд» Цыгана лихо подкатил к типовому многоэтажному дому, где обитала Настя, и, въехав на тротуар, затормозил у самого подъезда. Заметно пошатываясь, так как были пьяны, они вылезли из машины и, войдя в холл, направились к лифтам.

— Удивляюсь тебе, Сашка, как ты в таком состоянии можешь вести тачку? — поддерживая любовника, более пьяного, чем сама, восхитилась Настя, когда стояли в ожидании лифта.

— А я и с завязанными глазами смогу вести, и даже без сознания, — хвастливо заявил Цыган, крепко обхватив своей здоровенной ручищей ее разгоряченное выпивкой и танцами тело и от этого постепенно приходя в более энергичное состояние.

Со смехом и шутками они поднялись в ее уютную однокомнатную квартиру. Пылкий любовник было сразу потащил Настю к неубранной еще с полудня постели, в которой они резвились вплоть до ухода в ресторан, но его ожидало разочарование.

— Прости, Сашенька, но у меня, кажется, началось, — без стеснения заявила ему Настя, обнаружив явные признаки очередных «критических дней». — Как ни жаль, но придется тебе, милый, немного попоститься.

— Да наплюем на это, Настенька! — взмолился Цыган, испытывая, как всегда, жгучее желание. — Может, пойдем в ванную и там...?

— Брось, Сашка! В последний раз, что ли? — решительно воспротивилась его партнерша. — Если совсем не можешь терпеть, то иди домой!

Однако подуставшему после буйного веселья в ресторане Цыгану тащиться ночью к себе не хотелось. «Как знать, может, сменит гнев на милость? Охочая же баба!» — мысленно усмехнулся он, а вслух дружеским тоном сказал:

— Вот еще! Мне и без этого с тобой хорошо, Настенька. Только давай попьем кофейку, чтобы успокоиться, — с улыбкой добавил он.— Думаю, и тебе это нужно.

Она быстро вскипятила чайник, достала с полки сахар и растворимый кофе и, когда сели друг против друга за маленький столик, неожиданно сказала:

— Все, Сашок! Отслужили мы Седому! Думаю, нам с ним больше не по пути. Ты со мной сейчас согласишься!

— Что-нибудь новое или опять к тебе пристает? — насторожился догадливый Цыган, окончательно трезвея. — Надо же! А в ресторане он так натурально миловался с нашей Галкой, что мне показалось даже, будто ты ревнуешь.

— Ну ты и скажешь! Было бы к кому ревновать. Эта Галка — пустое место, — презрительно бросила Настя. — Только и годится на то, чтобы лохам клофелин в водку подмешивать. А в постели толку от нее мало!

— А откуда ты знаешь? Напару работали? — решил подзавести ее Цыган.

— Еще чего! — со злостью фыркнула Настя, ибо чувства юмора у нее не было. — Сам же Седой так о ней отозвался.

— Значит, он все-таки не успокоился и к тебе снова лезет? — и без того смуглое лицо Цыгана стало темнее тучи.

— А ты думал, он тебе так меня и уступит? Он просто не захотел пока с тобой разбираться! — продолжала ему «пудрить мозги» Настя.

— Ну и падла! А уверял, что не будет встревать между нами, — Цыган стукнул по столу так, что подпрыгнули чашки и сахарница. — Теперь пусть молится Богу!

— Вот этого я и боялась! — сделала протестующий жест Настя. — Нет, Сашок, ты не должен марать об него руки! Я сама сделаю так, что он больше не будет нам помехой.

— Что, все же решила его заложить? — неодобрительно мотнул головой Цыган. — Ни к чему это стукачество. Замочат тебя, Настя, когда откроется. Потому что — западло, и даже я не смогу заступиться!

— Не беспокойся, Сашок! Я и не думаю доносить на него в ментовку, — хитро усмехнувшись, объяснила она ему свой замысел. — Я наведу на них с Костылем папашу и сына Юсуповых, и те их надолго упрячут в тюрягу!

Смышленый Цыган на лету усек суть ее идеи и умолк, размышляя. Очевидно, не все ему в ней понравилось, поскольку уже через пару минут угрюмо спросил:

— А не пилим мы с тобой сук, на котором сидим?

— Ты это о чем, Саш? Костыля и Седого пожалел?— вскинулась на него Настя. — Сам же хочешь обоих взять к ногтю!

— Это совсем другое! Неужто не понимаешь? — с досадой произнес Цыган и, как малому ребенку, ей объяснил: — Если я обоих замочу по-честному, то братва меня поймет, даже Проня. Будет вместо Седого он или другой, но кормушка-то сохранится! А если заложишь и будет суд — тогда всему делу конец!

— Ну и что? О чем жалеть-то? — пошла ва-банк Настя.— Седой или Проня, а все равно их дело для нас закончится тюрьмой! Много ли они тебе отстегивают, Сашок! Может, богатым стал? Я тебе говорю: нам с ними не по пути!

Видно, подобные мысли и раньше одолевали Цыгана, потому что он бросил на Настю любопытный взгляд и нетерпеливо предложил:

— Выкладывай наконец, что задумала! А то все ходишь вокруг да около.

«Вот он и готов, — обрадованно подумала Настя. — Пришла пора сказать ему все!» — и, как бы колеблясь, дипломатично произнесла:

— Не знаю, одобришь ли, Сашок, но мне кажется, что не стоит нам больше пахать на Седого и Проню. Короче: надо перейти под более сильное крыло!

— И к кому же ты лыжи навострила? — не выдержал любовник. — Надеюсь, у тебя к нему только деловой интерес? — ревниво добавил он.

— К Калите — Ивану Ремизову, у которого ты два года был водилой,— ошеломила его Настя. — Надеюсь, не станешь ревновать меня к старику? И что ты зря время теряешь у Седого? Может, проштрафился?

— Теперь понимаю, — успокоился Цыган и коротко объяснил:— Ушел от Ивана, потому что пришлось временно «лечь на дно». А потом меня подобрал Седой. Но Иван тогда еще не был

Калитой! Теперь же согласен: наш шеф перед ним мелкота. У Ремизова наверху все схвачено!

Он немного подумал и несогласно покачал головой:

— Нет, уходить нам пока нельзя! Иван, конечно, меня возьмет, да и тебя тоже. Однако глупо так фрайернуться: отчалить, не получив свою долю зеленых за уже проделанное. Ты в своем уме, Настенька?

— В своем, и ты сейчас в этом убедишься! — азартно заверила она. — Мы свое возьмем, и с лихвою!

— И каким же это образом?

— Все нам оплатит сынок Юсупова — Петр! На много больше того, что сможем получить от Седого, — с алчным блеском в глазах уверенно заявила ему Настя. — Предоставь это, Сашок, мне! Нам достанется этот лимон, а не ему!

— Тогда — совсем другое дело! Если у тебя все получится, можно податься и к Калите, — повеселев, согласился Цыган. — Но спешить, Настенька, мы не будем!

Звонок Прони по мобильному телефону застал Петра Юсупова в офисе отца. Они вместе с Сальниковым находились в кабинете Михаила Юрьевича, пытаясь найти выход из создавшегося положения, но так и не пришли к общему мнению. Петр считал, что еще не все потеряно и ему удастся свой план довести до конца, а его оппоненты были за то, чтобы, не теряя времени, пойти на захват Костыля, которого узнали на видеосъемке, сделанной скрытой камерой. Поэтому выход на связь похитителей был очень кстати.

— Мы пришли к выводу, что пострадавшая женщина появилась случайно и создала опасную обстановку не преднамеренно с вашей стороны, — вкрадчиво заявил знакомый тонкий голосок. — Надеюсь, вы подтверждаете это?

— Разумеется! Трагическое вмешательство подруги жены, оказавшейся там случайно, все испортило! — не сдерживая эмоций, горячо заверил его Петр. — У нас и в мыслях такого не было! Мой договор с вами остается в силе!

— Тогда сделаем так, — Проня по-прежнему торопился, боясь, как бы его не засекли и не схватили. — Вы положите в банковский сейф пол-лимона из тех, что нам должны по договору. Затем вместе с ключом от него прибудете в условленное место, где получите одну из сестер. Когда выплатите остальное, вернем вам и вторую.

— Когда и где встреча? — взволнованно спросил Петр.

— Ждите! Я перезвоню, — пропищал голосок и прервал связь.

— Что он сказал? — вскочив с места, в один голос спросили отец и Сальников.

— Предлагают обменять за полсуммы одну девочку и обещают таким же образом нам вернуть вторую, но позже, — коротко ответил Петр. — Позвонят снова.

Этот вариант ими не обсуждался. Михаил Юрьевич и Сальников опустились на свои места, и все трое задумались, ожидая повторного звонка похитителей.

— Странно это все же, — озабоченно произнес Виктор Степанович, первым нарушив молчание. — Почему не сразу обеих? Ведь для бандитов повторный контакт означает лишний риск!

— Согласен, — поддержал друга Михаил Юрьевич. — Здесь кроется какая-то хитрость бандитов! Но вот какая? — сощурил он глаза, напряженно стараясь разгадать эту загадку.

— А я думаю, они просто хотят подстраховаться и проверить нашу честность, — возразил Петр.— Получив от нас половину обещанного по договору, они убедятся, что нет подвоха, и успех будет полный!

— Если бы это было так, то лучше в данной ситуации ничего не придумаешь, — задумчиво произнес многоопытный Сальников, которого одолевали сомнения. — Однако, Петя, мне кажется, что твой отец все же прав: они ведут с нами какую-то подлую игру. Я это нутром чую!

Он на секунду умолк и убежденно добавил:

— Да не могут они так рисковать! Уж больно куш большой, чтобы верить, будто все легко обойдется! Это же матерые рецидивисты, а не наивные дети! Не полезут они повторно в капкан, получив полмиллиона баксов!

— Как ни тяжело это говорить, — мрачно нахмурившись, с горечью заключил Михаил Юрьевич, — я тоже пришел к выводу, что не только повтора не будет, но и сейчас они вознамерились нас просто «кинуть»!

Он скорбно умолк, но, вспомнив о повторном звонке, встрепенулся.

— Ты, Петя, обязательно поставь условием передачи им ключа от сейфа возможность убедиться воочию, что обе наши девоньки живы и здоровы. Иначе не соглашайся! Сердцем чувствую: игра идет нечестная.

И тут вновь позвонил Проня.

— Значит, так. Встреча состоится на тридцать втором километре кольцевой автодороги в полдень,— четко продиктовал он. — Девчонка будет сидеть в нашей машине. Получите ее и расписку в уплате за первую половину суммы по договору в обмен на ключ от сейфа. Это вас устраивает?

— Согласен, но с одним условием, — сухо ответил Петр. — Вместе с Надей в машине должна находиться и Оля, чтобы мы могли убедиться, что она в полном порядке. Только тогда вы получите ключ от сейфа!

— Нет! Так у нас ничего не выйдет, — блефовать Проня умел. — В машине будет только одна Надя! И предупреждаю: чтобы никаких фокусов! Если попытаетесь действовать силой или притащите мусоров, мы ее сразу замочим!

— Но что вам мешает привезти сразу двоих? — не выдержав, крикнул в трубку Петр. — Неужели это не стоит полмиллиона долларов?

— Стоит, но мы этого сделать не можем, — жестко отрезал Проня и привел заранее заготовленный им лживый довод: — Ваша Оля здорова, но находится на карантине: есть подозрение на инфекцию. И так, прошу ответить, — заторопился он, — согласны вы на наши условия или нет?

Петр было растерянно замялся, но, увидев, что отец и Сальников жестами выразительно дают понять, чтобы он соглашался, внезапно охрипшим от волнения голосом коротко ответил:

— Ладно, пусть будет по-вашему.

Медленно опустив трубку на рычаг, Петр почувствовал себя совершенно раздавленным. Ему теперь уже было ясно: его план спасения сестер оказался несостоятельным! И не столь было жаль выброшенных огромных денег, как упущеного по его вине драгоценного времени.

— Не падай духом, Петя, мы тебя не виним, — мягко сказал Михаил Юрьевич, заметив подавленное состояние сына.— Уж на что вроде знаем психологию этих отморозков и то понадеялись: а вдруг у них найдутся остатки совести и вернут нам девочек, соблазнившись огромными деньжищами. Так хотелось спасти их, не идя на отчаянный риск!

Но Петр ничего не ответил, лишь безнадежно махнул рукой, и Михаил Юрьевич его строго одернул:

— А ну-ка возьми себя в руки! Раскисать сейчас нельзя! Просто на твоем плане нам надо поставить крест и срочно подумать, как будем действовать дальше.

— Отец прав, Петя, — поддержал друга Сальников. — Ты, я вижу, и сам уже понял: на встречу с ними ехать не стоит! Девочек они нам добром не отдадут,— с суровой прямотой высказал свое убеждение. — Мало того, что хапнули у тебя за здорово живешь столько баксов, теперь хотят самого поймать в сети. До чего же ненасытные и наглые мерзавцы!

Его возмущение передалось Петру и вывело его из транса.

— Значит, нам ничего не остается, как пойти на силовой вариант? Захватить Башуна и узнать у него, где прячут Олю и Надю? — встряхнувшись, словно сбрасывая сон и мрачно поглядев на отца и Виктора Степановича, спросил он и недоуменно добавил: — Тогда зачем вы сейчас велели мне согласиться на встречу с бандитами?

— Чтобы выиграть время, Петя! — просто объяснил ему Виктор Степанович. — Пусть думают, что мы клюнули на их удочку. А мы за эти четыре дня должны найти и освободить наших девочек!

— И мы их непременно найдем! — с железной решимостью подхватил Михаил Юрьевич. — План мой прост. Мы с Петей выслеживаем и берем в оборот Башуна на его квартире, а ты, Витек, — с надеждой посмотрел он на друга, — вплотную займешься его супругой Воронцовой.

Он сделал паузу, что-то прикидывая в уме, и раздумчиво произнес:

— Сдается мне, что альянс у них неспроста. Уж больно удобное место детдом для того, чтобы укрывать похищенных детей. Постарайся-ка как следует там шурануть. Сердцем чувствую, что вот-вот выйдем на след наших малышек!

— Будь уверен, Миша, сделаю все, что смогу, и даже больше, — стараясь приободрить друга, заверил его Сальников. — Если потребуется, переверну там все вверх дном. Однако у нас, — он с сочувствием посмотрел на Юсуповых, — есть еще одна неотложная проблема.

Они недоумевающе переглянулись, и Михаил Юрьевич спросил:

— Ты это о чем, Витек?

— Нельзя больше Свету держать в неведении, Миша, — решительно заявил Сальников. — Она должна знать о происходящем!

Мужественное лицо Михаила Юрьевича исказила гримаса страдания.

— Никак не могу ей об этом сказать! Сделать это — все равно что ее убить, — простонал он. — Света ждет, что вот-вот мы все нагрянем к ней, чтобы справить день рождения дочек, и вдруг — такой сокрушительный удар. А у нее — больное сердце!

— Но так же нельзя! Разве будет лучше, если она узнает от чужих людей? — с горечью возразил ему Петр. — Мама должна быть с нами в эти решающие дни!

— А как ей сообщить? По телефону? Или телеграмму отбить? — с мрачным отчаянием покачал головой Михаил Юрьевич. — С ней же сразу станет плохо, и никого из близких не будет рядом! Ты хоть понимаешь меня, Витек?

— Еще как понимаю, Миша, — горячо выразил солидарность с ним Сальников, считавший жену друга идеалом и оставшийся холостым, так как не встретил подобную ей. — Но что посоветовать, не знаю! — понуро добавил он.

— Наверное, лучше всего будет, если я слетаю за мамой в Ялту, — нарушив молчание, ненавязчиво предложил Петр. — Мама не будет удивлена, так как решит, что я прибыл для организации дня рождения, и мне удастся подготовить ее к худшему. Не пройдет и суток, как она будет дома!

— А что? Это выход! — словно ожил Михаил Юрьевич. — Молодец, сын! Как же я сам до этого недодумался? — радостно взглянул он на Сальникова. — Ведь Петя сумеет найти для матери слова, которые смягчат удар и поддержит ее в эту трудную минуту.

Не в силах сдержать бурных эмоций, Михаил Юрьевич вскочил с места, подошел к сыну и крепко его обнял, по-мужски скупо выражая ему свою любовь и благодарность.

Глава 17. Сплошные неприятности

То, чего больше всего опасалась Даша Юсупова, — случилось! Ночью под влиянием происшедшего и особенно нелепейшей гибели подруги Киры у нее началось кровотечение, и врачи вынесли роковой приговор: это выкидыш. Она потеряла ребенка!

Когда со всеми предосторожностями ей об этом сообщили, Даша едва не потеряла сознание от горя и острой боли в сердце. «О Боже! За что ты меня так наказываешь? — мысленно говорила она, проливая слезы и не понимая, чем же вызвала его гнев. — Разве я заслужила такую ужасную кару? Почему лишаешь счастья?»

Потеря долгожданного ребенка казалась ей величайшей несправедливостью судьбы, которую она ничем не заслужила. А утрата надежды на осуществление самой заветной мечты — решающим поражением в жизни. Находясь в состоянии, близком к истерике, Даша потеряла аппетит и впала в депрессию.

— И чего мне все завидуют? Я обычная неудачница! Чему завидовать-то? Красивому мужу? Богатству? — выплакав все слезы, горестно шептала она. — Ну какое же семейное счастье без ребенка?

Постепенно ее разочарование и отчаяние обратились на мужа. Чтобы вновь обрести душевное равновесие, Даше требовалось установить причину своей фатальной неудачи! Не зная за собой существенных грехов, она должна была найти виновника Божьей немилости, и он отыскался в лице Петра.

«Ну конечно, из-за Пети на нас так разгневался Господь! Это его он счел недостойным, чтобы одарить наследником, — пришла к горькому выводу Даша. — Разве я виновата в том, что случилось? Петя — вот, кто меня вытащил из больницы, и вообще мало заботился о рождении собственного ребенка! Разве мог осудить меня Господь за то, что старалась помочь спасти Оленьку и Надю?»

Решение пришло само собой.

— Нет! Теперь я не смогу любить его так, как прежде. Никогда уже не буду с ним счастлива, — вновь залилась слезами Даша, поневоле вспомнив неземное блаженство, испытанное в его объятиях. — Разбитый кувшин заново не склеишь.

Немного успокоившись, она взяла трубку телефона и продиктовала краткий текст телеграммы отцу и матери. В ней говорилось:

«У меня произошло несчастье. Как никогда, нуждаюсь в вашей поддержке. Хочу вернуться домой. Даша».

Когда Петр перед отъездом в аэропорт позвонил в больницу, чтобы узнать о самочувствии жены и сказать о том, что улетает в Ялту за матерью, ему с прискорбием сообщили о происшедшем у Даши выкидыше, и, как он ни добивался, чтобы его с ней соединили, ответ был один:

— Ее здоровью ничто не угрожает, но больная — в тяжелой моральной депрессии и не хочет ни с кем разговаривать.

— Но я ее муж! И через час улетаю, — возмутился Петр.

— Она запретила соединять ее с вами, — не без ехидства в голосе ответил ему врач. — Вам не следует настаивать: это может ухудшить состояние больной.

Вне себя от огорчения Петр швырнул телефонную трубку, подхватил дорожную сумку и, в сердцах хлопнув входной дверью, спустился к ожидавшему его «лимузину». Всю дорогу в аэропорт он думал о постигшем их с Дашей несчастье, но не склонен был ни в чем себя винить. «Это все превратности судьбы. Такая уж сейчас для нашей семьи несчастливая полоса! Зря Даша так убивается, — по-мужски он не сознавал ни ее состояния, ни глубины ее горя. — Мы с ней очень молоды и у нас еще будет столько детей, сколько захотим!»

Мысли Петра вновь обратились к предстоящей тяжкой встрече с матерью и ожидающим его новым неприятностям.

— Жаль, конечно, что Дашенька так сильно все переживает, — чтобы себя приободрить, вслух произнес он. — Но выкидыш — не трагедия, и у нее это скоро пройдет. А вот для мамы и всех нас угроза потери наших дорогих малышек — это ужасное испытание! Но уверен: все кончится хорошо!

— Все, Васенька! Потеряли мы внука! — горестно всплеснула руками Анна Федоровна, прочитав телеграмму дочери. — Боюсь, что и жизнь у Дашеньки с Петей теперь пойдет прахом.

— Это почему же? — непонимающе взглянул на жену Василий Савельевич, поднимая с полу упавшую телеграмму. — Будут у них еще дети! Разве у нее что-нибудь не так? Здесь об этом ничего не сказано, — добавил он, бегло прочитав текст.

— Не в этом дело! Хотя, как знать, вполне могут быть осложнения. Видишь, она пишет: «произошло несчастье», — расстроенно ответила Анна Федоровна, ткнув пальцем в телеграмму. — Но все обстоит еще хуже, чем ты думаешь! Зная твой вспыльчивый нрав, я тебе не говорила, что Дашенька мне жаловалась на Петю.

— Да не может того быть! — поразился Василий Савельевич. — Он отличный парень со всех сторон! Такого мужа еще поискать! Чем же она недовольна?

— Не спеши осуждать дочь, — сурово посмотрела на него Анна Федоровна. — Видно, богатство портит человека!

— Но не такого, как Петя, — убежденно возразил Василий Савельевич. — Может, это наша дочь пресытилась богатством?

— Ладно! Чтобы зря не грешил на Дашеньку, скажу всю правду, — брезгливо поморщившись, решилась Анна Федоровна. — Хоть и противно ворошить грязь. Я надеялась, что все у них обойдется.

Она тяжело вздохнула и открыла, в чем дело.

— Последнее время Петя был холоден с нашей дочерью, не оказывал ей должного внимания в ее положении. Дашенька даже сказала, что он был против того, чтобы легла в больницу, и можно было подумать, — с возмущением посмотрела на мужа, — что он совсем не хочет ребенка!

— Так это же обычная история с женщинами в ее положении, — с сомнением произнес Василий Савельевич. — Обыкновенная мнительность беременных.

— Ошибаешься, Вася! Я, по-твоему, дурочка, что ли? — рассердилась на него супруга, но взяла себя в руки, и объяснила: — Мне тоже поначалу так показалось, но потом своими глазами убедилась, что все правда!

— Что правда? — с тревогой посмотрел на нее Василий Савельевич.

— А то, что изменял Дашеньке твой отличный парень! — зло бросила Анна Федоровна. — Завел любовницу, когда отвез ее в больницу, а может, даже раньше. Даже устроил эту шлюху к родителям под видом домработницы.

— Не могу поверить! — вырвалось у Василия Савельевича, так он был поражен услышанным от жены. — Это невероятно!

— Это истинная правда, дорогой, — с горечью подтвердила свои слова Анна Федоровна. — Я сама застукала Петю с любовницей, но ничего не сказала об этом дочери. По понятным причинам!

— Ты у меня умница, Аннушка! — бросив любящий взгляд, одобрил жену Василий Савельевич. — Поступила правильно: в тот момент иначе было нельзя. Но теперь — другое дело! — в его глазах появился воинственный блеск. — Едем к дочери. Мы ей сейчас очень нужны. Бери все, что у нас есть, и отправляйся за билетами!

Волошину не впервой было сражаться за правду. Он сжал кулаки и непримиримо бросил вслед уходящей жене:

— Мы покажем этому богатому сосунку и всей его аристократической родне, как обижать нашу дочь!

Столица встретила чету Волошиных густым туманом, видимость была очень плохая, и самолет вместо Домодедова посадили в аэропорту Шереметьево-1.

Добравшись до дому и оповестив по телефону дочь о своем прибытии, Анна Федоровна занялась уборкой квартиры, а Василий Савельевич стал обзванивать своих коллег по работе, решая накопившиеся за время его командировки вопросы.

Переделав множество дел и с трудом дождавшись приемных часов, они с волнением вошли в роскошные больничные апартаменты дочери. Даша, сидя у окна в кресле, с грустным видом смотрела что-то по телевизору, но, увидев родителей тотчас его выключила, встала и, радостно улыбаясь, вышла навстречу.

— Спасибо вам, дорогие, что сразу отозвались на мое горе! — расцеловав отца и мать, со слезами на глазах поблагодарила их Даша. — Я так одинока! Как жаль, что у нас нет в Москве родственников!

— Ты что такое говоришь? А как же твоя мужняя родня? Не говоря уже о нем самом, — нахмурился Василий Савельевич.

— У них, папа, случилась беда похлеще моей и им сейчас не до меня, — слезы у Даши полились ручьем. — Бандиты похитили Оленьку и Надю, моих маленьких золовок, — рыдая объяснила она. — Со мной из-за этого... все... случилось, — слезы душили ее, — а мою подругу... Киру... бандиты... уби-или! — жалобно всхлипнула она и, прильнув к отцу, уткнулась мокрым лицом в его широкую грудь, как в детстве, ища у него защиты и утешения.

Немного успокоившись и усадив родителей, она коротко рассказала им обо всем, что произошло, и ради объективности добавила:

— Теперь вы понимаете, почему я не в обиде на родных Пети за то, что не оказывают мне внимания. Светлана Ивановна на гастролях и от нее скрывают похищение дочерей, опасаясь, что не выдержит сердце. Остальным же сейчас просто не до меня!

Анна Федоровна, слушая дочь, понимающе молчала, а прямодушный отец все же спросил:

— Тогда объясни, почему предъявляешь претензии к Пете, раз он занят сейчас спасением своих сестер? Он же не виноват в том, что случилось из-за нелепого вмешательства твоей несчастной подруги? Это была роковая случайность!

— Нет, папа, это он виноват в том, что произошло, и в моем несчастье, — с мрачной убежденностью произнесла Даша. — И я хочу от него уйти!

— Ну ладно, доченька, коли так, — согласно кивнув, ласково произнес Василий Савельевич. — Всякое в жизни бывает, кончается и любовь. Может, Петя тебе в чем-то другом досадил, — осторожно коснулся больной темы, — но в случившейся с тобой беде, по-моему, он не виноват.

— Еще как виноват! — прорвало Дашу. — Это же он увез меня из больницы, чтобы передала бандитам выкуп. Свою маму он оберегал, а обо мне и не думал! А для чего я туда легла, разве он не знал? — и она снова горько разрыдалась.

— Но ты же сама сказала, доченька, что иного выхода не было и тебе ничего бы не угрожало, если бы не фатальное появление Киры? — вмешалась мать. — Ты знаешь, я на твоей стороне, но будь справедливой!

Даша перестала плакать, но с мрачным упорством произнесла:

— Нет, мама, это Петя во всем виноват, и я его не прощу! Он не должен был вытаскивать меня из больницы. Обязан был найти другой выход! Почему он так заботился о здоровье матери и бабушки, а о моем нет? — гневно подняла она на родителей заплаканные глаза. — Да просто потому, что не хотел, чтобы у нас был ребенок! Поэтому возражал, когда решила лечь на сохранение. Теперь вы меня понимаете?

Родители удрученно молчали, так как сказать им на это было нечего. «Как хорошо, что она не знает об измене Пети. Тогда было бы еще хуже, — уныло подумала Анна Федоровна, так как здоровый прагматизм у нее все же взял верх. — Надо охладить ее пыл! Может, еще не все потеряно? Не так уж плох мой зять».

— Вот что я скажу тебе, доченька!— вкрадчиво сказала она, ласково взяв ее за руку. — Ты у нас серьезная девочка, и раз так решила, значит, для этого есть основания. Мы с отцом на твоей стороне, и захочешь вернуться — милости просим! Но все же не спеши рубить с плеча.

— Ты это о чем, мама? — недовольно взглянула на нее Даша. — Оправдываешь его, что ли?

— Нет, Петя перед тобой виноват, — убежденно ответила Анна Федоровна.— Но совершенного в природе нет, доченька! И как знать, уйдя от него, встретишь ли человека лучше? Ведь ты же его все еще любишь?

Ее мягкий тон и веские доводы, видно, поколебали решимость дочери.

— Не знаю, может, ты и права, мамочка, — удрученно призналась ей Даша. — Разом из сердца былого счастья не выкинешь! Но боюсь, что не смогу любить Петю так, как прежде.

— Значит, я верно тебе советую,— оживилась Анна Федоровна, развивая успех.

— Не спеши ссориться с мужем! Пусть сначала разрешатся волнения из-за похищения его сестер. Искренно надеюсь, что все закончится благополучно! За это время проверишь свои чувства, и потом вы с ним разберетесь.

— Соглашайся, доченька! Мы ведь тебе добра желаем, — вмешался Василий Савельевич, решив подвести итог тягостному разговору. — Но знай: какое бы ты ни приняла решение — на нас сможешь опереться, как на каменную гору!

А в солнечном Крыму, когда приземлился рейс из Москвы, был жаркий полдень. Петр Юсупов прямо из аэропорта на такси отправился в одну из лучших гостиниц Ялты, где разместилась труппа театра Светланы Ивановны. В номере примадонны не оказалось, так как было обеденное время, и ее в числе других ведущих артистов спонсоры пригласили в ресторан. В какой именно, никто не знал, и он остался дожидаться возвращения матери в вестибюле, достав книгу и удобно расположившись в глубоком кресле.

Однако читать Петр не мог. Его одолевали мысли о предстоящей встрече и боязнь, что не сумеет сообщить о семейной трагедии так, чтобы это обошлось для матери без непоправимых последствий. Еще накануне вечером и всю первую половину дня он напряженно подыскивал слова, которые помогли бы не вызвать у нее шока, но так ничего и не придумал. И, только когда увидел, как она, веселая и оживленная, входит в гостиницу в окружении своих коллег и почитателей, его осенила подходящая идея.

Положив книгу, он встал, и Светлана Ивановна его сразу заметила.

— Петенька! Наконец-то прилетел, — обрадованно воскликнула она и, обернувшись к спутникам, извинилась. — Прошу у всех прощения, но приехал мой сын, — указала она на него, — и я вынуждена вас покинуть.

Поклонники бурно запротестовали, но Светлана Ивановна их оставила, расцеловала сына и, взяв под руку, повела к себе в номер.

— Ты приехал для организации семейного праздника? А потом вернешься за остальной гоп-компанией? — сияя довольной улыбкой, щебетала она в полной уверенности, что иного быть не может. — Но почему тогда у тебя кислый вид? — заметила она его состояние, и улыбка на ее лице погасла. — Возникли какие-то осложнения?

— Да, мамочка! Наши планы пришлось отменить, — печально, но без трагизма в голосе сказал Петр. — Осложнения намного серьезнее, чем ты думаешь.

— А что случилось? — остановившись и испуганно глядя на сына, потребовала ответа Светлана Ивановна. — Неужели у дедушки опять... — она хотела произнести слово «инфаркт», но оно застряло у нее в горле. — Хотя нет, — сообразила, меняясь в лице, — об этом можно было сообщить по телефону, и вы не стали бы отменять праздника.

Петр, опасаясь, что ей сейчас станет плохо, торопливо сказал:

— Ради Бога, мамочка, не пугайся так заранее! Ничего ужасного пока еще не произошло, — так решил он смягчить ей удар. — Пойдем к тебе в номер, присядем, и я расскажу о том, что у нас случилось. Для этого ведь и прилетел!

— Ты хоть намекни, а то не дойду до номера, — взмолилась Светлана Ивановна, но послушно последовала за сыном. — Неужели Мишенька снова ранен? — горько вздохнула она. — На нем уже живого места нет!

Но Петр по дороге ей больше ничего не сказал. «Пусть немного поволнуется, теряясь в догадках, — резонно рассуждал он. — Это должно подготовить маму к худшему». Лишь когда они наконец оказались в ее люксе и присели на мягкую кушетку, он, сумрачно опустив голову, сказал:

— В нашей семье, мамочка, случилось ужасное происшествие! Лучше бы ранили меня или папу, — голос у Петра дрогнул, и он на всякий случай придвинулся к матери, обняв ее своей сильной рукой. — Эта негодяйка — домработница Зина, — он снова запнулся, так тяжело было сообщить ужасную весть, — похитила Олю и Надю! Мы сейчас их... ищем, — у него не хватило духа сказать, что девочки в руках бандитов.

Понурившись, Петр горько повинился перед матерью.

— Это все из-за меня так вышло! Я привел к нам в дом преступницу! Нет мне прощения, мама, — на его глазах выступили слезы, но он тут же яростно тряхнул головой. — Но я жизни не пожалею, чтобы вернуть наших малышек! Мы с папой и Виктором Степановичем все делаем для этого!

От ужасной вести у Светланы Ивановны пропал дар речи, но сознание того, какое горе испытывают сейчас сын и муж, помогло ей справиться со своей болью.

— Перестань, Петенька! Ты же не мог знать, что так обернется, — чуть слышно отозвалась она, все еще не в силах поверить в реальность происшедшего. — Не пойму только, за что нас преследует судьба? — горько посетовала она. — Ты ведь знаешь, что нам с папой досталось от нее немало!

Петр мысленно поблагодарил Бога. «Кажется, мне удалось смягчить первый удар. Похоже, мама его выдержала», — подумал он, и это его приободрило.

— У меня билеты на вечерний рейс, и мы еще можем на него успеть, — тихо сказал он, вопрошающе взглянув на мать. — Ты сможешь? — ласково взял ее за руку. — Если нет, улетим завтра утром.

— Летим немедленно! — решительно заявила Светлана Ивановна, материнская душа которой уже жаждала включиться вместе со всеми в спасение ее дочерей. — Я лишь оставлю записку. Гори все огнем!

Она проворно собрала необходимые в пути вещи, но внезапно остановилась и обиженно спросила:

— Но почему вы мне сразу об этом не сообщили? Как можно такое скрывать от матери?

— Я все тебе объясню по дороге, — обернувшись, торопливо бросил ей Петр, который уже выходил из номера. — Мне нужно еще успеть уладить твой отъезд с администрацией гостиницы и получить паспорт. Буду ждать тебя в холле!

Дома на Патриарших прудах на семейный совет собрались родные и близкие Юсуповых. Когда Светлана Ивановна с Петром и встретившим их в аэропорту Михаилом Юрьевичем вошли в свою квартиру, их там уже с нетерпением ждали родители и Сальников, бывший в семье своим человеком.

— Какое ужасное несчастье! — первой со слезами на глазах обняла дочь Вера Петровна. — Кто бы мог подумать, что такое случится? Не плачь, родненькая, этим не поможешь, — ободряюще произнесла она, видя, что и у Светланы Ивановны по лицу потек ручей, смывая тонкий слой макияжа. — Теперь, когда мы вместе, спасем наших девочек!

— Будь мужественной, доченька! — в свою очередь крепко обнял и поцеловал Светлану Ивановну старый профессор. — Ничего еще не потеряно! Мишенька, Петя и Виктор Степанович делают все возможное, чтобы наши крохи поскорее были дома! Они уже ведут переговоры с похитителями. Ты ведь знаешь?

— Да, что мы об этом с места в карьер! — спохватилась Вера Петровна. — Вы же, наверное, проголодались с дороги? — вопросительно взглянула она на дочь и внука. — Пойдемте на кухню! Там все и обсудим.

— Я сегодня обедала, да и аппетита нет, — отрицательно покачала головой Светлана Ивановна и, бросив взгляд на сына, добавила: — А вот Петю покормить надо. Он с утра ничего не ел.

— Вот и посидим все за столом, — решительно скомандовала Вера Петровна. — Многие проголодались, а ты, доченька, если не захочешь есть, просто побудешь с нами вместе и немного отдохнешь с дороги.

Все прошли на просторную кухню некогда элитной квартиры, где у Веры Петровны был накрыт стол, и вскоре на нем уже аппетитно дымилось ее коронное блюдо — домашнее жаркое. Несмотря на тяжелое настроение, все принялись за еду, и даже Светлана Ивановна позволила матери положить себе на тарелку немного тушеной картошки, которую любила с детства. Еще в самолете Петр рассказал ей о неудаче своего плана вызволить Олю и Надю, соблазнив преступников большими деньгами.

— Конечно, преступники — это подонки общества, но все же люди и дорожат собственной шкурой, — убежденно изложил свое мнение Сальников. — Поэтому с ними можно говорить только с позиции силы!

Он на миг прервался, вытирая салфеткой губы, и уверенно продолжал:

— Вполне согласен, что Миша должен, не теряя времени, подготовить захват Башуна, однако в первую очередь нужно действовать мне! В случае успеха это намного уменьшит опасность, угрожающую девочкам.

Видя, что Михаил Юрьевич сделал ему знак замолчать, выразительно поведя глазами в сторону жены, он несогласно покачал головой.

— Нет, Миша, больше ничего скрывать нельзя! Света теперь с нами и должна быть в курсе всего, — твердо произнес он. — Опасность в том, чтобы о захвате Башуна как-то не узнали бандиты, чего избежать очень трудно!

— Ты хочешь сказать, Витя, что они... тогда... могут... что-нибудь... сделать... — голос у Светланы Ивановны прерывался от волнения. — Могут даже... убить?

— Да, Светочка! Опасность для них очень велика, и ты должна знать это, — не обращая внимания на жесты и гневные взгляды друга, упрямо открыл он ей суровую правду.— Вот почему Петя готов был заплатить бандитам любые деньги, и мы с Мишей согласились, хоть и знали наперед, что ничего не получится.

— А сейчас, Виктор, получится? — подняла на него глаза, полные слез, Светлана Ивановна. — Ты уверен в этом?

— Уверен, если мы сделаем все так, как задумали, — оптимистично заверил ее Сальников. — И сначала я попытаюсь, не вызывая подозрений у похитителей, отыскать Олю и Надю в детдоме. Мы с Мишей считаем, что шансы на успех есть, и в этом случае с ними все будет в порядке!

— Можно и мне участвовать в спасении моих девочек? — Светлана Ивановна уже приободрилась и готова была действовать. — Я умру, если буду оставаться от этого в стороне!

— Нет, Светочка! Тебе нельзя так рисковать, — сразу решительно возразил ей Михаил Юрьевич. — Подумай о том, что случилось с Дашей и ее подругой.

Светлана Ивановна растерянно замолчала, а Петр успокоительно сказал:

— Мы тебя будем постоянно держать в курсе дел, советоваться в критических ситуациях и призовем на помощь, когда потребуется, — мягко заверил он ее.— Мы без тебя никак не обойдемся!

— А как самочувствие Дашеньки? — сочувственно спросил обожавший жену внука Степан Алексеевич. — Она все еще убивается?

— Врачи сказали, что ее здоровью ничего не угрожает, но она не хочет меня видеть и даже разговаривать, — честно признался Петр. — Считает виновником того, что потеряла ребенка. Но я, — сердито добавил он, — с этим не согласен!

— Но как же так, Петенька? — ради справедливости вмешалась бабушка Вера Петровна. — Это ты же ее уговорил пойти вместо меня и мамы?

— Ну и что? Она сама признала эту необходимость, — убежденно возразил ей внук. — И ничего бы с ней не случилось, если бы не непрошенное вмешательство ее подруги Киры, что стоило бедняге жизни!

— Хоть мне очень жаль Дашу и потерю неродившегося внука, но я тоже считаю, что ее претензии к Пете необоснованны, — встал на сторону сына Михаил Юрьевич. — А то, что она третирует его в тот момент, когда мы все силы отдаем для спасения наших девочек, меня просто возмущает!

— Ты прав, Мишенька,— поморщилась Светлана Ивановна, как всегда, согласная с мужем. — Я по-женски ее понимаю и очень сочувствую, но мне это тоже не нравится. Она, хоть и пострадала, недостаточно предана нашей семье!

— Попав в беду, мы просто не в состоянии постичь всю глубину горя Даши,— старый профессор и тут был к ней справедлив. — Но и я считаю, что ведет она по отношению к Пете и ко всем нам не по-родственному, — заключил он и вопросительно посмотрел на жену. — Ты как считаешь, Веруся?

— Чего уж там! Не имеет права Дашенька на нас обижаться, — согласилась с ним Вера Петровна.

Вернувшись к себе домой и проверив автоответчик, Петр Юсупов удивился, узнав, что ему звонил отец Даши. «Значит, Василий Савельевич в Москве. А может, и моя теща вернулась? — безрадостно подумал он. — Уж точно, песочить будут за дочь! Наверняка она на меня пожаловалась». Постыдное воспоминание о том, как Анна Федоровна «застукала» их с Зиной, окончательно вывело его из душевного равновесия.

— До чего же неприятный предстоит разговор,— скривившись, будто проглотил кислое, проворчал себе под нос Петр и потянулся к трубке. — Да никуда от этого не деться!

Его звонок застал супругов Волошиных за вечерним чаем.

— Это ты, Петя? — голос Василия Савельевича звучал миролюбиво. — Мы тут с моей благоверной чаевничаем. Я тебе перезвоню через четверть часа.

«Похоже, что Даше хватило ума не вмешивать родителей в наши ссоры. И у матери достало здравого смысла меня не выдавать», — успокоился было Петр, но вспомнив, что тесть с ним не поздоровался, понял: тяжелого объяснения ему не избежать.

Так и вышло. Когда Василий Савельевич ему отзвонил, то сразу ошеломил:

— Ты чего же натворил, парень, что от тебя жена уходит? Дашенька просит, чтобы мы забрали ее из больницы домой!

«Значит, теща меня не выдала. Это Даша дурит, — отметил в уме Петр. — Ну что же, пускай уходит, — сердито решил он. — Может, тогда одумается!» Но вслух с достоинством ответил:

— Не вижу за собой такой вины! Но, если не хочет жить вместе, ей нечего вас стеснять и нервировать, — возмущенно повысил голос. — Наша квартира — в ее распоряжении! А я пока поживу вместе с родителями. Честно скажу, — взорвался он,— мне сейчас не до ее капризов! Вы знаете, что произошло с моими сестрами? А Даша, как сказали врачи, вполне здорова!

— Ты так считаешь, Петя? — разгневался тесть. — Тогда вижу, что Даша права! Я очень сочувствую вам в постигшей беде и от души надеюсь, что с девочками будет все в порядке. Но при любом раскладе у нормального человека на первом месте — жена! Значит, не любишь по-настоящему нашу дочь! — в ярости крикнул Василий Савельевич и швырнул телефонную трубку.

— Плохой у вас получился разговор! — сочувственно посмотрела на него Анна Федоровна. — Ты, главное, не горячись, Васенька, — мягко урезонила она мужа. — Дай молодым самим меж собой разобраться.

— Разговор хуже некуда, — мрачно проворчал супруг. — Петя дал ясно понять, что, наоборот, он сам и вся родня обижены на Дашу за то, что «капризничает» в то время, как под угрозой жизнь его сестер. Это очень серьезно, Аннушка!

Но боевой характер взял верх над прагматизмом его супруги.

— Вот значит, как! — ее глаза аж сверкали от гнева. — Наша бедная девочка по их вине лишилась ребенка, о котором так мечтала, а эта семейка на нее еще и обижается. Разве не она бросилась им на помощь, отчего и пострадала? Какая несправедливость! — расплакалась она. — Дашенька права! Пусть от него уходит! Она еще будет счастлива!

— Успокойся, дорогая! Теперь уже я тебя призываю не горячиться. — Василий Савельевич встал и, подойдя, обнял жену. — Никакой трагедии не вижу! Да, между Дашей и Петей произошла серьезная размолвка и им временно стоит разойтись. Пусть проверят свои чувства! Если разлюбили — тогда развод. Они молоды и могут найти новое счастье.

Он ласково погладил ее широкой ладонью по седеющим русым волосам.

— Мне понравилось только то, что Петя держится благородно. Аристократ как-никак, — недобро усмехнулся. — Оставляет Даше их квартиру. И она не должна отказываться. При таком богатстве ему нетрудно делать красивые жесты!

— Вот она жизнь, Васенька, — пригорюнилась Анна Федоровна. — Лишь только любовь, а вовсе не богатство приносит людям счастье!

— Ну почему ты такая капризная? — с фальшивой доброжелательностью успокаивала Софа плачущую Наденьку. — Вот твоя сестричка — та умница! Не хнычет все время, как ты, а уехала и спокойно ждет, когда... — она замялась, подавившись собственной ложью, — ты к ней присоединишься.

— Ска-азали, что и я пое-еду ско-оро, — жалобно растягивая слова, продолжала безутешно рыдать девочка, — а обману-ули. Почему меня... здесь де-ержат... одну?

Разговор происходил в «операционной» Хирурга, куда Софа примчалась по поручению Пронина, которому Воронцова сообщила, что к ней вот-вот нагрянет комиссия из собеса. Этот сюрприз ожидал заведующую, как только утром она пришла на работу.

— Звонил Алексей Ильич из собеса и предупредил, что к нам скоро пожалуют представители какого-то благотворительного фонда, — возбужденно передала ей заместительница. — Выбрали нас по его рекомендации. Хотят спонсировать нам немалые денежки!

Этот Алексей Ильич, мздолюбивый старичок из собеса, был давно знаком Катерине, но она, разумеется, не знала, что его звонок был хорошо проплачен Сальниковым. Узнав об этой тревожной новости, Проня не проявил особого беспокойства.

— Ну и что с того? Тебе со спонсорами возиться не впервой, — хладнокровно отреагировал он. — Смотришь, еще и бабок подгребешь, Катюша! Ты лишь на всякий случай, — порекомендовал, немного подумав, — вытащи из своей картотеки все бумаги, касающиеся девчонок Юсуповых. И еще, — добавил уже озабоченно, — спрячь понадежнее Надю! Я пришлю Софу тебе в помощь.

— Думаешь, все же это может быть связано с их розыском? — обеспокоилась Воронцова. — Вообще-то похоже на ментовскую хитрость.

— Нет, в ментовку Юсуповы не сообщали. Слишком трясутся за жизнь своих девок, — успокоил ее Проня, но добавил: — А меры предосторожности все же надо принять! Они никогда не лишние.

— Может, от девчонки лучше поскорее избавиться? — боязливо предложила Катерина. — И Хирург, и Костя на этом настаивают.

— До вторника этого делать нельзя! — отрезал Проня. — Так и передай своим потрошителям.

Вот почему «милицейской воспитательнице» Софе пришлось в срочном порядке заняться маленькой Надей. И уговаривала она девочку довольно ловко.

— Ну пойми, малышка! Как же мы можем сейчас отправить тебя к сестре, когда ты находишься в карантине? — вкрадчиво убеждала Надю. — Без справки о здоровье не пропустят через границу! — самозабвенно врала она. — Но очень скоро все анализы будут закончены, и полетишь за океан!

— Но мне доктор уже не делает анализов. Сколько же мне еще здесь лежать? — Наденька всхлипнула и умоляюще посмотрела на «милицейскую тетю». — Я же хорошо себя чувствую!

— Да, ты здорова, моя маленькая, — с приторной улыбкой подтвердила Софа. — Я и пришла, чтобы повести тебя на прогулку. К остальным детям тебе еще нельзя. А со мной можно! Хочешь, поедем ко мне и попьем чаю в домашней обстановке? С вишневым вареньем!

Соблазн был велик, но дети особенно чутки к фальши в поведении взрослых. Наденьке надоело лежать в четырех стенах, но в этой тете ее что-то пугало.

— Нет, не хочу, — сама толком не понимая, почему, отказалась она от заманчивого предложения. — Никуда не пойду! Пусть доктор закончит анализы!

Софу настолько тяготил этот их фальшивый разговор, что нервы у нее не выдержали.

— Глупая девчонка! — рассердилась она на Надю. — Тебе лучше хотят сделать, погулять зовут, а ты здесь решила валяться? Ну, пеняй на себя! Сейчас позову доктора, и он сделает тебе успокоительный укол, — зло бросила она, вставая. — Чтобы тут нюни не разводила!

«Ну что ж, пришлю сюда Сержика, чтобы ее усыпил, — мысленно решила Софа, выходя и запирая за собой дверь.— А потом пусть нянечка увезет спящую девчонку в изолятор. Ничего другого не остается!»

Виктор Степанович Сальников, одетый в свой лучший костюм и в больших роговых очках, придававших ему солидный и респектабельный вид, прибыл в сопровождении двух сотрудниц детективного агентства. Одна из них, пожилая строгая дама из бухгалтерии, должна была помочь ему в проверке документов по поступлению новеньких. У второй, молоденькой, задачей было, изображая секретаря, зорко наблюдать за окружающим, высматривая среди детей, похожих на похищенных, и те места, где их могли бы спрятать.

— Первым делом мы хотели бы ознакомиться с финансовыми документами,— с важным видом заявил Виктор Степанович встретившей их Воронцовой.— Сами понимаете, прежде чем пожертвовать вам значительную сумму, мы должны убедиться, что она будет использована по целевому назначению. Хотим также посмотреть, сколько вами расходуется на каждого ребенка.

Воронцова, не возражая, провела их в свой кабинет, туда принесли папки с документами, и вскоре опытная бухгалтерша обнаружила несоответствие, которое едва не привело к успеху.

— Вот здесь у вас не совпадает количество детей, — сказала она, протягивая сомнительные документы заведующей. — В сумме, приходящейся на каждого, оно одно, а по списочному составу — меньше. Объясните, пожалуйста, почему занижается сумма, выделяемая каждому ребенку?

«Послать, что ли, подальше этих въедливых спонсоров? — злобно подумала Катерина. — Тоже мне ревизоры!», но ее алчная натура взяла верх, и она спокойно объяснила:

— Это происходит всякий раз, когда от нас выбывают питомцы. Бухгалтерия просто не успевает пересчитывать. Поверьте, ничего злонамеренного в этом нет, и наши дети хорошо питаются. То, что остается, тратится на них же, но, как вам известно, — добавила, умильно глядя на спонсоров, — средств катастрофически не хватает!

— Но все же это непорядок! — выдерживая свою роль, выразил недовольство Сальников. — Сколько детей не отражено в ведомости? Кто они и куда выбыли?

— Да всего один ребенок! Стоит ли об этом говорить? — не смогла сдержать раздражения Катерина. — Фамилию не помню. Перевели по чьему-то ходатайству в другой детдом, — предусмотрительно соврала она, боясь назвать данные Оли.

Виктору Степановичу надо бы потребовать принести документы выбывшего ребенка, но подходящего предлога не было и подвело то, что отправили одного, а не двух. «Не стоит зря раздражать заведующую. Это может вызвать у нее подозрения, — резонно подумал он, — тем более впустую. Если б отправили наших, то сразу обеих. Наверняка их прячут среди остальных детей». Опытному детективу и в голову не пришло, как близок бы был к цели, если бы выяснил все же, кого «перевели в другой детдом».

— Хорошо, давайте теперь посмотрим, как вы содержите детей и в чем они нуждаются, — изобразив на лице любезную улыбку, сказал Сальников. — Покажите нам все ваши помещения!

Воронцова повела их по коридорам детдома, заходя во все комнаты и давая необходимые пояснения. Разумеется, Олю и Надю они нигде не обнаружили. Попытки разговорить детей также не увенчались успехом. Им удалось лишь выяснить, что одну из девочек изолировали от остальных с подозрением на инфекционное заболевание.

— Но в изоляторе, который вы нам показали, никого не было, — стараясь не выдавать, что заподозрил неладное, спросил Виктор Степанович. — Где же эта больная?

У нас в подвале имеется процедурный кабинет и ей там делают очередные анализы, — спокойно объяснила Воронцова. — Вы ведь видели, что нам не хватает помещений.

— Надо посмотреть, чем вы там располагаете, — тоном, не допускающим возражений, предложил Сальников. — Будет виднее, сколько средств нам придется выделить дополнительно.

«Что-то уж слишком скрупулезно они все изучают, — интуитивно почуяла опасность Воронцова. — Неужели все же ищут девчонок?» Но вслух любезно ответила:

— Пожалуйста, если вас это интересует. Обождите меня здесь, я только схожу за ключами от помещений!

Она поспешно прошла в свой кабинет и позвонила Софе.

— Ну как, эта Надя с тобой? А то они хотят осмотреть подвал.

— Нет, мне уговорить ее не удалось. Я попросила Сержика, чтобы усыпил.

— Плохо! Позвони ему, чтобы немедленно перевел в изолятор, — находчиво распорядилась Катерина. — Они там уже были и не вернутся. Показывать им ее нельзя! А вдруг они из ментовки? Сечешь?

— Чего уж тут не понять? Задержи только их, сколь удастся!

Воронцова так и сделала. Вернувшись к «спонсорам», она, не спеша, провела их по подвальным помещениям, а когда подошли к тому, которое интересовало Сальникова, спящую Наденьку нянечка и высокий санитар уже поднимали на носилках вверх по лестнице.

— Это несут больную? — спросил Виктор Степанович, сделав непроизвольное движение, чтобы догнать уходящих. — Куда это они ее?

— Обратно в изолятор. Я же вам говорила, — хладнокровно ответила Катерина и, блефуя, предложила: — Если хотите с ней поговорить, то потом можем туда зайти. Но тогда уж с детьми вам нельзя будет общаться!

«А что это даст? Не может эта девочка быть одной из наших. Где же тогда вторая?» — мрачно подумал Сальников, а вслух с деланным спокойствием ей ответил:

— Пожалуй, не стоит! Лучше мы еще раз пройдемся по вашим помещениям и поговорим с детьми.

Его железная логика сыграла с ним злую шутку. Успех был очень близок, но не повезло! Полоса неприятностей продолжалась.

Глава 18. Успех наполовину

Как всегда, перед важной операцией в субботу Василий Коновалов собрал на сходку своих ближайших подельников в маленькой сауне, расположенной в глубине Сокольнического лесопарка. Дело предстояло нешуточное. Им нужно было не только успеть в считанные часы получить из банковского сейфа очень крупную сумму валюты, но перед этим захватить живым сильного противника и заставить его отдать ключ. А в том, что запросто это не получится и предстоит смертельная схватка, никто из них не сомневался.

В охотку попарившись, как говорил Проня, «для прочищения мозгов» и, после этого изрядно выпив и закусив, Седой с Костылем и Цыганом неторопливо обсуждали нюансы предстоящей встречи с Юсуповым на кольцевой автодороге, стараясь предугадать все возможные осложнения...

— Этот фраер силен и опасен. Испытал на собственной шкуре, — предупредил подельников Костыль. — Но кто опаснее вдвойне — его батя!

— Чем же это? Его пуля, что ли, не берет? — презрительно скривил губы Седой.

— Представь себе, в точку попал, — без тени юмора подтвердил Костыль. — Он, прежде чем стал частным детективом, разделался с самим Козырем! Разве не слыхал о таком? Большой был авторитет! А еще раньше Юсупов как диверсант в Афгане отличился. Пуля его не берет — он будто заговоренный!

— А ты откуда все о нем знаешь? — насмешливо бросил Проня, но в его узких глазах читался живой интерес. — И чем, думаешь, будет опасен, если на стрелку приедет не он, а его пацан?

— Я же сказал: это тот еще диверсант! Чего-нибудь нам подстроит, — сердито взглянув, резко ответил ему Костыль. — А знаю о нем не понаслышке. Это из-за него нас тогда повязали, и в тюряге братва Козыря о нем многое порассказала. Он им здорово досадил!

— Хватит нас стращать! Ну, чего он может подстроить? — грубо прервал его Седой. — Говори, раз так хорошо знаешь его повадки!

Башун с неприкрытой ненавистью посмотрел на своего главаря.

— Нечего на меня цыкать — не из трусливых! Не стращаю, а говорю для пользы дела, — вспылил он. — Старший Юсупов многое чего может, — все же ответил, взяв себя в руки — и прежде всего не даст нам уйти, если нападем на сына! Это же дураку ясно, — вызывающе взглянул на Седого. — Но может, твой хитрован Проня что-то против этого придумал?

— А как, по-твоему, папаша Юсупов нам помешает смыться? — миролюбивым тоном спросил более благоразумный «начальник штаба». — Неужто нападет и устроит бой, — добавил со скрытым ехидством, — прямо на людной дороге?

— И у тебя, умника, котелок хуже стал варить, — прорвало Башуна. — Да ты же сам указал им точное место встречи! И времени дал достаточно, чтобы к ней подготовиться.

— Ну и что с того? — с деланным спокойствием поднял брови Проня, но в его голосе послышалась тревога, так как уже понял, чего опасается Костыль.

— Да непременно засаду устроит и заминирует пути отхода! — не выдержав, вмешался догадливый Цыган. Он решил, что настало время выступить против этой авантюры, чего требовал и план, составленный им с Настей.

— И ты, я вижу, струхнул? — с насмешкой посмотрел на него главарь. — Можно ведь изменить место встречи. Еще не поздно!

— Ты за кого нас держишь, Седой! — намеренно вспылил Цыган, посчитав его насмешку хорошим предлогом для ссоры. — То Костыля позорил, а теперь меня? Перед кем задаешься?

Словно в бешенстве, он вскочил и грохнул по столу кулаком.

— Все! На меня не рассчитывай! Я и раньше был за то, чтобы отдать девок и получить обещанный лимон. Но ты послушал этого жадюгу, который как курва, — с презрением посмотрел на вжавшего голову в плечи Проню, — хочет и пышку съесть, и на х... сесть. Теперь сам полезай за руль, — гневно бросил он главарю, — а то всегда за наши спины прячешься!

— Ты что сказал, падла? А ну повтори! — Седой мгновенно выскочил из-за стола и, сжав пудовые кулаки, подступил вплотную к Цыгану, красный как рак от злости. — Я тебя проучу!

Всего несколько секунд эти верзилы молча стояли друг против друга, дрожа от ярости, а затем, не дождавшись ответа, Седой с плеча нанес Цыгану такой сокрушительный удар, что тот, отлетев в угол, упал на пол, ударившись головой об лавку. Другой на его месте так и остался бы лежать без чувств, но тренированный бандит быстро очухался и вскочил на ноги. В два прыжка подбежав к вешалке с одеждой, он непонятно откуда достал выкидной нож и вновь бросился на противника.

Оба рослые, с мощной мускулатурой, в одних плавках после бассейна, они внешне казались равными по силе. Но Коновалов не был бы главарем банды, если бы не мог доказать превосходства в драке. Ловким приемом он обезоружил Цыгана. В одно мгновение подобрав нож, он замахнулся, чтобы его прикончить, но и тому ловкости было не занимать. Он умело уклонился от удара, да так, что Седой потерял равновесие и грохнулся на пол.

Цыган хотел было продолжить схватку, но, увидев, что очнувшиеся от шока Проня и Костыль бросились на помощь своему главарю, верно оценил обстановку и, схватив одежду, босиком выпрыгнул в открытое окно.

Когда к ней ночью прибежал полуодетый Цыган со здоровенным фингалом под глазом и рассказал о том, что произошло в сауне, Настя Линева даже не стала изображать жалость, а с откровенной радостью сказала:

— Ну теперь, Сашок, начнем действовать! Правильно сделал, что сбег! Они тебя там бы втроем укокошили. Давай сделаю примочку, чтобы кровоподтек рассосался. А то, — пошутила, — всю красоту твою портит.

Проворно сбегав на кухню и добыв лед из холодильника, она завернула его в полотенце и, усадив любовника в кресло, наложила повязку ему на лицо. Цыган позволил ей все это над собой проделать и, придерживая полотенце рукой, мрачно произнес:

— Теперь мне лучше с нашей братвой не встречаться! Не простят мне этого!

— Ну и что? Мы ведь знали, на что идем! — успокоила его Настя. — Спрячься пока где-нибудь и веди переговоры с Калитой. А я и сама разберусь с Седым. Упеку их с Костылем в тюрягу надолго! — заверила она его, азартно блестя глазами. — И «зелененьких» у Юсуповых подгребу!

Однако Цыгана в угрожавшей его жизни критической ситуации не слишком волновали вопросы наживы.

— Ты напрасно так спокойна, Настенька, — озабоченно наморщив лоб, охладил он ее пыл. — Думаешь, Седой и братва оставят тебя в покое? Будут следить в оба, чтобы поймать меня здесь. Могут и силу применить!

— Неужто я похожа на дуру, Сашок? — небрежно бросила Настя. — Как влезут, так и слезут! Пальцем не тронут!

— Это почему же? — недоверчиво посмотрел на подругу одним глазом Цыган, так как второй был закрыт повязкой.

— Да потому, что у меня в надежном месте их погибель хранится, — злорадно усмехнулась Настя. — В почтовом пакете, готовым к отправке в ментовку. Как узнают, сразу от меня отцепятся!

— Пожалуй, так и будет, — успокоенно произнес Цыган и, полушутя, добавил: — А ты опасный человек, Настенька!

— Обычная самозащита, — самодовольно улыбнулась ему Настя. — Действует безотказно! Я об этом позаботилась сразу, как порвала с Седым.

— Но меня запросто замочат. Поэтому, не теряя времени, мне надо рвать когти! — отнимая от лица полотенце, сказал Цыган. — Забегу домой за вещами и нырну в одно укромное местечко. И тебе лучше о нем не знать.

Он встал и без нежных прощаний, как был в домашних кожаных тапочках, пошел к двери.

— Когда дашь о себе знать? — бросила ему вслед Настя.

— Связь будем держать по телефону. Первый раз не отзовусь. Во второй раз буду говорить, если скажешь: «Все в порядке»,— обернувшись и прикрывая рукой подбитый глаз, ответил Цыган. Даже сейчас ему не хотелось представать перед любовницей в неприглядном виде. — «Алло» или любой другой отзыв будет означать, что у тебя засада.

Лишь только за ним закрылась дверь, Настя схватила трубку и набрала номер домашнего телефона Петра Юсупова. Несмотря на позднее время, он еще не ложился, так как недавно вернулся от родителей.

— Зина, это ты?— встревоженно воскликнул он, узнав ее голос.— Говори скорее, что с Оленькой и Надей? — голос его прервался. — Они еще... живы?

— Пока живы, — Настя заранее решила не щадить нервы Юсуповых. — Но эти сволочи Олю уже продали кому-то за бугор, а жизнь Наденьки в опасности, так как отдают ее медикам для какой-то чудной операции, — запнулась она, делая вид, будто плохо осведомлена, — трансплантацией называется, что ли?

— Да что ты говоришь? — пришел в ужас Петр, не желавший верить в то, что услышанное, — это правда. — Они же договаривались встретиться через два дня и за полмиллиона отдать Надю. А потом вернуть и Олю!

— Прости, Петя, но я никогда не думала, что ты такой лопух! — почти искренне укорила его Настя. — Вот подлецы этим

303

и пользуются! Сначала сто штук баксов хапнули за здорово живешь, теперь пытаются и лимон обманом выманить. Да они и не собирались отдавать, — фальшиво всхлипнула, — наших девочек. Почти сразу их продали!

Она сделала паузу, изображая, что плачет.

— И меня обману-ули, — лживо пожаловалась ему, горестно растягивая слова. — Костыль заверя-ал, что их обеих вернут вам за деньги. Нет, не могу говорить — совесть заеда-ет!

— Прошу тебя, не вешай трубку! — отчаянно взмолился Петр. — Обещаю, Зина, что будешь нами прощена и получишь деньги, предназначенные бандитам, если поможешь вернуть наших девочек!

— А чем я могу помочь? — с деланной грустью произнесла Настя, мысленно радуясь тому, как успешно осуществляется ее план. — Да я на все готова, только скажи!

— Первым делом помоги спасти Наденьку! — не задумываясь, выпалил Петр. — И постарайся узнать, кому продали Олю. Ты поняла?

— Насчет Оленьки пока ничего не знаю, но постараюсь, Петя! Может, смогу, — осторожно пообещала Настя. — А вот для спасения Нади даю точный адрес. О ней все известно проклятому мокрушнику Костылю. Знаю наверняка, что она — в его руках. Но, чтобы спасти, вам надо поспешить! Могу дать его адрес.

— Этого не требуется, так как мы о нем все знаем, — торопливо «закруглился» Петр, понимая, что ему нужно, не медля, связаться с родителями. — А пока будем заниматься с Костылем, ты действуй, Зина! В накладе не останешься!

«Уж само собой, придется тебе раскошелиться, дружок, — положив трубку, очень довольная, как все хорошо у нее получилось, подумала хитрая мошенница. — И Наденьку ты получишь, и Костыля вместе с Седым в тюрягу засадишь! Потому что коротышка его ненавидит и выдаст».

— Ай да Настенька, ай да умница! Правильно сделала, что ничего не сказала про Олю, — вслух похвалила она себя. — Ведь они сразу бы взялись за Василия, а так я первая у него выведаю, кому ее запродали!

Решив, что за успех обязательно надо выпить, Настя, фальшиво напевая модный шлягер, открыла бар и, налив полный бокал выдержанного коньяка, осушила его до дна.

Михаил Юрьевич и Светлана Ивановна уже засыпали, когда позвонил сын и, волнуясь, рассказал о том, что сообщила Настя. Понимая, что уснуть после этого ему уже не удастся, отец мягко предложил:

— Знаешь, Петя, садись в машину и приезжай! Думаю, ты тоже, как и мы с мамой, спать сейчас не сможешь. Сообщение Зины вынуждает пересмотреть планы и ускорить захват Башуна,— по его тяжелому дыханию чувствовалось, как он взбудоражен. — Вот и обсудим втроем, чем прямо с утра займемся.

Уговаривать Петра не требовалось. Он быстро спустился вниз, бегом устремился к припаркованному поблизости джипу и на большой скорости погнал его по опустевшим ночным улицам. Ехать было недалеко, и не прошло получаса, как машина затормозила у подъезда родного ему с детства дома. Родители, оба в ночных пижамах, его уже ждали, сидя в гостиной.

— Значит, эта мерзавка не сказала, кому отдали Оленьку? — спросила мать, едва он вошел. — Не верю ей ни на грош! Она знает, но почему-то не хочет говорить.

— Я ей пообещал достаточно, мама! У любого бы развязался язык, — заверил Петр. — И она постарается выведать это у бандитов!

— Как ни тяжело сознавать, что Оленька у чужих людей, но все же, — в свою очередь постарался успокоить жену Михаил Юрьевич, — ее жизни не угрожает опасность. И мы сделаем все, чтобы вернуть нашу дочь домой! Сейчас, дорогая, — нахмурил он брови, — нам нужно решить, что предпримем завтра для спасения Наденьки.

Минуту все молча раздумывали. Потом Михаил Юрьевич сказал:

— Нет сомнений, что завтра утром мы должны захватить проклятого Башуна в его квартире. Для этого почти все готово. Негодяй ни о чем не подозревает, его караулит там мой человек.

Лишь одна недоработка, — мрачно признался он. — Не нашли способа проникнуть в квартиру, чтобы захватить бандита врасплох!

— Но Виктор Степанович такой артист, папа! Неужто не сможет сыграть кого-нибудь, например сантехника? — удивленно посмотрел на него Петр. — И Башун с ним нигде не встречался!

— Мы с Виктором такой вариант наметили сразу, но он, к сожалению, теперь отпал, — отрицательно покачал головой Михаил Юрьевич. — Костыль и правда его не видел, зато знает супруга — мадам Воронцова. А ждать, когда ее не будет дома, у нас времени нет!

Снова возникла томительная пауза, но тут у Светланы Ивановны возникла дельная мысль.

— Если я правильно поняла, вам, чтобы легче проникнуть в квартиру, нужен способный артист? — решительно заявила она, сверкнув зажегшимися огнем синими глазами. — И у меня есть подходящий человек, который не подведет!

— Ты кого это имеешь в виду? — в один голос спросили муж и сын, перебирая в уме ее близких друзей и коллег, которых хорошо знали.

— Ну разумеется, себя! Разве я плохая актриса? — с укоризной ответила Светлана Ивановна и на протестующий жест мужа горячо добавила: — Погоди, Миша! Я не собираюсь ни с кем драться! Выслушайте, что предлагаю!

Но Михаил Юрьевич был категорически против. Взглянув на сына и поймав его одобрительный взгляд, он твердо сказал:

— Нет, Светочка, мы не позволим тебе лезть в это пекло! Нет сомнения, ты прекрасно сыграешь свою роль, но подвергнешь себя слишком большой опасности! Бандит, которого мы должны взять, — именно тот, кто хладнокровно убил ни в чем не повинную Киру.

Он сделал паузу, подыскивая убедительные слова, и решительно добавил:

— Ты не имеешь права так рисковать! И мы не можем этого допустить! Что станется с нами, если произойдет несчастье? Что мы все — без тебя?

Однако, при всей доброте и нежности своей души, Светлана Ивановна имела отважный и решительный характер. И она не уступила доводам мужа.

— Разве я такая безрассудная, Миша, и не понимаю, что опасно, а что нет? — ее синие глаза смотрели с укором. — То, что пришло мне в голову, можно проделать вполне безопасно, и это поможет решить вашу задачу. Сначала выслушайте, а потом уж возражайте.

Муж и сын, недовольно ворча, подчинились, и Светлана Ивановна открыла свой замысел.

— Самое разумное — это прийти к ним под видом новой соседки. Всякие там «представители» администрации или общественности могут их насторожить и вызвать подозрение, — убедительно начала она. — Буду говорить с хозяйкой квартиры и уверена, что бандит ко мне даже не выйдет.

— Ну пожалуй, что так, — удивленно, но в то же время одобрительно хмыкнул Михаил Юрьевич. — А что дальше, Светочка?

— Не мудрствуя, под обычным предлогом «протечки», предъявлю претензии, что они меня заливают, и уведу посмотреть, где текут краны, — продолжала она, дав волю фантазии. — Постараюсь сразу заговорить ее так, чтобы входная дверь осталась незапертой.

Придуманное Светланой Ивановной было вполне подходящим, и мужчины растерянно молчали, не зная, как им на это реагировать. Воодушевленная своим успехом, она привела решающий довод:

— Когда вы ворветесь в квартиру, я сразу изображу обморок от испуга и уверена, что Воронцова, забыв обо мне думать, побежит узнать, в чем дело. Тут вы ее и задержите как соучастницу преступника.

Муж и сын переглянулись — это был выход, а Светлана Ивановна, победно взглянув, добавила:

— Ну скажите, какая грозит мне опасность, если сделать все так, как я предлагаю? Какие могут быть осложнения?

Но муж и сын молчали и, похоже, не знали, что ей ответить.

Однако Светлана Ивановна ошибалась, решив, что все уже решено. Михаил Юрьевич выдержал паузу, чтобы обосновать свои возражения.

— Ну ладно, разберем твой вариант, — мягко предложил Михаил Юрьевич. — Он очень неплох, но построен «на трех китах», а это, как давно доказала наука, — иронически улыбнулся, — неверный фундамент!

— Говори, Миша, по делу, — не приняла его иронии жена. — Какие «три кита»?

Улыбка сошла с лица Михаила Юрьевича, и он нахмурился.

— Самый первый — то, что тебя могут узнать оба, так как, если даже никогда не видели, наверняка изучили внешность родителей заложниц по фотографиям.

— Даю опровержение! — тут же отвела его довод супруга. — Грим все исправит. Вот увидишь: даже ты меня не узнаешь! Петя будет свидетелем.

— Допустим, хотя и сомнительно, — неохотно согласился Михаил Юрьевич и продолжал: — Второй кит: ты считаешь, что Воронцова не знакома с нижними соседями. Но она живет в доме более двух лет. А что, если ты ошибаешься?

Но и этот веский аргумент не смутил Светлану Ивановну.

— Я ухватилась за «протечку» как за самую естественную причину внезапных визитов соседей. Кроме того, ты ведь сам рассказал, что всех опрашивал, и как оказалось, за исключением одной, ее никто не знает! — объяснила она.

— Ладно, пожалуй, это не будет препятствием, — задумчиво произнес Михаил Юрьевич. — Я вспомнил, что, на наше счастье, соседи в квартире под Воронцовой недавно сменились и сделали ремонт. Это нам на руку! А все жильцы подъезда сняты скрытой камерой, и фото новой соседки имеется.

— В чем же тогда состоит третья опасность для мамы? — не выдержал Петр. — Никак не пойму, что ты имеешь в виду.

— Все построено на встрече с хозяйкой квартиры, а не с бандитом Костылем, — отрезал отец. — Утром же она вполне вероятна, так как Воронцова может выйти в магазин.

— В этом случае, мы не пустим туда маму, пока не вернется хозяйка! Чего проще? — возразил ему Петр.— И тогда она, как задумала, будет иметь дело только с ней. Ведь не станет же Костыль «светиться» из-за таких пустяков?

Михаил Юрьевич недовольно посмотрел на сына.

— Ты не понимаешь главного: мы не можем тянуть с операцией, сознавая, что с каждой минутой возрастает нависшая над Наденькой опасность, — хмуро объяснил он. — Если Воронцовой долго не будет, придется пойти на штурм!

Какое-то мгновение все молчали, понимая, чем грозит этот крайне опасный вариант, и, не выдержав, Светлана Ивановна вскочила с места и подсела к мужу.

— Придется мне все же рискнуть, Мишенька, — сказала она, просительно заглядывая ему в глаза. — Неужели думаешь, что я не сумею разыграть даже бандита, если это надо? Тогда грош мне цена, как актрисе! Ведь Костыль, хоть он и преступник, но все же мужчина.

— Тем более! — непримиримо отрезал Михаил Юрьевич. — На это не согласен!

Было похоже, что они зашли в тупик, но обстановку разрядил, как всегда, находчивый Петр, предложив приемлемый компромисс.

— Так как у нас времени остается мало, давайте поступим так, — мягко обратился он к отцу с матерью.— Примем за основу вариант, предложенный мамой, ибо он наиболее надежен. Но если Воронцовой не будет, тогда нам с папой остается одно: рискнуть всем и захватить Костыля, не дав ему опомниться!

Петр встал, разминая затекшее тело, и, подойдя к родителям, протянул руки, помогая подняться.

— Пойдемте отдыхать! Хорошо бы на пару часиков вздремнуть, — настойчиво позвал он. — Завтра нам предстоит неимоверно тяжелый день.

Операция по захвату Костыля началась с того, что в половине девятого утра в дверь квартиры соседей, проживающих под Воронцовыми, позвонил гражданин средних лет, приятной наружности. Вежливо извинившись за беспокойство, он показал подлинное удостоверение ФСБ, в котором предписывалось оказывать предъявителю всяческое содействие, и, когда его впустили, объяснил:

— Мне поручено предупредить вас о небольшой нашей акции, которая будет проведена в квартире, расположенной над вами. Предстоит обезвредить опасного преступника, бежавшего из тюрьмы и по подложным документам ставшего мужем гражданки Воронцовой.

Сделав небольшую паузу, Сальников (а это был он) для убедительности достал газовый пистолет и добавил:

— Пока его не обезопасим, мне придется побыть с вами. Это вооруженный бандит-рецидивист, и он, вероятно, попытается бежать через окно.

— Но у них же седьмой этаж, а ниже пятого нет балконов, — не на шутку испугавшись, усомнился хозяин — маленький толстячок в очках и с бородкой, в дорогом махровом халате. — Неужели решится на такой смертельный номер?

— А чего ему терять?— небрежно ответил Сальников.— Но скорее всего бандит попытается спрыгнуть со своего балкона на ваш и бежать через эту квартиру, — чтобы нагнать страху, он демонстративно поставил пистолет на предохранитель.

— Есть еще вопросы? — холодно взглянул он на интеллигентного толстячка.

— Можно мы вас на врэмя оставим? — вместо мужа робко спросила до смерти перепуганная хозяйка — миловидная брюнетка, по акценту, похоже, «кавказской национальности». — Мы вам здесь будем только мешать!

Разумеется, Сальников дал согласие, и обрадованные хозяева поспешили укрыться в спальне, а Сальников остался в гостиной наблюдать за дверью и окнами, выходившими на просторный балкон. Это была прелюдия, за которой сразу же последовало первое действие, где основная роль была отведена Светлане Ивановне.

Как она и обещала мужу и сыну, в миловидной черноволосой даме, которая вышла из машины неподалеку от дома Воронцовой, не было ничего, чтобы хоть немного напоминало хорошо известную широкой публике внешность солистки музыкально-драматического театра. Маленькую и сутулую женщину (была Светлана Ивановна без каблуков и шла, сгорбившись, подгибая колени под длинной юбкой), черноокую, благодаря контактным линзам, как цыганка, никто не признал бы в ней величественную, белокурую и синеглазую примадонну, даже если бы она предъявила паспорт!

Войдя в подъезд, где ее уже поджидал сотрудник агентства мужа, Светлана Ивановна поднялась вместе с ним в лифте на седьмой этаж. Скинув с себя ему на руки длинную накидку, под которой оказался домашний халат, она вышла на лестничную площадку и профессиональным жестом растрепав черные кудри, резко позвонила в дверь квартиры Воронцовых.

Константин Башун еще валялся в постели, но Катерина по привычке была уже на ногах и на кухне готовила завтрак. Разозлившись на незваный ранний визит, она выскочила в прихожую и, открыв глазок, грубо спросила:

— Это кто там названивает? Мы никого не ждем!

— Откройте немедленно! Я ваша соседка с шестого этажа, — взмолилась, утирая слезы, всклокоченная брюнетка в халате нараспашку, действительно очень похожая на проживающую под ними женщину, которую Воронцова пару раз мельком видела. — Вы нас заливаете, а мы только сделали ремонт!

— Да не может этого быть! У нас новая сантехника, — растерянно возразила Катерина, но, открыв замки, впустила соседку. — Могу показать, чтобы своими глазами убедились, — сгоряча предложила она брюнетке и тут же пожалела об этом, испуганно подумав: «А не забыла я закрыть кран, приняв ванну?»

От этого она растерялась еще больше, начисто забыв о незапертой двери, а «соседка» уже тащила ее за руку осматривать санузел и кухню. Пока все шло по сценарию, и вот-вот можно было начинать второй акт.

Михаил Юрьевич, Петр, и еще два таких же мощных детектива из агентства Юсупова были наготове и, убедившись, что путь им открыт, бесшумно проникли в квартиру. Захват Костыля напоминал традиционные сюжеты криминальной хроники лишь на завершающем этапе. Скользя вдоль стен, как тени, четверка мужчин стремительно осмотрела квартиру и нашла бандита безмятежно валяющимся в постели.

— Ты чего там топчешься, Катюша? — крикнул Костыль, увидев, что приоткрылась дверь. — Я жрать еще не хочу!

«Пора! В атаку!» — сделал условную отмашку Михаил Юрьевич, и все четверо с дикими криками, чтобы ошеломить бандита, ворвались в спальню и одновременно на него навалились. Башун так обалдел от неожиданности, что не смог оказать сопротивления и когда стал соображать, то уже был крепко связан и сидел на полу, прикованный наручниками к батарее отопления.

На шум в открытую дверь спальни влетела с перекошенным от страха лицом Воронцова, но, увидев ужасную картину и сразу все поняв, к общему изумлению, не растерялась, а попыталась сбежать. За ней никто сразу не погнался, так как четверка была занята усмирением бандита, который пришел в себя и в бешенстве дергался как припадочный. Она была уже в прихожей, когда ей путь преградил вошедший Сальников.

— Это... вы?! — мгновенно его узнав, только и сказала пораженная как громом Катерина и огромным бесформенным кулем бессильно опустилась на пол.

С помощью одного из сотрудников Виктор Степанович привел ее в чувство. В холле он встретился со своим шефом, провожавшим домой упиравшуюся жену.

— Но я хочу сама в глаза посмотреть этому подонку. Плюнуть ему в лицо! — умоляла Светлана Ивановна мужа, охваченная противоречивыми чувствами. — Он мне все скажет! Ведь человек все же. И его мать родила, — тут же сменила она тон. — Если надо, на колени перед ним встану!

— Ни к чему это, Светочка, — мягко уговаривал ее Михаил Юрьевич. — Мы с ним лучше тебя поговорим. Поезжай домой!— потребовал он более жестко. — Тебе нельзя здесь оставаться. Представь себе, какой будет скандал, если сюда явится милиция? Плакала твоя безупречная репутация! Ты отлично сделала свое дело, но теперь мешаешь!

— Мне не до репутации, когда на карту поставлена жизнь дочери, но раз мешаю — уеду! — обиженно бросила Светлана Ивановна и вышла на лестничную площадку, где ее уже ждал провожатый.

— Пока все идет путем, Витек, — облегченно вздохнул Михаил Юрьевич. — Теперь займемся подлецами! Я не я буду, если подонок у меня не заговорит. Есть одна плодотворная идейка, — с надеждой подмигнул другу. — А ты займись мадам Воронцовой. Ну, кто из нас раньше их расколет?

Михаил Юрьевич был уверен, что добьется успеха раньше своего хитроумного друга. Для этого у него было основание — домашняя заготовка, которую он обдумывал все последние дни и разработал в деталях. Но подходить к ней надо было не сразу, а предварительно обработав бандита.

— Ну что, Башун, неужто не узнаешь? Выходит, позабыл, чем кончилось для тебя подлянка, которую тогда против нас устроил? — с трудом сдерживая ярость, презрительно спросил он бандита. — Соскучился по нарам?

Ответом ему был поток матерной брани. Костыль снова отчаянно задергался, и на губах у него выступила пена. Не обращая внимания, Михаил Юрьевич спокойно пододвинул стул и уселся напротив бандита.

— Думаю все же, что в тюрьму тебе неохота, — тяжело глядя на Костыля, как бы рассуждая, произнес он. — Ведь с учетом побега тебе закатают пожизненно! Наверное, стоит с нами договориться? Мы не менты и ловить тебя не обязаны!

Заготовленная приманка подействовала. Башун перестал дергаться и вперил горящие ненавистью глазки в своего старого врага. «Сейчас будет сулить мне золотые горы за своих девок, — сразу разгадав тактику Юсупова, злобно подумал он. — Пообещает отпустить, но обманет, сука. Сдаст мусорам!»

Михаил Юрьевич сделал паузу и все так же неспешно продолжал:

— Сам понимаешь, что о жалости к тебе не может быть и речи. Попадись мне при других обстоятельствах, то я, — непроизвольно сжал кулаки,— сам бы оставил от тебя мокрое место. Но дело касается моих дочерей, и это дает тебе шанс. Используй его! — с напором сказал он бандиту. — Если дорога свобода.

— Значит, отпустишь меня, если получишь своих девок? — злобно прохрипел Костыль, всем своим видом показывая

Юсупову, что и не думает ему верить. — Я не фрайер, чтобы клюнуть на такую дешевку!

— А что ты теряешь, если клюнешь? — привел заготовленный контраргумент Михаил Юрьевич. — Не договоримся, то сдам тебя ментам, но перед этим, — он так свирепо взглянул на бандита, что тот поежился, — посчитаюсь с тобой за все! Сам понимаешь: им тогда мало от тебя достанется!

Костыль молча сопел, отлично сознавая, что так и будет, а Юсупов, смягчив тон, продолжал внушать ему задуманное.

— Но если допустить, что, получив назад своих дочек, я сдержу слово, то всего этого ты можешь избежать! Да еще получить от нас денег! — повысил он голос. — Ты об этом подумал? Только круглый идиот не воспользуется такой прекрасной возможностью!

— Но ведь врешь, не простишь ты мне этого, — прохрипел Костыль, отрицательно мотая головой. — Получишь девок и сдашь мусорам!

— А ты что, ребенок малый? — почувствовав, что бандит заколебался, усилил натиск Михаил Юрьевич. — Продумай безопасные условия их передачи и то, как смоешься, получив деньги. Это уж от тебя зависит!

— Сладко поешь! Другому, может, и поверил бы, — пробормотал Башун, но было видно, что он колеблется. — Добреньким прикидываешься. Будто не распознаю волка в овечьей шкуре!

— Ты прав, я не добренький и на компромиссы с бандитами не иду. Но и не прикидываюсь, — пустил в ход свой последний аргумент Михаил Юрьевич.— Ну как не понимаешь — тут особый случай! — горячо и искренне заверил он Башуна. — Какой ты ни есть, но если бы у тебя были дочки, то в этом не сомневался!

Казалось, что успех близок. На потном лице Костыля появилось задумчивое выражение. «А что, и правда, я теряю? — лихорадочно размышлял бандит. — Не соглашусь, меня отдадут мусорам. Это уж точно! Соглашусь или сделаю вид, что согласен, — все-таки что-то мне светит». Но отказаться от сладкой мести, вернув Юсупову похищенных дочерей, было выше его сил, и это решило дело.

— Врешь, падла, кинуть меня задумал, — с бесстрашной наглостью бросил он своему врагу. — Да и не повернуть все вспять: обе дочки твои приказали долго жить, — хрипло рассмеялся, наслаждаясь отчаянием, исказившим лицо Михаила Юрьевича, и не думая о расправе, которая неизбежно за этим последует.

— Нет! Это ты мне все врешь, мразь, — потеряв над собой контроль, громовым голосом крикнул Юсупов так, что в комнату ему на подмогу вбежали Петр с одним из агентов. — Я вобью тебе в глотку твою подлую ложь!

Вскочив в ярости с места, он схватил за грудки и так дернул к себе негодяя, что у Костыля затрещали суставы вывернутых рук, которые были прикованы к батарее, и он отчаянно завопил. Опомнившись, Юсупов его отпустил, и бандит плюхнулся на пол, потеряв сознание от боли.

— Ничего-то у меня не вышло, Петя! — обескураженно признался он сыну. — Теперь придется вышибать признание силой. Ты не смотри, что у него такой дохлый вид, — добавил он, заметив, что сын косился на бесчувственного бандита. — Уже через несколько минут оклемается!

Михаил Юрьевич глубоко вздохнул, словно набираясь духа перед новым тяжелым этапом работы, и наказал сыну:

— Возвращайся к дяде Виктору и помоги ему. Здесь зрелище не для тебя. Теперь — слово за ним, — с надеждой добавил он. — Чувствую, что сегодня Витек положит меня на лопатки!

У Виктора Степановича поначалу дела тоже продвигались плохо. Ушлая Воронцова сразу выбрала верную тактику защиты.

— Да что вы говорите? — изображая, что страдает, застонала она, выслушав требования и посулы Сальникова. — Разве я знала, что мой котик преступник? Я же его любила! И Жора ко мне хорошо относился, но ничего не рассказывал!

— Но неужели в его поведении у вас ничего не вызывало подозрения? — пристально поглядел ей в глаза опытный сыщик, стараясь разгадать фальшивую игру. — Разве вас не насторожило то, что решил сменить фамилию?

— Нисколечко, — правдиво ответила Катерина, искусно разыгрывая из себя прямодушную, простую бабу. — Моя фамилия покрасивше будет. Он так и сказал.

— Это чем же? — удивленно поднял брови Сальников. — Шилов тоже ничего.

— Да что вы, разве можно равнять? — забыв о страдании, кокетливо взглянула на него Воронцова. — Моя фамилия звучит и красиво, и аристократично!

— А вы дворянского происхождения?

— Вполне может быть, — приосанилась Катерина, — но точно не знаю. Шилов первый на это клюнул. Я ведь долго не была замужем, — простодушно призналась она следователю. — Может, поэтому не приставала к нему с лишними вопросами.

Это звучало убедительно и расположило Сальникова в ее пользу. «Наверное, Воронцова не знала правды о своем муже. Башун — ловкий негодяй! — подумал, глядя на открытое лицо и солидный вид заведующей детдомом. — Намучившись одна, она, не задумываясь, делала все, о чем попросит «ее котик». Придется зайти с другого конца: узнать, под каким предлогом он спрятал у нее наших девочек», — мысленно решил он.

Решение было верным. Лишь Виктор Степанович заговорил о похищении Оленьки и Нади, у Воронцовой забегали глаза, в голосе появились фальшивые ноты, и ему стало ясно, что она если не активная участница преступления, то уж точно пособница бандитов. Катерина была плохой актрисой, и он взялся за нее покрепче.

— Ладно, тогда скажите, кого из детей вы поместили в детдом по просьбе мужа, — без перехода резко обрушился он на Воронцову. — Когда и кого именно?

— А что, Шилов брал за это взятки? Ему еще добавят срок? — попробовала она морочить ему голову, выигрывая время, чтобы решить, что для нее лучше: все отрицать или открыть правду о пропавших девочках. Умная и хитрая, Катерина понимала, что в последнем случае рискует меньше. По документам у нее все было чисто, а свидетельства бандитов можно было бы представить как оговор из мести за помощь следствию.

Если же попытается скрыть правду, и все откроется, так как обнаружить следы пребывания Оли и Нади в детдоме не слишком сложно, то ей наверняка грозит тюрьма и немалый срок. Эти переживания настолько очевидно читались на озабоченном лице Катерины, что, не выдержав, Сальников мягко сказал:

— Будет вам мучиться, Воронцова! Говорите всю правду. В этом случае я вам твердо обещаю: вместо того чтобы сесть в тюрьму как соучастница бандитов, вы будете только свидетельницей.

Располагающий вид Виктора Степановича и его заверение помогли ей окончательно решиться, и Катерина, опустив глаза, спросила:

— А что вы хотите от меня узнать? Я скажу все, что знаю!

— Прежде всего о разыскиваемых нами сестрах-близнецах Юсуповых, — на этот раз жестко потребовал ответа Сальников. — Они еще у вас или уже выбыли? На каком основании поступили, а если выбыли, то куда? И почему, — он сделал паузу, остро взглянув на поникшую Воронцову, — во время посещения детдома я не обнаружил их следов?

— Боже мой! Теперь мне все понятно, — изображая удивление, воскликнула Катерина. — Наверное, у бедных сироток нашлись родственники и хотят забрать их к себе? Но у меня осталась только одна из них, а вторую перевели в другое место. Что же вы мне сразу тогда не сказали? — с фальшивым упреком подняла она на следователя глаза, в которых таилась скрытая насмешка.

— Почему я никого из них не обнаружил? — сдерживая гнев, спросил Сальников.

— Извините, — смешалась Воронцова, мысленно ругая себя за то, что рассердила следователя.— Вы могли бы обнаружить только одну из них, Надю, которая находилась в изоляторе. А Оли уже не было. Но все их документы, — торопливо добавила она, — у нас имеются.

В этот момент в гостиную вошел Петр и что-то сказал Сальникову на ухо.

— Сходи за отцом! Он срочно нужен здесь,— велел ему Виктор Степанович, не выдавая бушевавшей у него в душе бурной радости. «Да! Это уже успех, — думал он, счастливый, что хоть немного сумеет утешить старого друга. — Пусть еще неизвестно, где сейчас наша маленькая Оля, но ведь Наденька-то нашлась!»

Сразу поняв сердцем, что другу удалось добиться успеха, Михаил Юрьевич вихрем ворвался в гостиную, крикнув ему прямо с порога:

— Говори, что узнал!

— Наденька в детдоме, в изоляторе. Прошлый раз ее увели перед моим носом, — радостно улыбаясь, сообщил ему Сальников. — Надо срочно за нею послать!

— Поедет Петя, — с загоревшимися глазами распорядился Михаил Юрьевич и, остановив взгляд на Воронцовой, добавил: — Разумеется, вместе с заведующей.

— Но вы мне объясните,— запротестовала для вида ушлая Воронцова, хотя уже догадалась, что он — отец похищенных девочек, — на каком основаниии?

— Вам все объяснят по дороге в детдом, и когда привезут обратно, — бросил ей Михаил Юрьевич.— Есть что-то еще?— нахмурился он, видя, что она в нерешительности остановилась.

— Я ведь не такая дурная и уже поняла, что над девочками Олей и Надей совершено преступление и мой муж... в нем... замешан, — запинаясь, произнесла Катерина, приняв мучительное для себя решение. Последние минуты она только и думала: говорить о деньгах бандитов в ее сейфе или нет? Жадность толкала ее к тому, чтобы скрыть, но она вовремя сообразила, что не сможет объяснить, откуда у нее столько валюты. А в том, что сейф заставят открыть, можно было не сомневаться!

— Ну и что с того? Что это меняет?— нетерпеливо спросил Михаил Юрьевич.

— Да, видите ли, муж... то есть... Шилов... — по-прежнему мялась она. — В общем, он попросил меня положить в сейф большую сумму денег... в валюте! А я к ним, — поспешно заверила Катерина, — не имею никакого отношения.

— Хорошо! Вы своевременно об этом сообщили, — одобрительно кивнул ей Михаил Юрьевич. — Привезете их вместе с документами Оли и Нади Юсуповых!

Петр и еще один сотрудник агентства повели Воронцову к машине, а сам он вернулся к Башуну, который пришел в себя и тихо скулил, донимаемый болью в вывихнутых суставах рук. Когда вошел Юсупов, он осыпал его бранью.

— Ты, костолом, еще за это ответишь! По закону — за члено-вредительство! — в перерывах между матом пригрозил он. — А как выйду, блин буду, замочу!

— Тебе, гад, до тюряги еще дожить надо, — презрительно бросил ему Юсупов. — Радоваться должен, что шею не свернул, а ты о руках беспокоишься. Однако хочу тебя порадовать, — решил он морально добить подонка. — Заложила твоя женушка своего котика. — Сейчас привезет сюда и Наденьку, и деньги, которые ты прятал у нее в сейфе. Правильно делает! Зачем ей отвечать за тебя, ублюдка?

— Врешь, падла! Не могла Катюха так сделать! — взвыл в полном отчаянии Костыль, не желая ему верить и в то же время сознавая, что все сказанное — это правда. На него страшно было смотреть. Лицо побагровело, глаза выкатились из орбит, на губах пена. Было такое впечатление, что вот-вот его хватит удар!

Михаил Юрьевич не был жестоким по натуре, видал картины и пострашнее, поэтому вышел, не желая смотреть на страдания заклятого врага, пытавшегося лишить его дочерей. Но и облегчать их не стал. А когда сын привез Воронцову и Наденьку, приказал запереть супругов в спальне до передачи их милиции, с которой не торопился. Это было его местью!

Что касается дочери, то ее он сразу отправил домой. Фоменко после визита «комиссии» пичкал Наденьку снотворным, и девочка была в полудремотном состоянии, так и не узнав ни отца, ни брата. Очевидно, решила, что видит их во сне.

В это время за закрытой дверью спальни Воронцовых шел последний акт разыгравшейся драмы. Теперь уже свои проклятья Костыль изрыгал на убитую горем и не знающую куда от него деться Катерину.

— Сука позорная! Продала меня с потрохами! — бился он на привязи, в бешенстве забывая об острой боли в плечевых суставах. — Когда выйду, одного дня не проживешь!

— А что мне было делать, котик? — оправдывалась она, как могла.— Я сказала, где девчонки, чтобы не так лютовали. Ведь они все равно бы в детдоме концы нашли! И ваши деньги в сейфе. Тебе легче будет, если и меня упекут в тюрьму?

Говоря это, Катерина подошла к нему, желая как-то помочь, но Костыль изловчился и смачно плюнул, стараясь попасть в лицо, но промахнулся, и она от него отпрянула.

— Напрасно злишься, котик, — миролюбиво сказала Катерина, отойдя все же в дальний угол. — Подумай и сам поймешь, что я тебе пригожусь, если останусь на свободе.

«А на что она теперь может пригодиться? — уныло подумал Костыль, и тут его осенило. Он вспомнил об универсальной отмычке, которую всегда носил с собой, спрятанной в лацкане пиджака. Пиджак висел в платяном шкафу, и при обыске, который провели очень бегло, ее как-будто не нашли.

— Какой толк нам будет друг от друга, Катюха, ежели меня посадят? — сразу успокоившись, насмешливо произнес он. — Ты мне сейчас помоги.

— Да я с радостью, котик! — оживилась Воронцова, но подойти побоялась. — Только скажи, что мне делать.

— Быстро достань из шкафа мой коричневый пиджак и дальше выполняй все, что скажу, — приказал Костыль и продолжал командовать по мере того, как она делала то, что он требовал. — Вытащи из лацкана спрятанную внутри длинную булавку. Теперь любым, что найдешь, перережь ремни на ногах.

Катерина нашла большие ножницы и освободила от пут ноги мужа.

— Чего еще надо? — спросила она, задыхаясь от волнения, так как догадалась о том, что задумал ее котик.— Неужто надеешься отсюда сбежать?

— Сейчас сама все увидишь!— азартно бросил Костыль и, взяв с ее помощью в зубы отмычку, дотянулся до замка наручников и стал потихоньку его ковырять. Однако ничего не вышло, и сообразительная Катерина пришла ему на помощь.

— Дай мне попробовать, — предложила она и, повторяя то, что до этого делал он, довольно быстро добилась успеха.

— Теперь доставай все простыни, что у тебя есть, и мы с тобой их свяжем, — не теряя времени, велел Костыль, растирая плечевые мышцы и морщась от боли.

— Что с тобой? Потянул? — испугалась Катерина. — Как же будешь спускаться?

— Проклятый Юсупов руки вывернул. Он мне за это еще заплатит! — злобно бросил ей муж, помогая вязать узлы.— Не бойся, подстрахуюсь! Мне не впервой.

Но на этот раз опытный скалолаз Башун роковым образом ошибся. Сделав из простыней самодельный канат, он выскочил на балкон и, закрепив конец, стал быстро спускаться с двадцатиметровой высоты, еле справляясь с жуткой болью, пронизывающей при каждом движении.

На крайний случай им из старой простыни была сделана страховка, которая должна была удержать от падения. Она-то и подвела. Примерно между пятым и шестым этажом Костыль испытал настолько сильный болевой шок, что на миг потерял сознание. Руки у него разжались, и он на страховке заскользил вниз с возрастающей скоростью. Задержать должен был очередной узел, но произошло непредвиденное.

Несмотря на низкий рост, бандит весил около центнера, и дряхлая простыня его не выдержала! Инерция была так велика, что, когда страховку задержал узел каната, ее рвануло, и простыня лопнула. Костыль из нее выпал, и как снаряд полетел вниз. Он уже очнулся, высота была небольшой, и бандит попытался сгруппироваться, чтобы спастись при ударе об землю.

Однако судьба уже свершила над ним приговор. На пути его падения оказался бетонный козырек подъезда. Костыль отчаянно дернулся, чтобы увернуться, но размозжил о его край голову и упал на землю уже бездыханным. Весь этот ужас наблюдала, перегнувшись через край своего балкона, Катерина Воронцова. Она оказалась единственным человеком, который искренне оплакивал смерть этого негодяя.

Дома на Патриарших прудах в детской у кроватки Наденьки собрались все родные и близкие семьи Юсуповых. Прилетела из

Женевы и сестра ее бабушки Варвара Петровна. Не было только Даши и ее родителей. Пока все еще сонную девочку осматривал известный профессор-педиатр, все молчали и лишь вполголоса обменивались короткими репликами в ожидании его заключения.

Наконец врач, закончив свое обследование, авторитетно заявил:

— Ребенок совершенно здоров, но его организм слишком перегружен снотворным. Никакой опасности нет. Необходимо лишь в течение недели в точности соблюдать данные мною предписания. Их вам сейчас передаст мой ассистент.

Обрадованные его оптимистичным заключением, родственники вопросами его не донимали, и он вскоре ушел вместе с ассистентом, провожаемый Петром, который устроил и оплатил этот визит. Остальные с нетерпением ожидали в детской, когда Наденька очнется, так как профессор заверил, что ее сознание должно проясниться.

До сих пор с девочкой происходило странное. Еще с того момента, когда вышла из машины около своего дома, девочка озиралась кругом с таким видом, будто ей все это мерещится. Когда же к ней бросилась мать, то она в ужасе отпрянула от нее, как от привидения, и заплакала, закрыв личико руками.

— Бедная моя малышка! Она в здравом уме? — расстроенно бросила Светлана Ивановна матери. — Что с ней сделали эти бандиты?

— Нужно немедленно ее обследовать! — тоже встревоженная состоянием Нади, посоветовала ей Вера Петровна. — Пусть Петенька срочно привезет хорошего педиатра.

И теперь, когда выяснилось, что никакой угрозы здоровью Наденьки нет, у всех отлегло от сердца. Ждали только ее пробуждения, которое, как обещал профессор, должно было наступить через несколько минут. Но вот, наконец, девочка зевнула, сладко потянулась и открыла глаза. Но что такое? Увидев своих близких, она, зажмурившись, тряхнула головкой, словно отгоняла мираж, вновь открыла глаза и испуганно спряталась под одеяло.

Все переглянулись, ибо прогноз профессора не оправдывался.

Однако Наденька снова робко выглянула из-под одеяла и, убедившись, что видение не исчезает, тонким голоском жалобно произнесла:

— А что, я тоже умерла?

— Да что с тобой, доченька? — не выдержав, наклонилась над ней Светлана Ивановна. — Почему так говоришь? Ты не умерла, ты живая и у себя дома!

— И вы все живые? — поразилась Наденька и, отбросив одеяло, приподнялась на постели, внимательно оглядывая присутствующих. Вдруг ее личико осветилось радостью. — Выходит, вас спасли?

— Она бредит, Миша! Профессор ошибся. У Наденьки что-то с головой, — с горечью шепнула мужу Светлана Ивановна, — но мы ее вылечим!

— Погоди, дай мне разобраться, — слегка сжал ее локоть Михаил Юрьевич и, наклонившись к дочери, серьезно спросил: — А почему ты сначала решила, будто мы все умерли и, только увидев тетю Варю, убедилась, что это не так?

— Потому, что ее не было в самолете, когда вы упали в море!

Все недоуменно переглянулись, а Михаил Юрьевич также мягко и спокойно поинтересовался:

— Тебе это, наверное, приснилось?

— Да что ты, папочка, какой сон? — удивленно возразила ему Наденька. — Нам тетя-лейтенант из милиции сказала, что с самолетом, которым вы летели из Ялты, случилась авиакатастрофа. Какое счастье, что вы все спаслись! — просияла она. — А как теперь обрадуется наша Оленька! Надо ей немедленно сообщить!

— А где она, доченька? — улыбаясь, чтобы не выдать своего беспокойства, тут же спросила Светлана Ивановна. — Ты знаешь?

— Во Флориде, у каких-то богатых американцев, вроде бы наших дальних родственников, — беззаботно ответила Наденька. — Они и меня обещали взять к себе жить. Только позже.

— Обманули детей! Но ты ее больше не расспрашивай, — шепнул жене на ухо Михаил Юрьевич. — Мы все узнаем позже и обязательно вернем Оленьку домой! — полный оптимизма, заверил он ее, нежно прижав к себе сильной рукой.

Он уже понял, что с ними произошло и под каким предлогом бандитам удалось увезти дочерей из школы. Сделав всем выразительный знак глазами, Михаил Юрьевич ласково погладил Наденьку по кудрявой головке и мягко сказал:

— Ты нам обо всем подробно расскажешь после обеда! А пока полежи и хорошенько отдохни. Мы теперь никогда не расстанемся!

Понимая, что сейчас ее нельзя эмоционально перегружать и необходимо дать ей возможность вновь привыкнуть к домашней обстановке, все покинули детскую. Мужчины отправились в гостиную обсудить планы своих дальнейших действий, а женщины стали собирать на стол, чтобы отпраздновать чудесное спасение Наденьки.

Итак, Наденька, счастливая и улыбающаяся, оказалась у себя дома, рядом с родными — живыми и здоровыми! Ее опасная эпопея окончена, и все страдания и страхи остались позади. Но это был успех лишь наполовину, ибо судьба ее сестры-близнеца Оли оставалась пока неизвестной.

Стало быть, конец этой истории — еще впереди.

ОБМАН

Часть IV. ТЩЕТНЫЕ ПОИСКИ

Глава 19. Семейная драма

Мозглявый с виду, но жилистый Иван Пронин, хорошо известный в криминальных кругах как Проня — «начальник штаба» банды вора в законе Василия Коновалова, которого больше знали по его кличке Седой, был непривычно растерян. То, что сообщила Софа, сожительница их нового подельника Фоменко, означало полную катастрофу! Он никак не мог в это поверить.

— Так ты говоришь, своими глазами видела, как погиб Костыль? Пытался бежать... и расшибся... насмерть? — запинаясь, переспросил он ее, когда в шоке от волнения, Софа по телефону сбивчиво рассказала о постигшей их фатальной неудаче.

Сделав небольшую паузу, он добавил:

— И Хирург, то бишь твой Фоменко, об этом знает? Выходит, и у него заказ медиков горит огнем?

— А как же? Ведь забрали девчонку. Конечно, заказ теперь будет сорван! — расстроенно ответила Софа. — У моего Сержика все уже было готово, — в ее голосе прозвучал упрек. — Это вы не давали ему сделать операцию.

«Хрен с ним, с этим заказом медиков, — резонно подумал Проня. — Не хватает, чтобы нас поймали еще на том, что губим деток для трансплантации органов», а вслух коротко бросил:

— Давай без нытья! Немедленно бери тачку и приезжай!

Положив трубку, Проня принялся тщательно обдумывать возникшую опасную ситуацию, чреватую проигрышем, стараясь выйти из нее с минимальным ущербом. К приходу шефа охранного бюро «Выстрел», под крышей которого орудовали братки, у него уже возникли некоторые идеи.

— Хана нам, Василий! — вместо приветствия бросил Проня Коновалову, когда тот, огромный, как шкаф, показался в дверях своего кабинета. — Все рухнуло! Как бы не пришлось закрывать нашу лавочку!

Краснорожий альбинос по кличке Седой, не выразив никаких эмоций, молча развалился в своем большом кресле. Однако лицо у него еще больше побагровело и в устремленных на Проню водянистых глазах зажглись беспокойные огоньки, свидетельствовавшие, что он встревожен не на шутку.

— Говори, что там стряслось! — коротко приказал он. — Какой выход видишь? — добавил более мягко, хорошо зная изворотливый ум своего верного помощника.

— Сегодня утром Юсуповы захватили Костыля с женой у них на квартире. Башун разбился насмерть, пытаясь сбежать через окно, — хмуро сообщил Проня. — Катерина вернула им похищенную девчонку. Похоже, раскололась. Ее увезли в ментовку. Вот такие дела! — угрюмо покачал он головой.

— Откуда узнал? — у Седого был такой вид, что его вот-вот хватит удар. Даже для матерого бандита это был шок.

— От Софы. Она видела все собственными глазами. Сейчас явится, и мы ее расспросим, — упавшим голосом ответил Проня. — Теперь, расколов заведующую детдомом, менты выйдут на нас. Тогда уж точно кранты!

— Ну и... какие предложения? — спросил главарь, который уже взял себя в руки.

Прежде чем ответить, Проня немного подумал, как бы проверяя в уме свои мысли, и, сощурив узкие глаза, так что их совсем не стало видно, изложил суть своих соображений.

— Главная угроза не в том, что заложат подельники. Прямых улик против нас с тобой, Василий, менты не добудут, — его веки приоткрылись, и глазки довольно сверкнули. — Беда грозит со стороны заказчиков! Когда их прихватят, они нам не простят ни потраченных бабок, ни срыва заказов, ни своего провала. Без суда с нами поквитаются!

Седой сразу все понял. Хорошо знал, что от пули киллера спастись редко кому удается.

— Вот ты о чем. Эта угроза серьезная, но мы с тобой, Проня, всю дорогу шкурой рискуем, — с наигранной бравадой возразил он, чтобы подбодрить своего помощника. — Не спеши в штаны класть от страха! Ведь еще неизвестно, чем дело кончится. Надо попробовать с ними договориться.

— Так я это же самое хотел тебе предложить, — оживился Проня, не обращая внимания на обидное замечание шефа. — Ты меня не дослушал. Нам надо срочно перехватить инициативу! Тебе, Василий, прямо сейчас надо ехать к заказчику на фирму «Здоровье», чтобы сообщить о том, что произошло.

Он перевел дыхание и испытующе посмотрел на Седого.

— Они, конечно, будут рвать и метать. Наверняка потребуют вернуть бабки, но ты держись твердо: мол, дело наше рискованное, такие провалы неизбежны, и сейчас важно одно — отмазаться! А затем мы выполним все свои обязательства и с лихвой отработаем полученные бабки.

— А что? Я, пожалуй, так и сделаю, — согласно кивнул Коновалов. — Ты прав: нам важно выиграть время. Если тучи сгустятся, тогда подумаем, куда нырнуть, чтобы нас с тобой никто не отыскал.

Он легко для своего большого веса встал с кресла и, уже находясь в дверях, обернулся:

— Когда будешь расспрашивать Софу, постарайся выяснить, какая сука нас заложила? Кто выдал Юсуповым Костыля? Нутром чую: нас кто-то продал!

— А чего тут гадать? Ведь и так ясно, что здесь не обошлось без Насти и Цыгана, — уверенно произнес Проня. — Но скорее всего это сделала твоя бывшая краля!

— Ладно, обсудим это, когда вернусь, — мрачно буркнул Седой и, яростно пнув ногой дверь, вышел из кабинета.

Когда Василий Коновалов вошел в роскошный кабинет исполнительного директора фирмы «Здоровье», его партнер, предупрежденный им еще в дороге по мобильному телефону, в крайнем возбуждении бегал из угла в угол. С него вмиг слетели показные воспитанность и лоск.

— Вы совершили непростительную ошибку! Из-за нее нам придется срочно ликвидировать дело! — вместо приветствия, брызгая слюной, объявил он.

— А чего вы так паникуете? — наглова́тая манера говорить не раз выручала Седого. — Ну пытались арестовать моего сотрудника, как оказалось, бежавшего из тюрьмы, и он погиб. Это наши проблемы, вам-то что угрожает?

— Ты такой непонятливый или прикидываешься? — сбросив маску вежливости, взвизгнул фирмач. — Бандит у тебя погиб, а не сотрудник! И нам на это плевать! Но как ты мог допустить его связь с Воронцовой? Мы же с ней официально вели дело. Она должна была быть вне подозрений!

— Не дурней тебя, сморчок! И прикуси язык, пока я твои мозги по стене не размазал, — осадил его Седой, выхватив пистолет. — Лучше нам по-хорошему обо всем договориться. Но сначала объясни, почему закрываешь свою лавочку?

К его удивлению, фирмач оказался не робкого десятка. Он, правда, пришел в чувство и, сев на свое место, спокойно сказал:

— Сейчас объясню. Положение намного серьезнее, чем тебе кажется. И без глупостей, — указал глазами на пистолет, — не то отсюда выйдешь вперед ногами!

Подождав, пока Седой уберет оружие, он продолжал:

— Опуская подробности, которые не важны, скажу главное. Нам нельзя допустить скрупулезной проверки документации фирмы. А теперь, когда Юсуповы разыскивают дочь и милиция арестовала Воронцову, — бросил на него злобный взгляд, — ты сам понимаешь, что этого не избежать!

— Но в таких делах риск всегда неизбежен, — пробормотал Седой, чтобы что-то сказать, хотя отлично понимал, что крах его «солидной» фирмы неизбежен. — И может быть, все еще обойдется!

— Риск должен быть разумным! — резко возразил директор. — И мы до сих пор строго придерживались этого правила, приобретая только круглых сирот.

Он прервался и в упор с ненавистью посмотрел на бандита.

— Но ты, Коновалов, нас обманул вдвойне! Не только продал из детдома двух девочек, выдав их за круглых сирот, но вдобавок, оказывается, они похищены и находятся в розыске!

— Я же сам об этом не знал! Мне их подсунули с подложными документами, — ничего лучше не придумал Седой в свое оправдание. — В этой сделке я лишь посредник. И можешь считать, — свирепо выпучил водянистые глаза, — что те, кто меня подставил, уже не жильцы на этом свете!

— Хватит! Это — все слова, — досадливо прервал его директор «Здоровья». — Мы фирму все равно ликвидируем. Если и откроем вновь, то под другой вывеской. Поскольку понесенных убытков ты нам не вернешь, — в его взгляде сквозило насмешливое презрение, — дадим тебе ряд поручений. Выполнишь — тогда, возможно, в будущем возобновим наше сотрудничество. Если нет — пеняй на себя! Ну как, согласен?

«С удовольствием свернул бы тебе шею, хорек! — злобно подумал Седой, глядя на его наглую холеную рожу. — Но придется потерпеть», — и, согласно наклонив голову, хмуро бросил:

— А что мне остается? Сделаю все, что нужно.

— Тогда в первую очередь отыщи и уничтожь официальное письмо нашей фирмы в детдом, — жестко потребовал директор. — А если оно уже в деле, найди способ его оттуда изъять!

Видя, что бандит его не совсем понимает, он пояснил:

— Нам ведь теперь придется срочно изготовить новые документы для девочки, проданной в Штаты, чтобы не подвести наших клиентов. Но главное, нельзя дать властям повод всерьез взяться за нашу фирму!

Директор сделал паузу и, тяжело взглянув на бандита, потребовал:

— Немедленно уничтожь свой экземпляр нашего договора и тот, который находится на руках у медиков. Чтобы не осталось ни одной копии! Сумеешь это сделать?

— Пусть только попробуют не отдать, — обретя прежний уверенный вид, бросил Седой. — Ну а что еще?

— Надо обрубить все концы, ведущие к нам и заказчикам! — невольно снизив голос, приказным тоном произнес фирмач. — Необходимо, чтобы замолчал наш третий партнер Власов!

«Вот что тебе от меня надо, — мысленно усмехнулся Седой. — Хочешь моими руками сделать грязную работу», а вслух с проснувшейся наглостью спокойно сказал:

— Понятно! Нет человека — нет и проблемы. Но за мокруху вам заплатить придется. Это в наш договор не входило!

— А вы отработали, что входило? — потеряв терпение, вспылил фирмач. — Я не говорю уже, — тут же взял себя в руки, — о понесенных нами убытках!

— Свои долги мы погасим в будущем. За нами не пропадет, — хладнокровно стоял на своем Седой. — А за мокруху мне нужен аванс — пять штук баксов для подготовки, — деловито добавил он. — Расчет по факту.

Опешивший от его наглости фирмач хотел было что-то возразить, но махнул рукой и полез в сейф за деньгами. Пока для Василия Коновалова разборка с фирмой «Здоровье» прошла довольно удачно.

Вернувшись к себе в офис, Василий Коновалов застал в своем кабинете, кроме Прони и Софы, ее сожителя Хирурга. Недоучившийся студент-медик Сергей Фоменко был долговязым и тощим, как дистрофик. А его подруга Софа, наоборот — маленькой и пухленькой, как колобок.

«Чего это Хирург приперся? Кто его звал? — недовольно подумал Седой при виде Фоменко, но, вспомнив о задании фирмача, даже обрадовался. — А ведь он-то как раз мне и нужен. Вот кто разделается с Власовым!»

Молча кивнув подельникам, главарь прошел на свое место и, водрузившись в кресле, спросил:

— Ну, так кто мне расскажет, как все произошло?

— Софа и расскажет! Она своими глазами видела, — кивнул Проня на довольно потасканную, но все еще привлекательную маленькую блондинку. — Повтори-ка, что мне рассказала, — приказал он ей. — Только покороче и без лирики.

Привычным жестом поправив пышную прическу, делавшую ее выше ростом, Софа кокетливо стрельнула глазками на шефа и скороговоркой сообщила:

— Значит, жду Катерину в детдоме. Приезжает сама не своя с каким-то молодым верзилой и с ходу велит привести Надю Юсупову. Я было обмолвилась, что девчонка спит, а она на меня: «В тюрьму захотела? Чтоб через пять минут была здесь! Не проснется, на руках принесите!», — а сама бросилась сейф открывать.

— Сейф? А зачем он ей? — Седой недоуменно перевел глаза с нее на Проню. — У нее там документы на девчонок спрятаны?

— Погоди, Василий, — мрачно бросил ему помощник. — Сейчас все узнаешь.

— Вот и я, уходя, так подумала, — бойко продолжала Софа. — Приносим, значит, мы с Сержиком девчонку, а на столе у Катерины горой баксы сложены. Сотенными в банковских упаковках! — захлебнулась она от восторга. — Я столько зараз только в кино видела!

— Нашу «зелень» им отдала! — не выдержав, охнул Седой, помутневшим взором глянув на Проню. — Замочу суку позорную!

Софа испуганно умолкла, но по знаку Прони продолжила:

— Мы с Сержем сразу поняли, что дело пахнет керосином и решили проследить за ними.

— Неужто поперлись за ними в дом? И вас не задержали? — снова не выдержал Седой. — Хватило ума не засветиться?

— Хватило, Василий! Они не дураки, — успокоил его Проня. — Из машины все видели.

— Прошло минут десять, и вдруг сверху раздался женский крик, — завершила рассказ Софа. — Это орала Катерина со своего балкона. И тут же... Ох, не могу, — запнулась она, — до сих пор тошнит. В общем, об землю что-то шмякнуло. Мы не сразу поняли, что это Костыль разбился.

Она перевела дыхание.

— Тут же из дому выскочило несколько здоровенных мужиков. Видели мы, как парень увез девчонку. Потом подъехала милиция. Забрали Катерину. Вот и все, — с облегчением закончила Софа. — Сразу побежала звонить вам.

Некоторое время все молчали. Наконец, ни к кому не обращаясь, главарь мрачно произнес:

— Кто-то навел их на квартиру Катерины. Это факт! Есть соображения?

— Я же сказал, Василий: одно из двух, — настаивал Проня. — Или твоя Настя, или Цыган. Скорее всего, Цыган! Чтобы отомстить, — пояснил Проня. — Сначала я грешил на Настю, но она, впрочем, могла бы сделать это гораздо раньше.

— А я считаю, что эта краля нас предала, — впервые за все время подал голос Хирург. — Убежден в этом! Уж больно она умоляла не трогать девчонок. А баба с характером. Я эту породу знаю: любят, чтобы было по-ихнему. На все пойдут!

Он сделал паузу и, опасливо взглянув на главаря, добавил:

— А Цыган — правильный мужик! Такой не продаст. Не в обиду тебе, Седой, будь сказано. Известно, что вы с ним не ладите.

— Значит, ты за ней что-то такое замечал? — подхватил Коновалов. — Похоже, ты прав. Она и меня достала, стараясь спасти девчонок. Ты, Хирург, останься! Мы с тобой еще это обсудим. Я лично ею займусь. А вы, — властно взглянул на остальных. — Можете быть свободны!

Неглупая и сообразительная Софа еле дождалась возвращения домой своего сожителя. Как только за Фоменко закрылась входная дверь, она сразу засыпала его вопросами:

— Чего такой хмурый? Что Седой тебе предложил? Ведь не покалякать же о Насте он с тобой остался?

С лицом темным, как туча, Хирург молча прошел на кухню, устало опустился на стул и только тогда удрученно ответил:

— Скверное дело, Софочка. Отказаться духу не хватило, а теперь не знаю, как мне быть.

— Ладно, выкладывай! — потребовала она, усаживаясь напротив. — Вместе чего-нибудь придумаем. Ну, что он тебе поручил? Переспать с Настей? — взглянула на него с усмешкой. — Хотя ты не был бы такой кислый.

— Пришить Леньку Власова! За пять штук баксов, — опустив голову, хрипло произнес Хирург, открыв подруге суть дела. — А я на это пойти не могу.

По своей натуре бездушная эгоистка, Софа не испытала ничего похожего на жалость к преуспевающему партнеру мужа красавцу доценту Власову, но она была практична и предусмотрительна.

— А Седой — не жмот. Денежки хорошие, и нам бы очень даже пригодились, — с задумчивым видом посмотрела на сожителя. — Власов себе забирал сливки, а тебе швырял лишь кости. Но все же ты прав, — добавила, как бы подводя итог, — идти на это нельзя!

Получив поддержку, Хирург согласно закивал головой:

— Вот-вот! Я же не мокрушник! И потом — он мой старый друг.

— Ладно, замнем. Не в этом дело, — рассудительно объяснила сожителю. — Убить Леню — значит навсегда порвать с медиками, а это все одно, что отрубить сук, на котором сидишь. Но, главное, думаю, ты сам это понимаешь, — запнулась, разволновавшись, — когда выполнишь задание, тебя самого Седой... ликвидирует!

— Это уж точно! — вырвалось у Хирурга, выдав основную причину его озабоченности. — Что же теперь делать, Софочка? Ведь с Седым шутки плохи!

— От Седого тебе на время надо будет спрятаться, — посоветовала подруга. — Все равно ваш с ним бизнес накрылся! Думаю, ему скоро будет не до тебя, — она злорадно усмехнулась, — И преследовать не за что: ты ему ничего не должен.

— Ведь, и правда, не за что. Как хорошо, что не брал у него бабок!— воспрянул духом Хирург. — Но как мне сказать, что отказываюсь? — озабоченно добавил он. — Передать через Проню?

— Это рискованно, Сержик, — отрицательно покачала головой Софа. — Могут потребовать, чтобы приехал! Этот хитрован предлог найдет.

— Как же быть? — снова приуныл Хирург.

— Предоставь это мне, — успокоила его она. — Я им сообщу, что срочно уехал к родным или что-нибудь в этом роде. Ко мне привязываться не будут: ничем вроде не провинилась. Переждем некоторое время, а там видно будет.

— Может, выпьем за удачу? — просительно произнес Фоменко, испытывая непреодолимую потребность расслабиться.

— А что? Хорошая мысль, — одобрила Софа, с вожделением поглядев на него заблестевшими глазами. — Надеюсь, ты уж постараешься утешить меня перед расставанием?

Она легко поднялась, достала из холодильника бутылку водки и принялась накрывать на стол.

— Тебе стоит, Сержик, предупредить этого пижона Власова. Разумеется, не задаром! — посоветовала повеселевшему любовнику. — Пусть сам думает, как ему спастись. Он тебе еще пригодится.

— А это разве обязательно? — недовольно поморщился Генри Фишер, когда с трудом добившись разговора с ним, мистер Ричардсон настойчиво попросил о личной встрече. — Пришлите мне свое сообщение по факсу!

— Нет, вопрос слишком важный и конфиденциальный, — настаивал посредник. — Учтите, что вас могут начать шантажировать, и очень скоро!

— Вам тогда это дорого обойдется! Я уничтожу вашу лавочку! — рассвирепел бывший мусорщик, воспитателем которого с детства была чикагская улица. — Вы у меня достаточно выманили денег, чтобы больше не беспокоить.

— Вот для этого и нужна наша встреча, — мягко заверил его Ричардсон, — Чтобы в дальнейшем избавить вас от беспокойства и неприятностей.

— Ладно, я вас приму в моем городском офисе. В три часа, — раздраженно бросил ему Фишер и, положив трубку, обернулся к сидевшей неподалеку жене. — Черт знает что, Салли! Опять к нам пристают посредники. Я так и знал, что твоя затея принесет одно беспокойство.

— Это не так, Генри! — спокойно возразила жена, откладывая свое вязанье, которым обычно занималась после ленча. — Общение с этой красивой девочкой... Лолой, — так, более удобно, переделала она непривычное русское имя «Оля», — мне доставляет большое удовольствие. Вот только, — вздохнула она, — скорее бы перестала плакать.

— А что, по сестре скучает? Или все еще оплакивает родных? — с сочувствием спросил супруг. — Ты бы, Салли, прокатилась с ней на круизном лайнере по Карибам! Показала бы ей эту красоту, о которой девчонка и не мечтала в своей холодной России. Новые впечатления помогут забыть горе!

— Ты прав, дорогой. Я об этом уже думала, — одобрила его предложение Сара. — Здесь она поначалу как-будто повеселела, так ей все нравилось, а как немного пообвыкла, то снова каждый день плачет и просит привезти сестру.

— Но ты ведь пока не думаешь удовлетворять ее просьбу? — обеспокоенно взглянул на жену Фишер. — Мне Лола тоже нравится. Однако нам для начала хватит ее одной!

— Вполне с тобой согласна! — выразила солидарность Сара. — Мы с Лолой уже неплохо ладим. Утром вместе бегаем по парку, потом я учу ее играть в теннис, и мы купаемся в бассейне, — с довольным видом сообщила она мужу. — Она только начала ко мне привыкать, и приезд сестры этому помешает.

— Ну и что ты решила? — поинтересовался Фишер.

Сара поднялась и не спеша прошлась по роскошной, залитой солнечными лучами гостиной. Ей было за пятьдесят, но благодаря гимнастике и диете у нее все еще была статная фигура. Однако широкая кость, грубоватость сложения и большие руки прачки, перестиравшей когда-то горы белья, лишали ее внешность изящества, несмотря на дорогую косметику и изысканную одежду.

— Возьмем к себе и вторую, только позже, — объявила она, остановившись около мужа. — Разве будет плохо, если мы вырастим двух русских красавиц, достойных сниматься в Голливуде? Подумай, Генри, какая жизнь нас ожидает!

— А чем плохо нам сейчас живется, Салли? Нечего зря Бога гневить, — укоризненно проворчал Фишер, который не без основания был горд тем, чего добился.

— Да как ты не понимаешь? — возбужденно воскликнула честолюбивая Сара. — Ну что с того, что мы богаты? Таких пруд пруди! Кто нас знает? Узкий круг друзей. А так, — посмотрела на мужа блестящими глазами, — мы сразу будем всем интересны. Станем знамениты!

Слова жены произвели на Фишера впечатление.

— Не побоюсь сказать, толково рассуждаешь, Салли! — одобрительно произнес он. — Если из девчонок и правда вырастут красотки, да еще благородного происхождения, нас с тобой на руках будут носить! Как благодетелей общества. Да и нашему бизнесу прямая польза!

Фишер весело посмотрел на жену, но тут же озаботился:

— Но как ты объяснишь Лоле, почему мы пока не берем ее сестру?

— Так же, как и раньше — заразной болезнью, — ответила она с хитрой улыбкой. — И сестра будет болеть столько, сколько нам понадобится.

— А потом болезнь может окончиться и летальным исходом, — сообразил супруг. — Во всяком случае, так объявим Лоле. Ловко придумано!

Он с уважением посмотрел на супругу и удовлетворенно добавил:

— Тогда, не теряя времени, отправляйтесь с Лолой укреплять свои отношения в плавании по Карибскому морю! А я тут пока разберусь с посредниками.

Мистер Ричардсон прождал своего клиента почти полчаса и, разминаясь, прохаживался по приемной, когда через зеркальные окна заметил подкативший к подъезду лимузин Фишера. Поднявшись на личном лифте прямо в кабинет, босс вызвал свою длинноногую изящную секретаршу Мэрилин и, когда она положила перед ним папку с документами, хлопнув по вызывающе оттопыренному заду, небрежно бросил:

— Ну как, Мэри, этот жулик из посреднической фирмы уже пришел? А то я не прочь немного позабавиться.

— Уже полчаса, как здесь ошивается, Генри, — с кокетливой улыбкой ответила она боссу, с которым явно была в коротких отношениях.

— Жаль, что пропадает хороший аппетит, — хохотнул Фишер и, став серьезным, распорядился: — Ладно, пусть войдет!

Мэрилин, виляя стройными бедрами, выскользнула в приемную, и в кабинет стремительно вошел заждавшийся мистер Ричардсон. По закушенной губе было видно, что он очень зол на клиента, но посредник сдержался, подсел к столу Фишера и, открыв свой кейс, молча протянул ему пачку документов.

— Это еще мне зачем? — удивленно посмотрел на него миллионер, вертя в руках чужеземные бумаги с печатями, очевидно, на русском языке. — Я же от вас на эту девчонку все нужные документы получил.

— Можете теперь их выбросить! — грубо бросил Ричардсон. — Они вам больше не нужны. Это — новые документы на вашу девочку, которые срочно прислала посредническая фирма из России.

— Ничего не понимаю! — нахмурился Фишер, предчувствуя недоброе. — Зачем они мне?

— Вы же не хотите вернуть ее русским, потеряв свои деньги? — без обиняков объяснил ему Ричардсон. — И мы не хотим этого, так как наш русский партнер — фирма «Здоровье», самоликвидировалась, и получить неустойку не с кого!

— Кто же это сможет у меня отобрать Лолу? — насмешливо выкатил на него глаза Фишер. — Русские диверсанты?

— Напрасно смеетесь! — зло осадил его посредник. — Ее родители — потому что они живы и здоровы. Нас с вами обманули! Девчонки были похищены и разыскиваются, — уже спокойнее объяснил он. — Одну вроде уже вернули родителям.

Сообщение посредника озадачило, но отнюдь не обескуражило Фишера, в жизни которого многократно возникали куда более серьезные осложнения. Он лишь, нахмурив кустистые брови, пробежал глазами новые документы и, тяжело взглянув на незадачливого посредника, бросил:

— Пожалуй, это сойдет. Выходит, мы удочерили не Ольгу Юсупову, а сироту Елену Шереметеву, тоже дворянского происхождения. И кто же так здорово изготовляет эту липу? — презрительно усмехнулся, разглядывая одну из бумаг. — Здесь не только печати, но и бумага старинная.

— У них там есть большие мастера этого дела. За хорошую плату любой документ подделают так, что не всякий эксперт отличит от подлинного, — вполне серьезно объяснил Ричардсон. — С этими бумагами вы от Юсуповых отобьетесь, если они сумеют с помощью Интерпола отыскать свою девчонку.

На некоторое время воцарилось молчание, во время которого Генри Фишер размышлял, а посредник терпеливо ожидал решения своего клиента. Наконец, тот вышел из задумчивого состояния и объявил:

— О'кэй! Принимаю от вас эти документы как частичную компенсацию за сестру Лолы. Если я правильно вас понял, мне не видать ни ее, ни уплаченных за нее денег, — остро посмотрел он на Ричардсона и со скрытой угрозой добавил: — Думаю, что вы знаете, с кем имеете дело, как и то, что происходит с теми, кто мне не платит долги?

Посредник утвердительно кивнул, и Фишер жестко заключил:

— Я не стану требовать от вас возврата денег, если спрячете все концы в воду и никто через вас на меня не выйдет! Если не примете мер или развяжете языки, то пеняйте на себя!

— Можете в нас не сомневаться! Ведь поэтому я здесь, — горячо заверил его Ричардсон. — Все следы нами уничтожены! И наша фирма скоро исчезнет, так как босса посадили за неуплату налогов. Однако, — счел нужным предупредить он клиента, — девчонку у вас могут найти и помимо нас.

— Не считайте меня за простака! Не найдут Лолу без вашей помощи, — грубо оборвал его Фишер. — Так что держите-ка язык за зубами, если дорога жизнь, и передайте это остальным!

Миллионер встал с кресла, давая понять, что аудиенция окончена и, покидая кабинет, Ричардсон спиной чувствовал, как тот провожает его своим тяжелым взглядом.

Дни бежали чередой, а упорные поиски Оли не давали никаких результатов.

Хитрая Воронцова умело разыгрывала из себя безвинную жертву преступников, безутешную вдову, которая ничего не знала об уголовном прошлом погибшего мужа. И хотя документы на сестер Юсуповых оказались похищенными, работники детдома подтвердили, что они были оформлены должным образом.

Юсуповы также в благодарность за то, что она помогла вернуть Наденьку и половину выкупа, уплаченного бандитам, сдержали свое слово и не сообщили следователю о ее пособничестве похитителям. Поэтому Катерину почти сразу же выпустили, и она прошла по этому делу как свидетельница. Держать язык за зубами она умела, и о ее более тесной связи с подельниками Седого никто не узнал.

Частые визиты в детдом Прони заведующая объяснила тем, что она принимала его как представителя благотворительной организации, за которого он себя выдавал, и других отношений с ним не имела. Это почти соответствовало правде и ее оставили в покое. Проня же, как только началось следствие, сразу исчез и выйти на его след никак не удавалось.

— Уволился по семейным обстоятельствам. Жаль, ценный был работник, — с фальшивым вздохом посетовал Сальникову глава охранного бюро «Выстрел» Василий Коновалов. — Наследство какое-то получил на Кубани, то бишь на Ставрополье. Он вроде из тамошних казаков, — объяснил он сыскарю, но в его глазах светилась насмешка. — Наверное, уже не вернется.

Виктору Степановичу опыта было не занимать, и он давно уже вычислил, что похищение маленьких Юсуповых — дело рук банды Седого, а Проня лишь его подручный. Однако никаких доказательств этого не было, и как им ухватить матерого преступника ни он, ни его друг и шеф Михаил Юрьевич придумать пока не могли. Попытки разговорить явно причастных к похищению Фоменко и Софу окончились неудачей. Хитрые и осторожные, они в один голос твердили, что имели дело только с Надей, а об Оле им ничего неизвестно.

Безрезультатность поисков вконец измотала и без того слабую нервную систему Светланы Ивановны. Хотя одна дочь уже находилась дома у нее под крылом, из-за отсутствия второй она постоянно испытывала сердечную боль и пребывала в депрессии. Именно по этой причине впервые за долгие годы совместной жизни у нее произошла ссора с мужем, которого боготворила и с которым никогда раньше не расходилась во мнениях.

— Я видела ужасный сон, Мишенька, — сказала она ему за завтраком, и на ее дивные синие глаза навернулись слезы, что было теперь постоянным явлением.

— То-то ночью ты металась и стонала, — отозвался Михаил Юрьевич, отложив вчерашнюю газету, так как за неимением времени просматривал прессу перед уходом на работу. — Я уж хотел было тебя разбудить, но все, видно, прошло, и ты успокоилась. Какой-нибудь очередной кошмар?

— Видела Оленьку как наяву! Она погибала, взывала о помощи, а я не смогла спасти, — всхлипывая, рассказала Светлана Ивановна. — Мы купались с ней где-то в теплом море, и ее схватил огромный спрут! Представляешь этот ужас?

— Конечно, представляю, но нельзя же, Светочка, относиться к этому всерьез, — мягко ответил ее муж. — И тем более проливать слезы! Это же только сон!

— Нет! Я верю снам, — горячо возразила Светлана Ивановна. — Спрут утаскивал ее в глубину, Оленька протягивала ко мне свои ручонки, а меня словно парализовало. Так и не смогла прийти к ней на выручку! — горестно произнесла она, опустив голову. — Бог хочет отнять ее у нас, Миша!

— Не сходи с ума! Неужели не понимаешь, что все эти ужасы тебе снятся на нервной почве, отражая твое беспокойство за судьбу Оленьки? — резче, чем обычно, урезонивал ее муж. — Ведь мы ничего о ней толком не знаем! — добавил раздраженно, сознавая бесплодность своих усилий. — Но из того, что известно, следует, будто наша дочь находится в хороших условиях. Зачем же думать о худшем?

Лучше бы он промолчал! Его слова и, главное, тон вызвали новую боль в истерзанной неизвестностью душе матери, и Светлана Ивановна обиженно возразила:

— Так что, может, мне по этому поводу радоваться? Откуда ты знаешь, каково сейчас Оленьке и не попала ли она в беду. Рано же ты успокоился, Миша! — бросила мужу горький упрек. — Не ожидала я этого от тебя! — И опустив голову на руки, бурно разрыдалась.

Михаил Юрьевич беззаветно любил жену и первым порывом у него было броситься к ней и утешить, но, ощутив в своем сердце глубокую обиду, остался на месте.

— И я не ожидал от тебя такого упрека, — глухо произнес он, стараясь не поддаваться гневу. — Неужто не видишь, что я делаю все возможное и невозможное, чтобы поскорее найти нашу дочь? Ты как мать, возможно, глубже переживаешь, но это не дает тебе права несправедливо укорять и закатывать мне истерики!

— Тебе не по душе истерики? Но я угожу в психушку, вот увидишь! — сквозь слезы пригрозила ему Светлана Ивановна, которая от безутешного горя уже плохо соображала. — Что толку от твоих слов, что много делаешь, когда не видно никакого результата?

Это было уже слишком! В душе Михаила Юрьевича все кипело от обиды и возмущения. Сами собой на язык наворачивались слова, призванные вразумить жену и защитить свое достоинство, восстановив справедливость. Но он был сильным человеком и сумел взять себя в руки, понимая, что в таком состоянии, в каком она находится сейчас, к добру это не приведет.

Резко отодвинув от себя недоеденный завтрак и не став пить кофе, он молча поднялся и, схватив по пути кейс, вышел из квартиры.

Глубоко переживая в душе первую в жизни ссору с горячо любимой женой, Михаил Юрьевич прибыл в свой офис, привычно сел за письменный стол, но работать не смог. Все его мысли были направлены на то, как поскорее с ней помириться, не роняя при этом своего достоинства. Он по-прежнему испытывал обиду от несправедливых упреков, но она уже отошла на задний план из-за беспокойства о здоровье супруги.

«Нет, словами Свете сейчас не поможешь, — основательно подумав, пришел он к резонному выводу. — Утешить ее может только хоть какой-нибудь результат в поисках Оленьки. До этого незачем с ней говорить. Надо выдержать паузу!»

Вызвав секретаря, Михаил Юрьевич попросил разыскать и направить к нему Сальникова, с которым с утра не мог связаться по мобильному, и уже собирался разобрать накопившиеся деловые бумаги, как ему позвонил Петр.

— Ты откуда говоришь? — обрадовался он. — Если сможешь, приезжай сюда! — попросил сына. — Нам с тобой надо поговорить о матери. Ее состояние внушает мне тревогу.

— А я как раз к тебе собирался, папа. Звоню с дороги, — оживленно произнес Петр. — Мне тоже надо с тобой посоветоваться. Тут появилась зацепка в розыске Оленьки.

— Хоть бы что-нибудь удалось узнать! Твоя мама совсем извелась, — посетовал Михаил Юрьевич. — Я жду Виктора Сальникова, и мы все вместе подумаем, как сдвинуть наши поиски с мертвой точки.

Петр только вошел и уселся рядом с отцом в глубокое кожаное кресло, как дверь открылась, и в кабинет влетел запыхавшийся Сальников. Благодаря более совершенному протезу он почти не хромал.

— Прости, Миша! Не знал, что тебе срочно понадоблюсь, и повез в ремонт свой мобильник, — плюхнувшись в кресло, извинился он перед шефом. — А что, собственно, стряслось?

— Светочка на пределе! — удрученно произнес Михаил Юрьевич. — У нее и так слишком чувствительная натура, а из-за Оленьки совсем извелась. — Сегодня мы впервые за столько лет даже поссорились. Да, сын, это так, — с горечью бросил он Петру. — Мама упрекнула меня, что плохо ищем Оленьку, а мне стало обидно.

— Зачем она так? Это несправедливо, — покачал головой Петр. — Я-то знаю, что ты из сил выбиваешься, папа. Ей надо объяснить!

— А что, ей от этого легче будет? — решительно возразил Михаил Юрьевич. — Нет, сынок, помириться помогут только наши активные действия! Вот о них давайте и потолкуем.

Он откинулся в кресле и, обращаясь к Сальникову, сказал:

— Я вызвал тебя, Витек, так как взбудораженный утренней ссорой со Светой хотел поскорее скоординировать наши с тобой усилия. Но Петя сказал, что у него есть что-то новое. Поэтому предлагаю послушать его. Согласен?

Виктор Степанович молча кивнул, и Петр, оживившись, сообщил:

— Вчера ко мне в офис вновь позвонила Зина. Нового она сказала немного, но на этот раз, ожидая ее звонка, я хорошо подготовился, — он победно взглянул на отца и его друга. — В общем, удалось установить номер домашнего телефона, по которому она со мной говорила!

— Это уже кое-что! — обрадованно подхватил Виктор Степанович. — Мы бы здорово продвинулись, если бы Зина оказалась Настей Линевой, о чем я сильно подозреваю. Теперь это можно будет проверить, установив: кому принадлежит квартира, откуда она звонила.

— А кто эта Настя Линева? — спросил Михаил Юрьевич.

— Разведка донесла, — с усмешкой объяснил Сальников, — что в банде Седого есть красивая девка, которую уже не первый раз активно используют в деле. Она бывшая проститутка и вроде бы любовница самого главаря. По описанию вполне подходит, кроме цвета волос, но их она могла и перекрасить.

— Что практически это нам даст? — с сомнением произнес Михаил Юрьевич. — Она ведь может ничего не знать о том, куда отправили Олю.

— Нет, Миша! Если Зина окажется Настей Линевой, то мы от нее уж точно сможем узнать, кому продали Оленьку, — убежденно сказал Сальников. — По моим данным, она — очень хитрая и ловкая стерва, и если близка с главарем так, как говорят, то многое знает!

— Насчет хитрости и ловкости согласен, — хмуро бросил Михаил Юрьевич, красноречиво посмотрев на сына, который сконфуженно опустил глаза. — А вот насчет того, что много знает, сомневаюсь!

— И знает достаточно! Я уверен в этом, — решительно подтвердил Петр. — Она раньше не договаривала, чтобы набить себе цену. Но вчера прямо сказала, что узнает все необходимое и даже назвала свою цену.

— Может, она блефует и бандиты опять хотят обманом выудить у тебя баксы? — недоверчиво посмотрел на него отец. — Почему веришь, что это не пустые обещания? Пора бы тебе уже изменить к ней отношение, — бросил он хмуро, явно намекая на интимную связь сына с их бывшей домработницей.

— Зина проговорилась, — не обращая внимания на его выпад, ответил Петр. — Сказала, что сообщит, какой посредник оформлял сделку и имя американца, забравшего Оленьку из детдома. По-моему, это уже немало!

— Ладно, убедил! — повеселев, согласился с ним Михаил Юрьевич. — Давайте сначала узнаем адрес этой проходимки, а потом установим за ней наблюдение.

И уже придя в свое обычное бодрое состояние, деловито распорядился:

— Вплотную займемся ею только после того, как сама выйдет с нами на связь. Если возьмем ее раньше времени — все испортим!

Глава 20. Гибель Насти

Позвонив Петру Юсупову с предложением продать информацию о тех, кому была отдана его малолетняя сестра, Настя Линева отнюдь не блефовала. На то у нее было солидное основание: обещание самого Седого, открыть ей, с кем была совершена эта сделка и кто увез Олю в Америку.

Звонок Василия Коновалова явился для нее полной неожиданностью. До этого она много думала, как ей подступиться к своему бывшему любовнику и не могла придумать подходящего предлога. Поэтому страшно обрадовалась, узнав его хрипловатый голос.

— Привет, Настена! Можешь торжествовать, — Седой старался говорить мягко, но это ему плохо удавалось. — Как видишь, твоя взяла! Думал, смогу обойтись без тебя, ан не выходит!

— Что, Васенька: надоело обслуживать богатых лентяек? Слишком многого хотят за свои бабки? Снова на любовь потянуло? — самодовольно рассмеялась Настя. Всегда слишком переоценивающей свои достоинства, ей и в голову не пришло, что он ведет с ней нечистую игру. — Неужто лучше не нашел?

— Сама знаешь, что второй, как ты, нет, — поддакнул, зная, что этим ее купит, Седой. — Но я молчал, ждал, когда тебе надоест Цыган и поймешь, что он мне в подметки не годится.

Он сделал паузу, ожидая ответа, но Настя молчала, и он добавил:

— И вот ребята сказали, будто вы с ним вроде разбежались, — коварно соврал он. — Верно узнала, что ему теперь хана? Но тогда почему фасон давишь?

— Какой ты догадливый, Васенька! Я сразу его прогнала, — попалась Настя на его удочку. — Это надо же против тебя пойти! Я и Костыля за это невзлюбила. Мне ничуть не жаль этого мокрушника!

— Значит, и ты по мне скучала, Настена? — самодовольно произнес Седой, радуясь тому, как легко обвел ее вокруг пальца. «Хрен ее знает: может, и впрямь хочет ко мне вернуться? — мысленно засомневался он. — И Костыля вряд ли она заложила. Иначе стала бы так откровенно радоваться, что он сгинул?»

— Будто сам не знаешь! Думаешь, могу забыть, что у нас было? — прикинулась обиженной Настя. — Разве мы расстались по моей воле? Кто мне под глазом фонарь поставил? А Цыган давно за мной бегал и обещал от тебя защитить.

Но Седому послышалось что-то фальшивое в ее тоне, и это его насторожило.

— Ну тогда нам пора встретиться! — преувеличенно бодро произнес он. — Сразу поймем, те ли мы, что раньше. И, как всегда, совместим приятное с полезным.

— А что, Васенька, я опять тебе для чего-то нужна? — внутренне напряглась Настя, сразу почуяв подвох. — Выходит, не одна любовь тебя ко мне потянула?

— Одно другому не мешает. Разве не так? — изображая веселость, возразил он и серьезно добавил. — Но по правде, есть идея с твоей помощью поправить наши финансы. Ты ведь уже знаешь, что Воронцова сдала мусорам всю нашу «зелень»?

— Да, слышала, — насторожилась Настя. — А что за идея?

— Самая простая: тряхнуть снова богатенького сынка Юсупова. Он задолжал нам кругленькую сумму, получив сестричку задарма, — натужно пошутил он. — Может, вместе придумаем, как это сделать?

«Ну вот, рыбка сама идет в сети! — мысленно порадовалась Настя, не замечая ловушки, расставленной для нее самой. — Теперь-то он выложит все, что мне нужно», а вслух с напускным равнодушием сказала:

— Тут и придумывать нечего! Без меня можешь все обтяпать. Помоги ему найти вторую сестру, и он тебе отвалит столько, сколько попросишь!

— Эк какая ты шустрая, Настена! Будто не знаешь, как со мной поступят партнеры, если я их выдам, — изобразил беспокойство Седой. — Без тебя у нас ничего не выйдет! Нужно придумать такое, чтобы поманить его этой морковкой, а потом кинуть!

— Ладно, Васенька! Приезжай завтра к вечеру, — интимно понизив голос, предложила ему Настя. — Натощак что-то плохо думается.

«Не верю тебе ни на грош!— одновременно подумал каждый из них, положив телефонную трубку. — Но меня ты не облапошишь!» И Настя, и Седой нисколько не сомневались в том, что сумеют без труда провести друг друга, ибо хитрости и коварства им было не занимать.

Около полуночи Насте Линевой позвонил Цыган. В первый раз, когда она сняла трубку, он, как было условлено, не отозвался, а во второй, после того как назвала пароль, сказал:

— Привет! Как насчет того, чтобы завтра встретиться? К тебе по мою душу никто не наведывался?

— Никто, Сашок. У Седого, видно, без тебя большие проблемы. И с бабками туго, так как Воронцова выдала ментам все, что он у нее хранил.

Она сделала паузу и, заметно волнуясь, добавила:

— С ним кончать нужно, Сашок! Он опять ко мне пристает!

— Что, Проню подослал? К себе вызывал?

— Нет, звонил. Хочет ко мне наведаться. А Проня из конторы куда-то исчез. Наверное, от ментов прячется, — предположила Настя, — пока по Костылю идет следствие.

— Ну и о чем вы... договорились? — сдерживая лютую злобу, спросил Цыган.

— Явится сюда завтра вечером, — с деланным недовольством сказала Настя. — Иначе нельзя было, Сашок! Другого такого случая у нас не будет, — вкрадчиво внушала она любовнику, — чтобы выведать все, что нам нужно, и избавиться от него навсегда!

Возникла пауза. Насте было слышно, как тяжело дышит Цыган в трубку.

— Ладно, сделаем так, — видно решившись, сказал он сразу осипшим голосом.

— Завтра прямо с утра проберусь к тебе в каком-нибудь неприметном обличье и в течение дня носа не высуну.

— Это почему так? — не поняла Настя. — Опасаешься все же, что Седой устроит ловушку?

— А ты веришь, будто его одолела страсть? — прорвало Цыгана. — Да у него уже силенок управиться со своим бабьем не хватает!

— По правде говоря, не верю!— со злостью призналась Настя. — Но пусть думает, что мы дурнее него! На этом и погорит!

— Вот теперь ты дело говоришь, — успокаиваясь, одобрил ее любовник. — Значит, проберусь к тебе незамеченным, а в разгар вашей случки захвачу его врасплох и отправлю, — он злобно рассмеялся, — в гости к Костылю. Ладно, — закруглил разговор. — Успеем обо всем договориться, когда буду у тебя прятаться.

— Только заранее попрошу об одном, Сашок, — сочла нужным предупредить его Настя. — Ты уж потерпи, пока мы с ним будем кувыркаться. Действуй, только когда подам условный сигнал! Если не выведаю у Седого то, что мне надо, останемся с тобой на мели!

Сообразительный Цыган не ошибся. Он, как шахматист, умел просчитать ситуацию на несколько ходов вперед и, кроме того, хорошо знал повадки своего главаря. Может быть, поэтому ему сопутствовала удача. Как он и предполагал, Седой позвонил Проне и дал задание подстраховать его свидание с Настей.

— Пока мне еще не совсем ясно, продала она нас или нет. Но я ее непременно расколю! — мрачным тоном сказал он своему верному помощнику. — Подозрительно то, что Настена делает вид, будто не заинтересована получить бабки с Юсупова, а я-то хорошо знаю ее жадность.

Он помолчал и добавил:

— Вот я и опасаюсь, как бы они с Цыганом не задумали поймать меня в сети. Тем более что сам в них лезу, — мрачно рассмеялся он. — Поэтому после полудня поезжай туда и понаблюдай, не появится ли он ближе к вечеру. В случае чего дашь мне знать телефонными звонками.

— А управишься ты с ним один, Василий? — усомнился Проня. — Он, гаденыш, сильный и ловкий, к тому же ему фартит. Может, прихватить еще кого?

— Еще чего! Сам его замочу, — самолюбиво отрезал Седой. — Твое дело только предупредить.

— Ладно, будь по-твоему, — неохотно согласился предусмотрительный Проня. — Но я буду наготове. И если ты упустишь, то от меня он не уйдет!

Вот таким образом обе стороны вели подготовку к решающей схватке. В это время адрес местожительства Насти Линевой, несмотря на усилия Сальникова, не был еще установлен из-за того, что свою квартиру она лишь снимала у людей, выехавших за границу. Адрес стал известен лишь на следующее утро.

Погода в этот день выдалась, как на заказ, — сухая и теплая. Ярко светило июльское солнце, дул легкий освежающий ветерок. Примерно, около одиннадцати, когда трудящийся люд уже разъехался по своим работам, а пенсионеры начинают возвращаться из магазинов, к подъезду дома, где проживала Настя, подошел скромно одетый пожилой мужчина в шляпе, с седой бородкой и в темных очках. В руках у него был полиэтиленовый пакет, через прозрачные стенки которого виднелись пачка молока, булка хлеба и полбатона колбасы.

Подойдя к подъезду, Цыган (а это был он) бросил быстрый взгляд по сторонам и, не заметив ничего подозрительного, нажал на кнопки кодового замка и вошел в дом. Поднявшись на лифте, «пенсионер» открыл своим ключом дверь квартиры и предстал пред изумленным взором выбежавшей встречать хозяйки.

— Ну и даешь! Да ты, Сашок, настоящий артист, — восхищенно оглядела его Настя. — Встретила бы тебя на улице — не узнала!

— Поэтому еще не сидел и, надеюсь, никогда этого не будет, — самодовольно усмехнулся Цыган, сбросив с себя поношенный пиджак, сняв шляпу и отдирая приклеенную бороду.

Избавившись от бутафории, он сгреб любовницу в объятия и молча потащил к незастеленной широкой кровати.

— Погоди, Сашок! Дай тебя покормлю, а то сил не хватит, — смеясь, отбивалась Настя, впрочем, не слишком энергично.

— А это мы сейчас посмотрим, — весело бросил он, опустив ее на постель и в любовном азарте срывая с себя одежду. — По-моему, я их поднакопил в избытке!

Его мощный атлетический торс и горящие желанием глаза вызвали в Насте волну ответной страсти, и она, сбросив с себя халат, накинутый на голое тело, сама потянула его к себе, осыпая заросшие густым волосом грудь и живот Цыгана горячими мелкими поцелуями. Еще минута — и их обнаженные тела сплелись в неистовых любовных конвульсиях.

В то самое время, когда любовники самоотверженно доказывали друг другу всю силу своей страсти, на противоположной от дома Насти стороне тротуара припарковалась скромная «Волга», за рулем которой сидел Проня. Не выходя из машины, он вынул из пачки газет, лежащих на соседнем сиденье, более свежую и стал ее читать, время от времени зорко поглядывая по сторонам.

Не прошло и получаса, как неподалеку от него с трудом втиснулась между соседними машинами небольшая новенькая «хонда». Из нее вышел невысокий хорошо одетый господин и, немного прихрамывая, пошел по направлению к находящемуся в угловом доме кафе. «Наверное, владелец этой забегаловки, — подумал Проня. — Уж больно не похож на обычного посетителя». Ему и в голову не пришло, что он видит перед собой коллегу по «наружке», преследующего ту же цель.

Что касается Сальникова, то его на длительном дежурстве не устраивало многочасовое бдение в тесном салоне машины. Поэтому он удобно устроился за столиком кафе у окна, из которого был хорошо виден фасад дома, являющегося объектом его наблюдения. Естественно прибыв значительно позднее Цыгана, засечь его появление они не могли. Да вряд ли узнали бы его в пожилом пенсионере, даже если бы дежурили с самого утра.

Время тянулось для них томительно медленно. Виктор Степанович успел заказать и съесть в кафе скверный обед, и теперь откровенно скучал, потягивая джин с тоником и делая вид, что рассматривает журнал, который уже изучил от корки до корки.

— У вас тут была назначена встреча и никто не явился? — посочувствовал ему официант, видя, как он томится. — Надо же, какие необязательные люди!

— Как знать, что могло их так задержать? Может, случилась неприятность? — с деланной тревогой отозвался Сальников. — Но встреча очень важная, и мне придется ждать до упора. Во сколько вы закрываетесь? — поинтересовался он, хотя, прочитав табличку у входа, знал, что кафе работает до десяти вечера.

Проня за это время уже успел все съесть, что захватил с собой из дома, и не раз сбегать в подворотню, чтобы «слить отстой». Он дочитывал последнюю газету, когда у дома напротив затормозила, въехав прямо на тротуар, машина Седого, и сам он, огромный, как медведь, с пакетами в руках боком протиснулся в узкую дверь подъезда.

«Значит, Настя действует, и можно ждать результата, — с надеждой подумал Виктор Степанович. — Дай-то Бог, чтобы узнала, кто увез Оленьку!» — и, воспрянув духом, стал ждать конца ее свидания с главарем.

«Началось! — с тревогой мысленно отметил Проня и, отложив газету, достал из бардачка пистолет. — Эх Василий! Уж слишком ты самонадеян. Не доведет это до добра, — тоскливо подумал, предчувствуя беду. — Надо было взять с собой пару костоломов и вырвать признание силой!»

Хозяева квартиры, которую арендовала Настя Линева, видно, любили современный комфорт и одну стену комнаты при помощи створчатых раздвижных дверок превратили в огромный стенной шкаф. Вот там, за плотными рядами одежды, и затаился Цыган, готовый в любую минуту начать действовать. Он терпеливо ждал все то время, когда она с Василием Коноваловым пировала на кухне. Но когда они, веселые и разгоряченные, завалились на постель и занялись любовью с истошными воплями и стонами, выдержать такое испытание не смог.

Бесшумно приоткрыв створку шкафа, Цыган через просвет в одежде, скрипя зубами и изнемогая от ревности, наблюдал, как Седой с бешеной силой двигает голым задом, словно желая пригвоздить Настю к кровати, а она, обхватив его ногами, активно помогает, завывая от удовольствия. Было совсем не похоже на то, что она ненавидит бывшего любовника и жаждет его смерти.

— Ах ты сука похотливая, — вне себя от злобы и разочарования пробормотал Цыган. — У меня ты так сладко не стонешь. Решила поиздеваться? Замочу и тебя заодно с ним!

Плохо соображая от ярости, обманутый любовник раздвинул одежду, за которой скрывался, и с пистолетом в руке просунулся в щель, приготовившись к прыжку. Все так бы и случилось, если бы он не увидел круглые от ужаса глаза Насти и ее отчаянный жест, которым она призывала его убраться назад в свое убежище. Это было как холодный душ, и Цыган одумался.

«А зачем торопиться? Я еще успею с ними разделаться, — резонно подумал он. — Посмотрим, что будет дальше». И, как оказалось, поступил разумно.

— Ну что, убедилась, что от меня еще кое-что осталось? — отвалившись, Седой самодовольно похлопал партнершу по крутой ляжке. — Теперь давай поговорим о деле. У тебя с этим Петром Юсуповым есть связь?

— Так у вас самих есть его телефоны, Вася, — несмотря на сладкую истому, Настя хорошо соображала. — Почему у меня спрашиваешь?

— Я же сказал: Проня от меня сбег! — сделав вид, будто сердится, ответил Седой. — Это он вел переговоры с Юсуповыми.

— Ладно, свяжусь, — поддалась на провокацию Настя, сделав роковую ошибку. — А что я должна ему передать?

Седой изобразил, что размышляет, хотя они вместе с Проней все придумали заранее.

— Скажешь, что за пол-лимона баксов сообщим ему имя американского посредника и название нашей фирмы, оформившей сделку, — как бы приняв решение, наконец, произнес он.

— А почему ты мне это не откроешь, Васенька, раз я теперь твоя партнерша, — нежно прильнув, спросила его Настя. — Неужто не доверяешь?

«Ну вот, теперь ясно, что задумала меня кинуть! Иначе бы не спрашивала, — мрачно подумал Седой. — Надо сказать и посмотреть, как поступит», а вслух с простодушным видом сказал:

— С чего ты взяла? Я же всегда, Настена, с тобой всем делился! Оформляла сделку фирма «Здоровье», — сообщил он, следя за ее реакцией, — а увез девчонку мистер Джеймс Ричардсон. Я сам видел его паспорт.

— Я думаю, Васенька, нужно эти данные оформить деловой запиской, чтобы показать ему в обмен на бабки, — практично предложила Настя. — Иначе ничего не получим! Петр, хоть и молод, — тот еще бизнесмен!

— Ладно, сделаю, — согласился для вида Седой. — Пусть потешится! А потом отнимем у него, — ухмыльнулся, — вместе с бабками.

«Нужно записать, пока не забыла, — мелькнуло в голове у Насти. — А лучше сразу сообщить Петру! Он за это заплатит, а Седой точно обманет, если живой останется». Но вслух, лениво потянувшись, сказала:

— Прости, Васенька, мне в туалет надо. Отдохни пока, — добавила с томным взглядом. — Тебе силы сейчас понадобятся!

Седой, сделав вид, будто поверил, закрыл глаза и повернулся на бок, а Настя быстро прошла на кухню и, записав на обороте какой-то квитанции то, что сообщил Василий, схватила трубку радиотелефона. Номер мобильника Петра она знала наизусть и, к счастью, он сразу отозвался.

— Готов бабки, Петя, — приглушенно сказала Настя, прикрыв в добавок трубку ладонью. — Я узнала то, что тебе нужно. Давай... — она хотела назначить встречу, но осеклась вне себя от ужаса. В дверях, словно огромный утес, высился Коновалов. Он все слышал, и вид у него был страшный. Лицо багровое, а глаза совершенно белые от бешенства.

— Так и знал, что продала нас, подлая сука! Ты ему и Костыля заложила? — прохрипел он, двинувшись на нее подобно катку, а она оцепенела, как кролик перед удавом.

— Не подходи! — обретя голос, взвизгнула Настя и, не выпуская из рук трубки, крикнула: — На помощь!

Ничего больше сказать она не успела. В ручище у Седого оказался нож и, подойдя вплотную к своей жертве, он воткнул в нее длинное лезвие по самую рукоятку. Цыган выскочил вслед за ним сразу, как тот встал с постели, и, тихо ступая, пошел за Настей на кухню. Когда Василий бросился на Настю, Цыган трижды выстрелил ему в голую спину, но опоздал. Он убил своего главаря наповал, но и Настя была уже мертва!

Когда Настя с криком прервала связь, Петр Юсупов сидел в машине отца в ближайшем от ее дома переулке. Они подъехали туда, как только Сальников сообщил о визите Коновалова к своей любовнице.

— Седой ее подслушал! Как жаль, что не успела ничего сказать, — огорченно бросил он Михаилу Юрьевичу. — Гони, папа, к дому! Может, ей нужна помощь?

Мощная машина рванула с места, визжа тормозами, сделала крутой вираж на перекрестке, и, когда поравнялась с домом, Петр из нее выскочил еще на ходу, аршинными прыжками бросился к подъезду и, умело открыв кодовый замок, вбежал в холл. Все это произошло на глазах у Прони, который уже направлялся к дому, так как услышал выстрелы и, поскольку Седой не появлялся, сообразил, что тот попал в беду.

Однако, в отличие от Петра, хитрый и предусмотрительный, Проня двигался неторопливо, и Михаил Юрьевич его принял за обычного жильца, так как ни самого, ни фотографии бандита раньше не видел. Сальников тоже ничего не заподозрил. Помощника Седого он видел со спины.

Наученный отцом, Петр сумел открыть дверь квартиры и, заглянув на кухню, застыл от ужаса. Увиденная им картина была не для слабонервных. Обнаженная Настя, наполовину прикрытая слетевшим с нее халатом, лежала в луже крови и в ее груди торчала рукоятка ножа. А перед ней, завалившись ничком, лежал огромный, тоже совершенно голый, мужик с тремя пулевыми отверстиями в спине, из которых еще сочилась кровь.

Потрясенный происшедшей трагедией, не соображая, что делает, он одним движением выдернул из груди Насти нож, бессознательно надеясь этим спасти. Однако по остекленевшему взгляду голубых глаз понял, что она мертва, и брезгливо отбросил его в угол.

Голый мужик, несомненно — Седой, также уже не дышал, и, осознав, что им обоим помочь нельзя, Петр было потянулся к лежавшей на полу трубке радиотелефона, но, вспомнив о последних словах Насти, раздумал. Внимательно оглянувшись вокруг, он заметил открытый ящик кухонного стола и шариковую ручку, лежавшую на какой-то бумажке. Стараясь не наступить в лужу крови дотянулся и, прочитав запись, облегченно вздохнул. Он нашел то, что было нужно!

Петр сунул бумажку в карман и, поскольку самообладание понемногу возвращалось к нему, стал думать, как поступить дальше. «Нужно вызвать милицию. Но сначала стереть отпечатки моих пальцев с ножа, чтобы ко мне не прицепились, — лихорадочно соображал он. — Пожалуй, лучше позвонить из машины, посоветовавшись с отцом». И тут, получив страшный удар по затылку, он свалился без чувств рядом с трупом Седого.

Спрятавшийся Цыган сначала хотел было для верности пристрелить и Петра, но затем резонно решил, что ему выгоднее его подставить. Незаметно подкравшись, ударил рукояткой пистолета по голове и, когда тот упал без сознания, тщательно протерев оружие, вложил его в руку жертвы.

«Теперь самое время смыться», — подумал Цыган и, оглядевшись, не оставил ли где-нибудь следов, не мешкая, выскользнул из квартиры. На площадке никого не было видно, и, очень довольный собой, бандит вызвал лифт, надел на голову шляпу и наспех приклеил бороду. Но тут кто-то тронул его за плечо, и, обернувшись, он обомлел, столкнувшись нос к носу с Проней.

Помощник Седого прятался в пролете лестничной клетки, и когда вместо главаря из квартиры, воровато оглядываясь, вышел Цыган, то сразу все понял. Однако мстить за Седого он не собирался.

— Положение хреновое, Александр, — впервые назвав Цыгана по имени и не дав ему произнести ни слова, озабоченно предупредил подельника. — Там, внизу, караулит в машине по меньшей мере еще один.

— Что предлагаешь? — сразу напрягшись, коротко бросил Цыган. — Думаешь, меня ждут, а не Седого?

— Тебя вряд ли, уж больно хорошо маскируешься, — одобрительно взглянув, согласился Проня. — Но срочно надо уносить ноги. — Как хватятся Петра, то повяжут всех подряд, — добавил, нервозно ерзая. — Тогда нам обоим хана!

— Я без машины, — озабоченно признался Цыган. — Решил, что под видом пенсионера уйти надежней.

— Ничего! Моя стоит напротив дома, — успокоил его Проня. — Но поведешь ты. Мне, если за нами будет погоня, — обреченно добавил он, — от нее не уйти.

Когда дверь подъезда открылась и из него показался недавно вошедший маленький господин, который бережно вел через дорогу своего более высокого пожилого спутника, державшегося рукой за сердце, Михаил Юрьевич на них даже не обратил внимания. Он с нетерпением ожидал сына, который почему-то задерживался, и ему было не до жильцов дома.

Зато Сальников, отметив их неестественно быстрое для состояния больного старика передвижение, насторожился. А как только они добрались до стоявшей неподалеку от него машины, произошло невероятное. Бросив больного, малыш поспешно забрался на правое сиденье, а мнимый инвалид, обежав вокруг, сел за руль. При этом с него слетела шляпа, обнажив черные как смоль кудри.

«Так это же — Цыган и Проня, — молнией мелькнуло в голове у Сальникова, узнавшего ближайших подельников Седого. — Как бы там не случилась беда!», и, схватив мобильник, он, задыхаясь от волнения, крикнул:

— Миша! Срочно задержи соседнюю со мной «Волгу». В ней бандиты! А я, — торопливо добавил, — подымусь к Пете. Помогу ему, если надо!

Он выскочил из машины как раз в тот момент, как за рванувшей с места в карьер «Волгой» почти сразу же устремился в погоню его друг и начальник.

Милицию, как выяснилось позднее, вызвали соседи по этажу, услышавшие выстрелы. Когда Виктор Степанович вместе с любопытными жильцами дома осторожно переступил порог квартиры, дверь в которую была не заперта, в нее почти сразу же ворвался наряд оказавшейся поблизости патрульной машины. Милиционеры их всех поставили лицом к стене в прихожей, но Сальников, к своему ужасу, среди лежавших в крови на кухне голых тел заметил оранжевую майку Петра.

— Разрешите оказать помощь! Я из детективного агентства, — непроизвольно рванувшись, взмолился он, обращаясь к охранявшему их молодому сержанту с неприятным бугристым лицом, но вместо ответа получил удар дубинкой.

— Будешь дергаться, браслеты надену! — пригрозил прыщавый. — Сейчас выясним, чей ты агент и что здесь делаешь.

— Мы ведем частное расследование. Содействуем ФСБ! Вот удостоверение, — торопливо объяснил Сальников, ловко выхватив из кармана и сунув ему под нос красную книжечку. — Там пострадал наш товарищ!

Магическое слово из трех букв произвело впечатление, и сержант, проверив его удостоверение, смилостивился.

— Ладно, посмотрим, что там с твоим товарищем.

К великой радости Сальникова, Петр, когда они пришли на кухню, со стоном пошевелился и пришел в себя. Оперевшись на локоть, он оглядел окружающих мутным взором, но, видимо, все вспомнив и узнав Виктора Степановича, слабым, прерывающимся голосом попросил:

— Если можно... пусть принесут... льда... и сделают... повязку. Голова... просто раскалывается! У меня... затылок-то... цел?

— Разрешите оказать ему первую помощь? Хотя бы перевязать рану у него на затылке, пока не приедет врач, — умоляюще обратился к патрульным Сальников. — Своей головой ручаюсь: он ни в чем не виноват!

— Побереги голову! Твой товарищ двоих замочил! Хорошо еще, если по делу, — сурово отрезал лейтенант, видно, старший в наряде. — Сам-то уцелел. Его чем-то по башке огрели. Но черепок у парня крепкий, — с уважением бросил взгляд на мощное сложение Петра. — По-моему, не пострадал. Только ссадина большая и, конечно, шишкарь будет. Хотя, как знать: может, и сотрясение мозга.

Видя, как сильно волнуется Виктор Степанович, он более мягко добавил:

— Да ты не волнуйся! Вот-вот приедет бригада из МУРа, и ему будет оказана квалифицированная помощь. До суда уж точно вылечат, — не удержался он от мрачной усмешки. — Как-никак, двойное убийство!

— Вот даже как: двойное? — разозлился Сальников. — Как же ты это установил?

— Методом дедукции, — рассмеялся лейтенант, который был не лишен чувства юмора. — Пистолет, как видишь, он и сейчас держит в руках, а нож, которым зарезал бабу, — вон в том, — указал глазами, — углу валяется. И вряд ли успел стереть свои отпечатки, раз самого уложили.

— Пистолет тоже не его! Это будет доказано, — сердито возразил ему Виктор Степанович. — А насчет ножа — это уже, прости, твоя голая фантазия!

— Не скажи! — насмешливо посмотрел на него смышленый лейтенант. — Для этой версии есть серьезное основание — мотив двойного убийства.

— И что же это за мотив?

— Самый обычный — ревность! — став серьезным, убежденно сказал «Шерлок Холмс». — Убитые мужчина и женщина, конечно, любовники. Оба совершенно голые. Когда он их застал, они занимались сексом. Это, уверен, подтвердит и экспертиза.

Он с видом превосходства посмотрел на Сальникова и заключил:

— Ваш агент, видно, сам был ее любовником. Покойная очень хороша собой, это факт! Наверное, он случайно на них наткнулся. Этот жеребец, — кивнул он на труп Седого, — не тот, за кем вы следили?

— Может, тогда объяснишь методом дедукции: кто же огрел моего друга по голове и вложил в его руку пистолет? — не отвечая на вопрос, жестко взглянул на фантазера Сальников. — Лучше бы настоящего убийцу искали, чем всякими домыслами заниматься!

— Насчет домыслов полегче! — обиделся лейтенант. — Если даже пистолет не его, он вполне мог завладеть им, отобрав у того, кто потом его оглушил. Но мы поймаем и этого молодчика! И наверняка отыщем его среди ревнивых друзей любвеобильной дамы, — снова бросил взгляд на роскошное тело Насти, — к сожалению, ныне уже покойной.

— А я надеюсь, что пока вы тут хлопаете ушами и стараетесь все свалить на неповинного человека, его отец поймает бандита, совершившего эти убийства, — гневно бросил ему Виктор Степанович. — Я своими глазами видел, как из дома вышли двое, и, сев в машину, дали по газам. Сейчас он их преследует. Без твоих дедуктивных домыслов!

Цыган уходил из района Свиблово в сторону ВДНХ. Когда «Волга» на бешеной скорости выскочила к метро Ботанический сад и Цыган, на какое-то мгновение оторвав глаза от дороги, вопросительно покосился на Проню, тот коротко бросил:

— Гони на Огородный проезд! Там в гаражах укроемся.

Они резко свернули под мост и помчались к Сельскохозяйственной улице, заметив, что вслед за ними повернул и преследовавший серебристый «бьюик». Расстояние между ними было порядочное, но прямая, широкая магистраль дала возможность мощной машине Юсупова сократить разрыв, и он уже нагонял бандитов, когда на перекрестке у гостиницы «Турист» зажегся красный свет. Цыган лихо проскочил по прямой перед самым носом стремительно двинувшегося транспорта, а Юсупов, чертыхаясь, вынужден был затормозить, пропуская сплошной поток машин.

Тем не менее и Цыган был недоволен, так как собирался свернуть направо и по извилистому, но свободному проезду выскочить на Березовую аллею, а там через Владыкино по новому путепроводу добраться до цели. Эта дорога, менее загруженная транспортом, позволяла ему гнать на полную катушку и уйти от преследователя, так как этот маршрут был ему хорошо знаком, а преследователю, как он полагал, нет.

— Теперь, блин, придется просквозить вдоль выставки в Останкино, — хмуро бросил он Проне. — А там не пробиться — так все забито, и народу тьма-тьмущая! Вот где эта падла, если водить умеет, может нас достать, — опасливо добавил, взглянув в зеркало и заметив, что «бьюик» миновал перекресток и продолжает преследование.

Когда свернули направо и помчались мимо знаменитой скульптурной группы Мухиной, «бьюик» стал их нагонять, с отчаянным риском делая обгоны перед носом встречных машин. Наблюдая это в зеркале заднего вида, Проня беспокойно заерзал, а Цыган, не теряя хладнокровия, лишь бросил:

— Ну что задергался? Прав я оказался? Смотри, в штаны не напусти!

Если бы за рулем «Волги» сидел кто-либо другой, а не он, Юсупов, отлично водивший машину, наверняка бы добился успеха. Но не родился, видимо, еще тот, кто мог превзойти Цыгана в умении и хитрости! Выехав к трамвайным путям, когда «бьюик» уже сидел у него на хвосте, он, не снижая скорости, неожиданно свернул с основной дороги в узкий боковой проезд, где висел знак «кирпич», и погнал по нему, стремительно отрываясь от преследования.

Михаил Юрьевич затормозил так резко, что в него могли врезаться идущие следом машины, но все же поворот проскочил, и ему пришлось развернуться. Однако упорства и воли Юсупову было не занимать, и, рванув по запрещенному проезду вслед за «Волгой», он сумел нагнать ее перед главным входом на ВВЦ. Отчаянно рискуя, Юсупов поровнялся с Цыганом, затем обошел его и, подав вправо, перегородил путь. Однако не тут-то было!

Попав в критическую ситуацию, Цыган мгновенно нашел выход. Справа на просторной площадке перед аркой главного входа была уйма народу. Сновали посетители, работали детские аттракционы. Вовсю шло катание на лошадях и даже на верблюдах. Вот на эту площадку, мгновенно среагировав, он и свернул, преодолев высокий бордюр, и помчался по ней, непрерывно сигналя и чудом не давя шарахающихся в стороны людей.

Сообразив, что бандиты могут уйти, Михаил Юрьевич быстрым движением прилепил к крыше маячок спецсигнала и, завывая сиреной, погнался за «Волгой», мобилизовав все свои силы и умение, чтобы кого-нибудь не задавить. Но ему не повезло. На пути оказалось пони, на котором катали ребенка. Его поддерживала мать, а молоденькая девушка вела животное. Увидев несущуюся машину, она попыталась его оттащить, но пони уперся. Тогда испуганная мать стащила с седла малыша, но споткнулась и упала, прижимая его к себе, буквально под колеса машины.

В ужасе Михаил Юрьевич так нажал на тормоза, что, стукнувшись головой, едва не разбил лобовое стекло. Мотор заглох, и он, пошатываясь, выбрался из машины, опасаясь, что произошло непоправимое. Но, к счастью, все обошлось. Отличная машина не подвела! Оба — и мать, и ребенок, были целы и невредимы. Прошла всего пара минут, и Юсупов, сжав зубы, осыпаемый со всех сторон проклятиями, продолжил преследование.

Единственная дорога вела мимо телецентра в Останкино, и, как ни странно, в конце улицы он, воспрянув духом, заметил поворачивающую направо «Волгу». Там произошла автомобильная авария, возникла пробка, и, выбираясь, Цыган потерял драгоценное время. Прибавив газу, Михаил Юрьевич не упускал его из виду, но на втором светофоре, остановившись на красный свет, снова отстал, так как Цыган успел сделать левый поворот.

Когда и Юсупов туда повернул, машины бандитов уже нигде не было видно. Он промчался до конца улицы, упиравшейся в железнодорожную насыпь, внимательно всматриваясь во все дворы и проезды, но ничего там не обнаружил. Это объяснялось тем, что «Волга» успела нырнуть в узкий проход под насыпью, который был известен Цыгану, но внешне выглядел так, будто годился только для пешеходов.

Растерявшись и не понимая, куда же бандиты могли так быстро спрятаться вместе с машиной, Михаил Юрьевич остановился и стал расспрашивать местных жителей. Узнав от них об узком тоннеле, он, не мешкая, переехал по нему на ту сторону, но было уже поздно. «Волги» и след простыл!

Глава 21. Разрыв

Михаил Юрьевич, сидя в своей машине, все еще остро переживал неудачу, постигшую его в погоне за бандитами, когда Сальников ему сообщил, что Петр арестован по обвинению в двойном убийстве: Седого и Насти. Такое могло бы добить любого, но только не закаленного тяжелыми жизненными невзгодами старшего Юсупова.

— Значит, Коновалов и Линева убиты и наверняка теми, кого я так бездарно упустил, — после длительной паузы, которая ему понадобилась, чтобы прийти в себя от удара, мрачно произнес он. — А на каком основании обвинили Петю? — спросил, начиная врубаться в происшедшее. — Ему пришлось схватиться с ними? Почему тогда позволил сбежать?

— Он пришел, застав уже трупы. Никого не заметил, но убийца притаился и сумел его оглушить, — коротко сообщил Сальников, решив не говорить, в каком тяжелом состоянии был Петр, когда он его увидел. — В общем, Миша, то ли он сам наследил, то ли преступники очень ловко его подставили, но менты хотят повесить оба убийства на твоего сына!

— Ну до чего тупые они во всем мире! — возмутился Михаил Юрьевич. — Ведь ты же сказал им, что видел тех, кто убил? Нет! Цепляются за ложные улики, теряя зря силы и время. А преступники на свободе!

— Это все от нерадивости. Так им проще, тем более что против Пети у них есть кое-какие козыри, — согласился с другом Виктор Степанович и удрученно добавил: — Думаю, что нам всем несладко придется, пока сумеем доказать его невиновность.

— Ты прав, Витек! Они его будут мурыжить до упора, пока мы не найдем преступников, — мрачно произнес Михаил Юрьевич, реально представляя положение дел.

— Да уж! Сейчас наша главная задача — это найти убийц! — убежденно заявил Сальников. — Я вплотную займусь розыском Ивана Пронина и обязательньно отыщу! Он где-то скрывается, но у него есть семья и, значит, имеется зацепка.

— Погоди! Почему ты думаешь, что убийца Проня, а не Цыган? — с сомнением спросил Юсупов. — У него были причины разделаться со своим шефом?

— Как раз наоборот. Я склонен считать, что убил обоих Цыган по наущению Прони, — ответил Виктор Степанович. — Хитрый помощник Седого покончил бы с ним сам, без свидетелей.

Он сделал паузу и объяснил:

— Наводя справки о Насте Линевой, я узнал, что последнее время любовница Седого спуталась с Цыганом и между бандитами возник конфликт. Вот этим, наверное, и воспользовался Проня.

— Тогда почему ты намерен ловить Проню, а не Цыгана? — не понял друга Михаил Юрьевич.

— Это будет легче и быстрее, — уверенно проговорил Сальников. — А Цыган спрячется так, что его розыск потребует много времени. Ведь ты не хочешь, чтобы Петя просидел лишнее в КПЗ?

— Само собой! Подключи себе в помощь наших лучших сотрудников, — согласился Юсупов, — а я продолжу поиски Оленьки. Ты смог переговорить с Петей? — спросил он со слабой надеждой. — Ему удалось хоть что-нибудь узнать?

— Не разрешили и близко подойти, несмотря на то, что показывал красную книжечку, — удрученно ответил Сальников. — Но раз бандиты пытались убить и его, — невольно проговорился он, — хотя им куда лучше было незаметно смыться, то это позволяет думать, что нечто важное он успел узнать.

— Ладно, все выясню при первом же свидании с сыном, — прервал его Михаил Юрьевич. — Значит, Петю пытались убить? Насколько серьезно он ранен? — с тревогой спросил он. — Почему сразу об этом не сказал?

— Неужто я скрыл бы от тебя, если бы рана была серьезной? — в оправдание сказал Сальников, мысленно ругая себя за допущенную оплошность. — Ударили его по затылку скорее всего рукояткой пистолета, и он на какое-то время потерял сознание. Однако врач, прибывший с бригадой из МУРа, ни сотрясения мозга, ни повреждения черепа у него не нашел. Хотя окончательно это покажет рентген.

— Понимаю так, что пощадил нервы друга, — проворчал Михаил Юрьевич. — Но никогда больше этого не делай, Витек! Я ведь не чувствительная барышня.

Он на секунду умолк и удрученно добавил:

— А вот как сказать об этом Свете, не знаю. Она и так на меня здорово сердится, а теперь у нас дома будет сущий ад!

Следователь старший лейтенант Николай Шитиков, несмотря на молодость, успевший уже обзавестись заметным брюшком и обширной лысиной, обладал единственной сильной страстью, которую тщательно скрывал. Этой страстью было обогащение. Он вырос в относительно благополучной семье. Родители его, учителя средней школы, женившиеся по любви, хорошо ладили друг с другом, несмотря на постоянную материальную нужду.

Они мирились со своим полунищим существованием, привычно ограничивая себя во всем, но маленький Коля невыносимо страдал от того, что жил хуже многих сверстников и чувствовал себя униженным. Скрытный и расчетливый, он не делился с друзьями своими планами на будущее, но уже в старших классах решил, что пойдет служить в милицию. Причем этот выбор был сделан им не только из-за возможности быстрого незаконного обогащения. Многие факты его убедили, что, нося форму, больше шансов избежать ответственности.

Сначала юный Шитиков решил стать автоинспектором, так как о мздоимстве блюстителей безопасности дорожного движения ходили легенды. Но суровая служба в любых погодных условиях и чреватая угрозой для жизни погоня за нарушителями его не устраивали. И Николай выбрал карьеру следователя, отдав предпочтение более комфортному и безопасному труду кабинетного работника.

Поскольку борьба с коррупцией по каким-то непонятным причинам велась в основном на словах, Шитиков, не проработав и пяти лет, уже обладал новенькой иномаркой и купил двухкомнатную квартиру в хорошем доме. Теперь его целью было, накопив достаточно денег, жениться. Он начал подумывать о служебном росте, а для этого требовалось прочное семейное положение.

Вот почему, получив в руки дело о двойном убийстве и познакомившись с личностью подозреваемого, Шитиков был вне себя от радости. Такого состоятельного дельца поймать в сети ему еще не доводилось! Этот толстосум, конечно, наймет хороших адвокатов, которые поставят все факты с ног на голову, чтобы доказать невиновность своего клиента. Ну что же, это ему на руку!

«Используя улики, создам им препятствия, затяну следствие, а там... — сидя у себя в кабинете, привычно прикидывал он в уме, как извлечет выгоду, — можно будет полюбовно договориться! Если обвинить удастся кого-либо еще, выпущу его по чистой, а если нет, помогу им выиграть дело в суде».

— Но пока надо Петра Юсупова поставить в очень тяжелое положение, — вслух решил Шитиков. — Чтобы все думали, будто у нас есть доказательства его вины. Сначала убедить в этом его жену, потом родителей. Тогда они будут готовы побольше раскошелиться!

Несмотря на наличие веских улик, больше всего следователя смущало отсутствие ответа на вопрос: кто же все-таки нанес подозреваемому такой сильный удар по затылку, из-за которого он потерял сознание?

Накануне он несколько часов допрашивал подозреваемого и, вынув из папки его письменные показания, стал их перечитывать, готовясь к беседе с Дашей, к которой собирался отправиться в больницу. Материала для размышлений у него было достаточно, так как Петр, ничего не утаивая, подробно рассказал о том,что был знаком с убитой, об участии ее в похищении и последующих звонках с обещанием помочь в розыске. На прямой вопрос следователя об их интимной связи, не стал отрицать и ее.

Наконец в голове Шитикова созрел план предстоящего разговора с женой Петра Юсупова, и он позвонил диспетчеру, чтобы вызвать дежурную машину.

Когда позвонил следователь, Даша уже знала о том, что произошло с мужем. Накануне в приемные часы к ней в палату без предупреждения явился Михаил Юрьевич. По его мрачному виду она сразу догадалась, что привело его нечто более серьезное, чем их нелады с Петром.

— Произошла ужасная неприятность, — сухо объявил он, присаживаясь на стул возле ее кровати. — Арестовали Петю по обвинению в убийстве, и он находится в камере предварительного заключения.

— Это невероятно! — опешила Даша. — Петя не способен на такое! Кого же, как утверждают, — она приподнялась и села на постели, — он... убил?

— Конечно, не способен и не убивал! — резко произнес Михаил Юрьевич и коротко объяснил снохе. — Были убиты Зина, вернее, преступница Настя Линева, которая под этим именем работала у нас и помогла похитить Олю и Надю, и ее любовник, главарь их банды, некий Василий Коновалов, по кличке Седой.

— А Петя как там оказался? — поразилась Даша, начиная кое-что понимать.

— Они его заманили обещанием сообщить, кто увез нашу Оленьку, — хмуро объяснил Михаил Юрьевич. — Мы с Сальниковым были поблизости, чтобы его подстраховать, и видели вышедших из дома двух подельников Седого, которые наверняка и являются убийцами. Я погнался за ними, но негодяи сумели уйти.

— Так почему же вместо них забрали Петю? — непонимающе посмотрела на него Даша. — Что с ним случилось? Ранен? — всполошилась она. — Как он сам это объясняет?

— Бандиты его оглушили, и милиция застала Петра без сознания рядом с трупами. Ну и забрали, чтобы им было кого обвинить, — с горькой усмешкой объяснил свекор. — Придется самим поймать этих негодяев, чтобы Петю скорей отпустили.

Взглянув на часы, Михаил Юрьевич поднялся и на прощание сказал:

— Может быть, навестишь Петю? Ему сейчас нужна моральная поддержка.

Таким образом Даша была подготовлена и к встрече со следователем. Когда Шитиков вошел, вытирая платком потную лысину и с завистливым уважением оглядывая ее роскошные больничные апартаменты, она, в элегантном халате и хорошо причесанная, сидела в кресле у окна и, указав на другое, стоявшее рядом, вежливо предложила:

— Присаживайтесь! Не хотите выпить джин с тоником, чтобы освежиться? А может быть, чего-нибудь покрепче?

Шитикову было уже известно, что Петр Юсупов женат на бывшей манекенщице, но, что она так хороша, он не догадывался. Его карие глазки замаслились, толстощекое лицо расплылось в улыбке, и он без обычного «извините, я на службе» охотно согласился.

— Лучше чего-нибудь покрепче. Предпочитаю коньячок.

Легко и грациозно поднявшись, Даша достала из бара бутылку французского коньяка, два фужера, и большую коробку шоколадного ассорти. Поставив все это возле вазы с фруктами, она наполнила бокал гостя, на донышко капнула себе и со значением сказала:

— С надеждой, что наше знакомство окажется приятным, предлагаю выпить за то, чтобы восторжествовала справедливость!

— Хорошо сказано Дарья... Васильевна, — почти без запинки назвал ее по имени-отчеству Шитиков и строго добавил: — Торжество справедливости — именно то, чему я служу!

Без всякого жеманства он осушил свой бокал, с наслаждением съел сочную грушу и, взяв из коробки приглянувшуюся шоколадку, с важным видом сказал:

— Плохи дела у вашего мужа, Дарья Васильевна! Очень он вас подвел.

— Я бы хотела узнать, в чем его обвиняют, Николай... — Даша запнулась, бросив на него извиняющийся взгляд. — Простите, не расслышала по телефону вашего отчества, — объяснила она, вновь наполняя его бокал коньяком.

— Николай Ильич Шитиков, — еще раз напомнил ей следователь.

— Вы, пожалуйста, не щадите меня, Николай Ильич, — попросила его Даша. — Расскажите все, как было. Боюсь, что отец мужа не решился сказать всю правду.

«А хорошо бы завести с ней романчик. Не женщина — мечта! — подумал Шитиков, бросив на нее откровенно похотливый взгляд, но сам себя осадил: — Нет, спешить нельзя, можно все испортить». Вслух же, приосанившись, сказал:

— Я, конечно, вам сообщу все, что вам знать необходимо, а может, и больше. Такой красивой женщине, как вы, Дарья Васильевна, отказать невозможно, — любезно улыбнулся он, но тут же, приняв строгий вид, добавил: — Однако прежде должен задать вам несколько вопросов, ради чего, собственно, сюда приехал.

И сразу ошеломил Дашу:

— В чем причина вашего разлада с мужем? Я имею в виду ваши сексуальные проблемы. Изменяет ли вам муж и верны ли вы ему?

Грубая прямота следователя настолько шокировала Дашу, что у нее от стыда зарделись щеки, и она смешалась, еле сдерживаясь, чтобы не дать ему резкую отповедь. Справившись с собой, она опустив глаза, но с достоинством ответила:

— Никаких проблем... в этом смысле... у нас с мужем нет. Правда, между нами, если это для следствия так важно, — она недовольно посмотрела на Шитикова, — последние два месяца не было... этих отношений. Но не из-за проблем, а потому, что я ждала ребенка, — ее глаза наполнились слезами, — который не родился.

«Все ясно. Вот, почему загулял твой муженек, — догадался следователь. — Ну что же, придется ради пользы дела еще тебя огорчить» — и с деланным сочувствием произнес:

— Мне очень жаль, Дарья Васильевна, но служебный долг велит задать вам еще один жестокий вопрос. Вы знали, — он в упор посмотрел ей в глаза, — что ваш муж имел любовницу?

— Вы это серьезно, Николай Ильич? — оторопело посмотрела на него Даша. — Ведь такими вещами не шутят!

— Будем считать, Дарья Васильевна, что ответ я получил, — с фальшивым участием в голосе произнес Шитиков. — И теперь, пожалуй, смогу сообщить вам предварительную версию происшедшей трагедии.

Поскольку Даша подавленно молчала, он немного монотонно изложил то, что придумал заранее, чтобы усугубить положение Петра.

— Ваш муж вполне возможно по той причине, о которой вы упомянули, завел любовницу, и в ваше отсутствие привел ее в дом.

— Это Зина? — перебив его, в ужасе вскрикнула догадавшаяся Даша. — Та, которая украла наших малышек?

— К сожалению, да, — подтвердил Шитиков. — Только на самом деле зовут ее не Зина, а Настя Линева. Она и была убита вместе со своим прежним любовником, главарем бандитской шайки. Во время свидания с ним у себя в квартире.

— И это... сделал... Петя? — запинаясь, с круглыми от ужаса глазами веря и не веря следователю, еле слышно произнесла Даша.

— Его застали на месте преступления! Имеются неопровержимые улики, — беспощадно заявил следователь. — К сожалению, не могу вам пока их открыть.

— А я и знать больше ничего не хочу, — ожесточилась Даша, готовая разрыдаться. — У вас есть еще ко мне вопросы? — почти простонала она.

— Пожалуй, пока больше нет. Мы еще встретимся с вами, Дарья Васильевна. А сейчас вам лучше отдохнуть, — с показной заботой ответил ей Шитиков. — С вашего позволения, я еще приму на посошок. Тяжелая у меня работа!

Не ожидая ее разрешения, он налил себе полный фужер, залпом опрокинул и, закусив шоколадкой, молча вышел.

Как ни странно, новая беда высушила слезы, и Даша почувствовала себя способной к действию. Обрушившиеся на нее несчастья ожесточили ее сердце. Нанесенная рана была слишком глубока, и, хотя в нем не было места для любви к другому, она твердо решила уйти от мужа. Врачи считали, что состояние ее нервной системы и психики еще далеко от нормы, и настаивали на продолжении лечения. Однако, независимая и самолюбивая, она не могла и дальше пользоваться благами, которое давало богатство Петра.

По этой причине Даша категорически отказалась, как ни уговаривала мать, вернуться из больницы в свою квартиру.

— Там ничего не принадлежит мне. Все приобретено на деньги Пети. Он был против, чтобы я тратила свои сбережения. Мне и так тяжело с ним расставаться, — объясняла она матери, — а там совсем задавят воспоминания. И он сам, и его родные не оставят меня в покое.

— Но это же неразумно, доченька!— возражала прагматичная Анна Федоровна. — Все нажитое по закону принадлежит вам пополам. От него не убудет.

— Ну как ты не понимаешь, мамочка? — с горечью упрекнула ее Даша. — Разве смогу я порвать с Петей, если останусь жить в его квартире? Даже если он, как обещал, временно переселится к родителям. Ведь, что бы ни натворил, он все еще у меня здесь, — прижала она руку к сердцу. — А мне необходимо отвыкнуть от него и забыть!

— Так ты что же: все ему оставишь? Глупо! — несогласно покачала головой Анна Федоровна. — Я бы на твоем месте взяла то, что положено по закону. Зря великодушничаешь! И суд признает твои права при разводе, — сердито добавила она. — Не хотела тебе говорить, но раз с ним порываешь, знай: он не заслуживает того, чтобы ты с ним церемонилась!

— Ну это уже слишком, мама, — неверно ее поняв, непроизвольно вступилась за мужа Даша. — То, в чем его обвиняют, не доказано. Да и не верю я в это! Петя не убийца.

— Да я не об этом. Мне тоже не верится, что он способен на преступление, — досадливо поморщилась Анна Федоровна. — Но по отношению к тебе совершил подлость!

— Только не надо преувеличивать! — сама себя не понимая, продолжала Даша защищать мужа. — Если Петя ко мне охладел — это еще не подлость! Не мы первые, не мы последние, у кого брак оказался неудачным.

Анна Федоровна с сожалением посмотрела на дочь.

— Теперь вижу, что ты им еще не переболела. Но то, что сейчас тебе открою, поможет тебе поскорее избавиться от этой напасти, — произнесла она непримиримым тоном. — Я застала его у вас дома с любовницей! Разве не подло изменять жене в то время, когда она ждет твоего ребенка? И разве не низко было с его стороны, опозорив тебя, сбежать накануне свадьбы? Ты забыла об этом, а я нет!

— Вот оно что. Значит, правду сказал следователь, — понурила голову Даша. — И я, конечно, не прощу ему этого, мама! — с горечью сказала она, подняв на нее глаза, полные обиды и боли. — Мы с Петей разведемся. Но все же не нужно его зря чернить! Он не был тогда виноват, ты знаешь. Может, и в его измене есть часть моей вины. Такова жизнь! Не всем она приносит счастье.

Мать ей ничего не ответила, и некоторое время они понуро молчали. Потом, не выдержав, Анна Федоровна, не глядя на дочь, спросила:

— Ты и все свои драгоценности им вернешь? Это же целое состояние!

— Они не мои, мама, и ты это знаешь, — грустно ответила Даша. — Это семейные реликвии, которые от меня должны были перейти к жене моего первого сына. Раз мы с Петей разводимся, я обязана их вернуть!

— Все это чушь! Они — свадебный подарок от их семьи и по закону принадлежат тебе!— не сдавалась Анна Федоровна, практичная натура которой восставала против такого транжирства. — Верни часть, если хочешь поступить по совести, но оставь себе хотя бы пару колец.

— О чем ты, мама? — с досадой отмахнулась Даша. — Зачем мне это, когда я мечтаю лишь поскорее порвать с прошлым и начать новую жизнь? Не бойся, подыщу работу и буду вполне обеспечена! А фамильные драгоценности пусть останутся в семье Юсуповых.

— Значит, ты из больницы — прямо к нам? — неодобрительным тоном поинтересовалась мать.

— Нет. Сначала заеду забрать свои личные вещи. Погружу их в машину, и уж тогда попрошу вас с папой потесниться, — как о решенном, объявила ей Даша. — Надеюсь, вы никому не сдали мою комнату? — с улыбкой пошутила она.

— Твоя комната тебя ждет, — серьезно ответила Анна Федоровна и, с любовью взглянув на дочь, не удержалась, чтобы не пожурить. — Ну что с тобой, такой неразумной поделаешь? Всегда поступаешь по-своему!

Высказанное Михаилом Юрьевичем Сальникову горькое опасение сбылось, но только частично. Известие, что Петр задержан милицией и ему предъявляют такое чудовищное обвинение, вызвало у Светланы Ивановны тяжелый нервный стресс. Когда же вдобавок она узнала о том, что от сына ушла жена и живет у своих родителей, собираясь подать на развод, то впала в депрессию и, как это уже с ней бывало, слегла, не в силах противостоять свалившимся на ее голову несчастьям.

Но зато эти беды как-то само собой помирили супругов. Их недавней ссоры как не бывало. Михаил Юрьевич ухаживал за любимой женой, вызывал к ней врачей, сам старался побольше побыть возле нее, руководя делами из дома.

— Это Бог наказал меня, Мишенька! И поделом, — проливая слезы, упрекала себя Светлана Ивановна. — Слишком эгоистично занималась я своим творчеством, забыв о обязанностях жены и матери. Плохо заботилась о дочурках! Разве их похитили бы, если я была бы рядом? — виновато посмотрела она на мужа и разрыдалась.

— Ты чрезмерно строга к себе, Светочка, — ласково взяв за руку и утирая ей слезы, возразил Михаил Юрьевич. — У тебя большой талант, и он принадлежит народу. Ты не можешь бросить театр и стать домохозяйкой! Это мы с Петей тебя подвели!

— Да что ты говоришь, дорогой! — запротестовала Светлана Ивановна, но благодарно взглянула на мужа, перестав плакать. — И у Пети с Дашенькой было бы все в порядке, если бы я по-родственному уделила ей внимание в период беременности. И вообще, помогла бы им преодолевать ошибки, совершаемые по молодости. Разве ты со мной не согласен?

— Ну как я могу с тобой не соглашаться, когда ты у нас такая умница, — мягко поддакнул Михаил Юрьевич, радуясь тому, что она немного отошла и логично рассуждает. — Конечно, нам всем станет легче жить, когда ты постоянно будешь рядом. Но ведь затоскуешь без театра, Светочка!

— Ведь когда-нибудь это все равно должно случиться. Разве не так? Я не смогу быть на вторых ролях, — в ее дивных синих глазах была грусть, но голос звучал спокойно. — Для души буду выступать в концертах. Но ты не прав, думая, что мне скучно без работы. Только дома я испытываю настоящее счастье!

— Так бросай сцену, Светочка! Дай дорогу молодым дарованиям, — полушутя призвал ее Михаил Юрьевич, не слишком веря, что такое реально. — Это будет первый случай, когда им без боя уступят место под солнцем.

— Напрасно шутишь, дорогой! Я не позволю театру разрушить нашу семью, — решительно заявила Светлана Ивановна. — Буду не менее счастлива, занимаясь с дочурками, и, если выращу из них себе смену, вот это и станет вершиной моей карьеры! Но ведь надо еще найти Оленьку, — горестно простонала она и вновь залилась слезами. — Обещай, Мишенька, что вы с Витей не бросите поиски! Петя не виноват и сумеет доказать это!

Михаил Юрьевич поспешно наклонился над ней и нежно прижал к себе большими сильными руками.

— Успокойся, родная! Мы с ним только этим и занимаемся. Уже вышли на след, — заверил ее, немного преувеличивая, чтобы успокоить. — Не сомневайся, мы вернем домой Оленьку, чего бы это ни стоило! А у Пети самые лучшие адвокаты. Они помогут доказать его невиновность.

Ласковые заверения мужа подействовали, и, утерев слезы, Светлана Ивановна, благодарно глядя на него, сказала:

— Я верю, Мишенька, что все кончится хорошо и вынесу любые испытания, потому что со мной рядом ты. Но тебе нужно передохнуть и заняться делами. Ты не голоден? — заботливо спросила она. — Мама тебя уже покормила?

— Да, я уже поел. Вера Петровна сейчас кормит на кухне Наденьку, — ответил Михаил Юрьевич и, в свою очередь, предложил: — Тебе тоже стоит немного подкрепиться.

— Ладно, пусть мама принесет мне чай с пирожками, — согласилась Светлана Ивановна. — Я уже получше себя чувствую. Только еще во всем теле какая-то слабость.

«А что? Похоже, ей и правда полегчало, — обрадованно подумал Михаил Юрьевич, выходя из спальни. — Скорей бы поправилась! Тогда все дела пошли бы у нас лучше».

Даша уже два дня жила с отцом и матерью, когда ей неожиданно позвонил Шитиков и сказал, что разрешает свидание с мужем, и если захочет, то пусть приедет к одиннадцати в МУР. Пропуск на нее будет заказан.

— Не знаю, что и делать, — призналась она матери, сообщив о звонке следователя. — Ну о чем мы с ним будем говорить? Ни сочувствовать Пете, ни утешать его я сейчас не в состоянии.

— А это и не требуется, — хладнокровно высказала свое мнение прямодушная Анна Федоровна. — Изображать сочувствие тебе незачем, так как в убийствах этих он, конечно, не виноват. А за деньги его адвокаты отмажут. Говори с ним по делу, — предложила она дочери. — Насчет вашего развода.

— Но не слишком ли это жестоко с моей стороны? — усомнилась Даша. — Ведь, как ни посмотреть, Петя сейчас в очень трудном положении. Может, мне с разводом немного подождать?

— Уж очень ты у нас сердобольная, дочь! — сердито заметила Анна Федоровна. — Разве он считался с твоим трудным положением? Неужто ему это простила? Поезжай и держись твердо! — непримиримо потребовала она. — Не сомневайся, ты и без него будешь счастлива!

После такого «заряда» Даша отправилась в МУР, настроившись добиться согласия Петра на развод. Зная гордую натуру мужа, она не сомневалась, что вызовет его гнев, однако ни протестовать, ни уговаривать ее он не будет. На душе у нее было тяжело, так как сознавала: режет по живому и, потеряв то, что казалось ей смыслом жизни, едва ли обретет это вновь. Но уж слишком велики были разочарование и боль обиды, чтобы можно было повернуть вспять.

«Мама права, нечего мне его жалеть, — мысленно убеждала себя Даша. — Сам виноват в том, что произошло. Если бы не

374

спутался с бандиткой, то не оказался бы за решеткой. Изменил мне, предал нашу любовь, — горевала она, закипая гневом и жаждой мести. — Своим пренебрежением лишил ребенка! И я его еще должна утешать?»

Оформление пропуска в МУРе не заняло у Даши много времени, а когда она вышла из проходной, была приятно удивлена, встретив спешащего ей навстречу Шитикова. Очевидно, ему сообщили о ее приходе.

— Очень рад видеть вас, Дарья Васильевна! Решил вот сопроводить, чтобы не заблудились, — со слащавой улыбкой, не скрывая своих мужских притязаний, любезно произнес он и со значением добавил: — Надеюсь, что вы это оцените.

— Спасибо, Николай Ильич! Но я и сама нашла бы нужную комнату, — сухо ответила Даша, догадываясь о его намерениях и решив сразу дать им отпор. — И мне, простите, не требуются мужские услуги. Хватает разочарования, которое испытываю по вине мужа.

Шитиков ничего не ответил, лишь перестал улыбаться, и они молча прошли на второй этаж здания, где находился его кабинет. Немного недоходя, Николай Ильич остановился и строго предупредил:

— Говорите с мужем только о личном и не касайтесь существа преступления, в совершении которого его подозревают. Ничего не принимайте от него и не передавайте ему сами!

Они вошли в кабинет, где у стены рядом с довольно плюгавым конвоиром, понурившись, сидел Петр. Таким небритым и неопрятным она мужа еще не видела! Костюм на нем помялся, рубашка была непривычно грязной. И все же он не выглядел жалким. Его рослая фигура источала силу, и взгляд, которым встретил Дашу, был хмурым, но отнюдь не растерянным.

— Здравствуй! — только и сказал он. — Не думал я, что когданибудь окажусь в таком положении. Но верно гласит народная мудрость, что от сумы да от тюрьмы — не зарекайся!

— Я уверена, Петя, что твой арест — это недоразумение, — спокойным и ровным голосом произнесла Даша, присаживаясь рядом с ним на стул. — И пришла сюда не сочувствовать, а для серьезного разговора.

Она сделала паузу и добавила:

— Не знаю, сообщили тебе уже или нет, но я ушла от тебя, Петя, и живу снова вместе с родителями. И сделала это, — поспешно добавила, боясь, что неправильно истолкует, — вовсе не потому, что тебя обвиняют в преступлении. Ты ведь и сам это понимаешь? — посмотрела она на него с горьким упреком.

— Нет, не понимаю! — опустив глаза, хмуро произнес Петр. — Вижу только, что решила порвать со мной, когда я нахожусь в тяжелом, беспомощном положении?

— А ты, значит, выбрал подходящий момент, заведя любовницу, когда я была в больнице? Почему-то не подумал о моем тяжелом, беспомощном положении? — вспыхнув, бросила ему в лицо Даша. — Тебе эта убитая бандитка была дороже меня и твоего ребенка! Разве такое можно простить?

Вот теперь Петр и правда растерялся, так как сам понимал, что оправдания тому, что было, нет. «Это — конец! Дашу я потерял, — угрюмо подумал он, проклиная в душе допущенную им слабость. — Она мне этого никогда не простит!»

— Так получилось... из-за обиды, что мной пренебрегала, — невнятно бормотал он в свое оправдание. — Я же... здоровый... мужик. Не знал, что она... бандитка. Да разве я, — поднял на Дашу глаза, в которых застыла мольба, — променял бы тебя на кого еще? Никто, кроме тебя, мне не нужен! И чтобы дети были, хочу.

Лучше бы он этого не говорил! Упоминание об утраченном счастье материнства вновь ожесточило ее сердце.

— Поздно ты спохватился, Петенька, — горько произнесла она, глядя на него полными слез глазами. — Врачи говорят, что мне уже не родить. Из-за каких-то осложнений. Ты бы знал это, если бы мной интересовался, — непримиримо бросила ему последний упрек.

Это обескуражило Петра, и возникла пауза, во время которой оба подавленно молчали. Но Даша вспомнила о цели своего прихода и тихо сказала:

— Не надо меня уговаривать, Петя! Нам нужно разойтись и начать новую жизнь. Так будет лучше для нас обоих. Разбитый кувшин не склеишь!

— Говори, что предлагаешь! — не глядя на нее, хмуро отозвался Петр.

— Я собираюсь найти работу за рубежом. Уеду надолго, и мне надо оформить развод. Как знать, может, найду там свое счастье?

— Согласен. Что от меня требуется? — так же, не поднимая глаз, бросил он.

— Подписать документы, которые я передам через следователя.

— И на это согласен, — буркнул Петр и, тяжело вздохнув, поднял на нее глаза. — Поступай, как знаешь! Я сам во всем виноват. Попрошу тебя лишь об одном: отдай отцу то, что должно остаться в нашей семье. За любую компенсацию.

Даша согласно кивнула, и он, покосившись на дверь, быстро добавил:

— И еще передай ему дословно две фразы: фирма «Здоровье», мистер Джеймс Ричардсон. Так зовут американца, который увез Оленьку. Запомнила?

— Не беспокойся, передам в точности, — заверила его Даша. — Память у меня хорошая. Натренирована зубрежкой английского, — улыбнулась впервые за все время их свидания.

На этом их разговор оборвался, так как в кабинет вошел следователь. Даша молча поднялась. Шитиков, также молча, подписал ей пропуск на выход, даже не предложив проводить.

Сразу же после свидания с мужем Даша, как и обещала, позвонила в офис Михаилу Юрьевичу, чтобы срочно сообщить ему новые сведения об Оленьке и договориться, каким образом передать фамильные реликвии. Ввиду несметной стоимости, хранить их в нежилой квартире она опасалась, да и при себе держать было чрезвычайно рискованно.

— Полчаса назад я виделась с Петей, — поздоровавшись со свекром, коротко сообщила ему Даша. — Мне устроил свидание с ним следователь. Он выглядит нормально и просил передать следующую информацию, как я поняла, об Оленьке. Фирма «Здоровье». Американец Джеймс Ричардсон. Вам это о чем-нибудь говорит?

— Даже очень! — обрадованно воскликнул Михаил Юрьевич. — Спасибо тебе! Эта фирма, несомненно, — российский посредник сделок по усыновлению. А американец — курьер, который сопровождал Оленьку к приемным родителям. Теперь отыскать ее будет намного легче.

Он сделал паузу и с легким упреком сказал:

— Ты уверена, что правильно поступила, когда ушла жить к родителям? Я знаю, ты справедливо обижена на Петю. Он совершил тяжкий проступок. И все же, по-моему, не такой, — голос его дрогнул, — чтобы его нельзя было простить. Если, конечно, ваша любовь так велика, — мягко напомнил он ей, — как всем нам представлялось.

— Оказалось, что не так велика. С его стороны, — со жгучей обидой произнесла Даша. — И простить ему предательства, из-за которого я потеряла ребенка, между прочим, вашего внука, — горько всхлипнула она, — я не смогу! Мы разводимся с Петей, и он мне дал согласие.

— Вот, значит, как? — опешил Михаил Юрьевич. — А не слишком ли ты торопишься, Даша? Не пожалеешь? Такие, как Петя, под ногами не валяются!

— Я это знаю, — печально согласилась Даша. — Но любить его, как прежде, уже не смогу. А без этого мне ничего не надо. Ни богатства, ни ваших фамильных драгоценностей, — более жестко добавила она. — Я хочу сегодня же их вам привезти, так как хранить их сейчас мне негде.

— Привози, коли так. Рисковать нельзя, — после небольшой паузы сухо ответил свекор. — Но надеюсь все же, что ваше решение о разводе не окончательное. Так что пусть хранятся пока у меня в сейфе. Прислать за тобой машину?

— Не надо. Я приеду на своей, — отказалась Даша, положив трубку.

Михаил Юрьевич погрузился в текущие дела, незаметно пролетело время, и звонок охранника возвестил ему о прибытии снохи. Он спустился ее встретить и поневоле залюбовался, так она была хороша. Худощавая и стройная, но с высоким бюстом, крутыми бедрами и красивым очертанием длинных ног, Даша выглядела очаровательно. Ее образ дополняло прелестное личико со слегка вздернутым носом и большими светлыми глазами в сочетании с густыми темными волосами.

Взяв ее под руку, шеф детективного агентства под восхищенными взглядами сотрудников провел ее в свой кабинет. Когда они вошли, он запер дверь, и Даша из обычного полиэтиленового пакета, который нарочно использовала, чтобы не привлекать внимания, выложила на стол такие изумительные шедевры ювелирного искусства, что в комнате стало светлее от сияния множества бриллиантов и драгоценных камней. Несколько минут они молча любовались этой музейной роскошью, и, не выдержав, Михаил Юрьевич удрученно сказал:

— Неужели тебе не жаль? Ведь все это твое по праву и, как никому, тебе к лицу! Не думаю, что найдется еще одна женщина в России, обладающая таким редким и драгоценным гарнитуром.

— Конечно, жаль. Они мне так нравятся! — по-детски искренно призналась ему Даша. — Но я никогда не считала эти фамильные драгоценности своими, зная, что придет время и надо будет передать их жене старшего сына. Так, как поступила Светлана Ивановна, — напомнила она свекру. — А они ей были к лицу не меньше, чем мне.

Это было действительно так. Михаил Юрьевич молча собрал драгоценности, сложил в тот же самый пакет и убрал в сейф. Заперев его, с сожалением посмотрел на сноху и, вздохнув, порекомендовал:

— Ты, Даша, главное — не спеши! Подумай, посоветуйся со старшими. Не пренебрегай мнением Светланы Ивановны и Веры Петровны. Они женщины редкой души! Зря их чуждаешься.

«Он так говорит, не зная, что я уже не могу родить наследника, о котором мечтает, — с горечью подумала Даша. — А когда это станет ему известно, запоет совсем другую песню!» Но объяснять ничего не стала, лишь, понурив голову, грустно произнесла:

— Слишком поздно, Михаил Юрьевич! И тянуть эту муку не стоит. Я решила начать новую жизнь. Надеюсь, что уеду работать за границу, чтобы поскорее забыть то ужасное несчастье, которое мне пришлось пережить.

Однако не зная всей глубины ее горя из-за утраты не только былой любви к Петру, но и от сознания, что никогда не станет матерью, Михаил Юрьевич почувствовал себя оскорбленным. Как-будто Даша оставляла не сына, а его самого. Смерив сноху мрачным взглядом, сердито бросил:

— Ну что же, поступай как знаешь! Больше уговаривать не стану. Но ты еще пожалеешь о своей ошибке. Локти кусать будешь, но уже ничего не вернешь!

Он нажал на кнопку вызова и, когда в дверях появился помощник, впервые с ней не простившись, сердито распорядился:

— Проводите, Дарью Васильевну к машине!

Глава 22. Контракт

Попав в беду, вспоминают о старых друзьях. Выйдя замуж за Петра Юсупова, Даша потеряла связь с большинством из своих знакомых, с которыми тесно общалась, когда работала в фирме модной одежды.

Решив подыскать себе работу, Даша в первую очередь обратилась туда, где ее хорошо знали. Наведя справки, она была приятно удивлена, что Гаррик, муж ее подруги Риты, умершей год назад от наркотиков, стал одним из директоров крупной фирмы. Когда-то он упорно домогался близости с Дашей и отстал, лишь когда она вышла замуж. Спустя же год после смерти Риты сошелся с хозяйкой Дома моделей, которая держала его «на коротком поводке».

«Не думаю, что вновь примется за старое, — с оптимизмом подумала Даша, намереваясь обратиться к нему за помощью. — Побоится своей грымзы. Вообще, говорят, он остепенился». И действительно, когда она позвонила, Гаррик искренне ей обрадовался и, без всяких притязаний на интимные отношения, пообещал:

— Будь спокойна, Дашутка! Устрою тебе классную работенку за бугром. Как раз сейчас веду переговоры о демонстрации наших моделей с представителями нескольких крупных фирм. Дам тебе рекламу на высшем уровне!

— Только учти, пожалуйста, что мне подходят лишь англоязычные страны, — напомнила ему Даша. — Бог знает, сколько мне там предстоит жить.

— Думаешь, у меня память плохая? Забыл, что ты свободно «спикаешь»? — рассмеялся Гаррик. — Ведь как раз это повышает тебе цену, и я обязательно подчеркну твое преимущество перед другими красавицами.

Он сделал паузу и с едва прикрытым любопытством сказал:

— Вот уж никогда не думал, что ты уйдешь от мужа. Такая у вас была любовь, что к тебе нельзя было подступиться. Что же случилось?

— Мне тяжело об этом говорить, Гаррик, — просто ответила Даша, не желая делиться сокровенным и в то же время боясь его обидеть. — Сам понимаешь, эта тема — не для телефона.

— Ладно, расскажешь мне по старой дружбе при встрече, — согласился Гаррик. — Думаю, долго ждать тебе не придется. Постараюсь устроить совместный обед или ужин с будущим работодателем в одном из хороших ресторанов. Так что жди моего звонка!

— Надеюсь, ты дашь им понять, что я буду делать только ту работу, о которой идет речь в контракте, — сочла необходимым предупредить его Даша.

— Будто я тебя не знаю! У меня и мыслей таких нет, — весело заверил ее Гаррик. — К твоему сведению, для работы им б... не подходят. А с кем здесь можно развлечься, сама знаешь, у нас хватает. Только выбирай!

Успокоенная, Даша положила трубку, а Гаррик мечтательно подумал: «Было бы совсем неплохо, наконец, получить у нее то, чего так упорно добивался. И как знать, может, отблагодарит меня перед отъездом? Во всяком случае, судьба мне дает шанс!»

Отец Гаррика, мулат с Кубы Сальвадор Кастро, был военным летчиком и женился на его матери, когда обучался в Советском Союзе. В отличие от своего знаменитого однофамильца он был невысокого роста и не блистал ни обаянием, ни красноречием. Брак быстро распался, и он вернулся на свой остров Свободы, оставив сыну лишь свою фамилию и негроидную внешность.

Несмотря на тропический темперамент, Кастро романов на работе не заводил, даже тогда, когда еще не сожительствовал с владелицей фирмы. Единственной, кто заставил его нарушить правило, была Даша, к которой он сразу воспылал страстью и довольно долго безуспешно преследовал. Теперь ему казалось, что пробил его час, и Гаррик из кожи вон лез, чтобы выполнить ее просьбу и найти ей как можно более выгодную работу.

Его энергичные усилия увенчались успехом. Среди иностранных партнеров Дома моделей был представитель небольшой фирмы из Майами, торгующей эксклюзивной дамской одеждой. Его интересовали лишь самые роскошные и дорогие туалеты, подобных которым нигде не было. И он уже закупил с дюжину их лучших изделий.

— Мы имеем дело исключительно с самой богатой и фешенебельной публикой, — самодовольно объяснял он Гаррику. — Наши клиенты сплошь миллионеры. Им подавай не только лучшее, но еще и то, чего нет у других!

— А как у вас обстоит дело с демонстрацией туалетов? — закинул удочку мулат. — Вы для показа клиентам приглашаете топ-моделей со стороны или содержите их в своем штате?

— Разумеется, у нас постоянный штат. Пять девушек и двое мужчин, — как бы недоумевая, произнес американец. — Они же всегда должны быть под рукой! Наши доходы это позволяют.

— Вы ими довольны? А то могу вам предложить просто выдающуюся манекенщицу, да притом еще со знанием английского языка, — стараясь не выдавать своей заинтересованности, небрежным тоном бросил Гаррик и пояснил: — Эта красавица уже работала в Штатах, но вернулась, так как вышла замуж.

— Красотка, да еще знающая язык, — это интересно, — оживился американец. — Надеюсь, ее уход обошелся без конфликта? — вопросительно взглянул он на Кастро. — И почему вновь ищет работу?

— Такой, как она, незачем искать работу! — резко ответил Гаррик. — Ее сразу возьмет любая фирма, и в первую очередь наша. Но у нее произошла личная драма, и ей нужно уехать подальше, чтобы поскорее это пережить, — объяснил он. — Теперь понимаете, в чем дело?

— О йес! Конечно! — закивал американец. — Я это хорошо понимаю. По правде говоря, нам нужна красивая топ-модель, и мы можем предложить ей выгодные условия. Однако мне прежде надо будет познакомиться с ней и согласовать эту сделку с моим боссом.

«Кажется, дело идет на лад, — обрадованно подумал Гаррик. — Еще бы Даша ему не понравилась. Если это произойдет — подаю в отставку! Но вот согласится ли она на те условия, что предложат? — обеспокоился он. — Это вопрос!» Но вслух с деланным спокойствием сказал:

— Само собой разумеется! Согласовывайте это дело с боссом, а я, если понадобится, организую встречу с Дашей Волошиной — так зовут нашу топ-модель. Можно, конечно, у нас в офисе, но я рекомендую потратиться на ресторан, — вполне серьезно порекомендовал американцу. — Так вы ее лучше узнаете. Тем более что она свободно говорит по-английски.

— Отличная мысль, Гарри! — весело согласился собеседник, еще нестарый мужчина. — Там мы решим деловые вопросы и неплохо проведем время за счет нашей фирмы с красивой женщиной, — подмигнул он русскому мулату. — Чем плохо? Я не дурак, чтобы от этого отказаться.

На этом они порешили, и Гаррик, заранее предвкушая удовольствие от того, как сообщит Даше, что сумел быстро выполнить ее поручение, отправился провожать американца.

Владелица фирмы «Блеск моды» Элизабет Кроули обосновалась в Майами около десяти лет назад. Она была канадкой, родом из Торонто, и созданная ею фирма встала на ноги и приобрела популярность еще там. Выросшая в бедной семье, красивая и энергичная Бетти пробила себе дорогу сама, став известной фотомоделью и сумев сколотить приличный капиталец. Для этого ей пришлось пройти через руки нескольких продюсеров, в основном семейных, так что к тридцати годам, когда решила создать собственное дело, была все еще незамужем.

Свою судьбу она нашла в лице молодого фермера Тима Боровски, широкоплечего увальня, который, как только ее увидел, сразу влюбился по уши и уже не отставал. Голубоглазый блондин с добродушным славянским лицом, поскольку был выходцем из Белоруссии, он сумел своим постоянством завоевать красотку Бет, тем более обладал состоянием, которое ей было необходимо для дела.

Правда, перед их свадьбой возникло неожиданное препятствие. Мать Тима потребовала, чтобы венчание было по православному обряду, в то время как семья Кроули принадлежала к католической церкви. Мария Игнатьевна, рано овдовев, была глубоко верующей и не шла ни на какие уступки.

— Мы потому выжили на чужбине, Тимоша, и даже преуспели, — убеждала она сына, — что свято почитали веру отцов. Нельзя ей изменять, сынок! Не то Бог от нас отвернется.

— Но ведь, мамочка, надо уважать и их религию. Ведь у нас она преобладает, — возражал Тим. — И по-мужски я обязан уступить женщине.

— Ты не прав! — стояла на своем мать. — Это женщина, выходя замуж, должна принять религию супруга. Возьми историю! У монархов было принято жениться на иностранках. И их жены всегда меняли свое вероисповедание и даже имена!

— Так то монархи, а мы — простые люди! И должны считаться с реальными обстоятельствами, — уговаривал ее Тим. — Что же мне теперь: не жениться из-за этого на Бетти?

— Пусть она уступит! — упрямо твердила Мария Игнатьевна. — Жена должна во всем слушаться мужа. Дашь потачку сейчас — попадешь под каблук!

Но нашла коса на камень! Родных Элизабет уговорить не удалось, и матери Тима пришлось смириться. Она оказалась права. Вскоре ее сын уже полностью подчинился железной воле супруги и в дальнейшем, как говорится, плясал под ее дудку. Однако их брак был счастливым. Родился сын Роберт и следом за ним еще два крепких мальчугана. Благосостояние семьи все росло, и однажды было решено перебазироваться в Майами, где климат намного комфортнее и больше богатой клиентуры.

Всеми делами фирмы заправляла Элизабет. Тим увлекся яхтенным спортом и часто подолгу ходил в море. Бабушка Мэри следила за младшими детьми. Так что из членов семьи помогал Бет в работе только старший сын Роберт, который уже закончил колледж и был одним из ее менеджеров. Однако, любя мужа, она всегда с ним делилась своими заботами и часто советовалась.

И в этот раз, обедая с ним у себя на вилле, Элизабет за десертом сказала:

— Утром позвонил Чарли. Он закупил в Москве подходящий товар. И сделал интересное предложение. Вот, хочу знать твое мнение.

Вытерев салфеткой губы, Тим молча уставился на жену, и она продолжала:

— Как ты смотришь на то, чтобы нам взять на работу русскую топ-модель? Чарли говорит, очень красива и хорошо владеет английским.

— Для дела было бы полезно. Твои манекенщицы малопривлекательны, и это снижает впечатление от туалетов, — с обычной рассудительностью ответил муж.

— Но не запросит ли она слишком много, раз так хороша? И не пригреем ли мы очередную русскую проститутку?

— Чарли утверждает, что сможет заключить контракт на наших условиях и что эта девушка вполне порядочная.

— Из чего же это он заключил? — скептически поднял брови Тим.

— Она пережила семейную драму: по вине мужа потеряла ребенка. Решила развестись и поскорее уехать из России, — коротко объяснила ему Бет. — Поэтому не будет особенно торговаться.

— Ну тогда другое дело, — одобрительно хмыкнул Тим. — Может быть, это даже находка! Пусть Чарли как следует к ней приглядится и действует!

— Так я ему и сказала, дорогой, — с довольным видом заключила супруга. — Мне тоже показалось, что это для нас большая удача. Чем думаешь сегодня заняться?

— Проведу остаток дня на яхте. Хочу своими глазами проследить за установкой в салоне нового музыкального центра. К субботнему приему у меня будет все готово, — бросил он на нее веселый взгляд. — Список гостей уже составила?

— Еще нет, но в запасе два дня, и мы успеем его разослать, — спокойно сказала Бет. — Распорядись, чтобы повесили разноцветные фонарики, — напомнила она ему. — А то прошлый раз забыли.

Они давно уже принадлежали к сливкам общества Майами, и дружеские приемы, регулярно устраиваемые на роскошной яхте Тима, укрепляли их и без того видное положение.

В ресторане гостиницы «Метрополь», где остановился менеджер фирмы «Блеск моды» мистер Чарльз Браун, гремела музыка, и на эстраде шло весьма эротическое шоу. Американец и приглашенные им Гаррик и Даша сидели за столиком в самом дальнем углу зала, где было не так шумно и ничто не мешало спокойной беседе.

Даша произвела на тертого менеджера огромное впечатление. И не только безукоризненной внешностью, поскольку красивых топ-моделей он видывал множество. За полтора часа, что они пробыли в ресторане, свободно беседуя с ней на все темы, Чарли убедился: она хорошо воспитана и интеллигентна. А это было редким явлением среди ярких красоток.

Особенно поразило его то, что Даша довольно равнодушно выслушала предложенные им условия и, почти не раздумывая, дала предварительное согласие.

— Хотелось, чтобы вы мне объяснили, но только откровенно, Дашия, — спросил он, смешно коверкая непривычное русское имя, когда, немного потанцевав, они вернулись к своему столику, — почему вы согласились на более низкую ставку, чем та, которую получали в Голливуде? Честно говоря, меня это удивляет.

— Да, я знаю, что могу найти более высокооплачиваемую работу, — серьезно, без всякого кокетства ответила Даша. — И согласилась на ваши условия по двум причинам. Во-первых, мне сейчас не до поисков самого лучшего, а во-вторых, заработок не является моей целью, как у многих других.

Она сделала паузу и, доверчиво на него взглянув, с улыбкой добавила:

— Потом, меня очень привлекает перспектива жить во Флориде с ее теплым климатом и экзотикой. Я побывала там пару раз, и мне очень понравилось!

— Но и в Голливуде, по-моему, экзотики хватает, — шутливо возразил Гарри. — Да и климат там вовсе не суровый.

— Слишком много суеты, — пояснила Даша. — А Майами — настоящий курорт.

— Ты что-то не о том говоришь, Чарли, — вмешался молча слушавший Гаррик. — Так ведь Даша может и передумать, — весело подмигнул он ей. — Лучше скажи, когда она должна приступить к работе?

— Сразу же по прибытии, — ответил Чарли. — Так будет указано в контракте, который я подготовлю и передам вам завтра. Чем раньше Дашия его подпишет, тем скорее приступит к работе. В Майами ее уже ждут.

— А теперь я вас попрошу откровенно рассказать мне, Чарли, — обратилась к нему Даша, — что собой представляют те, с кем предстоит мне работать? И мои коллеги, и, разумеется, начальство.

— Ну что же, это — законное любопытство, — согласился менеджер, — и я охотно расскажу, что вас ожидает.

Он удобнее устроился на стуле и не без удовольствия сообщил:

— Фирма «Блеск моды» принадлежит семейству Кроули-Боровски. Это очень известные люди, а наш офис занимает одно из лучших зданий в центре города. Командуют парадом миссис Кроули и ее сын Роберт.

— А ее супруг? — спросил Гаррик. — У него другой бизнес?

— Да нет, мистера Боровски дела мало интересуют, — со скрытой насмешкой ответил Чарли. — Он — заядлый спортсмен. Знай себе гоняет на яхте. Тоже ведь неплохое занятие?

Став снова серьезным, менеджер продолжал:

— Фирмой профессионально заправляет его супруга Элизабет, которую мы все зовем просто Бетти. Она ее основала и дело свое знает — сама бывшая топ-модель.

— А какая она по характеру? — заинтересованно спросила Даша.

— Строгая, иногда резкая, но справедливая. Зря не придерется, — с уважением ответил Чарли. — Персонал ее любит.

Он сделал паузу, перечисляя в уме всех, кого следовало охарактеризовать, но передумал и сказал:

— Остальные, с кем вам придется иметь дело, вполне нормальные люди. Все они работают не первый год, и никаких конфликтов у нас не возникало. Так что, надеюсь, — добавил с усмешкой, — их не будет и по вине новой сотрудницы.

— В этом можешь не сомневаться, — заверил его Гаррик. — Дашенька хорошо знает свое дело, трудолюбива и умеет со всеми ладить. Проверено! — остановил он ее, запротестовавшую против похвал, жестом. — Если, конечно, и к ней будет соответствующее отношение. Постоять за себя она умеет!

— Тогда будем считать, что деловая повестка на сегодня исчерпана, — весело предложил Чарли. — Не возражаешь, если я приглашу Дашу потанцевать?

Дружески улыбаясь, он вопросительно посмотрел на Дашу, и она, согласно опустив глаза, поднялась со своего места. Чарли чопорно предложил ей руку и повел к площадке перед эстрадой, до отказа заполненной танцующими.

— Ну чего ты опять вся в слезах? Ведь так хорошо все устроилось! — покачала головой Анна Федоровна, зайдя поутру к дочери и застав ее в растрепанных чувствах. — Неужто вновь заколебалась? Жаль расставаться с Петром?

— Нет, мамочка, уж очень он меня обидел, — повернула к ней мокрое от слез лицо Даша. — Но мне страшно, когда думаю о будущем!

Анна Федоровна подсела к ней на кровать, ласково взяла дочь за руку.

— Что же тебя так пугает? Тамошняя жизнь тебе не в новинку. И язык ихний ты знаешь. Неужто думаешь, тебе будет плохо? — мягко произнесла, чтобы как-то ее приободрить. — В этой Флориде, говорят, уже и наших пруд пруди. Таких, как Петя, а может, и еще побогаче.

— Да разве я об этом думаю, мамочка? — с упреком посмотрела на нее Даша. — Сама знаешь: не в богатстве счастье. Боюсь, что после Пети не смогу никого полюбить!

— Тогда и мучайся с ним дальше! — рассердилась Анна Федоровна. — Пока совсем не изведешься и в психушку не попадешь. Ну сколько тебе говорить: не один он стоящий мужик на белом свете!

— Опять ты не о том, мама, — досадливо поморщилась Даша. — Будто все дело в физиологии. А как же быть с тем, что здесь? — прижала руки к груди. — Ведь Петя — единственный мужчина, кого мне суждено было полюбить. Я ведь поняла это с первой нашей встречи!

— Мистика какая-то! — расстроилась Анна Федоровна. — Ты что же, всерьез считаешь, что второго такого, как он, никогда не встретишь? Тогда зачем с ним расходишься?

Даша приподнялась на подушках и печально посмотрела на мать.

— А нет у нас с ним никакой перспективы, никакой надежды на счастье, — сказала она безнадежным тоном, утирая слезы. — Может быть, со временем я бы простила ему то, что произошло. Но все равно это бесполезно!

— Не понимаю, почему? — несогласно пожала плечами Анна Федоровна. — Мужчины сплошь и рядом изменяют женам, а потом супруги мирятся и живут дружно.

— У нас так не получится, мамочка, — на глазах у Даши вновь появились слезы. — Выкидыш дал осложнение. В общем, я больше, — голос ее прервался, — не смогу, наверное, родить.

Сообщение дочери повергло Анну Федоровну в шок. Некоторое время она оторопело смотрела на дочь, но ее энергичная натура взяла верх и, тряхнув головой, она с деланной бодростью сказала:

— Ну и что, коли так? Не с тобой первой такое случилось. Мало ли бездетных пар, которые живут душа в душу? Сама ведь обижалась, что Петя не жаждет ребенка.

Видя, что дочь безутешна, привела еще один убедительный аргумент:

— Но, если так уж захочется воспитать ребенка, вы всегда сможете взять кого-нибудь из детдома и вырастить как своего родного. Сколько сейчас несчастных брошенных детей ждут приемных родителей!

Однако это лишь усилило страдания Даши.

— О чем ты говоришь, мама? — раздраженно бросила она. — Будто не знаешь, какое значение Юсуповы придают продолжению своего древнего рода! Это сейчас Петя еще не созрел, чтобы стать отцом, но потом непременно захочет, чтобы родился сын. И Михаил Юрьевич не допустит его бездетного брака!

— Вот это верно! Уж больно они чванятся своим происхождением, — гневно отозвалась Анна Федоровна. — Даже не подумают, что сами виноваты в том, что с тобой случилось! Что за люди?

Она порывисто обняла дочь и, прижав к себе, воинственно заявила:

— Все! Не жалей и не сомневайся! Поверь моему материнскому чувству. Ты освободишься от этой напасти и найдешь свое новое счастье. Только действуй смелее и не оглядывайся на прошлое! Нам с князьями не по пути!

— Да, мамочка! Иного решения я не вижу, — тяжело вздохнув, произнесла Даша и, откинув одеяло, села на постели. — Я плохо спала, все мучилась сомнениями: подписывать ли контракт? Что-то внутри протестовало, нашептывало: не делай этого! Но теперь верю — дороги назад нет.

— И правильно считаешь, доченька! На твоем месте я бы сделала так же, — решительно поддержала ее Анна Федоровна. — Судьба и раньше противилась твоему браку с Петей, и с ним надо покончить. Без всяких сомнений подписывай контракт. Тебя ждет счастье!

Уверенные слова и оптимизм матери успокоительно подействовали на Дашу. Сомнения и тревоги куда-то исчезли, и на душе стало легче. «Ну что же, будь что будет! Подпишу контракт и оформлю развод, — окончательно решила она. — Мама добра мне желает, и ее интуиции можно верить. Я найду свое счастье, а Петю судьба за меня накажет».

— Как я люблю тебя, мамочка! — повеселев, сказала Даша, вставая с постели. — Всегда, в любых трудных обстоятельствах, только ты умеешь меня поддержать и вселить надежду на удачу.

Она сделала паузу, взглянув на часы, и уже деловито добавила:

— Итак, решено! Сейчас позавтракаем, и я отправлюсь подписывать контракт с фирмой «Блеск моды». На целых два года! Если все будет хорошо, приглашу вас с папой полюбоваться тамошней красотой.

Хотя Гаррик Кастро жил со своей директрисой в ее загород-ном особняке, городскую квартиру он часто использовал, когда требовалось провести деловую встречу в домашней обстановке. Вот и теперь предприимчивый русский мулат, разумеется, не без задней мысли пригласил к себе мистера Брауна и Дашу, чтобы отметить заключение контракта в теплой, дружеской обстановке.

Компанейский американец, который уже успел в гостинице познакомиться с классной путаной, сразу же согласился.

— О'кэй, Гарри! Это будет лучше ваших шумных ресторанов, — одобрительно закивал он. — Ты не возражаешь, если я приду с Нелли? Как у тебя с музыкой и напитками? Ноу проблемс?

— У меня новейший музыкальный центр и музыка на все вку-сы, — отлично его поняв, заверил Кастро. — И в квартире, если захочется, есть где уединиться. Но сам знаешь, что лишняя бу-тылка хорошего шотландского виски, — по-свойски подмигнул он Чарли, — всегда к месту.

Помятуя опыт своих прежних отношений с Дашей, Гаррик не без основания опасался ее отказа, но, как оказалось, напрасно. После той огромной нервной нагрузки, которую она испытала из-за личных переживаний и дум о новой работе, означавшей неведомый коренной поворот в судьбе, ей самой захотелось рас-слабиться и приятно провести время.

Назначив встречу на шесть часов вечера, Гаррик успел за остав-шееся время приготовить все должным образом и, позвонив Даше домой, отправился за ней на машине. По дороге он купил роскош-ный букет, и, когда, преодолев многочисленные пробки, подкатил к ее «сталинскому» дому, она уже ждала его около подъезда.

Гаррик проворно вылез из своего новенького «вседорожни-ка», достал букет и вручил цветы Даше, заметив, что она порозо-вела от удовольствия. Ее необычная покладистость вселяла на-дежду. «Неужто эту крепость после стольких попыток мне удас-тся взять? — мысленно порадовался он, заранее млея от сладко-го предчувствия победы. — Просто не верится!»

— Ну как ты, надеюсь, довольна? — спросил ее в машине. — Согласись, я ведь ловко все это провернул? Разве не о такой работе ты мечтала?

— Ты просто молодец, Гаррик! Это фантастика — как быстро все совершилось, — восторженно произнесла Даша. — Никак не могу поверить, что через какую-то неделю смогу оказаться за океаном. Не может быть, чтобы мистер Браун так быстро устроил мне американскую визу!

— А у него в посольстве близкий друг работает. И потом, ты уже там жила два года и хорошо себя зарекомендовала, — улыбаясь, объяснил ей Кастро. — Так что за визой дело не встанет, — добавил он. — Тебя может только развод задержать.

— Вот как раз развод и не задержит, — помрачнев, серьезно сказала Даша. — Меня здесь будет представлять адвокат, а все нужные бумаги я оформить успею. Петя обещал мне все подписать.

— Он может передумать и создать препятствия, — выразил сомнение Гаррик. — Я бы так просто тебя не отпустил, — бросил он на нее горячий взгляд. — Дурак он, Петька! Заслуживает, чтобы ты его проучила!

Даша ему не ответила, лишь, нахмурив брови, опустила глаза. Но тут машина подъехала к гостинице, где, прогуливаясь перед входом, их уже поджидали Браун со своей подругой, элегантно одетой худенькой брюнеткой.

— Знакомьтесь, это Нелли! — представил ее Чарли, не слишком церемонясь, что свидетельствовало о вполне коммерческом характере их отношений. — Она преподает английский в колледже, но платят ей там сущие гроши. Нужны спонсоры! — с ухмылкой посмотрел он на временную подругу. — Не так ли, киска?

— Совершенно верно, Чарлик — без тени стеснения подтвердила Нелли, если ее и правда так звали. — Без спонсоров никак не проживешь! А ты очень даже славный спонсор.

— Садитесь в машину! — широким жестом пригласил их Гаррик, распахнув заднюю дверцу. — Я живу недалеко, так что ехать недолго.

Действительно, менее чем за полчаса они добрались до его дома, а еще через десять минут уже сидели при свечах в уютной гостиной за столом, уставленном отборными напитками и дорогими деликатесами. Все успели порядком проголодаться и буквально набросились на великолепную выпивку и закуску.

Настроение и так было отличное, а когда поужинали и вино ударило в голову, уже веселились от души.

Часа через полтора, разгоряченные и захмелевшие, они решили немного размяться и устроили танцы. Браун был неважным танцором, и инициативу взяла на себя Нелли, которая профессиональными ласками умело разжигала в немолодом уже мужчине пылкое желание. Что касается другой пары, то здесь ведущим был темпераментный мулат, который, тесно прижимая к себе Дашу, стремился возбудить в ней ответную страсть.

«Какие же, наверное, негры сильные мужчины, — поневоле мелькали в ее затуманенной выпитым голове сексуальные фантазии, когда ощущая его напрягшуюся плоть, она и сама испытывала возбуждение и сладкую истому. — Ведь не даром, как говорят, его директриса из-за ревности сходит с ума».

Видя, что она податлива, как воск, и вся дрожит, Гаррик уверовал в свой успех и усилил натиск.

— Дашенька, дорогая моя, — горячо нашептывал он ей на ухо, обеими руками обхватив ее бедра и крепко прижимая к себе, чтобы чувствовала его силу. — Ты же знаешь, как давно о тебе мечтаю, как страстно хочу тебя!

Он запнулся от волнения и добавил с мольбой:

— Разве я тебя не заслужил? Раньше ты была несвободна, но теперь-то ведь можно? Мы оба обделены личным счастьем. Так доставим радость друг другу!

«А почему бы и нет? — поддаваясь его сладким речам, расслабленно подумала Даша. — Петя мне изменил с легкой душой, мы с ним разводимся. Почему же и я не могу порадоваться жизни, хоть немного разогнать тоску?»

Словно угадав ее мысли, Кастро остановился и, прижавшись к трепещущей груди Даши, стал осыпать поцелуями шею, лаская языком мочки ушей, а затем обхватив толстыми губами рот, впился в него так, что она задохнулась. В гостиной они уже были одни, так как Нелли увлекла своего «спонсора» в спальню, и Гаррик, продолжая поцелуи, стал ласкать ее грудь и тело, стараясь потихоньку снять одежду.

Сама не понимая, что с ней происходит, Даша молчаливо уступала и, лишь когда ему почти удалось снять с нее трусики, наконец, опомнилась. «Нет! Этого делать нельзя — без любви, по-скотски! — молнией пронзило ее мозг, и она сразу отрезвела. — Ну что нам даст этот краткий эпизод? Взаимное наслаждение? А потом? Стыд и неловкость! Ведь у каждого — своя судьба».

С лицом, сразу покрывшимся краской, Даша встрепенулась и, вырвавшись из рук опешившего Кастро, быстро поправила одежду. Затем, неловко улыбаясь, извиняющимся тоном сказала:

— Прости меня, Гаррик, если можешь. Мне показалось, что я тоже этого хочу, — опустив глаза, честно призналась она и еле слышно добавила: — Но я пока еще не готова. И наверное, никогда не смогу вот так, без настоящей любви!

— Но это же глупо, Дашенька! Надо брать от жизни все! — по инерции попытался спасти положение Кастро, но она уже остыла, и, как говорится, «поезд ушел». — Поверь, я способен сделать тебя счастливой!

— О каком счастье ты ведешь речь? — укоризненно на него взглянув, покачала головой Даша. — Я улетаю за океан, а ты остаешься со своей директрисой. Ну признайся честно: ведь боишься, что хозяйка о нас узнает?

Она попала в цель. Гаррик понуро замолчал, и Даша, чтобы преодолеть возникшую неловкость, с чувством сказала:

— Ладно, не будем делать из этого драмы! Как знать, может, у нас с тобой что-то и будет при других обстоятельствах. Я тебе очень благодарна за все и постараюсь отплатить каким-нибудь другим образом.

Кастро на это лишь кисло улыбнулся, а Даша, взяв сумочку на прощание примирительно бросила:

— Не стоит сердиться. Ты женской лаской не обделен. Извинись за меня перед Чарли и скажи, что мне пришлось срочно вернуться домой.

Сразу после завтрака Петра Юсупова повезли на допрос к следователю Шитикову. На этот раз благодаря своим адвокатам, затратившим много усилий и еще больше денег, он выглядел куда более опрятным: был одет во все чистое и хорошо выбрит. Когда его ввели в кабинет Николая Ильича, тот расплылся в любезной улыбке.

— Присаживайтесь, Петр Михайлович! — широким жестом указал он на стул перед своим столом. — Надеюсь, что сегодня между нами состоится откровенная и конструктивная беседа.

— Если под конструктивной беседой вы подразумеваете мои признательные показания, то у нас снова ничего не получится, — спокойно, но твердо заявил Петр. — Со мной вы лишь зря время теряете, когда надо искать настоящих убийц!

— Вам легко обвинять нас, Петр Михайлович, — тем же любезным тоном, но со скрытой издевкой возразил ему Шитиков. — А что прикажете делать, когда все на вас одном сходится? И пистолет, из которого был застрелен гражданин Коновалов, и отпечатки пальцев на рукоятке ножа, которым была убита гражданка Линева. Почему я должен верить вашим словам, а не фактам?

— Потому что эти улики ложные! Они только уводят вас от цели! — гневно бросил ему в лицо Петр. — Ведь убийцы, пока вы тут доказываете недоказуемое, гуляют на свободе и могут вообще скрыться от правосудия!

— От нас никто не скроется! — с важным видом изрек Шитиков. — И улики против вас настолько неопровержимые, что их примет любой суд. Но, несмотря на это, — вкрадчиво добавил он, вновь изображая саму любезность, — мне почему-то хочется верить вам, Петр Михайлович, вопреки всем имеющимся фактам.

— Тогда обратите внимание на явные несуразности!— потребовал Петр, приняв хитрые реверансы Николая Ильича за чистую монету. — Ну зачем мне нужен был чужой пистолет, когда у меня есть свой? И главное, я сам, что ли, себя ударил по голове так, что потерял сознание?

Однако в запутанных делах Шитиков чувствовал себя как рыба в воде.

— Всему, Петр Михайлович, можно найти логическое объяснение, — спокойно возразил он. — Вы ведь могли не сразу потерять сознание. После того как этот бандит ударил вас по голове рукояткой пистолета, отобрали его у Коновалова, и трижды выстрелили ему в спину, когда попытался удрать.

— А куда подевались его отпечатки на пистолете? — указал ему на недостаток версии Петр. — Это бандит, умирая, их стер, что ли? — насмешливо взглянул он на следователя. — Чепуха какая-то!

— И этому тоже можно найти объяснение. Было бы желание, — хладнокровно возразил Шитиков. — Так вот, Петр Михайлович, в отличие от моего начальства желания толковать факты не в вашу пользу у меня нет. Ваши адвокаты — мастера своего дела, и кое в чем меня убедили.

Он сделал значительную паузу и, остро взглянув на Петра, с прозрачным намеком сказал:

— Но даже эти опытные крючкотворы не отдают себе отчет в сложности дела и тяжести вашего положения. И слишком мало, — понизил голос, — меня ценят.

«Понятно! Хочет получить взятку, — догадался Петр, и это его приободрило. — Значит, мои дела не так плохи, как он старается изобразить. Интересно, сколько же он потребует?»

Однако в задачу Шитикова входило лишь намекнуть на свою готовность помочь, с тем, чтобы Петр дал команду действовать адвокатам. Поэтому сказав, что хотел, он перевел разговор на то, зачем его к себе вызвал.

— Подумайте, Петр Михайлович, над моими словами и вполне может быть, что мы сумеем найти путь к тому, чтобы, пока идет следствие, выпустить вас под залог. А сейчас займемся другим малоприятным делом.

Шитиков вытащил из лежащей перед ним тоненькой папки несколько бумаг и, показав Петру, объяснил:

— Это документы, необходимые для расторжения вашего брака с Дарьей Васильевной.

Сделав паузу, он с деланным сочувствием объяснил:

— Она на следующей неделе улетает в США и попросила меня, чтобы я их у вас подписал. Сказала, будто вы ей это обещали и что самой сделать это тяжело.

Все сказанное им было правдой, за исключением того, что Даша ему за это хорошо заплатила. Передав Петру бумаги, он со скрытым злорадством искоса наблюдал, как тот растерянно их изучает.

«Значит, Дашу я потерял. И виноват в этом сам, — с горечью подумал Петр. — Но все же она могла бы не так спешить», а вслух лишь спросил:

— Она летит, чтобы отдохнуть до суда?

— Нет, Петр Михайлович! Как я понял, летит туда работать. Уже заключила контракт, — с фальшивым сочувствием ответил Шитиков. — Говорит, что если потребуется, то прилетит. Однако рассчитывает, что вас разведут с ней заочно.

Но он напрасно надеялся, что подследственный сильно расстроится и ему придется его утешать. Петр сумел совладать со своим нервами и, лишь потемнев лицом, молча подписал все, что от него требовалось.

Утром того дня, когда Даше надо было лететь в США, она встала позже обычного. Накануне до полуночи просидела с родителями, а потом долго не могла заснуть, одолеваемая воспоминаниями и мыслями о том, что ожидает за океаном. Когда Анне Федоровне все же удалось поднять ее с постели, чтобы позавтракала, она объявила матери:

— Пожалуй, уйду на целый день побродить по городу. И пообедаю где-нибудь по дороге. Хочу попрощаться с Москвой! Ведь уезжаю не на месяц и не на два. Ты меня понимаешь, мама?

— Еще бы, доченька! Там ведь все чужое, а воспоминания будут тебя согревать, — с грустью согласилась Анна Федоровна. — Но ты не жалей денег и, если сильно соскучишься, прилетай хоть ненадолго!

— Не получится! Условия контракта очень жесткие, — понуро ответила Даша. — Дадут лишь пару недель для отдыха не раньше, чем через год работы. Если мне понадобится прилететь на суд, эти дни пойдут в счет отпуска.

День был жаркий, солнечный, и, легко одетая, в спортивной майке и белых джинсах, она на метро отправилась в центр города. Выйдя на Охотном ряду, Даша пешком обошла Красную площадь и прогулялась по Александровскому саду, любуясь вместе с москвичами и приезжими на искусственное русло речки Неглинной, украшенной скульптурными группами на сюжеты сказок Пушкина.

Так не спеша она прошла Манеж и повернула в сторону Старого Арбата, всю дорогу сопровождаемая восхищенными взглядами встречных мужчин. Однако у нее был такой неприступный и задумчивый вид, что никто из них не решился заговорить или пытаться ухаживать. Знаменитая пешеходная улица Москвы была, как всегда, запружена толпой, среди которой было много иностранцев. Жизнь здесь била ключом! В многочисленных кафе полно посетителей. Бойко торговали сувенирами и всякой всячиной. Выступали бродячие музыканты и затейники.

Чтобы передохнуть, Даша зашла в уютный ресторанчик и, заняв столик у окна, перекусила, с интересом наблюдая за снующим мимо нее сплошным людским потоком. Когда снова почувствовала себя бодрой, она направилась к памятнику Гоголю и по аллее бульвара вышла к храму Христа Спасителя, который был конечной целью ее прогулки. Накрыв голову заранее приготовленным платком, зашла внутрь, чтобы помолиться.

«О Господи! — горячо молила она Всевышнего. — Прости мне мои ошибки и прегрешения! Если я их совершала, то без злого умысла. Разве я мало наказана, потеряв любовь и счастье? Наставь меня на правильный путь! Я ведь еще так молода. Даруй мне радость в жизни!»

Немного всплакнув об утраченном счастье с Петей, обо всем дорогом, что оставляла на родине, Даша покинула храм и отправилась домой собираться в далекий путь. Собственно, у нее все уже было готово, и оставалось лишь уложить дорожные принадлежности. До начала регистрации рейса оставалось еще два часа и, заказав такси, она стала вспоминать, не забыла ли чего-нибудь сделать.

«Конечно, это очень плохо, что улетаю, не попрощавшись с родными Пети, — удрученно думала Даша, испытывая внутренний дискомфорт. — Но о чем нам говорить, когда мы с ним расходимся? Только лишнее расстройство!» Однако если общаться с родителями мужа не было никакого желания, то по отношению к его деду и бабушке это было несправедливо, и ее мучили угрызения совести. Старый профессор и Вера Петровна ее очень любили и всегда поддерживали.

— Нет, я поступлю по-свински, если улечу, не простившись с ними, — помучившись, вслух решила она. — Позвоню, как ни тяжел будет разговор!

Дома оказался лишь Степан Алексеевич.

— Молодец, Дашенька, что позвонила, — обрадовался он, узнав ее голос. — Мы сами собирались с тобой поговорить. Веруся дважды пробовала, но тебя не заставала. Жаль, что ее сейчас нет дома.

— А о чем говорить? — с горечью произнесла Даша. — Мы ведь расходимся с Петей. Это решено!

— И делаете огромную, может, даже непоправимую ошибку! — горячо воскликнул профессор. — Второй такой любви, как у вас с Петей, в жизни не бывает!

— Петя ее предал! Все рухнуло, и ничего уже не поправишь, — безнадежным тоном возразила ему Даша. — Наши дороги разошлись.

— Вот оно — безумие молодости! Не дорожим счастьем, которое даровал Бог! — горько посетовал Степан Алексеевич. — Нельзя, Дашенька, поддаваться обиде и поступать сгоряча. Нужно дать себе время остыть, успокоиться и разобраться в своих чувствах.

Он перевел дыхание и спросил с тайной надеждой:

— Разве тебе нисколько не жаль расставаться с Петей? Ты ведь все-таки нам позвонила. Не сомневайся, — горячо заверил, — мы с Верусей очень любим тебя и поможем!

— Я это знаю и всегда думаю о вас с благодарностью, — тяжело вздохнув, ответила Даша. — Поэтому и позвонила, чтобы проститься. Через пару часов я улетаю в США. На два года. Увидимся ли мы еще? А я желаю вам с Верой Петровной всего самого доброго!

Она запнулась от избытка чувств и печально добавила:

— Мне очень тяжело расставаться с Петей, и не знаю, буду ли я еще счастлива в жизни? Но у нас с ним нет перспективы. Поэтому мое решение бесповоротно.

— Ну почему же? — не сдавался профессор. — Ты ведь знаешь, что мы с Верусей нашли свое счастье через столько лет!

— У нас совсем другое. Об этом слишком тяжело говорить, — скорбно ответила Даша. — Тем более по телефону.

Но Степан Алексеевич не догадывался о приговоре врачей и боясь, что она положит трубку, торопливо предложил:

— Давай, Дашенька, я отвезу тебя в аэропорт на своей машине? По дороге все еще раз обсудим. А если это неудобно, мы с Верусей сами приедем туда, чтобы проводить, и там поговорим.

Он сделал паузу и решительно предупредил:

— Не делай роковой глупости! Я-то знаю! Сам из-за этого страдал всю жизнь.

Однако то, чего не знал он, было основной причиной бесповоротного решения Даши. Она не желала мучить ни себя, ни дорогих ей стариков и, страдая оттого, что они воспримут ее отказ как черную неблагодарность, сухо сказала:

— Простите, Степан Алексеевич, но это нам ничего не даст, кроме излишнего беспокойства и нервотрепки. Все уже решено. Не поминайте меня лихом!

Боясь, что у нее не хватит мужества продолжать этот разговор, Даша быстро положила трубку и долго еще сидела, вспоминая их доброе к себе отношение и роняя слезы.

Глава 23. Фальшивое обвинение

Виктор Степанович Сальников, слегка прихрамывая, вошел в приемную главы детективного агентства и, улыбаясь, протянул красивую пунцовую розу кудрявой пухленькой секретарше, к которой был неравнодушен. По всему было видно, что у него прекрасное настроение.

— Вот, Зоечка, уговорили купить, когда остановился у светофора. Прими от верного поклонника, — весело произнес он. — Как раз под цвет твоих щечек. Шеф у себя? — вопросительно покосился на дверь кабинета. — У меня для него хорошая новость.

— Он минут десять, как приехал. Большое вам спасибо, — зарделась Зоечка, вдыхая нежный аромат розы. — Он сейчас почту просматривает. Предупредить?

— Пожалуй, так рискну, — подмигнул ей Сальников, открывая дверь кабинета своего друга и начальника.

Михаил Юрьевич сидел за своим письменным столом, но занимался не бумагами, а рассматривал что-то на мониторе компьютера. Увидев входящего друга, приветливо бросил:

— Здорово, Витек! Чем порадуешь?

— А я нашел, где прячется Проня, — не стал интриговать шефа Сальников. — Его пасет мой человек, и никуда он от нас теперь не уйдет!

Это сообщение сразу оторвало Юсупова от компьютера.

— Молодец, Витек! Где же ты его нашел? — нетерпеливо спросил он. — Неужто он не выдержал и появился на своей квартире?

— Конечно же, нет. Он слишком хитер и осторожен. Но не хитрее меня, — с довольной улыбкой ответил Сальников. — Прятался у тещи и носа не показывал.

— Как же вы его там обнаружили? — удивился Михаил Юрьевич. — Ведь о ее существовании не было известно.

— Жена Прони нас на нее вывела, — объяснил Виктор Степанович. — Наблюдая за их квартирой, мы заметили, что она регулярно с полными сумками наведывается по одному адресу. А выяснить, что проживающая там гражданка является ее матушкой, уже не составило труда.

— Ну а как вы его самого обнаружили, если Проня от нее не выходит?

— Обычным путем. Мы нашего Леньку под видом сантехника туда запустили. Будто бы стояк перекрыть, — с усмешкой ответил Сальников. — С его-то красным носом — ни разу еще никто не усомнился! А он вдобавок и глотнул для запаха...

— Да уж! Похоже он их изображает, — весело согласился Михаил Юрьевич. — Значит, Леонид его там заметил?

— Собственными глазами видел! — заверил его Сальников. — Он предложил старухе заменить кран и попросил принести пассатижи. И их ему вручил Проня. Наверное, решил проверить слесаря. Но нашего Леню не раскусил. Недаром пословица гласит: на всякого мудреца довольно простоты.

— Ну так что же: сдадим Проню милиции? — вопросительно взглянул на него Михаил Юрьевич. — Они его расколят, и все встанет на свое место.

— А если нет? Проня — тот еще орешек, — усомнился Сальников. — Если начнет запираться, они Петю долго еще будут мурыжить.

— Что же нам предпринять? — задумчиво почесал затылок Юсупов. — Надо как можно скорее добиться от него, чтобы сказал правду!

Видно, у его друга и помощника готового плана не было. Поэтому возникла небольшая пауза, во время которой они напряженно размышляли над решением этой проблемы.

— Думаю, Миша, самое верное, — первым нарушил молчание Сальников, — это применить испытанный метод, сыграв на жадности бандита.

— Сомневаюсь, чтобы Проня за деньги подписал себе приговор, — несогласно покачал головой Юсупов. — Наверняка попытается обмануть. Скорее будет, если я выбью из него признание силой!

— Это ты, конечно, умеешь, — с усмешкой взглянул на друга Сальников. — Но ведь может оказаться, что убийца — Цыган, — резонно заметил он. — Поэтому нам лучше его купить, чтобы помог добраться до своего подельника.

— Тогда сделаем так, — принял решение Михаил Юрьевич. — Ты войдешь с ним в контакт и добьешься у него признания. Дашь Проне гарантию, что не выдадим милиции. Тогда Петю выпустят, хотя бы под залог.

— А если убил не он, а Цыган?

— Договоришься, чтобы помог нам взять письменное признание у Цыгана. На тех же условиях, — предложил Юсупов. — Это реально, так как вряд ли он нам его выдаст. Если будет упираться, пригрози Проне, что сдадим милиции.

Сальников молча кивнул, выражая свое согласие, а его друг и начальник откинулся в кресле и с брезгливой гримасой бросил:

— Что за жизнь у нас пошла? Все решают деньги! Вот и следователь, Витек, явно вымогает взятку. Ну и тип — скользкий как уж!

— Меня это нисколько не удивляет, — спокойно отозвался Сальников. — Но из чего ты сделал такой вывод?

— Так мне адвокаты сказали, да и Петя подтвердил: Шитиков вполне прозрачно намекал, что может подтасовать факты в его пользу, — объяснил Михаил Юрьевич. — Сегодня вызвал меня к двум на Петровку. Наверное, с той же целью. Но мне это претит! — в сердцах пристукнул ладонью он по столу.

— Только не горячись, Миша, — постарался успокоить его Сальников. — Этой гнили сейчас хватает. И еще в старину пели, что «без денег жизнь плохая, не годится никуда». Я тоже против того, чтобы этой гниде давать на лапу. Мы и так докажем, что Петя невиновен!

Он сделал паузу и озабоченно добавил:

— Только не теряй с ним выдержку! Откажи дипломатично. Если обозлишь, он сумеет нам напакостить.

— Ладно, не учи ученого, — с улыбкой ответил ему Михаил Юрьевич. — Займись лучше Проней и добудь письменное признание! Этим мы Шитикова положим на лопатки!

Теща Прони Клавдия Семеновна, сухонькая старушонка — этакий «божий одуванчик», возвращалась из похода по магазинам, когда у подъезда дома ее остановил прилично одетый, средних лет, невысокий мужчина. «Похоже, что инвалид, — подумала она, заметив, что он слегка припадает на одну ногу. — Жаль мужика, симпатичный».

— Ваша фамилия Кутырина? — обратился он к ней с располагающей улыбкой. — Я узнал вас по фотографии. Мы хотим оказать вам материальную помощь.

— Значит, вы из собеса? — обрадовалась старушка. — Наконец-то откликнулись! Пенсии ведь мне не хватает.

— К сожалению, ее многим не хватает, — сочувственно покачал головой симпатичный «собесовец». — Вот я и должен обследовать ваши условия. Вы живете одна или о вас кто-нибудь заботится?

— Одинокая я, милок. Никто мне не помогает, — пожаловалась, беззастенчиво привирая, Клавдия Семеновна. — Сами знаете, какие сейчас дети. Только о себе и думают. Правда, сейчас у меня, — спохватилась она, вспомнив о зяте, — гостит один... племянник. Приехал в Москву на несколько дней.

— А вы не сдаете никому в наем? — строго взглянул на нее, хорошо играя свою роль, Сальников. — Это не ваш жилец?

— Да что ты, милок, как можно? — на этот раз искренне ответила Кутырина. — У меня квартира-то однокомпатная. Я ему раскладушку ставлю на кухне.

— Ну ладно, посмотрим, — с важным видом произнес «собесовец». — Покажите мне, как живете!

Вместе с ней он поднялся на лифте и, когда она отперла дверь, вошел в грязную и тесную прихожую. Пронин, услыхав, как щелкнул замок, выглянул из комнаты и обомлел, сразу узнав Сальникова. Он инстинктивно отпрянул назад, но, сообразив, что бежать ему некуда и снаружи наверняка его караулят другие, хрипло бросил:

— Выходит, вы меня все-таки нашли! Ладно, ваша взяла. Все скажу, только не выдавайте ментам!

С перекошенным от злобы лицом Проня обернулся к теще.

— А ты совсем из ума выжила? Не видишь, кого привела? Ну подь на кухню! — визгливо цыкнул он на старуху. — И сиди там, не высовывайся!

Перепуганная Клавдия Семеновна, проклиная свою доверчивость, поспешно ретировалась, а Сальников вслед за Проней прошел в такую же грязную, давно не ремонтированную комнату, где, кроме облезлого дивана, стола со стульями и старого телевизора, ничего не было.

— Это лишнее. Я не такой дурак, чтобы сопротивляться, — хмуро бросил Проня, заметив, что детектив держит правую руку в кармане. — Мне хватит и того срока, который светит за прошлые грехи.

Он сел на стул и, проницательно взглянув на Сальникова, указал на второй:

— Садись и говори прямо: зачем я вам нужен! Ведь ты ж не сдавать меня мусорам пришел? По всему вижу.

— Ну это, положим, не исключается. Если мы с тобой не договоримся. Сам понимаешь, тебя надежно пасут, — присаживаясь, спокойно ответил Сальников. — А что нам нужно, ты знаешь. Кто убил Линеву и Коновалова? — в лоб, жестко спросил он бандита. — И не вздумай вилять. С тобой не шутят!

«Может, на этот раз и пронесет, — с облегчением подумал Проня. — Цыган им нужен, а не я. Поймать его я им не дам, но и брать вину на себя мне не резон» и, хмуро глядя на Сальникова, сказал:

— Седого замочил Цыган. Доказательство — его ствол. Эта пушка проходит по его прежним делам, — сделал он выразительную паузу, — которые можно поднять. А вот Настю зарезал Седой. Он давно собирался с ней рассчитаться.

— У тебя есть доказательства? — строго посмотрел на него Сальников.

— То, что это нож Седого, кроме меня, могут подтвердить и другие, — уверенно ответил Проня. — Думаю, и отпечатки его на нем найти можно. Да и Цыган, если поймают, это засвидетельствует, так как видел своими глазами и убил Василия, чтобы спасти Настю.

«А что? Очень похоже, что он говорит правду, — подумал Виктор Степанович, пристально посмотрев в узкие глазки бандита. — Это свидетельство пригодится».

— Все, что сейчас было сказано, ты должен изложить на бумаге и заверить у нотариуса, — потребовал он от Прони. — И пока эти факты не будут подтверждены следствием, тебе придется побыть под домашним арестом.

— Ну а если не соглашусь? — хмуро бросил бандит.

— Согласишься! Потому что хорошо заплатим, — отрезал Сальников. — Иначе сдадим ментам, и бесплатно все скажешь!

Понимая, что деваться некуда, Проня умолк, и Виктор Степанович бросил ему заранее заготовленную наживку:

— Но ты получишь намного больше, если поможешь нам найти Цыгана. В этом случае мы возьмем грех на душу и поможем тебе скрыться. Пусть милиция потеет. Ты все же не убийца!

«Хрен вам в сумку! — злобно выругался про себя Проня. — Ищите дураков в другом месте. Чтоб меня свои, как узнают, замочили? Тогда и бабки не нужны!»

Но вслух, хитро глядя на Сальникова сквозь щелки узких глаз, предложил:

— Давайте лучше сделаем так. Я свяжусь с Цыганом и за хорошие бабки возьму у него письменное признание. Такое, как вам требуется, — заверенное нотариусом. Он рисковый мужик и на это согласится. Но выдать его, — тихим голосом, но твердо добавил: — Не смогу. Это — западло!

— Ладно! Считай, что мы договорились, — заключил Сальников, поднимаясь. — Через час я вернусь сюда с нотариусом, и тогда запишем твои свидетельские показания.

Он было направился к двери, но, поймав вопрошающий взгляд Прони, приостановился и добавил:

— Твое предложение мы обсудим. Думаю, что его можно принять.

Двадцать пять тысяч долларов, обещанных Сальниковым за письменные показания Цыгана с его признанием в непредумышленном убийстве Седого, явились достаточным стимулом для Прони, чтобы он приступил к активным действиям. Быстро вычислив, кто его «пасет», хитрый и предусмотрительный бандит почти открыто стал выходить из дому и сумел обмануть приставленное к нему наружное наблюдение.

Сделал это Проня элементарно просто. Зная, что за ним будут неотступно следить в надежде, что выведет на Цыгана, он по телефону назначил их встречу в сауне, расположенной в Сокольниках. «Там все свои и красавчика не выдадут, — ехидно подумал о том, как оставит слежку с носом. — Как я их туда привезу, так ни с чем вместе со мной и отбудут. Не увидят его и не узнают, что мы с ним встретились!»

Поэтому, когда Проня со спортивной сумкой и с березовым веничком под мышкой вышел из дому с явным намерением попариться в баньке, следивший за ним агент Юсупова ничего не заподозрил. Как только «Волга» с его клиентом отъехала, он сразу сел к ней на «хвост» и сопровождал до самого места. Правда, к сауне подъезжать не стал, а остановился за поворотом аллеи, выбрав позицию, удобную для наблюдения.

Прибывший задолго до этого Цыган уже находился в парной среди десятка других моющихся. Он лежал, растянувшись на дубовой лавке, и его мощное тело с рельефными, словно у культуриста, мышцами блестело от пота. Над ним склонился худой бородатый банщик, профессионально ловкими движениями делавший ему массаж.

— Все, Сашка! Кончай забавляться, — сказал, подходя, Проня. — Дело важнее.

Цыган встал, и они, забавно контрастируя: огромный верзила и худосочный коротышка, прошли в дальний угол, где было не так жарко.

— Как у тебя с бабками? Наверное, кот наплакал? — спросил Проня, зная, что попадет в точку. — Небось последнее проживаешь?

— Угу! Живу за счет телки, которая меня приютила, — угрюмо буркнул Цыган. — Может, что предложишь? — вопросительно вскинул свои шальные глаза.

— Для этого тебя и позвал, — утвердительно кивнул Проня. — Как смотришь на то, чтобы урвать десять штук баксов?

В глазах Цыгана зажглись хищные огоньки, и он глухо спросил:

— Говори, что для этого надо сделать? Дело-то верное?

— Верное, потому что платят за то, чтобы помогли вытащить Петра Юсупова из тюряги, в которую, — усмехнулся Проня, — он угодил из-за тебя. И сделать ты должен, понятно что: написать все, как было.

Но маленький хитрован не учел темперамента смуглого красавца.

— Ты, сморчок, в своем уме? — вскипел Цыган, хватая его за горло. — Говори: продал меня? Придавлю, как вошь!

— Да угомонись! Когда я кого продавал? — прохрипел Проня, двумя руками пытаясь ослабить его хватку. — Сначала выслушай, м....ак!

Подождав, когда тот успокоится, он объяснил суть дела.

— Им нужно только, чтобы с Петра сняли обвинение, а для этого достаточно твоего покаяния. Ну какая тебе разница? Все равно ведь скрываешься, а если поймают, так и так дадут срок, — привел убедительный аргумент. — И твое признание ничего не добавит. Напишешь, что убил Седого, чтобы спасти Настю.

— А ведь так все и было, — оживился Цыган, склонный уже согласиться, но все же из предосторожности спросил: — Но ты уверен, что тут не пахнет ловушкой?

— Кто их знает? — пожал плечами Проня. — Конечно, они были бы рады тебя поймать. Но мы ведь не пальцем деланы, как считаешь? — с усмешкой взглянул на подельника. — Неужто не проведем этих фраеров?

— Вот в этом ты прав, — согласился Цыган, и глаза у него заблестели, словно в его сообразительную голову пришла дельная мысль. — Не получат они моего признания! На хрена мне надо, чтобы объявили в розыск?

— Значит, не хочешь получить от них бабки, которые сами плывут в руки? — понурившись, кисло произнес Проня. — Поступай, как знаешь, но другого такого шанса у нас не будет!

Глядя, как он сразу скукожился, Цыган насмешливо ухмыльнулся.

— Погоди горевать! Разве я сказал, что отказываюсь? Напишу признание.

Он сделал паузу и объяснил опешившему Проне:

— Сделаем так. Ты передашь им мои показания, получишь бабки, а я у них заберу их обратно! И оба сразу заляжем на дно. Иначе не согласен! — твердо добавил он.

«Да уж, теперь тебя не свернешь, — зная его характер, подумал Проня. — Но пусть напишет признание, а там посмотрим». Вслух же сказал, поднимаясь:

— Пожалуй, так и сделаем. Я все обмозгую и тебе сообщу. Побудь здесь еще часок! — предостерег подельника. — Меня пасут, но я уведу хвост.

Михаил Юрьевич Юсупов уже добрых полчаса сидел напротив Шитикова в его кабинете, с отвращением глядя на лоснящееся лицо следователя, с надетой на него, словно маска, приветливой улыбкой. Он передал ему из рук в руки письменное показание Прони и теперь отвечал на въедливые вопросы.

— Каким образом все же попал к вам этот документ? — в который уже раз, меняя постановку вопроса, допытывался следователь. — И почему он адресован вам? У вас с Прониным есть связь?

Но опытного детектива, юриста по образованию, запутать ему не удавалось.

— Я уже говорил: письмо подброшено в мой почтовый ящик, — терпеливо, не проявляя досады, отвечал Михаил Юрьевич. — Оно без обратного адреса, так что связи никакой нет. Относительно цели бандита могу лишь догадываться. Но как мне думается, — смерил взглядом Шитикова, — он рассчитывает выманить у меня деньги за эту услугу.

Выдержав паузу, Юсупов добавил:

— Кроме того, из тех деталей, что приведены в письме, видно желание Прони доказать, что он не участвовал в этом преступлении. Дураку ясно, что мы сразу передадим его свидетельство куда надо.

— Но зачем ему понадобилось самому засвечиваться? — с ехидной усмешкой возразил Шитиков, инстинктивно чувствуя подвох. — Его никто не подозревает и не ищет. А теперь, став свидетелем, будет объявлен в розыск.

— Странно, что вам это нужно объяснять, — не в силах сдержать неприязни, произнес Михаил Юрьевич. — мне казалось, что вы тертый калач.

— Ничего, объясните! Я не обижусь, — сохранив любезную улыбку, но сверля Юсупова злобным взглядом, попросил Шитиков. — Знаю, что у вас опыта много больше, чем у меня.

«Ну и выдержка! С ним надо поосторожней: противник очень опасный», — мысленно осадил себя Михаил Юрьевич и уже более спокойно привел свои соображения:

— Этот Пронин, видно, совсем не глуп, и предусмотрителен. Понимает, что его видели вместе с убийцей и будут разыскивать. В отличие от вас, — не удержался все же, чтобы не уколоть Шитикова, — знает, что обвинение против моего сына лопнет, и тогда вы начнете ловить подлинных преступников.

Он сделал паузу и серьезно добавил:

— А раз так, то решил заранее обелить себя, оказав помощь следствию и заодно подзашибить деньжат у нас за эту услугу. Неужели не ясно?

Однако Шитиков никак не среагировал, и выражение его лица по-прежнему с приклеенной улыбкой не изменилось. Не выдавая, о чем думает, он с показным равнодушием произнес:

— Может быть, так, а может, и нет. Приобщим этот документ, — кивнул он на лежащую перед ним бумагу, — к делу разберемся.

— Но я попрошу вас обратить особое внимание на свидетельство Пронина о пистолете убийцы, — жестко потребовал Юсупов. — Это оружие уже фигурировало в ряде дел, и на нем должны быть отпечатки Цыгана. Необходимо установить эти факты и сделать повторную экспертизу!

— Хоть вы и опытный детектив, Михаил Юрьевич, но и мы знаем свое дело, — так и не сняв с лица улыбки, парировал Шитиков. — Новая экспертиза не нужна, так как пальчики Цыгана на оружии присутствуют. Но не спешите радоваться, — поспешно добавил, заметив, как тот сразу встрепенулся. — Прежняя версия, пока не установим подлинного убийцу, остается в силе.

— А по-моему, вам самому уже ясно, что прежняя версия не стоит выеденного яйца! — возмутился Михаил Юрьевич. — И если вы не хотите снять с моего сына ложное обвинение до поимки убийцы Цыгана, то измените меру пресечения! Сколько же можно держать невиновного под стражей?

— Мы обсуждали этот вопрос с адвокатами вашего сына. Думаю, они вам об этом говорили? — многозначительно взглянул на него Шитиков. — Действительно, многие факты, и не только эти, — кивнул на письмо Прони, — можно истолковать в пользу обвиняемого. Но, с другой стороны... я слишком рискую, — замялся он. — Мое служебное положение... В общем, вы понимаете.

— В общем, ваше служебное положение и правда под угрозой, если берете взятки! — взорвался Михаил Юрьевич. — И вам придется ответить за то, что сейчас творите с моим сыном. Мы и без вас докажем его невиновность!

Он резко встал и, подождав, когда Шитиков подпишет пропуск, вышел из кабинета, провожаемый его злым и разочарованным взглядом.

Получив от Сальникова, как и уговаривались, пять тысяч долларов за свое письменное свидетельство, Иван Пронин в отличнейшем настроении позвонил Цыгану.

— Привет, Александр! Ну как: не передумал? — весело произнес он, услышав голос подельника. — А то бабки сами просят-я к нам в карман.

— Успокойся! Составил я добровольное признание и у нотаиуса заверил, — небрежным тоном сообщил Цыган. — Так что ожешь им торгануть. Но хочу заранее договориться, — добаил он жестко: — Себе оставишь пять штук баксов за комиссию.)стальное — мое!

— А не слишком жирно натощак? — обозлился Проня. — Мне оложено вдвое больше! Кто из нас все устроил и кто тебе «зееньки» принесет в клюве?

— До чего же ты жадный, сморчок! — презрительно бросил Цыган. — Чем ты рискуешь, чтобы столько хапнуть? А я этим одписываю свой приговор!

— Как бы не так! — попробовал сопротивляться Проня, покольку и правда был паталогически жаден. — Сам же сказал, то потом это признание у них отнимешь.

— Это как получится. А тебе больше не положено! — отрезал Цыган.

«Надо соглашаться, — недовольно подумал Проня. — Я знаю, н не отступит», а вслух с деланным добродушием сказал:

— Ну что с тобой, Сашка, поделаешь? Не такой уж я жадный. Всегда уступаю себе в убыток. Разве, если б не я, ты хоть что-то мел?

— Хватит ныть, не ты рискуешь! Всегда за нашими спинами тсиживаешься, — одернул его Цыган. — Говори, когда и где стреча?

— А чего мудрить? Давай встретимся там же — в Сокольниах. Место это нам знакомое. Территория вокруг просматривагся, — привел аргументы Проня. — Так что засады можно не пасаться.

— Не пойдет! В парке поймать могут, — отверг его предложеие Цыган. — Да и сауну эту они уже знают. Сам их прошлый раз уда привел.

— Пусть так. А ты что предлагаешь? — не стал с ним спорить Троня и льстиво добавил: — Выдумки у тебя, Сашка, побольше, ем у нас всех!

Похвала всем приятна. Цыган самодовольно хмыкнул и объявил свой план.

— Встретимся в Лосиноостровском парке на развилке у завода «Красный богатырь». Там есть маленькое озерцо. Ты приедешь вместе с ними в два часа дня. Я буду ждать в своей машине, — четко, словно диктуя, объяснял он. — Ты меня слышишь? — переспросил, так как Проня слушал, не издав ни звука.

— Да, продолжай! Почему выбрал это место?

— Мне будет проще оторваться в случае погони. Там несколько дорог, и я их все знаю, — ответил Цыган. — Сделаем так. Ты пересчитаешь деньги и передашь мне взамен письма, оставив себе свою долю. Моя тачка будет под парами, и я тут же рвану прочь, не дав им опомниться.

— Погоди, Александр! — Проню не так легко было сбить с толку. — Ты что же: передумал отобрать у них документ?

— Еше чего! Так я им его и оставил, — насмешливо бросил Цыган. — Но это уже не твоя забота, кореш. Быстрота и натиск решат все дело!

«Не моя забота? Кого решил надуть, пацан? — молнией пронеслось в ушлом мозгу Прони, который сразу раскусил замысел отчаянного бандита и смертельную угрозу для себя лично. — Плохо же для тебя это обернется!» Вслух же он с наигранным простодушием спросил:

— А меня ты, Сашка, им на съедение бросишь? Думаешь, поверят, что мы с тобой не сговорились их кинуть?

— Брось сопли распускать! Выкрутишься! — грубо отрезал Цыган. — Во всяком случае под шумок можешь смыться. Не бойся, им будет не до тебя! — немного приоткрыл он свой коварный замысел.

«Все! Решил всех замочить. И меня тоже, — разом покрывшись липким потом, догадался Проня. — Вот чего ты задумал, падла! Ну погоди у меня». Первой его мыслью было отказаться от смертельно опасной авантюры, но маячивший куш был слишком соблазнителен. Его алчная натура не могла упустить того, что само шло в руки, и он, не выдавая внутренней дрожи, согласился.

— Лады, Александр! Делаем так, как предлагаешь. Мы будем там вовремя.

— Постарайся только, чтобы их было не больше двух, — сказал в заключение Цыган. — Передай, что это требование — обязательное!

Уверенный в том, что, как всегда, окажется победителем, он положил трубку, а Проня мрачно задумался, и по его наморщенному лбу было видно, что «мозговой центр» их банды изобретает свою очередную хитроумную комбинацию, которая должна принести успех.

Встреча состоялась в назначенном Цыганом месте и в указанное им время. И до определенного момента проходила по задуманному им сценарию. Но потом произошла осечка. И виновником этого был Проня. Все объяснялось просто: раскусив зловещий замысел своего подельника, он, чтобы спасти свою шкуру и вдобавок увеличить куш, решился-таки открыть все Юсупову.

Поэтому, когда Цыган, получив взамен своей бумаги сумку с валютой, кинул ее в машину и выхватил из-под мышки пистолет, то остолбенел, увидев два дула, направленные на него Юсуповым и Сальниковым. Однако замешательство у находчивого бандита длилось недолго. «Продал меня им, сморчок!» — молнией мелькнуло у него в мозгу, и, не думая ни о чем, кроме мести, хотя сам задумал убить Проню вместе с остальными, он быстро развернулся и дважды выстрелил в стоящего в сторонке подельника.

Как ни странно, этот неожиданный маневр его и спас. Михаил Юрьевич бросился к упавшему навзничь Пронину, Сальников растерялся, и Цыган успел забраться в машину.

— Витек! Стреляй по колесам! — крикнул другу Юсупов, наскоро перевязывая рану на груди Пронина куском, оторванным от его рубашки.

Однако стрелял Сальников намного хуже, чем он, и повредить шины не удалось. К тому же Цыган, чтобы себя обезопасить, ухитрился, высунувшись из окошка, единственным выстрелом попасть ему в руку. К счастью, пуля прошла навылет, но рана сильно кровоточила и вывела его из строя. В этой критической ситуации Михаил Юрьевич принял единственно верное решение. Бросив перевязывать Проню, он бегом устремился к своей машине.

— Держись, дружище! Вызови милицию и «скорую», — на ходу кинул он Виктору Степановичу, который сам перевязывал себе руку. — Дай приметы Цыгана. Я попытаюсь его догнать!

В это время машина бандита уже достигла развилки дорог, одна из которых параллельно речке Яузе шла вдоль лесного массива Лосиного острова, а другая у небольшого озерца поворачивала направо. Туда, как успел заметить Михаил Юрьевич, и повернул Цыган. Отчаянно сигналя так, что шарахались в стороны встречные и попутные машины, Юсупов погнался за ним, выжимая из своего мощного автомобиля все, что можно, и поминутно рискуя.

Он видел впереди «бээмвэшку» Цыгана, и расстояние между ними все более сокращалось. «Вот прицепился, падла! — заметив это, занервничал бандит. — Еще бы, такая мощная тачка! Но х... ты меня догонишь, — матерно выругался, твердо веря в свою неизменную удачу. — Вот только доберусь до Калошина, а там уж ищи ветра в поле!» — с надеждой подумал он, мысленно представив знакомый лабиринт проездов и улиц.

Однако всегда благожелательная к нему фортуна на этот раз отвернулась от Цыгана. Примерно на расстоянии полкилометра впереди него путь пересекала рабочая узкоколейка, по которой лишь изредка ходил маневровый тепловоз. И надо было такому случиться, что, к несчастью бандита, он не только появился перед самым носом «бээмвэшки», но еще и остановился на переезде, не собираясь никуда двигаться.

Цыган побывал во многих крутых переделках и всегда, благодаря мгновенной реакции и сообразительности, находил выход из критического положения. Вот и теперь, осознав, что проскочить переезд не сможет, пошел на отчаянный риск. С левой стороны улицы, на месте снесенного дачного поселка, тянулась травянистая пустошь, поросшая редким кустарником. От дороги ее отделяли неглубокий, но широкий кювет и железная ограда. По этому полю, если повезет, он мог бы добраться до видневшегося вдали узкого проезда, который когда-то связывал этот поселок с параллельной улицей.

Приняв решение, Цыган резко повернул влево и с ходу попытался перемахнуть через кювет. В сухую погоду ему бы это наверняка удалось. Но после обильного дождя, лившего накануне целые сутки, глинистую почву развезло и, когда из-за жидкой грязи машину стремительно крутануло, даже такой ас, как он, не смог ее удержать и всего через несколько секунд, побив оба борта, она оказалась на крыше.

Не получив серьезных повреждений, Цыган, выбив заклинившуюся дверь, с трудом из нее выбрался. В шоке он плохо соображал, что с ним произошло, но, увидев бегущего к нему Юсупова, сразу же пришел в себя, приняв защитную стойку. Бандит был очень силен, в автогонке уже брал верх над Михаилом Юрьевичем, но в боевом единоборстве противостоять ему не мог.

Произошла короткая и жестокая схватка. Отчаянный и бесстрашный Цыган сражался до последнего, невзирая на дикую боль и травмы. Юсупов умело наносил ему разящие удары, от которых другой уже был бы без памяти. Дважды бросал его, весящего центнер, через себя со всего маху на землю. Удерживая, болевым приемом сломал руку, а бандит продолжал сопротивляться, и он никак не мог его связать. Наконец ему это удалось, и Михаил Юрьевич, тяжело дыша, достал из чехла мобильник.

— Витек? Ну как дела? Как себя чувствуешь? — заботливо спросил он, еле удерживаясь, чтобы не похвастаться своей удачей. — Значит, врач говорит, что ничего серьезного?

Михаил Юрьевич выслушал сообщение Сальникова и не слишком огорчился, узнав о том, что Пронин находится в реанимации.

— Жаль, конечно, если помрет, но уж слишком много вреда от него было, — равнодушно заметил он и в конце разговора небрежно бросил:

— А чего ты, Витек, не спросишь, как я гнался за Цыганом?

— Не хочу зря расстраиваться. Догнать его уже было нельзя, — кисло ответил Виктор Степанович. — Ну и ловкий же гад! Но мы с ним еще встретимся.

— Обязательно! И между прочим, Витек, очень скоро, — не выдержав, решил обрадовать друга Юсупов. — Я поймал его и, по-моему, частично с ним за тебя рассчитался.

— Да что ты говоришь? Просто не верится! — обомлел Сальников.

— Скоро в этом убедишься, — заверил его счастливым голосом Юсупов и распорядился: — Запиши, где мы находимся, и пришли поскорей милицию!

Неизвестно, кто ворожил красавцу Цыгану, но закоренелый преступник и безжалостный убийца еще ни разу не был осужден. Похоже было, что он снова выйдет сухим из воды. В тюремной больнице, куда попал из-за сломанной руки, его допросами не донимали. А узнав о том, что Проня скончался, он сообразил, как ему выгодней защищаться, решив все валить на покойника.

— Седого замочил его помощничек. У них давно были нелады. Проня и меня подбил ему в этом пособить, так как знал, что у нас произошел «межсобой» из-за Насти, — «признался» он Шитикову, мешая правду с ложью. — Кто я такой у них был? Простой водила!

— Брось лепить мне горбатого! — грубо прервал его Николай Ильич, раскусив задуманную бандитом игру. — Так я и дам тебе подставить вместо себя жмурика. Ствол, из которого убит Седой — твой! На нем нашли твои пальчики.

— Пистолет Ивана! Он мне его всучил, но я ему вернул обратно. Побоялся мочить нашего пахана, — находчиво соврал Цыган, зная, что его отпечатки могли все же остаться, хотя он и протер пистолет.

— А как же ваши с ним добровольные показания? — ехидно спросил Шитиков. — Они удивительно совпадают! Какой смысл тебе было себя оговаривать?

— Так они написаны под диктовку Прони, — беззастенчиво врал Цыган. — Чего не сделаешь за хорошие бабки? — нагло повел шальными глазами на следователя. — Будто сами не знаете.

— И много вам отвалили Юсуповы? — сразу заинтересовался Шитиков.

— Двадцать пять штук баксов, — не скрывая сожаления, правдиво ответил ему бандит. — За такие бабки жену заложить можно!

— Но при вас их не оказалось. Неужто Юсуповы заплатили авансом? — остро взглянув, недоверчиво спросил Шитиков. — Или кинули? За это ты пытался их замочить?

Но Цыгана голой рукой было не взять.

— У меня и в мыслях такого не было! — категорически заявил он. — Да и с нами они рассчитались сполна.

— Тогда за что ты замочил Пронина и куда подевались деньги? — не выдержав, взвизгнул Шитиков. — Говори, сука! Я с тобой не в бирюльки играю!

«Ага! Денежками он интересуется, — сообразил Цыган. — Иначе вряд ли стал пылить сапогами». Вслух же с деланным простодушием объяснил:

— Так они же свои бабки и забрали. Не вам же их оставлять? — в его жгучих глазах мелькнула скрытая насмешка. — А в Проню я стрельнул, не подумав. Уж больно зло взяло за то, что меня им продал!

— Почему ты так решил? — вперил в него проницательный взгляд следователь.

— Да это мне сразу стало ясно, когда они на меня стволы направили, а Проня остался в сторонке, — с искренней злостью ответил Цыган. — Вот уж не думал, что кореш поступит западло.

Пристально уставившись на находчивого бандита оценивающим взглядом, Шитиков некоторое время молчал, а потом, как бы продолжая еще размышлять, спросил:

— И много ты бабок нагреб таким образом? Если честно признаешься, может, я и поверю, — прозрачно намекнул он, — всему тому, что ты мне здесь наговорил.

— Да есть кое-что в загашнике, — многообещающе посмотрел на Шитикова бандит, мысленно радуясь, что разгадал алчную натуру следователя. «Кажется, виден свет в конце туннеля, — с надеждой подумал он. — Похоже, мне удастся откупиться».

Суля Шитикову мзду, Цыган не блефовал. Это перед Проней он прибеднялся, говоря, что находится на мели. На самом деле на двух вокзалах в абонентских ящиках у него хранилась неплохая заначка. Каким-то шестым чувством взяточника это осознал и ушлый Николай Ильич.

— Ну что же, признательными показаниями, написанными за деньги, равно как и полученными под давлением, можно пренебречь, — сказал он, выразительно глядя на подследственного. — А в убийстве Коновалова обвинить его помощника Пронина. Тогда тебе придется ответить лишь за непредумышленное убийство в ссоре своего подельника. А это можно подвести под амнистию.

Он хитро улыбнулся и недвусмысленно добавил:

— Но это будет возможно, если добровольно выдашь мне свой незаконный заработок! Подумай хорошенько над тем, что я сказал, — жестко посмотрел он в глаза бандиту. — И даже не пытайся хитрить: меня ты не проведешь! Мы с тобой к этому еще вернемся!

Когда Цыгана увели, Николай Ильич пригласил к себе вызванного им отца Петра Юсупова. «Как хорошо, что я с ними не связался. Опасные люди! Сама судьба меня хранит, — довольно подумал он, обнадеженный вновь открывшейся перспективой обогащения. — Что не смог получить от них, заплатит бандит!»

— Заходите, дорогой Михаил Юрьевич! — расплылся он в фальшивой улыбке, когда в дверях появилась высокая фигура Юсупова. — Наконец-то могу сообщить вам приятную новость. Скорее всего обвинения с вашего сына будут сняты!

— Еще бы! Когда я поймал вам убийцу, — присаживаясь к столу, сухо ответил Михаил Юрьевич. — Надеюсь, теперь дело против него будет прекращено?

— Пока изменим меру пресечения. Освободим под подписку о невыезде, — с деланным сожалением произнес Шитиков. — Все еще не ясно, кто убил бандита Коновалова.

— Это как же неясно, когда убийца в ваших руках? — поразился Юсупов. — И имеется его собственноручное признание!

— Насчет этих признаний — особый разговор! — остро на него взглянув, сказал Шитиков с едва прикрытой угрозой. — Они куплены вами за деньги, то есть противозаконно и не имеют юридической силы.

Он сделал паузу и с фальшивым добродушием добавил:

— Но я не собираюсь предъявлять к вам претензий, хотя вы намерены на меня жаловаться. Такой уж я незлопамятный человек.

Михаил Юрьевич хмуро промолчал, и Шитиков в заключение решил ему «позолотить пилюлю».

— Однако думаю, что вскорости обвинение с вашего сына будет полностью снято. Так и быть, приоткрою вам, как коллеге-юристу, тайну следствия, — с едва прикрытым ехидством сообщил он Юсупову. — Все сходится на том, что убийца вовсе не Цыган, а замочил своего патрона покойный Проня. Мне-таки удалось распутать это сложное дело!

Бессовестный пройдоха приосанился и с видом превосходства посмотрел на Михаила Юрьевича, подписывая ему пропуск на выход.

Глава 24. Новое чувство

В аэропорт Майами Даша прибыла солнечным утром. Весь долгий перелет она пребывала в отвратительном настроении, фактически без сна. Только теперь она по-настоящему осознала, что окончательно порвала с мужем. Память приносила ей все новые эпизоды былого счастья, и это усиливало ее страдания. И, только когда их авиалайнер стал снижаться и внизу открылась безбрежняя синева освещенного ярким солнцем океана, на душе у нее немного полегчало.

Самолет зашел на посадку, и, глядя в окошко, Даша залюбовалась красотой Флориды с ее пышной южной растительностью и курортными городками, сияющими стеклом современных зданий и роскошью многочисленных дворцов богачей. Но вот впереди выросла панорама Майами и показалась посадочная полоса аэродрома. Колеса лайнера мягко коснулись земли, и он понесся по ней, резко замедляя бег.

В аэропорту Дашу встречали. Около выхода с паспортного контроля она увидела мистера Брауна, как всегда, в строгом костюме и белоснежной рубашке, с букетом цветов в руках и рядом с ним крепкого молодого парня спортивного облика. «Наверное, Чарли взял с собой шофера, чтобы доставил мой багаж в машину, — пришло ей в голову, глядя на его простое открытое лицо, покрытое симпатичными веснушками. — Интересно, куда они меня повезут? Хорошо бы прямо в отель, — подумала, ощутив, как вновь навалилась усталость. — Я просто не в состоянии сейчас вести переговоры и ужасно выгляжу».

Но в этом она ошибалась. Несмотря на многочасовой перелет и недосып, в свои двадцать три года Даша, одетая в джинсы и изящную легкую курточку, успевшая в самолете умыться и причесаться, была ослепительно хороша! И она это осознала по заблестевшим глазам встречавших и восхищенным взглядам окружающих мужчин.

— С благополучным прибытием, Дашия! Приветствуем тебя на американской земле! — улыбаясь, сказал Чарли, протягивая ей прекрасные цветы. — Познакомься, это Роберт Боровски, наш распорядительный директор.

«Вот оно что! Он — сын хозяйки. А я-то хороша: приняла его за шофера, — мысленно усмехнулась приятно удивленная Даша. — Какой симпатичный! Вот уж никак не думала!» Но она и не предполагала, что ее ждет еще один поразительный сюрприз.

— Очень рад познакомиться! Чарли нисколько не преувеличил, вы просто очаровательны, Даша! — на чистом русском языке, лишь с небольшим, каким-то знакомым акцентом произнес Роберт, дружески улыбаясь. — Теперь, разговаривая с вами, у меня будет возможность лишний раз попрактиковаться, чтобы не забыть родную речь.

— И я этому очень рада! — протянув ему руку и с удовольствием ощутив его горячее пожатие, с улыбкой, но без всякого кокетства ответила Даша. — Я сносно владею английским, однако вдали от родины особенно приятно перемолвиться с кем-то на своем языке. Но разве у вас русские корни?

— Можно сказать и так, — с первого взгляда проникшись к ней дружеским расположением, объяснил Роберт. — Мой отец чистокровный белорус, хотя и редко пользуется родной речью. Зато бабушка, его мать, свято чтит свою веру и говорит со мной только по-русски.

Прямой и непосредственный, не скрывая, что Даша ему очень нравится, он оптимистично произнес:

— Мы едва знакомы, но по тому, что о вас знаю, а также по тому, что вижу и чувствую, я убежден, мы хорошо сработаемся. Вы, Даша, совсем не такая, как наши девушки-модели, — тепло посмотрел на нее. — Намного превосходите их по интеллекту. Очень надеюсь, что вы станете у нас своей, и бабушка найдет в вас родственную душу.

В это время пассажирам рейса доставили багаж. Даша получила свои объемистые чемоданы, и мужчины, погрузив их на удобную тележку, покатили к выходу из аэровокзала.

Примерно за год до появления Даши Роберт Боровски навсегда расстался с девушкой, в которую был влюблен еще со школы, и твердо полагал, что она его суженая. Маргарет Ренье, или Марго, как ее звали сверстники, была канадкой французского происхождения и, пожалуй, самой бойкой и красивой девчонкой в округе. Возглавляя болельщиц — «группу поддержки» юношеской хоккейной команды, она долго не отвечала взаимностью скромному и застенчивому парню, предпочитая крутых и популярных игроков.

Лишь когда слава коснулась своим крылом и широкоплечего увальня Бобби, а ребята избрали его капитаном команды, рыжеволосая красавица обратила на него внимание и позволила за собой ухаживать. Она была дочерью президента их спортклуба, известного в прошлом хоккеиста, очень богатого человека, и с детства ни в чем не знала отказа. У нее был истинно французский темперамент, и среди парней о нем ходили легенды.

Хотя в школьной среде процветали петтинг и ранние половые связи, Роберт, активно занимаясь спортом, почти не имел в этом опыта. По сути, до Марго он не знал женщин, и лишь она разбудила в нем эротические фантазии, лишь к ней воспылал он подлинной страстью. То, что она уже была подружкой нескольких парней, которые хвастались своим успехом, его не смущало. Наоборот, это еще больше возбуждало сексуальный интерес к ней и влечение.

Никто из их товарищей не сомневался, что он недолго пробудет в фаворитах у ветреной Марго, однако произошло невероятное. Их первая красотка никого больше не замечала, кроме своего Бобби. Само собой, она была покорена его силой и страстью, тем более что ее прежние бой-френды не отличались особым искусством в любви. Но главным, что ее накрепко привязало к Роберту, явилась его чуткость, а также способность оказываться рядом, когда он был ей нужен.

Их крепкая сердечная связь сохранилась и в те годы, когда молодые люди обучались в колледжах и жили в разных городах. Они завели новых друзей, но остались верны своей любви, регулярно навещая друг друга. Конечно, живя порознь и веселясь в разных студенческих компаниях, Марго и Роберт, большей частью во хмелю, изредка позволяли себе завести легкий флирт, но это не повлияло на прочность их взаимоотношений и на желание по окончании учебы жить вместе.

Родители Марго и Роберта давно и хорошо знали друг друга, и никто из них, кроме его бабушки, не возражал против того, чтобы они поженились.

— Маргоше недостает ответственности. Уж больно она избалована! Живет лишь в свое удовольствие, — говорила она внуку, взывая к его благоразумию. — Ненадежный она человек для семейной жизни. Почему бы тебе, Робик, получше не оглядеться вокруг? Разве мало порядочных девушек?

Однако ее протест оставался гласом вопиющего в пустыне. После переезда в Майами не только Маргарет, но и ее родители каждое лето отдыхали на шикарной вилле жениха, катались на яхте его отца и уже готовились к свадьбе, когда как гром среди ясного неба разразился скандал. Роберту позвонила испуганная подруга Марго по колледжу, жившая с ней в одной комнате, и сообщила, что она куда-то пропала.

Роберт второй год как закончил учиться, а Маргарет в это время сдавала еще выпускные экзамены и поэтому уехать никуда не могла. Однако ее лучшие вещи и большой чемодан, по заявлению подруги, из их комнаты исчезли.

— Я просто теряюсь в догадках, Боб! Хотела сразу позвонить матери Мэгги, но боюсь ее напугать. У нее недавно был сердечный приступ, — сильно волнуясь, объяснила она. — Вот решила позвонить тебе. Теперь сам думай, кому сообщить первому: им или полиции.

Однако вскоре выяснилось, что никакой трагедии не произошло. Просто Маргарет осталась верной своему взбалмошному характеру и пылкому темпераменту. Когда из полиции, куда обратился Роберт, связались с ее родителями, оказалось, что дочь уже им звонила из Парижа. Позже стала известна и причина, по которой она там очутилась. Накануне побега Марго побывала на концерте своего кумира, известного французского шансонье, и задержалась, чтобы взять автограф. А в результате провела с ним ночь и утром, заехав за вещами, улетела во Францию.

— Прости, Бобби, но на меня какой-то дурман нашел, — всего через неделю вернувшись, довольно спокойно объяснила она своему жениху. — Наверное, я не готова еще к семейной жизни. — Последнее время мне было не до экзаменов: так тяготили мысли, что связываю себя брачными узами.

Марго сделала паузу и посмотрела на него томным взглядом.

— Не поверишь, но это приключение лишь убедило меня в том, что ты лучше всех. Давай встречаться по-прежнему, Боб! — неожиданно предложила она ему. — Нам ведь так хорошо вместе. Зачем связывать себя браком?

При других обстоятельствах Роберт, может быть, и согласился. Он все еще пылал к ней страстью. Но скандал был слишком велик! Да и он сам осознал уже, что его любимая не создана для добропорядочного брака. «А ведь бабушка Мэри оказалась права, — удрученно подумал он, усилием воли заставляя себя проявить твердость характера. — Ничего у нас не выйдет!»

— Нет! То, что ты сделала, простить нельзя! — набравшись духу, отрезал Роберт. — Ты не маленькая девочка и знала, что опозоришь наши семьи. Но тебе на всех наплевать, кроме себя самой. Я больше не хочу знать тебя, Мэгги!

— Ну и дурак! И не надейся, что буду слишком переживать, — самолюбиво сверкнула зелеными глазами рыжеволосая красавица. — А ты еще пожалеешь!

Однако характер у Роберта был по-спортивному сильный, и он сумел все же заставить себя выкинуть Марго из своей головы и из сердца.

Прошло не более месяца, как Даша приступила к работе в фирме «Блеск моды», но она чувствовала себя так, словно трудится здесь уже не первый год. Объяснялось это прежде всего высоким профессионализмом и прекрасным характером новой топ-модели. Все, от хозяйки до коллег-манекенщиц, вскоре убедились, что лестные характеристики, выданные менеджером Чарли Брауном, вполне соответствуют действительности, и окружающая ее атмосфера была на редкость теплой и доброжелательной.

Но особенно помогли Даше быстро акклиматизироваться в Майами и стать своей в коллективе работников фирмы постоянное дружеское внимание и поддержка, которые ей оказывал сын хозяйки Роберт. Его симпатия к ней была для всех очевидна, но исполнительный директор на службе романов не заводил, и Даша с ним не кокетничала. Поэтому никаких кривотолков среди сотрудников это не вызвало, и все с любопытством, отдавая должное русской красавице, следили за дальнейшим развитием событий.

Несмотря на то, что влюбился с первого взгляда, Роберт проявлял завидную выдержку, не ухаживая явно за новой сотрудницей и лишь оказывая повышенное внимание и всю возможную помощь. Он решил получше приглядеться и изучить, что Даша собой представляет. Возможности для этого у него были, помимо встреч на работе и свиданий.

Всякий раз, устраивая праздничные приемы на вилле или на своей яхте, Тим Боровски приглашал для участия лучших топ-моделей своей супруги. Это делалось не только, чтобы продемонстрировать гостям новые шикарные туалеты. Красивые молодые женщины служили неплохим допингом для эмоционального подъема пресыщенных богатых господ, составлявших обычный круг их друзей.

Разумеется, русская красавица непременно приглашалась на все эти приемы, и Роберт получил прекрасную возможность поближе познакомиться с Дашей во внеслужебной обстановке, не прибегая с этой целью к свиданиям. На приемах и вечеринках, ненавязчиво ухаживая и уделяя внимание немногим больше, чем другим, он успел убедиться в том, что она прекрасно держится и танцует и с ней интересно поговорить на любую тему.

Однако, как ни старался Роберт, чтобы его увлечение Дашей не бросалось в глаза, на это обратили внимание родители.

— Вижу, Бобби, ты решил приударить за русской? — как бы ненароком бросил ему отец. — Нет слов, она хороша! Но не слишком ли рискованно с твоей стороны заводить служебный роман? Мама будет недовольна.

— Не бойся, папа! До этого еще далеко, — заверил его Роберт. — Не скрою, она мне очень нравится, и я к ней присматриваюсь. Можешь быть уверен, что на работе любовных интрижек не заведу!

Разговор с матерью получился намного жестче.

— Не очень-то похоже, дорогой сын, что ты способен остепениться и создать прочную семью, — недовольно сказала она Роберту после одной из вечеринок. — Я ведь не слепая и вижу, как ты обхаживаешь Ди (так она для простоты звала Дашу), хоть и стараешься, чтобы это не слишком было заметно.

— А чем тебе она не нравится? — решил он сразу дать ей отпор, не дожидаясь материнского запрета. — Будь справедлива! Даша во всем хороша, у нее просто нет недостатков, — поднял на мать восхищенные глаза. — Я таких у нас не встречал и никогда не встречу!

— Тебе это просто кажется, потому что она из другого мира, — не согласилась Элизабет. — Она такая же, как все красивые топ-модели, только образованнее и как-будто порядочнее. Мне самой нравится Ди, но она — русская и, значит, чуждая для нас натура. Ничего хорошего тебя с ней не ждет!

— Зато меня много хорошего ждало с Мэгги! Уж у нее была свойская натура, и ты вполне одобряла наш брак, — рассердившись, укорил Роберт мать. — Была бы довольна такой сумасбродной невесткой? По-моему, это просто здорово, что Даша русская и совсем не такая, как она. Между прочим, — с ехидцей добавил он, — ты ведь никогда не жаловалась на то, что отец тоже русский.

Но Элизабет Кроули не так-то легко было сбить с ее позиций.

— Твой отец, Бобби, лишь родом из России, а это большая разница! И, кроме того, он из добропорядочной семьи, с которой были знакомы мои родители, когда мы решили пожениться. А что нам известно о Ди, ее семье и бывшем муже? — укоризненно посмотрела она на сына. — Скажем так: очень мало. Так что не спеши.

— Сердцу не прикажешь, мама, и я буду с Дашей встречаться, — упрямо произнес Роберт. — Я уже не мальчик, и ты мне не запретишь!

— Не собираюсь этого делать, если у тебя к ней действительно серьезное чувство, — смягчила тон Элизабет. — Только прошу на этот раз быть более осмотрительным.

Она сделала паузу и, требовательно взглянув на сына, добавила:

— Не хочу, чтобы над нами насмехались снова. Достаточно того скандала, который произошел из-за Мэгги.

После объяснения с матерью и ее согласия Роберт Боровски уже открыто стал ухаживать за Дашей. Зная, что в свободное время она скучает, и опасаясь, как бы не завела поклонника, он приглашал ее по вечерам в разные увеселительные места, и она, как правило, не отказывалась. Будучи чутким, он видел, что она не готова ответить взаимностью и не торопился открывать ей бурлящую в нем страсть. Они ходили на концерты и в театры, посещали дискотеки, кабаре и модные рестораны. Бобби был с ней предупредителен и нежен, но не позволял себе ничего лишнего.

Вскоре они уже все выходные дни проводили вместе, купаясь в бассейне и играя в теннис у него на вилле, и постепенно сердце Даши оттаяло. Ей с самого начала понравился Роберт, большой и сильный, с широкой белозубой улыбкой и открытым, по-детски веснушчатым лицом. А часто встречаясь по работе, она убедилась, что он добр, надежен и по-настоящему в нее влюблен. Женщины в этом обманываются редко.

Давно лишенная мужской ласки из-за размолвки и последующего разрыва с Петром, Даша испытывала физический голод. Ночью ее теперь преследовали эротические сны, не приносившие никакого удовлетворения. Может, поэтому, купаясь и загорая под жарким солнцем Флориды рядом с Робертом, при виде его атлетической фигуры и мужской мощи она ощущала страстное томление, и ее влечение к нему росло.

Роберт не мог не заметить происшедшую в ней перемену. «Похоже, что мне удалось разбудить в ней чувственность. Готов держать пари, что она смотрит на меня совсем не равнодушно!» — радостно подумал он в предвкушении успеха и стал действовать смелее. И вот однажды, когда они возвратились к ней в отель, разгоряченные танцами и выпивкой после дискотеки, прощаясь у порога номера, Бобби, поймав на себе ее горячий взгляд, предложил:

— Может, угостишь меня чашкой чая, чтобы протрезвел? Боюсь, что в таком состоянии не смогу вести машину!

Даша, опустив глаза, молча открыла дверь, вошла в номер и Роберт с сильно бьющимся сердцем последовал за ней. Но, когда она подошла к телефону, чтобы сделать заказ, он мягко отобрал у нее трубку, положил на рычаг и, заключив в объятия, жарко прошептал:

— Дашенька! Моя любимая! К черту чай! На кой он нам нужен?

Со всей силой накопившейся в нем страсти Роберт стал покрывать ее лицо и шею поцелуями и, не встречая сопротивления, крепко прижав к себе, впился в приоткрытые губы. Их поцелуй длился так долго, что оба задохнулись. А когда отдышались, оба дали волю своим чувствам. Словно дожидаясь этого момента, Даша горячо отвечала на его умелые и нежные ласки и, доведя себя до страстного иступления, дрожа от нестерпимого желания и торопливо сбрасывая с себя одежду, они бросились к постели и, не расстилая, упали друг другу в объятия.

Истосковавшись по мужской ласке, Даша была необычно для себя активна. Они без устали наслаждались друг другом и, испытав полное физическое удовлетворение, оба ощутили себя счастливыми. Под утро, когда пришла пора им расстаться, Роберт, находясь на вершине блаженства, тепло произнес:

— По-моему, Дашенька, наши сердца нас не обманули. Мне никогда еще не было так хорошо. Надеюсь, что тебе тоже. Хочу, чтобы ты знала. — Он ласково притянул ее к себе. — Для меня встреча с тобой — это не эпизод! Мне хотелось бы, чтобы ты стала моей на всю жизнь. И родители об этом знают.

— Спасибо, милый, но об этом говорить рано, — благодарно взглянув, мягко ответила Даша. — Я ведь еще не разведена с мужем. И потом, ты меня очень мало знаешь.

— Я о тебе теперь уже знаю все! Во всяком случае, то, что мне было нужно, — улыбаясь, запротестовал Роберт. — А пока ты лучше познакомишься с моими домашними, твой развод состоится. Надеюсь, тебя не разыскивает Интерпол?

— С биографией, Бобби, у меня все в порядке, но ты не знаешь очень важной вещи, — не реагируя на шутку, серьезно ответила Даша. — Главной причины моего развода с мужем.

— Ну и что же это за ужасная причина? Если скажешь, что всему виной твоя ветреность, не поверю. Ты — не такая! — весело посмотрел на нее Роберт, убежденный, что не услышит ничего плохого.

— У меня, наверное, никогда не будет детей, — грустно призналась ему Даша. — Так сказали врачи, когда я потеряла ребенка.

Однако на Роберта это не произвело впечатления. На ее счастье, оказалось, что к детям он равнодушен и отцовство его не прельщает. Во всяком случае, настолько, чтобы пожертвовать любимой женщиной.

— Наша медицина, Дашенька, самая сильная в мире! Так что еще неизвестно: правы или нет ваши врачи, — тепло взглянув, беспечно произнес Роберт. — Но со мной тебе повезло. В отличие от твоего мужа я не придаю этому значения.

Он сделал небольшую паузу и, широко улыбаясь, добавил:

— Думаю, родители к нам приставать с этим не станут. Ведь, кроме меня, уже подрастают еще два производителя. Так что недостатка в потомстве не будет.

Теплое участие и преданность Роберта успокоили Дашу. Она благодарно ему улыбнулась и, приподнявшись, нежно поцеловала. Это мгновенно вызвало ответное чувство, и он заключил ее в свои мощные объятия.

Прошло еще немного времени и, примирившись с выбором старшего сына, Дашу принимали в семье Роберта уже как свою. Ее работой хозяйка была очень довольна и, поскольку на людях она свои близкие отношения с Бобби не афишировала, относилась хорошо. Тим Боровски, во всем руководствовавшийся мнением супруги, был с ней весьма любезен, отпускал комплименты и даже позволял себе немного ухаживать. Мальчики вели себя с ней вежливо. Однако, кроме старшего сына, был еще один член семьи, искренне полюбивший Дашу. Это бабушка Мэри — Мария Игнатьевна.

Новую пассию своего внука она узнала, только когда Роберт стал приводить ее в дом на уик-энды. В шумных увеселениях старая женщина участия не принимала, занимаясь с внуками или просто отсиживаясь у себя в комнатах. Когда Бобби познакомил ее с Дашей, она долгое время приглядывалась к ней издали и лишь спустя пару недель, когда у нее создалось благоприятное впечатление, сама подошла, когда та загорала возле бассейна, и без церемоний на чистом русском языке сказала:

— А ты, девушка, мне нравишься. Тебя ведь Дашуткой кличут? Меня можешь звать бабой Маней. Пойдем-ка, милая, в тенек! Охота мне с тобой поговорить.

Даша послушно встала и последовала за Марией Игнатьевной на зеленую лужайку, где под сенью густых кустов стояли два шезлонга. Они в них удобно устроились, и старушка с той же подкупающей простотой сказала:

— Расскажи мне, пожалуйста, откуда ты родом и кто твои родители. Почему с мужем разошлась? Разве вы с ним не венчаны?

Видя, что ее прямота смутила гостью, она мягко добавила:

— Ты меня прости за то, что расспрашиваю. Но ведь это я не из праздного любопытства, — объяснила, как бы оправдываясь. — По всему видно, что скоро мы с тобой станем родственницами.

В ее голосе была сердечная теплота, и Даша, почувствовав к ней доверие, так же просто ответила.

— С мужем, Петром Юсуповым, мы обвенчаны, но все равно я не прощу ему измены и того, что из-за него потеряла ребенка, — правдиво открыла она причину развода. — Фамилия родителей Волошины. Мой папа бывший военный, родом из Тверской области, а мама сибирячка, с далекого Алтая.

— Смотри-ка! По отцу мы почти земляки, — довольным голосом отозвалась Мария Игнатьевна. — Моя родня и сейчас проживает на Витебщине. Вообще-то, я тебе очень рада, Дашутка. Будет теперь с кем перемолвиться по-русски. Мой Тимоша совсем отвык говорить по-нашенски.

— Но ведь вы, баба Маня, здесь прожили почти всю жизнь! — удивилась Даша. — Неужто до сих пор сохранили память о родине?

— Само собой, милая! Как бы здесь ни было хорошо, а все одно — чужое. И люди, и вера ихняя, — удрученно призналась Мария Игнатьевна. — Уж сколько лет среди них живу, а привыкнуть никак не могу.

— Что же в них другого? Люди как люди, — пожала плечами Даша. — Что вам в них не нравится?

Видно, Мария Игнатьевна над этим не задумывалась, ибо ответила не сразу.

— Уж очень все какие-то расчетливые. Сами по себе. На родине, как я помню, больше стоят друг за дружку. Последнее отдадут, чтобы помочь ближнему.

— Это раньше так было, — с горечью возразила Даша. — Сейчас и у нас каждый больше о себе думает.

— Не дело говоришь! — рассердилась старушка. — Просто сейчас народ там в большой нужде. Я ведь газеты читаю и телепередачи смотрю. Православная вера сохранит в наших людях широкую и добрую душу!

Она немного помолчала и приветливо посмотрела на Дашу.

— Тебе повезло, так как мне только старшему внуку удалось передать нашу доброту и широкую душу. В младших говорит материнская кровь: они даже между собой производят расчеты, — с досадой пожаловалась она. — Может, так и надо поступать в нынешней жизни, но мне, Дашутка, это претит.

— Мне тоже очень нравится в Роберте, что он не похож на большинство американцев, — призналась Даша и польстила старушке. — Видно, сказалось ваше воспитание да и русская кровь, наверное, в нем говорит.

— Дай-то вам Бог с ним счастья! — растрогалась Мария Игнатьевна. — Вы оба такие славные и очень подходите друг другу.

Анна Федоровна и Василий Савельевич Волошины уже заканчивали завтрак, когда почтальон принес международное заказное письмо. «От Даши», — в унисон подумали они, радуясь долгожданной весточке от дочери и возможности узнать, как она устроилась, работает и живет. Пока муж допивал кофе, Анна Федоровна нетерпеливо вскрыла конверт и принялись читать вслух. В письме говорилось:

«Мои дорогие мама и папа! После того как сообщила, что приступила к работе, долго ничего вам не писала, поскольку события развивались слишком стремительно, а я никак не могла разобраться в своих чувствах. Но теперь все как-будто встало на свои места и пришла пора поделиться с вами ближайшими планами на будущее.

Вы знаете, в каком тяжелом состоянии я улетала в Америку, но совершилось подлинное чудо. Я ведь думала, расставаясь с Петей, что уже никогда не буду счастлива. Однако в первый же день в аэропорту встретила человека, который пробудил во мне веру в себя и вернул мне радость жизни.

Вам, конечно, интересно знать, кто он такой и откуда взялся? В коротком письме обо всем не скажешь, поэтому сообщу самое главное. Зовут его Роберт, фамилия Боровский, только пишется здесь без последней буквы. Отец у него белорус, а мать американка. Она хозяйка нашей фирмы, и Боб, так все его зовут, работает в ней директором. Поэтому встречал на аэродроме.

Он хорош собой и очень славный. Ему двадцать шесть и женат еще не был. С первой же встречи был ко мне внимателен, но не навязывался, хотя сразу было видно, что влюблен. А сейчас мы неразлучны. Роберт познакомил меня со своей семьей, и я подружилась с его русской бабушкой. Он собирается на мне жениться, но я, как понимаете, пребываю в растерянности.

Все уж слишком скоропалительно, не говоря о том, что мы с Петей еще не разведены. Конечно, после того, что пережила, мне совсем не хочется спешить с новым браком. Нам с ним надо лучше узнать друг друга, да и старое все еще сильно садит. Роберт мне очень нравится, однако, сколь ни стараюсь, и Петю никак не могу изгнать из своего сердца. Это просто беда! Поэтому чувствую, что выходить мне за Роберта пока нельзя. Чтобы снова не ошибиться. Буду тянуть, сколько можно, но боюсь, что не выдержу. Жду вашего совета, мои дорогие! Своего ума мне явно не хватает.

Напишите, как поживаете и что у нас новенького. Желаю вам всего самого-самого доброго! Обнимаю и целую. Даша».

Пораженные таким быстрым развитием событий, родители Даши не произнесли ни слова, лишь молча обменялись красноречивыми взглядами. Наконец, у Василия Савельевича вырвалось:

— Ну и дела! Какова наша дочь? Что скажешь, мать, на это?

— А я ничуть не сомневалась, что Дашеньку сразу начнут атаковать кавалеры. Но надеялась, Васенька, что это будут не американцы, а наши богатенькие — «новые русские». Их уже там полным-полно. Вилл понакупили и на солнышке жарятся.

— И ты хотела, чтобы наша дочь вышла замуж за какого-нибудь ловкача, по которому тюрьма плачет? — возмущенно посмотрел на нее супруг

— Дашенька за такого не пойдет! Там много и порядочных людей. Разных промышленников, деятелей искусства, — ответила Анна Федоровна. — Вот за кого хотелось бы ее выдать. Но только не за американца, — огорченно добавила она. — Тогда мы с тобой потеряем единственную дочь!

— Но разве не видишь, Аннушка, что она уже к нему неровно дышит? — озабоченно произнес Василий Савельевич. — Раз даже Петю готова забыть. А ведь как его любила! — вздохнул он с явным сожалением.

— Да уж, Васенька, это очень серьезно, — покачала головой Анна Федоровна. — Надо сделать все, чтобы помешать ей выйти за этого... Роберта. Я уже начинаю жалеть, что поддержала ее развод с Петром, — призналась она, тяжело вздохнув. — Хоть он крепко провинился, но все же хороший, свой парень.

Пригорюнившись, она немного помолчала, размышляя, и успокоительно бросила мужу:

— Ладно, давай хорошенько подумаем, что предпринять, чтобы решить нашу проблему. А пока считаю, что надо об этом сообщить Пете. Как знать, может, он ее отговорит? Ведь они еще не разведены.

— Здравствуй, Петя! Нам надо поговорить, — не так сухо, как последний раз, когда они виделись, сказала Анна Федоровна зятю, позвонив утром в его офис.

«Вряд ли насчет ускорения развода. Что-то произошло», — со слабой надеждой подумал Петр, а вслух сдержанно произнес:

— Сейчас поговорить не удастся. Я должен отъехать по неотложным делам. А днем — когда и где угодно! Но лучше это сделать не по телефону.

— Ты прав! Разговор не телефонный, — согласилась Анна Федоровна. — Может, заедешь к нам?

— Нет! Это неудобно, — отрезал Петр. — После того как Василий Савельевич, — счел нужным напомнить он, — запретил мне у вас появляться.

— Ну а что ты предлагаешь?

— Поговорим во время обеда. Тут есть один ресторанчик, где хорошо готовят, — пришла Петру в голову удачная мысль. — Я, как освобожусь, позвоню и за вами заеду. Может, и Василий Савельевич к нам присоединится?

— Было бы хорошо, но он уехал за город и связи с ним нет, — с сожалением вздохнула Анна Федоровна.

Небольшой ресторан «Капри» был уютным, славился отличной кухней и был удобен для деловых встреч. Правда, и цены в нем были астрономические, но постоянных клиентов ресторана это не смущало. Вот сюда и привез свою тещу Петр, для того чтобы поговорить по-свойски и откровенно.

— Не стоит туда заглядывать, только аппетит испортите, — шутя, предупредил он Анну Федоровну, которая по-привычке потянулась к меню. — Я здесь часто бываю и знаю, чем лучше вас угостить. Как насчет шашлыка из ягненка? Он у них вчера еще бегал.

Когда принесли издающие дразнящий аромат куски нежного мяса и бутылку отличного французского вина, приступая к трапезе, Петр, подняв глаза на тещу, спросил:

— Ну и как там поживает Даша? Вы ведь о ней хотели поговорить?

— Плохие вести, Петя! — со свойственной ей прямотой призналась ему Анна Федоровна. — Иначе разве была бы я здесь?

Зять ничего не ответил, и она продолжала:

— Влюбился в нее там какой-то американец, сын хозяйки фирмы, где сейчас работает. Жениться хочет. Даша в растерянности.

— Так она же мечтает начать новую жизнь. И вы за то же, — хмуро отозвался Петр. — В чем же проблема? Он ей не очень нравится, и я, — горько пошутил, — должен ее уговорить?

— В том-то и беда, что нравится! — откровенно высказала свою заботу теща. — Этот Роберт, видно, хорош собой и наполовину русский или, там, белорус. Какая разница? — раздраженно бросила она. — Главное, что у них — серьезно!

— Ну так о чем вы беспокоитесь? — потемнев лицом, но внешне спокойно спросил Петр. — Сами же благословили Дашу на развод. Радоваться должны!

— А чему тут радоваться? — горестно вздохнула Анна Федоровна. — Ведь у меня только одна дочь! Чего хорошего, если останется жить в Америке?

Она мрачно посмотрела на зятя и резко добавила:

— Ты меня не кори! Сам виноват в том, что я поддержала Дашу, когда она решила с тобой расстаться. Кто же потерпит, чтобы так обижали дочь? Разве не ты бросил ее, неважно по какой причине, перед свадьбой? Разве не ты изменил ей с этой бандиткой? Разве не из-за тебя она потеряла ребенка и, как говорят врачи, не сможет родить?

Зная, что она права, Петр ее угрюмо слушал, и все же не выдержал.

— Допустим, все так. Заслуживаю того, чтобы Даша ушла. Но чего теперь вы от меня хотите? Бередить душу? Но мне и так тяжело. Пусть, если сможет, будет счастлива! Препятствовать ей не собираюсь.

— Хочу, чтобы ты помешал ей сделать глупость и выйти замуж за Роберта, — без обиняков открыла цель своего визита Анна Федоровна. — Этим, хоть частично, искупишь свою вину.

— Вы что же, думаете, будто Даша не знает, чего она хочет? Зачем мешаете счастью дочери? — непонимающе возразил Петр. — И как я-то могу этому воспрепятствовать?

— Представь себе! Я лучше знаю дочь, чем она сама, — удрученно объяснила ему теща. — Дашенька засохнет на чужбине. Не сможет долго жить среди американцев. Говорила, что они совсем другие люди и ей не нравятся.

Анна Федоровна требовательно посмотрела на Петра.

— Прошу тебя об одном: затяни как можно дольше развод. А лучше всего, вообще на него не соглашайся!

— Не могу этого сделать: я ей уже обещал не препятствовать, — отрицательно покачал головой Петр. — И потом, Даша это расценит, как попытку ее вернуть.

— А что, разве тебе бы этого не хотелось? — проницательно взглянула ему в глаза теща. — Ведь так сильно ее любил!

— Я и сейчас ее люблю, — опустив голову, глухо произнес Петр. — Быть может, еще сильней.

Некоторое время они молча жевали. Потом Анна Федоровна, задумчиво посмотрев на зятя, спросила:

— Хотелось бы знать, Петя: почему ты связался со шлюхой, если так сильно любишь мою дочь? Чем она недостаточно хороша? Не стесняйся, говори прямо, — потребовала она. — Это важно, если еще на что-то надеешься! Та была получше в постели?

— Вообще-то да, если... хотите знать, — решив быть честным, признался Петр, опустив глаза. — Она... не лучше Даши, но... разнообразнее, что ли, — промямлил он и умолк.

— Вот в чем дело. Я так и думала. Сначала трахнул, соскучившись по сексу, а потом понравилось. Известно, шлюхи искуснее жен, — с грубоватой простотой насмешливо заключила теща. — Ну и дурные вы, мужики! Сколько же у вас из-за этого неприятностей!

Видя, что Петр недоумевающе на нее уставился, она откровенно объяснила:

— Забываете, что и жены могут быть отличными любовницами. Не надо лишь стесняться своих желаний и получше их учить уму-разуму! Да что говорить, — с досадой махнула она рукой, — чай, не маленький. Пора бы это знать.

Анна Федоровна с удовольствием допила шабли и, вытерев губы сафеткой, произнесла голосом, в котором сквозила скрытая надежда:

— Спасибо, Петя, за вкусное угощение! Барашек прямо таял во рту. Значит, договорились: развод ты затянешь, а там видно будет.

— Неужто вы думаете, что Даша может меня простить? — правильно понял ее Петр. — Не верится что-то!

— Да она давно бы простила тебя, дурачок, если бы, — теща гневно повела на него глазами, — не ваш семейный бзик с наследником княжеского рода.

— А вот тут Даша ошибается! — протестующе прервал ее Петр. — Мне она всегда была дороже всего на свете. Да и причин впадать в панику нет.

Поймав удивленный взгляд Анны Федоровны, он объяснил:

— Я узнавал у лучших специалистов: у нее еще есть возможность родить. И не пожалел бы для этого средств! А если не получится, то для моих тоже нет никакой трагедии. Наш род продолжился бы по женской линии, как у моей мамы. Да что толку об этом говорить? — добавил с досадой. — Даше уже ничего не докажешь!

— Как знать, — многозначительно взглянув на него, произнесла теща вставая. — Быть может, и удастся еще кое-что ей растолковать. Если поможет Бог!

Глава 25. Свет надежды

Накануне дня выписки в палату к Виктору Степановичу Сальникову пришли отец и сын Юсуповы. Рана на руке у него уже затянулась, и он, чувствуя себя почти здоровым, снова озаботился поиском Оленьки. Связь с ним постоянно поддерживали по сотовому телефону, однако на этот раз потребовалось срочно посовещаться.

— Просто нас какой-то злой рок преследует, Витек!— пожаловался ему Михаил Юрьевич. — Вроде бы нащупали ниточки, но они завели в тупик.

— Ну, с фирмой «Здоровье» — понятно. Объявила себя банкротом, и дирекция исчезла со всеми документами в неизвестном направлении. Но неужели нельзя, — недоуменно посмотрел на своего друга и шефа Сальников, — отыскать этого американца?

— В посольстве США долго волынили, но результат получился нолевой. Как они сообщили, документы у мистера Ричардсона были подлинные, а вот место работы указано им в декларации неверно, — удрученно покачал головой Михаил Юрьевич. — Такой фирмы у них не существует. Обманул, гад!

— Но неужели его нельзя привлечь за обман? Они хотя бы адрес этого жулика сообщили? — возмутился Сальников. — Я сам туда отправлюсь и из-под земли его достану!

— Для того чтобы они нам сообщили координаты мистера Ричардсона, надо обвинить его в преступлении, а мы этого сделать не можем, — кислым тоном ответил ему Михаил Юрьевич. — Так что ты прав: ничего не остается, как начать там розыски самим.

— Погоди, Миша! А что ответили из нашего посольства в Штатах? Мы же туда запрос посылали, — спохватился Виктор Степанович. — Неужто и они нам не помогли? Он же у них визу получал.

— Они-то ответили нам быстро и на все вопросы. Я лично с ними связался по телефону, — вместо отца сообщил ему Петр. — Но этот мошенник уже больше не проживает по адресу, который указал в документах. Думаю, дядя Витя, — хмуро добавил он, — что так мы его не найдем.

Сальников бросил на него сердитый взгляд и язвительно заметил.

— Критиковать легко, а что ты предлагаешь? В Интерпол обратиться?

— В Интерпол стоило бы, но не выйдет, — серьезно ответил ему Петр. — Даже если бы обвинили Ричардсона в киднеппинге. Потребовалось бы постановление судебных органов. Поэтому придется действовать самим.

Он сделал паузу и добавил:

— А предложение у меня есть. Мы с папой и приехали к тебе, дядя Витя, чтобы его обсудить.

— Давай, Петя, я его изложу. У меня покороче выйдет, — вмешался отец. — Но сначала, Витек, объясню тебе, почему такая спешка.

Михаил Юрьевич перевел дыхание и изложил суть дела.

— Последняя зацепка, которая еще у нас осталась — это мадам Воронцова, которая, безусловно, знает много больше, чем говорит. И она собралась в отпуск, — он многозначительно взглянул на друга и помощника. — Вполне возможно, что вообще смыться хочет. Тогда наше дело — труба!

— Кажется, усек! Считаете, у меня лучше выйдет ее разговорить? — смекнул Сальников. — Но ведь раз на раз не приходится.

— Правильно ты понял! — подтвердил Михаил Юрьевич. — И сделать это надо завтра, иначе будет поздно. Сегодня хорошенько подготовишься, а с утра, как выпишут, доставим тебя прямиком к ней в детдом. Проведешь там, — пошутил он, — очередную «инспекцию».

— Мне почему-то кажется, Миша, что Воронцова должна знать кого-нибудь, кто связан с российским посредником американцев, — с задумчивым видом произнес Сальников. — Нутром это чую. Врет, что принимала детей по письмам без предварительной договоренности!

— Постарайся, Витек, расколоть эту хитрюгу, — заключил Михаил Юрьевич. — Вся наша надежда на тебя! — он наградил друга теплым взглядом. — Вот и Светочка уверена, что ты обязательно добьешься успеха. Она велела передать тебе это, — он вынул из сумки и положил на тумбочку большой пакет. — Пирожки с капустой, которые любишь.

— Поблагодари ее за меня, конечно, — смущенно произнес Сальников. — Но боюсь, что разочарую. И зачем мне столько?

— Пригодятся! У тебя завтра будет нелегкий день, — дружески улыбнулся ему Михаил Юрьевич.

Он взглянул на часы и, поскольку время для посетителей закончилось, встал. Вслед за ним поднялся и Петр.

— Ты, дядя Витя, подумай, как у нее узнать, кто связывал ее с заказчиками? — высказал он напоследок Сальникову свои соображения. — Я уверен, что это кто-то из числа ее сотрудников и близких друзей.

— Согласен, Петя! Я уже об этом подумал, — кивнул ему Виктор Степанович и, проводив до дверей, напомнил:

— Итак, жду вас завтра к десяти. Я буду уже готов!

— Ах! Это опять вы? — испуганно посмотрела Екатерина Воронцова, увидев входящего в ее кабинет Сальникова. — Как же вас пропустил охранник?

— У меня постоянный пропуск. Предъявить? — с насмешливой улыбкой достал он из кармана красную книжечку. — Тут сказано, что все обязаны оказывать мне содействие.

— Но я-то чем могу быть вам полезна? Что знала, все уже выложила, — с деланным недоумением произнесла Воронцова, лихорадочно соображая, чем грозит ей этот визит, и, спохватившись, льстиво добавила: — Вы присаживайтесь, пожалуйста!

Виктор Степанович сел на стул, вытянув ногу с протезом, и без предисловий сказал:

— Пришел получить с вас должок. Надеюсь, не забыли, кому обязаны тем, что избежали тюрьмы?

— Ну, конечно, нет! — горячо заверила его Воронцова. — Но разве мы не рассчитались, когда я помогла вам разоблачить бандитов и вернуть родителям похищенную девочку? И деньги отдала!

— Вы не помогли вернуть им вторую дочь, которую также прятали у себя, — жестко глядя в ее бегающие глаза, заявил Сальников.

— Но как же я могла помочь? — с фальшивым надрывом простонала Катерина. — Я же сказала все, что о ней знала.

— Только не надо лгать! — стукнул по столу кулаком Сальников, изображая будто пришел в ярость. — А ну выкладывай, кто был заказчиком? И не втирай мне очки про письма организаций! Кто вам платил деньги?

Он сделал паузу и, свирепо глядя на нее, предупредил:

— Не вздумай финтить! Не то быстро окажешься за решеткой.

«Придется сказать ему про Хирурга. Тот знает заказчиков, — лихорадочно соображала Воронцова. — Это он свел меня с Костей и впутал в их темные дела. Пусть и ответит за это!» А вслух с несчастным видом произнесла:

— Вот так всегда мне приходится расплачиваться за других. Я и правда не знаю, кто был заказчиком. Посредником был Пронин, но он, говорят, помер, — и видя, что визитер нахмурился, поспешно добавила: — Кроме него, только Хирург, то есть Сергей Фоменко, знал о заказчиках. Какие-то раньше имел с ними дела.

— Где его можно найти? Он по-прежнему живет у этой... как ее... Софы? — снова став вежливым, спросил Виктор Степанович. — Она, кажется, ваша подруга?

— Просто знакомая, — на всякий случай соврала Воронцова. — Хирург живет у нее, как вышел из тюрьмы. Они и раньше были знакомы. Вам дать ее адрес или телефон? — услужливо предложила она.

— Нам все о них известно, — холодно бросил Сальников. — Сейчас позвоните Софе и передайте, — приказал он, — что мне надо срочно встретиться с Фоменко. Она, наверное, на работе?

— Дома сидит. Они оба сейчас на мели, — пренебрежительно бросила Катерина и потянулась к телефону. — Наверняка кого-нибудь из них застану.

«Это мне на руку. Легче будет договориться, если без денег сидят, — подумал Сальников. — Приглашу его в офис, чтобы сразу решить все вопросы».

Софы дома не оказалось, и трубку взял Фоменко.

— Привет, Сережа! С тобой тут хотят поговорить, — коротко сообщила ему Воронцова и, поняв по тяжелому вздоху, что тот испугался, успокаивающе добавила: — Не бойся, не из ментовки.

— С вами говорят по поручению Юсупова. Он хочет предложить порядочную сумму за сведения, которыми вы обладаете, — сразу взял быка за рога Сальников. — Если сможете прибыть к двенадцати в его агентство, запишите адрес.

— Прибыть смогу. А о какой сумме идет речь? — пытаясь скрыть охватившую его радость, решил поторговаться Фоменко.

— О достаточно большой, чтобы стоило проехаться, — уклонился от прямого ответа Виктор Степанович. — На месте все узнаете!

Сергей Фоменко не заставил себя ждать. Большие часы в кабинете Михаила Юрьевича не пробили полдень, а вахтер снизу уже сообщил о его прибытии. Когда, ставший на вид еще более тощим, Хирург робко вошел к гендиректору детективного агентства, помимо хозяина, он застал там Петра и Сальникова.

— Садись, Фоменко, и внимательно выслушай наше предложение! — указал ему на стул Михаил Юрьевич. — Надеюсь, оно тебя устроит.

Подождав, когда тот займет указанное место, он деловито продолжал:

— Наша цель — узнать, кто был заказчиком, который приобрел и отправил в Америку мою вторую дочь. От тебя требуется информация о нем, а если ею не обладаешь, то сведения о тех, кому это известно. Тебе понятно?

— Все ясно. Что я буду за это иметь? — хрипло отозвался Хирург, покосившись на Петра, так как знал, кому предстоит с ним расплачиваться.

— Если дашь нам точные сведения об американском заказчике, аплатившем за ребенка, — получишь пятнадцать тысяч долларов [н]аличными, — сухо ответил ему Петр. — Если же назовешь только [т]ех, кто вел с ним дела и о нем знает, — то получишь втрое меньше.

Хитрый и рассудительный Фоменко ответил не сразу. Его [т]ак и подмывало самому раздобыть с помощью Власова нужные [с]ведения и заработать, по меньшей мере, вдвое больше. «За пять [ш]тук баксов Ленчик выудит все, что нужно, у своего профессо[р]а, — мысленно прикидывал он, съедаемый алчностью. — Одна[к]о на это потребуется время».

— Я не имею точных данных об американской фирме, кото[р]ая нам делает заказы, но смогу их установить в течение меся[ц]а, — наконец, не очень уверенно ответил Хирург и добавил: — [Н]о российского посредника знаю.

— Если имеешь в виду фирму «Здоровье», то теперь можешь [о] ней забыть, — с иронией бросил ему Сальников. — Исчезла [к]ак дым, как утренний туман.

— И сведения нам нужны немедленно, — вмешался Михаил [О]рьевич. — Ждать мы не можем!

— Вот оно что. Не знал, — обескураженно промямлил Фо[м]енко. — Но я хорошо знаком с человеком, который или сам [з]нает, кто является нашим американским партнером, или смо[ж]ет за хорошую плату это выяснить.

— Ну и кто же этот человек? — строго произнес Михаил [О]рьевич. — Только не советую, Фоменко, морочить голову. С [н]ами шутки плохи!

— Да уж знаю, — буркнул Фоменко и, серьезно глядя ему в [г]лаза, сообщил: — Тот, о ком говорю, — молодой хирург, канди[д]ат наук и работает под руководством профессора, который дав[н]о уже связан с американским заказчиком.

Он сделал паузу и убежденно сказал:

— Профессор — тот еще мафиози, имеет большие связи в [в]ерхах, и браться за него бесполезно! Но вот его помощник — [э]то другое дело. С ним вы вполне сможете договориться.

Некоторое время все молча размышляли, но затем Петр, пе[р]еглянувшись с отцом и Сальниковым, предложил:

— Вы сообщаете нам данные и место работы этого человек
получаете аванс в пятьсот долларов. Остальное я вам выпла
когда мы убедимся, что он именно тот, за кого вы его выдае
Согласны?

Хирург торопливо закивал головой, а Михаил Юрьевич, гр
но взглянув на него, предупредил:

— Не спеши радоваться! Если окажется, что ты нас обман
то вернешь все назад как миленький!

— Напрасно сомневаетесь, я знаю, с кем имею дело, — за
рил его Фоменко, доставая и протягивая записную книжку
Вот тут все его данные. Можете их записать.

И пока Михаил Юрьевич переписывал домашний адре
номера телефонов Власова, Хирург с жадным блеском в гла
наблюдал, как Петр, открыв свой кейс, достал оттуда пачку с
долларовых банкнот и неторопливо отсчитал ему пять вож,
ленных зеленых бумажек.

Хирургу пришлось долго уговаривать Леонида Власо
прежде чем тот согласился встретиться и выслушать заман
вое предложение.

— Пятнадцать штук баксов — это тебе не шуточки, Ленчик
рьяно убеждал его старый подельник, опасаясь потерять по,
ченный аванс, который уже начал тратить. — И ты ничем не р
куешь. Это же не менты и не налоговая полиция.

— Шеф мне этого не простит, — слабо возражал Власов, ус
пая желанию загрести такую завидную сумму валюты.

— Да ты никак его не подведешь! — доказывал ему Фом
ко. — Потому что они не собираются предъявлять претензи
преследовать эту фирму. Им лишь надо узнать, у кого находи
их дочь.

Видя, что все же не убедил своего приятеля, он усилил ар
менты.

— Ну чего ты опасаешься? Если даже у Юсуповых с э
фирмой возникнет конфликт, он никак не заденет твоего ше
Этот заказ они же не нам сделали, а покойному Коновалс
Профессора это не коснется ни с какого бока!

— Ты думаешь? — все еще колебался Власов. — Я вот всегда верил поговорке, что «жадность фраера сгубила». Боюсь, что из-за этих денег мы лишимся тех, кто нас кормит. Если выйдет скандал, они откажутся и с нами вести дела.

— А если даже так? Они же не единственные, ваши партнеры, — успокоил его Фоменко. — Не бойся, профессор найдет там новых. У них нужда в донорских органах большая. Главное, ты должен проделать все так, — хитро взглянул он на покрасневшего от внутреннего напряжения приятеля, — чтобы в случае чего шеф тебя не заподозрил. Неужели не сумеешь, Ленчик?

Вот как раз этот довод и окончательно убедил Власова. «И правда, — подумал он, — каким образом Юрий Львович меня заподозрит, если я не буду задавать об этом вопросов и вообще проявлять свой интерес? У меня и без него имеется возможность узнать, кому мы отправляли препараты. А пятнадцать тысяч баксов и в Америке большие деньги!»

— Ладно, уговорил, — вспотев от напряжения, согласно кивнул он головой. — Ты только, Серж, меня уж не выдавай! Можешь не сомневаться: отстегну тебе, не скупясь, как все получится. А я уж постараюсь провернуть это дельце так, что шеф ничего не заподозрит.

— Не бойся, Ленчик, буду нем как могила! — заверил его хирург. — Сам знаешь, и мне мало не будет, если профессор до того дознается.

Они распрощались, и Власов прямиком отправился к себе в лабораторию. Там, перевернув исходящую документацию, он вскоре нашел то, что хотел. Все препараты, отправляемые в США, адресовались только одному посреднику: медицинской ассоциации «Охрана здоровья нации», находящейся в Атланте. Выписав из накладных все ее реквизиты, Леонид довольно потер руки.

— Ай да я! — вслух похвалил себя. — Шустро заработал такую кучу «зеленых».

«Надо будет щедро отблагодарить Сержа, чтобы держал язык за зубами, — решил он, немного подумав. — Хотя он сам понимает, что шантажировать меня ему не с руки. И пусть поскорее свяжет меня с Юсуповыми».

Прикинув, что времени уже прошло достаточно и Фоменко успел добраться до дома, Леонид ему позвонил и не ошибся.

— У меня полный порядок, Серж! Удивлен, что так быстро? - весело сообщил, услышав его хрипловатый голос. — А это фортуна к нам благоволит! Передай Юсуповым, чтобы готовили бабки. Как думаешь, они нас не кинут?

— Не те люди! Можешь быть спокоен, — заверил приятеля Хирург. — Это для нас с тобой пятнадцать штук огромные деньги, а для Петра Юсупова — мелкие издержки. Так что раскрывай свой кошель.

— Скажи им, что я раздобыл полные данные об американском посреднике, включая все реквизиты, — самодовольным тоном произнес Власов. — Передачу предлагаю произвести в сквере у Большого театра. Они могут предложить и другой вариант, — подумав, добавил он и подчеркнул: — Но обязательно в людном месте!

— Это само собой! — понимающе отозвался Фоменко. — Там никто не посмеет устроить свалку. Значит, ты им все же не доверяешь?

— Доверяю, но береженого Бог бережет, — вполне серьезно бросил ему Власов и закончил разговор: — Позвони, как договоришься! Я на работе.

— Ну что же, теперь у нас в руках, наконец, появилась нить, ухватившись за которую, можно начать поиски Оленьки в Америке, — с надеждой в голосе сказал Михаил Юрьевич, когда вся семья собралась в квартире на Патриарших прудах, чтобы обсудить намеченный им план действий.

— Ты что же, безотлагательно туда отправишься? Один или с помощниками? — спросил зятя Степан Алексеевич.

— Нужно будет предварительно навести ряд справок и получить дополнительную информацию. После поеду я и переводчик, — ответил Михаил Юрьевич.

— А почему бы тебе не отправиться туда с Петей? И вдвоем будет легче, и переводчик не понадобится, — резонно заметила Вера Петровна. — Он неплохо владеет английским.

— С меня, бабушка, еще не сняли подписку о невыезде, — объяснил Петр. — Но скоро дело окончательно закроют, и тогда я смогу помочь папе.

— Думаю, что пока буду наводить справки здесь и в Штатах, как раз это и произойдет, — уверенно сказал Михаил Юрьевич. — Тогда Петя сможет ко мне присоединиться.

Он сделал паузу и, опережая вопросы, добавил:

— Но если волокита будет продолжаться и мне понадобится помощь, вызову Виктора Степановича, — кивнул он на скромно сидящего в сторонке Сальникова.

— Все же мне кажется, Мишенька, — несмело предложила Светлана Ивановна, — что большую помощь тебе бы могла оказать Даша. Почему бы не привлечь ее к поискам Оленьки? Она не откажется, — убежденно обвела она всех глазами. — Любит Даша своих маленьких золовок.

— Без нее обойдемся. Она уже не считает себя членом нашей семьи, — мрачно возразил ей муж. — Раз подала на развод, унизительно просить у нее помощи!

— Вот в этом ты, Михаил, не прав! — решительно вмешался профессор. — Когда речь идет о спасении ребенка, не место гордыне и личным счетам! Светочка права! Даша и думать не будет о своих обидах и сделает все, что в ее силах. Она очень хороший человек!

— Я тоже считаю, что Дарья Васильевна может нам очень помочь в поисках, и уже на этом этапе, — поддержал его Сальников. — Она неплохо освоилась в Соединенных Штатах и наведет все нужные справки намного быстрее, чем мы.

— Значит, «цель оправдывает средства»? Удобная, но порочная философия! Никогда с ней не соглашусь, — горячо возразил Михаил Юрьевич. — Это ведь все равно что просить о помощи своего врага.

— Ну какой же Дашенька враг? — с укором взглянула на зятя Вера Петровна. — Она сейчас обижена на Петю, но, как знать, может, они еще поладят?

Но гордая натура Михаила Юрьевича не мирилась с враждебным и низким, по его мнению, поступком снохи.

— А кто же она нам, если бросила Петю в таком тяжелом положении? Когда находился в тюрьме, когда его обвиняли в убийстве! — гневно произнес он. — Жены декабристов шли за ними на каторгу, а она поспешила начать новую жизнь.

— Но согласись, Миша: у нее ведь были причины для глубокой обиды на мужа, — попытался защитить Дашу старый профессор. — А декабристов считали героями и мучениками.

— Уверен, что и Даша не поверила, что ее муж убийца. И вряд ли в семьях декабристов все было так уж гладко, — горячо возразил ему зять. — Но хорошие, верные жены способны на прощение, помнят клятву, данную ими перед венцом, и не бросят мужа в беде!

Михаил Юрьевич перевел дыхание и твердо заключил:

— Давайте закроем этот вопрос. У нас сейчас наметился план, который и без ее помощи приведет к успеху. Витек, — кивнул он Сальникову, — расскажи всем о том, что мы задумали!

Все взоры обратились на Виктора Степановича, и он, не мешкая, сообщил:

— Как только узнали, что Оленьку у нашего обанкротившегося посредника приобрела американская ассоциация «Охрана здоровья нации», мы первым же делом навели о ней справки и выяснили: такая фирма действительно существует! Более того, — довольным тоном добавил он, — нам удалось установить, что среди сотрудников этой фирмы есть человек по фамилии Ричардсон.

— Это тот американец, который увез тогда Оленьку? — вырвалось у Светланы Ивановны. — Надо его найти, и мы все узнаем!

— Конечно, Светочка! Мы этим и занимаемся, — вмешался Михаил Юрьевич. — Продолжай, Витек, — бросил он Сальникову. — Скажи самое главное!

— Наш ближайший план таков, — продолжал тот. — Ждем получения справок о руководстве этой фирмы и персонально о Ричардсоне. Ведь это может оказаться однофамилец, хотя вряд ли, — успокаивающе взглянул на Светлану Ивановну. — После этого готовим все необходимые документы, с которыми Миша должен обратиться в эту фирму, когда прилетит в Штаты.

— Но почему вы думаете, что эти мошенники вам все откроют? — усомнился старый профессор. — Они постараются спрятать концы в воду!

Виктор Степанович бросил на него лукавый взгляд и с усмешкой ответил:

— Мы не так просты, как вам кажется. Миша отправится к ним под видом предприимчивого дельца, предлагающего свои услуги. Сейчас готовим нужные документы. Всю необходимую нам информацию, разумеется, будем собирать исподволь, чтобы нас раньше времени никто не заподозрил.

— Вот, пожалуй, и все, что мы пока можем вам сообщить, — решив закончить разговор на эту тему, объявил Михаил Юрьевич. — Не пора ли уже нам немного подкрепиться, — вопросительно посмотрел он на женщин, — и, главное, выпить за столь желанный успех?

На следующий день, ближе к обеду, к Петру в офис позвонила мать.

— Ты не мог бы заехать? Мне нужно с тобой поговорить. Заодно покормлю, — предложила Светлана Ивановна. — Нам никто не помешает.

— А где Наденька? И разве папа не приедет обедать? — удивился Петр.

— У папы деловая встреча, а твою сестричку с утра увезли на дачу, — объяснила ему мать. — Мы с тобой пообедаем вдвоем.

«Наверное, разговор пойдет о Даше, — сообразил Петр. — Интересно, что мама хочет сказать?» Он быстро прикинул в уме, что у него запланировано на полдень и, убедившись в отсутствии препятствий, коротко ответил:

— Хорошо, мамочка, приеду. Привезти что-нибудь вкусное?

— У меня все есть, — заверила его Светлана Ивановна и добавила:— Постарайся приехать не позже двух, а то вечером могут зайти коллеги из театра.

Покончив с наиболее важными служебными делами, Петр отправился на Патриаршие пруды и, к удовольствию матери, прибыл в назначенное время.

— Мой руки и садись за стол, — бросила она ему, выглянув из кухни. — За обедом и поговорим.

Вера Петровна, славившаяся своей стряпней, научила и свою дочь неплохо готовить. На столе красовались салат с крабами и заливной карп — те блюда, которые у нее получались лучше других и которые, как она знала, сын больше всего любил.

— Ты хоть и обедаешь в лучших ресторанах, но такого там не найдешь, — с довольным видом сказала Светлана Ивановна, когда Петр уселся на привычное с детства место у окна. — Ведь у карпа нужно все косточки вытащить, а им лень. Думаю, не откажешься принять немножко для аппетита, — улыбнулась она, ставя на стол графинчик с домашней настойкой. — Не на своей же приехал?

— За рулем водитель. Но один пить не буду, — тоже с улыбкой ответил Петр.

— Ладно, поддержу, — весело согласилась мать. — Я вообще стала вести себя предосудительно. Вот решила пойти против мнения мужа.

Видя, что сын глядит на нее с недоумением, Светлана Ивановна объяснила:

— Ты, Петя, привык к тому, что я всегда и во всем поддерживаю папу. Делаю это, поскольку, сам знаешь, какой он у нас умный и благородный, никогда не идет на сделку с совестью. Но на этот раз я с ним не согласна!

Петр удивленно молчал, и она, налив ему и себе по рюмочке ароматной настойки, продолжала:

— Папа, как всегда, рассуждает правильно. Согласно своим принципам. Но сердце мне подсказывает, — печально взглянула на сына, — что по отношению к Даше он не прав. Хочу знать, что думаешь ты?

— И я думаю так же, — с подавленным видом признался матери Петр. — Папа осуждает ее, не зная всего, что случилось. Он не ведает, в чем истинная причина, по которой Даша подала на развод.

— Он знает, что ты ей изменил. Не могу понять, как ты мог совершить такое? — невесело произнесла Светлана Ивановна. — Папа считает, что это можно простить, хотя я иного мнения.

«Стоит ли ей знать всю правду? Что это даст? — мысленно колебался Петр, но его честная натура взяла верх. — Открою все как есть, чтобы не обманывалась!» — решил он и, потупившись, сказал:

— Думаю, Даша мне это простила бы, мама. Но вот то, что произошло потом, намного хуже. Из-за этого она решила от меня уйти!

— А что произошло потом? — с округлившимися глазами испуганно спросила Светлана Ивановна. — Неужто ты еще чего-нибудь натворил?

— Нет, мамочка, это был удар судьбы! — подавленно объяснил Петр. — После выкидыша врачи объявили Даше, что она не сможет иметь детей.

Светлана Ивановна была поражена и сразу как-то сникла.

— Так вот оно в чем дело, — печально произнесла она, своим чутким сердцем осознав беду, постигшую невестку, и глубину ее горя. — Утешить ты ее, конечно, не смог?

— Я пытался, но все было бесполезно, — с безнадежным видом ответил Петр. — Даша ведь знает, как папа мечтает о продолжении своего рода, и считает, что он не примирится, если у нас не будет детей.

Возникло напряженное молчание, поскольку Светлана Ивановна теперь уже ясно сознавала всю тяжесть сложившейся ситуации и ее безысходность.

— Хочу, чтобы ты знала, мама, — нарушив затянувшееся молчание, признался Петр. — Несмотря ни на что, я продолжаю любить Дашу и во всем происшедшем виню только себя! Не думаю, что буду счастлив с другой женщиной.

Светлана Ивановна не ответила, и он добавил:

— Ты понимаешь, что Даша права. С папой возникнет проблема, если она не сможет родить. Но ведь не я один могу продлить наш род? Это сделают Оленька и Надя. А Оленьку мы найдем, не сомневайся!

— Может, ты и верно рассуждаешь, Петенька, — выйдя, наконец, из задумчивого состояния, откликнулась Светлана Ивановна, — однако папа вряд ли примирится с отсутствием наследника по мужской линии. Но я теперь твердо знаю одно: осуждать Дашеньку он не имеет права! Она ни в чем не виновата.

— Вот и я так считаю! Ну сама подумай: а что было бы, если у вас с папой родились одни дочки? Он ведь не бросил бы тебя из-за этого?

Мать и сын обменялись понимающим взглядом. Они были единодушны в оценке происшедшего и своем отношении к Даше.

После долгого перерыва Даша получила сразу два письма. Одно было от матери. В нем Анна Федоровна писала:

«Дорогая доченька! Мы с папой были очень рады твоей весточке, и особенно тому, что ты откровенно написала нам о своих переживаниях. С кем же еще ими поделиться, как не с самыми близкими людьми?

Известие о том, что у тебя новое увлечение, а быть может, и новая любовь, с одной стороны, нас, конечно, порадовало, но, с другой — все же озаботило. Радует, что это придаст тебе уверенности в своих силах и способности найти новое счастье. А огорчает, ты уж прости мать за откровенность, твоя поспешность и готовность броситься в объятия первого встретившегося достойного парня.

Не знаю, Дашенька, как далеко зашли ваши отношения, но мой материнский долг — напомнить тебе простую истину, о которой ты вполне можешь забыть в угаре горячих чувств. Я имею в виду достоинство и порядочность, которые должна сохранить женщина, если хочет, чтобы ее уважали. Не забывай, что ты венчана в церкви и пока еще не разведена! Если этот Боб тебя по-настоящему любит, то обождет, пока не станешь свободной.

Очень тревожит нас с папой и другое. Ты ведь сама нелестно отзывалась об американцах. Мы верим, что этот парень не такой, как они все, тем более в нем отчасти наша кровь. Но неужели, доченька, ты и вправду хочешь всю жизнь провести вдали от нас, от своей родины? Почему так низко себя ценишь? Ведь тебе мало равных и у себя дома! Почему считаешь, что, если разлюбила Петю, не найдешь свое счастье здесь, на родной земле?

Кстати, о Пете. Так получилось, что мы с ним встретились и поговорили. Он не собирается препятствовать разводу и твоему новому счастью. Но сказал, что любит тебя по-прежнему и во всем винит только себя. Говорит, что консультировался с лучшими специалистами, и они считают, будто твои дела не безнадежны, и он готов сделать для тебя все, если захочешь. Само собой, как и ожидалось, все обвинения с него уже сняты.

Подумай обо всем хорошенько, доченька! Ты ведь у нас умница. Главное, не сделай ошибки, оставшись жить на чужбине! Мы надеемся, что пребывание там — это временная работа, пока не восстановишь душевное равновесие. Все в нас противится тому, чтобы ты стала американкой.

В нашей жизни никаких перемен. Все мысли только о тебе. Желаем здоровья и всего самого доброго. Мама».

Чувства родителей, откровенно высказанные матерью, и их нежелание, чтобы дочь прочно связала свою жизнь с Америкой, были вполне предсказуемы и не вызвали у Даши удивления. Что ее поразило, то это перемена, происшедшая у Анны Федоровны по отношению к Петру. «Надо же! Неужели мама ему все простила? Наверное, это потому, что для нее он все же свой, а Роберт — чужак. Боится, и справедливо, что не вернусь в Россию. Интересно: что Пете сказали врачи?» — подумала она и впервые поймала себя на том, что рассуждает о муже без озлобления и обиды.

Второе письмо было написано Светланой Ивановной. В нем говорилось:

«Дашенька! Несмотря на то дурное, что произошло у вас с Петей, и твой скоропалительный отъезд в далекую Америку, я все еще считаю тебя женой своего сына. И буду считать до тех пор, пока вас не разведет суд! Казню себя за то, что слишком много внимания уделяла искусству в ущерб семье. Если бы не это, удалось бы избежать многих несчастий, в том числе и вашего разлада.

Пишу тебе, так как только вчера узнала от Пети о приговоре врачей и поняла причину твоего безнадежного отчаяния. И хотя теперь я полностью на твоей стороне, все же считаю, что ты роковым образом ошибаешься насчет моего сына. Он такой же мужественный и благородный, как отец, а Михаил Юрьевич, как бы ни мечтал о наследнике, не оставил бы меня, если бы Господь лишил материнства!

Ты, конечно, сразу скажешь: а как же с этим вяжется его измена? Нисколько не оправдывая сына, поскольку поступила бы так же, как ты, лишь могу, зная его, объяснить. К этому его толкнула уязвленная гордость, когда он счел, что ты им пренебрегаешь. Ну и, разумеется, физический голод. Это — проявление слабости с его стороны, но нужно все же учесть состояние нервного стресса, в котором находился Петя в связи с похищением сестер. Такое, он говорит, никогда с ним не повторится, и я ему верю.

Однако пишу тебе, Дашенька, не для того, чтобы оправдывать сына, хотя, чего скрывать: буду очень рада, если вы помиритесь. Ты знаешь главную мою заботу: мы все еще не нашли Оленьку. Вот и решилась попросить тебя нам помочь. С трудом удалось выяснить, что за нее уплатила посредническая фирма «Охрана здоровья нации», находящаяся в Атланте. А увез дочку сотрудник этой фирмы некий Ричардсон. Если бы ты сумела побыстрее узнать их подробные данные: адреса там и прочее, это бы сильно продвинуло поиски.

Мне почему-то кажется, Дашенька, что не откажешь. Чтобы там ни было, но я не могу относиться к тебе, как к чужой. И не верю, что такая большая любовь, как у вас с Петей, может враз кончиться! Поэтому буду ждать ответа.

С пожеланием здоровья и успехов, твоя свекровь».

Письма, особенно второе, всколыхнули в Даше противоречивые чувства. Не то чтобы она ощутила сожаление о том, что порвала с Петром. Слишком свежи были обида и боль от потери ребенка, о котором она так мечтала. Но все же ей были приятны аргументы матери и свекрови, которые оправдывали мужа, и боль становилась уже не такой острой.

— Ведь мама права: мне надо справиться со своей слабостью и отказаться от близости с Бобби, пока не оформлю развод, — подумав, решила Даша. — Ему это не понравится, но будь, что будет! Пусть уж лучше поможет мне выполнить просьбу Светланы Ивановны. Вот на что я потрачу все свободное время.

Не прошло и двух недель, как Светлане Ивановне пришло от Даши ответное письмо. В нем говорилось:

«Дорогая Светлана Ивановна! Спасибо за теплые слова и участие. Но прошу вас наших отношений с Петей не затрагивать. Слишком сильна еще эта боль, и необходимо время, чтобы она утихла. Ни к чему вам волноваться из-за этого, когда столько горя испытываете в связи с поисками Оленьки!

Можете не сомневаться: со своей стороны я сделаю все, что только в моих силах, чтобы помочь вам поскорее ее найти и вернуть домой. Ваша просьба уже мной выполнена. С помощью местных друзей удалось получить интересующие вас сведения, и ниже я их сообщаю.

Фирма, проворачивающая дела под вывеской Американской ассоциации по «Охране здоровья нации», на самом деле является небольшим маклерским бюро с сомнительным происхождением капитала. Возглавляющий его мистер Маркус Донован, делец с криминальным прошлым, в настоящее время отбывает срок в тюрьме штата за неуплату налогов. Адрес офиса этой фирмы, имена всех членов правления, их должности и телефоны приведены в приложении к письму. Там же домашний адрес и телефон мистера Джеймса Ричардсона, который является менеджером фирмы и проживает в Атланте.

Если смогу еще в чем-нибудь быть полезна, то напишите или сообщите мне по телефону. Адрес гостиницы, где я проживаю, и номер моего телефона указан на почтовом конверте. Так что пишите мне и звоните, если потребуется!

Желаю всем сердцем, чтобы нервотрепка из-за Оленьки поскорее кончилась, и все благополучно завершилось! Даша».

Письмо доставили утром, когда Михаил Юрьевич еще не успел отправиться на работу. Быстро прочитав его, Светлана Ивановна с радостной улыбкой тут же передала мужу.

— Это от Даши. Прости меня, Миша, что я ей написала, но сердце подсказало: она нам поможет!

— Ты все же поступила по-своему. Недостает тебе, Света, чувства гордости, — недовольно поморщился Михаил Юрьевич, разворачивая письмо, но по мере чтения его лицо разгладилось. — Ну она и молодчага! Это то, что нам надо! — невольно вырвалось у него. — Теперь можно, не откладывая туда двигать!

Он перевел дыхание и возбужденно объявил жене:

— Сегодня же закруглю свои дела в агентстве и закажу два билета в Штаты. Паспорта с визами готовы, а на сборы потребуется не более трех дней.

— Но тебе же надо еще подготовить письма в адрес этой фирмы, — усомнилась Светлана Ивановна. — Разве успеешь?

— А Витек уже все, что надо, сделал. Оставалось лишь указать на документах, кому адресованы. Теперь же, — потряс он письмом, — благодаря Дашеньке мы их можем окончательно оформить.

«Похоже, Миша, оттаял и благодарен ей за помощь, — обрадованно отметила в уме Светлана Ивановна. — Это очень хорошо! Ведь ему, кроме Даши, не на кого там опереться».

— Вот видишь, дорогой, она нам не чужая. Сразу откликнулась и сделала, что могла. Будь к ней справедлив! — напомнила она ему. — Ведь Дашенька потеряла ребенка, помогая спасти наших девочек.

Она перевела дыхание и горячо попросила мужа:

— Ты, Мишенька, не пренебрегай ее помощью. Пока не приедет Петя, она во многом сможет тебе пособить. Особенно если попадешь в беду! Нужно поступиться гордостью, когда на карту поставлена судьба Оленьки и наше счастье! Тогда Бог нам поможет.

По их посветлевшим лицам было видно, что полученная возможность приступить, наконец, к энергичным действиям по спасению дочери, вызвала у обоих прилив новых душевных сил. Они понимали, как тяжело придется в далекой и чужой стране Михаилу Юрьевичу, но трудности не пугали, и их сердца были полны решимости преодолеть любые преграды и испытания, которые пошлет непредсказуемая судьба.

Часть V. АМЕРИКАНСКАЯ ФЕМИДА

Глава 26. За океаном

Михаил Юрьевич Юсупов никогда не был в Америке. Видел ее только на экранах кино и телевизора. Поэтому, прилетев в Нью-Йорк, был просто поражен насколько явь грандиознее того, что показывают видеофильмы. Знаменитая статуя Свободы и город небоскребов воочию впечатляли намного сильнее, делали встречу с далеким континентом яркой и незабываемой, а ясная, безоблачная погода способствовала этому.

В аэропорту его и переводчика Игоря никто не встречал. У его молодого сотрудника, который тоже посетил США впервые, знакомых здесь не было, Но ловкий и расторопный Игорь, несмотря на отсутствие опыта, сумел быстро сориентироваться в огромном муравейнике, какой представлял собой международный аэропорт Кеннеди. Он без особых помех заказал номер в одном из отелей Атланты и взял туда авиабилеты на ближайший рейс, поскольку, как ни старался, не смог уговорить своего шефа задержаться хотя бы на сутки для знакомства с Нью-Йорком.

— Мы сюда не на экскурсию прибыли, Игорек! — отрезал Михаил Юрьевич. — Должен бы понимать, что мне не до этого. Вот закончим с делами, тогда дам тебе возможность погулять, — смягчившись, пообещал он молодому коллеге. — А может, и сам присоединюсь.

Прибыв в Атланту, оба так устали от перелетов, что, добравшись на такси до своего отеля, сразу уснули, даже не поужинав. Зато на следующее утро приняли ванну, переоделись, плотно позавтракали в ресторане и, предварительно созвонившись, отправились в офис «Охраны здоровья нации». В отсутствие президента Донована их принял исполнительный директор фирмы мистер Сэмюэл Лоуренс, юркий человечек с крысиной мордочкой и бегающими глазками за толстыми стеклами очков.

— Зовите меня просто Сэм, — любезно предложил он русским визитерам, когда они ему представились, после чего стал бегло просматривать врученные ими бумаги.

Видно, содержание документов Лоуренса заинтересовало, так как, отложив их в сторону, он оценивающе оглядел дельцов из России и мягко произнес:

— Ваши предложения очень кстати. Интерес к русским детям у нас все время растет. В Америке слишком много бездетных семей, мечтающих взять ребенка. Берут даже инвалидов с рождения и неизлечимо больных. Это очень хороший бизнес! А в России из-за бедности, — в его глазках сверкнули презрительные огоньки, — нам отдают здоровых и красивых.

Презрение этого шибзика больно задело в Юсупове чувство национального достоинства, хотя он знал, что сказанное — суровая правда.

— Однако ваш бизнес не только доходный, но и рискованный, раз президент находится в тюрьме, — изобразив озабоченность, спросил он директора с завуалированной насмешкой. — Наверное, красивых и здоровых детей вы получаете из России нелегально?

— Что вы! На основании не менее законном, чем предлагаете вы, — заверил его Лоуренс. — Лишь с той разницей, что вы предлагаете брошенных детей, которым требуется лечение, а другие — совершенно здоровых. А мистер Донован оказался в тюрьме не поэтому.

Он сделал паузу и уже с откровенной иронией добавил:

— Это у вас можно не платить налоги, а в нашей стране за это карают очень строго. Будь ты даже миллионер!

Михаил Юрьевич с трудом сдержал желание поставить на место этого ехидного хорька, так как надо было прежде всего думать о деле, и утвердительно кивнул головой, чтобы наладить с ним рабочий контакт.

— Ты прав, Сэм, у нас больше раздолья тем, кто не платит налоги. Так когда можно ожидать ответа на наше деловое предложение?

— Мне надо обсудить его с Маркусом, и тогда я устрою вашу с ним встречу, — подумав, ответил Лоуренс. — Где-нибудь через два-три дня.

— Неужели прямо в тюрьме? — удивился Михаил Юрьевич.

— У нас это можно. Он ведь и в тюрьме остается хозяином фирмы, — объяснил директор. — Руководит всеми делами оттуда.

— Тогда чтобы не терять даром время, хотелось бы встретиться с Джеймсом Ричардсоном, — стараясь не выдать особой заинтересованности, сказал Михаил Юрьевич. — Как мы знаем, у него есть опыт провоза детей через границу, и нам хотелось бы задать несколько вопросов.

— Понятно, — ничего не заподозрив, ответил Лоуренс. — Однако пока с этим вам придется подождать. Джим сейчас в отъезде и вернется только в следующий понедельник.

— Что поделаешь? Придется пока ознакомиться с достопримечательностями Атланты, — сохраняя хорошую мину при плохой игре, пожал плечами Михаил Юрьевич и поднялся. — Красивый у вас город! Не правда ли, Игорь? — бросил он своему переводчику, который тоже встал, понимая, что визит окончен.

— Я позвоню вам в отель! — выйдя из-за стола, чтобы их проводить, заверил мистер Лоуренс. — Если не застану, оставлю сообщение у портье.

Встреча с главой «Охраны здоровья нации» состоялась раньше обещанного мистером Лоуренсом срока. Уже вечером следующего дня, когда, порядком утомленные пешим походом по Атланте, Михаил Юрьевич с Игорем вернулись к себе в отель, вручая ключи от номера, осанистый седовласый портье сообщил:

— Вам звонил мистер Лоуренс и просил передать, чтобы завтра в половине десятого вы ожидали его в холле. Он заедет за вами на своей машине.

В назначенное время, с американской точностью, в дверях отеля появился маленький Сэм и, увидев ожидающих его русских, приветливо помахал рукой. Михаил Юрьевич и Игорь сразу поднялись и пошли ему навстречу.

— Ну вот, мне удалось договориться с начальником тюрьмы. Ваше свидание с Маркусом состоится у него в кабинете, — обменявшись с ними рукопожатием, с самодовольным видом сообщил Лоуренс. — Он на время оставит вас там одних, и вы без помех все обсудите.

Так и вышло. По-видимому, доброжелательство тюремного начальства было хорошо оплачено, поскольку всех быстро пропустили через проходную и сопроводили в небольшой кабинет, где их любезно принял огромный тучный майор, весивший не меньше центнера.

— Располагайтесь! — сказал он, широким жестом указав им на кресла, стоящие у стены. — Сейчас сюда приведут мистера Донована. Как видите, — усмехнулся он, — у нас в Америке бизнес на первом месте.

Михаил Юрьевич, Игорь и Сэм уселись в кресла, и тут же в сопровождении конвойного в кабинет вошел глава «Охраны здоровья нации». Это был длинный и тощий мужчина средних лет, с красиво уложенными на пробор черными как смоль волосами. Аккуратно подстриженная бородка и большие очки придавали ему интеллигентный вид, но острый взгляд и грубая речь быстро рассеивали это впечатление.

— Я вынужден на полчаса вас покинуть, — с усмешкой объявил майор. — Так что побеседуйте тут друг с другом. Конвоир побудет за дверью.

Тюремщики вышли, из предосторожности заперев дверь, и, как только они остались одни, Маркус Донован сразу ошеломил Михаила Юрьевича вопросом:

— Так какова, господин Юсупов, истинная цель вашего визита?

— Я не совсем вас понимаю, — растерянно произнес тот, пытаясь сообразить, в чем именно подозревает его глава посреднической фирмы и с горечью сознавая, что его планы рухнули.

— Не считайте нас простаками! Так будет лучше, — резко заявил Донован. — Я сразу понял, что вы русский сыщик, когда Сэм сказал о вашем желании видеть Ричардсона. А ваша фамилия сказала все! Думаете, мы не знаем, что вы разыскиваете свою дочь?

— Тогда помогите мне ее найти! Я щедро заплачу! — горячо произнес Михаил Юрьевич, решив, что разыгрывать комедию уже ни к чему. — Ведь вы должны понимать меня, как отца! И это поможет вам уйти от ответственности.

— Это вторая ваша ошибка! — жестко бросил ему Донован. — С нашей стороны сделка была добросовестной. Это российские партнеры нас обманули. Короче, — остро взглянул он в глаза Юсупову. — Вопрос может стоять лишь так: способны ли вы компенсировать ту огромную неустойку, которую потребует с нас клиент?

— О какой сумме идет речь? — воспрянув духом, немедленно отозвался Михаил Юрьевич. — Надеюсь, она будет реальной, чтобы мы заключили взаимовыгодное соглашение.

Маркус Донован ответил не сразу. «Назвать ему сразу запредельную сумму, чтобы отвязался? Но тогда, если все же найдет свою девчонку, неустойку надо будет платить самим, — мысленно колебался он. — Если же получим большую часть от него, отбиться от клиента будет легче. Вопрос: сумеет ли ее найти?»

— Порядка двухсот тысяч. Хотя клиент может потребовать и больше, — жестко бросил он, решив на всякий случай прощупать Юсупова. — Но это уже — наши проблемы. Ну как, вам по силам такая сумма?

На этот раз паузу выдержал Михаил Юрьевич. Собственно, ему хотелось сразу заявить о своем согласии, но он резонно побоялся разжечь этим алчность хитрого американца.

— Мы сможем собрать такую сумму, если даже придется пожертвовать всем, что имеем. И вы это знаете, — твердо заявил он Доновану. — Лучше скажите, как думаете осуществить нашу сделку?

— Нам еще предстоит продумать ее детали, — уклонился от прямого ответа хитрый и коварный делец. — Пока могу лишь предложить приготовить в течение недели сто тысяч наличными — аванс на случай, если мы придем к соглашению.

В это время щелкнул замок открываемой двери, и он поспешно добавил:

— Связь с вами будет держать Сэм.

Яркие солнечные лучи с трудом пробивались сквозь плотно задвинутые шторы в кабинете исполнительного директора «Охраны здоровья нации». За совещательным столом, помимо хозяина Сэма Лоуренса, сидели еще двое: менеджер Джим Ричардсон и здоровенный бритоголовый верзила, мулат Том Уиллис, главный секьюрити фирмы. Между ними шел спор.

— Я же вам уже сказал, босс склоняется к тому, чтобы решить этот вопрос с русскими полюбовно. Сами знаете, какое у него чутье, — горячился маленький директор. — Юсупов производит внушительное впечатление! А что, если найдет свою дочь?

— Надо сделать так, чтобы не нашел, — настаивал на своем рассудительный Ричардсон. — Неужто мы не сможем каким-то образом спровоцировать русских? Их вышлют из страны — и нет проблемы!

— Но прежде сотню тысяч у них надо загрести, — вмешался Уиллис. — Грех будет дать им унести ноги с нашей родной валютой, — ухмыльнулся он. — Чтобы знали, как к нам соваться и создавать проблемы!

— Нет, босс прав! Нельзя ссориться с русскими, — не сдавался Лоуренс. — Этот скандал нанесет значительный ущерб нашему бизнесу, поскольку Россия основной поставщик и из-за скандала может предпочесть конкурентов.

— Это так, но для нас куда опаснее недовольство наших клиентов, — возразил Ричардсон. — Ты, Сэм, хоть напомнил боссу, кто такой Генри Фишер? Думаешь, он позволит отобрать у него приглянувшуюся девчонку?

— Ну и пусть не отдает. Это его проблема! — небрежно пожал плечами Сэм. — Ты же его предупреждал, что с русской девчонкой вышла неувязка не по нашей вине. Разве не так?

До сих пор державшийся сдержанно, Ричардсон не выдержал.

— Да что с тобой, Сэм? Совсем ничего не соображаешь? — вспылил он. — Это же крутой мафиози! Ты думаешь, он простит нам, что сыграли с ним такую скверную шутку?

— Но и трястить так не следует, Джим, — самоуверенно вмешался Уиллис. — Мы же вернем ему неустойку и еще раз объясним, что не виноваты в том, как все вышло.

Он сделал паузу и убежденно добавил:

— Однако беспокоить Фишера зря не стоит. Нужно сделать все, чтобы русские до него не добрались! И у меня на этот счет есть подходящая идея.

Лоуренс и Ричардсон молча на него уставились, и темнокожий верзила Том коротко пояснил:

— Она очень проста. Мы назначим встречу с русскими якобы для заключения сделки, проверим привезенную ими наличность и начнем обсуждение заранее подготовленного текста соглашения. И тут на нас совершат налет нанятые мной «грабители». Одного из них пристрелим и свалим убийство на них. Доказать это будет невозможно, но как основание для выдворения русских из страны вполне подойдет.

Уиллис сделал паузу и добавил:

— Если босс примет мою идею, я разработаю конкретный план.

Он вопросительно взглянул на собеседников, и по тому, как одобрительно переглянулись Ричардсон и Лоуренс понял, что предложенная им авантюра будет доложена боссу и скорее всего принята.

Чтобы получить сто тысяч долларов наличными Михаилу Юрьевичу понадобилось всего несколько дней. Для оплаты текущих расходов он пользовался кредитной карточкой, но такую крупную сумму ему могли выдать только по распоряжению Петра. Возглавляемый его сыном концерн «Золото России» имел в двух местных банках миллионные счета, однако снятие с них больших сумм по доверенности вкладчика было связано с рядом сложных формальностей, на которые требовалось время.

— Будет быстрее, если я переведу из оборотных средств сто тысяч баксов на твое имя и возмещу их, забрав со своего счета, — решил Петр, когда отец ему сообщил по телефону о результатах своей встречи с Донованом. — В этом случае согласно договору получишь деньги в течение трех суток.

И действительно, через пару дней плотные пачки стодолларовых банкнот уже лежали в его кейсе. Однако появилась новая головная боль: хранить при себе такие деньги было опасно. Хотя утешала мысль, что об этом никто не ведает, поскольку их местопребывания в банке не знали и слежки за собой, когда ехали оттуда, они не заметили, Михаил Юрьевич и Игорь все равно пребывали в постоянной тревоге.

— Надо поскорее избавиться от этих денег, — не выдержав, поторопил шефа Игорь. — Вы бы позвонили, Михаил Юрьевич, узнали бы, чего там они тянут?

— Да нежелательно это, Игорек, — возразил Михаил Юрьевич, хотя его самого так и подмывало связаться с Лоуренсом и узнать об их решении. — Нельзя им показывать, что мы нервничаем и зависим от этих деляг.

Трудно сказать, сумел бы он выдержать характер, если бы Сэмюэл Лоуренс не позвонил ему сам.

— Ну, как дела у Майкла? — бодрым тоном спросил он переводчика. — Удалось вам собрать нужную сумму для аванса? Текст соглашения мы подготовили, — деловито добавил он, — я его выслал с нарочным, чтобы заранее ознакомились.

— Передай, что деньги их ждут и находятся в надежном месте, — подмигнул Михаил Юрьевич Игорю. — И скажи, если в тексте нет принципиальных отклонений от того, о чем договорились с Донованом, то мы его подпишем и вручим аванс!

— Никаких изменений нет. Все, как договорились. Сами убедитесь, — заверил Лоуренс. — Предлагаю встретиться завтра в нашем офисе для предварительного согласования текста договора.

— Спроси, Игорек, нельзя ли завтра же подписать его и внести аванс? — велел ему Михаил Юрьевич. — Скажи: нам дорого время!

«Рыбка клюнула! — мысленно порадовался Лоуренс, выслушав переводчика. — Сами простаки лезут в пекло», а вслух с деланным спокойствием сказал:

— Отчего же? Можно и завтра все оформить. Я тогда подпишу у Маркуса оба экземпляра. Вам останется лишь поставить свою подпись. Но в этом случае, — добавил он, стараясь, чтобы не проскользнули фальшивые ноты, — наша встреча состоится в загородном особняке фирмы. Там имеется бронированный сейф. В офисе мы крупные суммы наличных не держим.

— Скажи ему, что мы согласны, — велел Михаил Юрьевич Игорю, когда тот перевел ему предложение Лоуренса. — Придется рискнуть, хотя мне не по душе изменение места встречи, — помрачнев, добавил он. — Запиши поточнее адрес, основные ориентиры и время встречи.

— Сэм говорит, что пришлет за нами машину или заедет сам.

— Категорически откажись! — резко бросил Михаил Юрьевич. — Скажи ему, что приедем сами. Он не глупый, поймет.

Когда Игорь закончил записывать то, что диктовал ему Лоуренс, и положил трубку, Юсупов высказал свои опасения.

— От приглашения за город с сотней тысяч баксов за версту дурно пахнет. Поверь моему опыту! Если мои подозрения небеспочвенны, то они меня явно недооценивают, и это нам на руку.

— Но если все обстоит так, зачем вы согласились? — удивился Игорь. — Разве нам стоит идти на такой риск?

— А что делать? Игра стоит свеч! — убежденно ответил Михаил Юрьевич. — Мы с тобой будем начеку, и в случае авантюры сумеем не только дать отпор, но и обратить ее в свою пользу. Сев в лужу, им ничего не останется, как выложить мне все об Оленьке!

— Разве вы не допускаете, что они ведут честную игру и ничего против нас не замышляют? — с сомнением в голосе спросил Игорь. — Неужели ничуть не боятся скандала?

— За это — менее одного шанса из ста! Буду очень рад, если ошибся, — с мрачной усмешкой ответил ему шеф. — Так что будь готов, Игорек, проявить себя в деле! Ты вроде бы мечтал об этом.

Вновь став спокойным и серьезным, Михаил Юрьевич распорядился:

— А теперь нам с тобой необходимо как следует отдохнуть! Поверь, завтра у нас будет очень тяжелый день.

Назначив встречу с Юсуповым на пять вечера, Сэм Лоуренс с самого утра развил бешеную деятельность. Первым делом он вместе с Уиллисом съездил за город и осмотрел снятый на неделю шикарный особняк. Его территория была обнесена высокой кирпичной стеной, а в будке сторожа уже сидел здоровенный негр из числа охранников фирмы.

— Молодец, Том! — довольный осмотром, похвалил Лоуренс шефа секьюрити. — Это то, что нам надо. А твои «налетчики» сумеют без помех преодолеть такую стену? Ведь она сверху покрыта битым стеклом, — усомнился он. — Уверен, что им удастся быстро смыться с деньгами?

— Без проблем! — заверил его Уиллис. — Перелезать сюда им не потребуется, так как двое этих парней будут нас ждать в домике садовника, — с хитрой ухмылкой указал он на приземистое здание, почти скрытое в густой зелени. — А убегая, перемахнут через стену с помощью заранее приготовленной лестницы.

— Но ты вроде одного хотел пришить? — вопросительно взглянул на него Сэм.

— Это само собой. Во время преследования, — коротко объяснил Уиллис. — Мы ведь для виду устроим за ними погоню. Ты не бери это в голову! — самоуверенно бросил он. — Я все тщательно продумал.

На обратном пути Лоуренс заехал в тюрьму и подписал два экземпляра подготовленного договора у Маркуса Донована.

— Вот что, Сэм, — сказал ему босс, возвращая подписанные документы. — Если авантюра Уиллиса провалится, то подпиши с русскими этот договор. Само небо, таким образом, укажет нам лучший выход из положения. Я — фаталист!

Но и Михаил Юрьевич с Игорем не теряли времени даром. Убедившись, что за ними нет слежки, они утром на взятой напрокат машине отправились по указанному Лоуренсом адресу. Оставив ее за два квартала до места встречи, произвели тщательную разведку местности.

Юсупов в седоволосом парике и темных очках, делавших его неузнаваемым, в форме уборщика улиц собирал опавшие осенние листья, катя перед собой маленькую тележку и исподволь наблюдая за происходящим около особняка. А всегда строго одетый, похожий на клерка Игорь напялил на свою короткую стрижку длинные черные волосы, завязанные сзади пучком, и надел яркий клетчатый пиджак. Тоже став совершенно на себя непохожим, он начал обходить особняк и соседние участки под видом агента по покупке недвижимости.

Поэтому от их глаз не укрылось и утреннее посещение особняка Лоуренсом, и прибытие в полдень потрепанного джипа с двумя явно бандитского вида парнями, которые, пройдя на территорию, там и остались. А когда от соседей Игорь узнал, что этот дом сдан в аренду лишь накануне, Михаилу Юрьевичу стало ясно: для них расставлена ловушка.

Разобравшись в обстановке, Юсупов решил на время снять наблюдение и передохнуть перед схваткой. По дороге сюда они приметили небольшой итальянский ресторанчик. До встречи оставалось еще два часа, и он предложил Игорю:

— Как ты смотришь на то, чтобы немного подзаправиться? Тебе что больше по вкусу: спагетти или пицца?

— Я так голоден, что еще немного, и кого-нибудь живьем проглочу! — шутя признался Игорь. — Напрасно мы ничего не взяли с собой, — серьезно добавил он. — По «биг магу», или хотя бы парочку хот догов.

В ресторанчике они пробыли больше часа и, вернувшись на прежнее место, успели заметить, как к особняку подкатил лимузин Лоуренса, из которого вылез смуглый верзила, что-то сказал в домофон, и ворота открылись. Мулат снова сел в машину, и она въехала во внутренний дворик. Дождавшись назначенного часа, Михаил Юрьевич подъехал к воротам, но, подумав, въезжать внутрь не стал, а припарковал свой «форд» за джипом. Более того, заперев машину, он не выключил двигатель, оставив работать его на холостых оборотах.

— Не помешает, если придется преследовать, — направляясь ко входу, бросил он идущему за ним Игорю.

Михаил Юрьевич назвал себя в домофон, здоровенный негр открыл дверь и впустил их на территорию богатого особняка. Бегло оглядевшись, они увидели типичную картину. Перед красивым трехэтажным зданием простирался зеленый газон, по бокам окаймленный цветниками и пышными декоративными кустами. Путь к машинам, кроме сторожа и запертых ворот, преграждала только высокая кирпичная стена.

«Без лестницы ее не преодолеть. Значит, нужно поспеть к ней вслед за негодяями, — прикинул в уме Юсупов. — Не побегут они через проходную. Иначе все будет шито белыми нитками».

— Похоже, нас задумали убить, — не скрывая своего страха, шепнул ему Игорь.

— Не думаю. Это будет гибельно для их фирмы, — успокаивающе возразил ему шеф. — Хотят инсценировать ограбление. Но надо быть начеку!

С суровым выражением лица Юсупов решительно открыл входную дверь и, обернувшись к побледневшему от волнения молодому сотруднику, бросил:

— Держись, Игорек! Действуй, как договорились, и все будет в ажуре!

Стоило Михаилу Юрьевичу и Игорю войти в холл, как дверь гостиной распахнулась, и на ее пороге возник Сэм Лоуренс.

— Прошу вас! — сделал он широкий жест, приглашая следовать за ним. — У нас все готово для заключения договора. Надеясь, что мы поладим, я привез с собой Джима, — указал на плотного краснолицего здоровяка, — с которым вы так хотели встретиться. Кроме нашего босса, только Ричардсон обладает интересующей вас информацией.

Сделав паузу, Лоуренс указал на красавца мулата, которого они уже видели с ним утром и днем, когда прикатили на встречу.

— А это — шеф нашей службы секьюрити Том Уиллис. Он здесь обеспечивает безопасность. Прошу садиться, — предложил он и первым сел за стол, на котором лежали оба экземпляра договора.

— Но прежде хотелось бы убедиться в наличии у наших гостей требуемой суммы, — жестко заявил Уиллис, — а также, пусть уж они меня извинят, в подлинности купюр.

— Без проблем! — усаживаясь за стол, пренебрежительно бросил Юсупов. — Игорь, покажи им деньги и дай на выбор одну пачку охраннику для проверки.

Взяв в руки один экземпляр договора, он стал его сверять с тем, с которым был ознакомлен ранее, а Игорь, не отстегивая от левой руки кейс, открыл его, набрав шифр и, подойдя к Уиллису, дал ему выбрать пачку банкнот. Мулат тут же стал их проверять, и в этот момент в гостиную ворвались двое вооруженных громил, в которых, несмотря на маски, Юсупов сразу узнал парней, приехавших около полудня на джипе.

— Это ограбление! Всем — на пол! Кто шевельнется, мозги вышибем! — дико вопили они, стреляя в воздух из пистолетов, которые держали в обеих руках.

Все присутствующие послушно выполнили их команду, причем Игорь успел захлопнуть свой кейс, а Михаил Юрьевич мысленно отметил, что американцы сделали это слишком уж охотно. Один из бандитов, худощавый и сутулый, сразу же подскочил к кейсу с деньгами, а второй — толстый с бычьей шеей, остался охранять лежащих, встав почему-то около Юсупова и взяв под прицел его одного.

Сутулый дернул к себе кейс, но убедившись, что он пристегнут, визгливо заорал на Игоря:

— А ну отцепляй, не то отстрелю вместе с рукой! Считаю до пяти!

— Извините, но я не успею! — взмолился Игорь, разыгрывая задуманную сцену. — Надо взять ключ у моего партнера. Давайте я его открою, набрав шифр, — предложил он, приподнимаясь.

— Лежать! Пристрелю! — завизжал сутулый. — Что делать, Питон? — обратился он к толстому, очевидно, главарю банды. —

— Да врет он, что ключа нет! — полуобернулся к нему толстый и рявкнул на Игоря так, что задрожали стекла: — Отцепляй кейс, падаль, иначе ты труп!

Как и было задумано, Игорь достал ключ и стал трясущимися руками отцеплять кейс, делая вид, что ничего не получается. Сутулый нетерпеливо выхватил у него ключ и с торжествующим воплем завладел кейсом. Толстый в азарте наблюдал за его действиями, и этих мгновений вполне хватило Юсупову, чтобы изготовиться к броску. Мастерски сделав подсечку, он завалил огромную тушу и, вдобавок оглушив, завладел его оружием.

Реакции сутулого бандита можно было позавидовать. Он сразу же пустился в бега с кейсом, паля на ходу из пистолета, куда попало. Юсупов в два прыжка подскочил к Игорю, сунул ему в руку ствол и крикнул:

— Скорее! Постарайся его догнать!

Не медля ни секунды, его помощник выскочил в дверь вслед за сутулым. Михаил Юрьевич хотел обернуться, чтобы взглянуть на второго бандита, но не успел. Получив сильный удар по голове, он как сноп свалился на пол.

В тот момент, когда Игорь стремглав выбежал из дома, сутулый бандит уже успел приставить к стене металлическую лестницу. Проворный, как ящерица, держа кейс в зубах, он вскарабкался вверх и, очутившись на гребне, сбросил ее на голову своего преследователя. Когда тот сумел-таки перебраться через стену, налетчик уже сидел в джипе и заводил мотор. Вот когда сыграла роль предусмотрительность Михаила Юрьевича! Быстро вскочив в машину и рванув с места, Игорю удалось сесть на хвост набирающего скорость «вседорожника».

К его счастью, вскоре выяснилось, что сутулый бандит был никудышным водителем. Движение на шоссе было еще плотным, и, неумело обгоняя попутный транспорт, он постоянно создавал аварийные ситуации. Несколько раз просто чудом избежал столкновений, перестраиваясь из ряда в ряд перед самым носом большегрузных машин. Кончилось все неожиданно быстро. Когда в очередной раз его джип на большой скорости пошел на обгон, впереди идущий трейлер, видно, из-за препятствия тоже резко повернул влево. Этот неумеха не смог вовремя затормозить и врезался в него, попав между тягачом и прицепом.

Автокатастрофа была очень тяжелой. Джип исковеркало, как консервную банку. Сутулый бандит погиб расплющенный между потолком и полом кабины. Этот ужас с содроганием наблюдал Игорь в числе подбежавших водителей, но мысль о похищенных деньгах вывела его из шока. Удача сопутствовала ему. Зад джипа пострадал не так сильно и сквозь выбитые стекла он увидел брошенный на сиденье кейс. В горячке никто на это не обратил внимания, и Игорю удалось незаметно его извлечь до приезда полиции. Не испытывая больше судьбы, он с трудом выбрался из возникшей пробки и отправился в обратный путь.

А в особняке в это время происходило следующее. Оглушив ударом кастета Юсупова, мулат Уиллис вместе со своими коллегами хлопотал около толстого «налетчика», приводя его в чувство. Наконец тот очухался, и Лоуренс озабоченно распорядился:

— Надо, чтобы он срочно убрался отсюда, пока не пришел в себя русский! Но ты мне нужен здесь, Том, — бросил он Уиллису. — Пусть им займется Джим!

Мулат и Ричардсон с трудом подняли с пола и поставили на ноги стокилограммового громилу и под руки повели к выходу. А Сэм остался один, с опаской наблюдая за лежавшим без сознания Юсуповым. Когда же русский со стоном пошевелился, он испуганно подумал: «Ну все! Сейчас он меня прикончит! Куда же подевался Том?»

Михаил Юрьевич действительно уже очнулся и, вспомнив, что произошло, пощупал свою голову. «Здорово треснули, наверное, кастетом, — предположил он, обнаружив порезы кожи и испачкав руку в крови. — Не похоже, чтобы сделал это бандит». Открыв глаза и увидев съежившегося от страха Лоуренса, приподнялся на локте и на ломаном английском спросил:

— Ты почему сидишь один? А где остальные?

— Бандитов ловят, — находчиво отвечал Сэм.

Юсупов бывал и в более тяжелых переделках; силы быстро к нему возвращались. Он поднялся на ноги, подобрал лежащий рядом пистолет, сунул его себе за пояс и сел напротив Лоуренса.

— Так ты говоришь, все ловят бандитов? — с мрачной усмешкой посмотрел на крысиную физиономию дельца, не веря ему ни на грош. — А куда подевался тот, которого я уложил отдыхать? Неужто он сразу ожил и меня огрел по затылку?

— Конечно, он! Кто же еще? — отлично его поняв, торопливо подтвердил Сэм. — Он вскочил, ударил тебя и убежал.

Михаил Юрьевич даже не предполагал, что вполне может объясняться по-английски. Прибегая к помощи переводчиков, он не утруждал себя вникать в то, что говорилось на чужом языке.

— Почему же вы дали ему убежать? — спросил он с откровенной насмешкой. — Вас же было трое, а бандит — безоружный.

— Мы это только потом поняли, — оправдывался Лоуренс. — Лежали ничком и ничего не видели. Не сразу поняли, что произошло.

— И этот тоже такой непонятливый? — презрительно бросил Михаил Юрьевич, указав на появившегося в дверях мулата. — Насколько я понял — он шеф вашей службы безопасности?

— Значит, оклемался, — с недоброй улыбкой отозвался, подходя к ним, Уиллис. — А мне показалось, что проломлен череп. Ну и крепкая у тебя башка!

На этот раз Михаил Юрьевич разобрал не все, но ясно понял, что перед ним — враг. Он сразу внутренне напрягся, но виду не подал.

— И чем же он меня ударил, отчего мой котелок бы треснул? — с глуповатой улыбкой спросил он. — Ты это видел?

— Конечно! Рукояткой пистолета с размаху, — не задумываясь, соврал Уиллис. — Поэтому я побоялся возникать. Поднялся, только когда он побежал.

«Теперь уж ошибки быть не может, — подумал Юсупов, чувствуя, как в груди закипает ярость. — Это он меня оглушил. И кастет, уверен, при нем!»

Он поднялся и, смерив Уиллиса презрительным взглядом, бросил:

— Неумело врешь, приятель! Твоего громилу я уложил минут на двадцать, не меньше. А ну покажи, что у тебя там топорщится? — резко потребовал он, протянув руку к правому карману его куртки.

— Еще чего захотел, русская свинья. На, получай! — злобно выдохнул Уиллис, профессионально нанося мощный удар Юсупову в челюсть. Однако Михаил Юрьевич ожидал этого и вовремя уклонился, так что, промахнувшись, мулат по инерции завалился на стол, опрокинув его на сидевшего напротив Лоуренса.

Уиллис тут же вскочил на ноги, и между ним и Юсуповым завязался поединок, достойный самого крутого боевика. Могучие и рослые, прекрасно владеющие всеми приемами боевых единоборств, они оба демонстрировали образцы ловкости и мужества. Нанося друг другу беспощадные удары руками и ногами, проводя мощные броски, бойцы, несмотря на полученные травмы, сражались с переменным успехом. Не однажды каждый из них побывал в критическом положении, но всякий раз ухитрялся с честью выйти из него и продолжить схватку.

И все же искусство Юсупова оказалось выше! В тот момент, когда казалось, что могучий мулат, проводя удушающий прием, вот-вот добьется победы, он сумел мобилизовать последние силы и коварным ударом колена в уязвимое место заставил того ослабить хватку. Затем ему удалось опрокинуть Уиллиса, заломив правую руку. В конце концов противник не выдержал дикой боли, и сдался. Михаил Юрьевич стал хозяином положения.

Крепко связав шефа секьюрити ремнями, снятыми с него и трясущегося от страха Лоуренса, Михаил Юрьевич принялся за маленького директора фирмы «Охрана здоровья нации». Он достал из кармана Уиллиса кастет, на котором сохранились не только следы запекшейся крови, но даже приставшие волосы и, сунув его Сэму под нос, спросил:

— Ну так кто же стукнул меня по голове? Может, теперь вспомнишь?

— Простите, ради Бога! — пролепетал, вжав голову в плечи, Лоуренс. От ужаса перед грядущей расплатой он обмочился, о чем свидетельствовало пятно на брюках и лужица, образовавшаяся у его ног. — Это все придумал Том, — трусливо свалил вину на своего коллегу.

Поскольку мулат задергался в ремнях и разразился проклятиями, Лоуренс визгливо завопил:

— Да заткните же ему глотку! Сам втянул нас в эту авантюру, и еще горло дерет. Совсем обнаглели цветные, уже стали командовать нами, — пожаловался он, заискивающе глядя на Юсупова. — Наш босс был против этого! Маркус — человек предусмотрительный. Зря мы его не послушали, — плаксиво добавил он. — Теперь нам всем достанется на орехи!

В этот момент в гостиную пулей влетел Игорь. Увидев лежащего и связанного Уиллиса и своего шефа, грозно подступившего к маленькому директору, он облегченно вздохнул и, заметив мрачный взгляд, брошенный им на его пустые руки, поспешил успокоить.

— С денежками полный порядок, за исключением этих пяти тысяч, — сообщил по-русски, забирая со стола пачку сотенных, выданную для проверки. — А этот гангстер, за которым я гнался, приказал долго жить. Врезался в трейлер.

— Это здорово! Так ему и надо, — удовлетворенно кивнул головой Юсупов и распорядился: — Заткни пасть мулату, а то уж больно орет, и проследи, чтобы не фокусничал, пока допрошу этого, — кивнул на Лоуренса, — вонючего хорька.

Игорь, сделав кляп из шейного платка Уиллиса, заткнул ему рот, и сразу воцарилась тишина. А Михаил Юрьевич, сев напротив маленького директора, жестко произнес:

— Итак, ты не отрицаешь, что эту инсценировку вы устроили с целью нас ограбить. Думаю, выйдет большой скандал, когда это попадет в прессу!

Хотя Игорь все дословно перевел, Лоуренс ничего не ответил, и Юсупов так же резко продолжал:

— У вас есть только один выход, чтобы замять этот скандал: сообщить, где находится моя дочь! Только при этом условии я согласен простить, скажем так, невежливое обращение со мной мистера Уиллиса.

— Но у вас же нет никаких доказательств! — попытался вывернуться хитрый Лоуренс. — Мы ведь будем все отрицать, раз преступники не пойманы. Их связь с нами вам доказать не удастся!

— А это что: не доказательство? — вспылил Михаил Юрьевич, кивнув на окровавленный кастет. — А рана на моей голове? А требование наличных в договоре и аренда этого бандитского гнезда?

Игорь перевел Лоуренсу слова шефа, и от себя добавил: — Не советую вам, Сэм, своими увертками сильно раздражать моего шефа! Он глава детективного агентства и юрист по образованию. Для вас это плохо кончится!

Сказанное им произвело впечатление на трусливого маленького директора, и он с деланно чистосердечным видом признался:

— Но я не могу выполнить ваше требование, мистер Юсупов. Ни я, ни Том, — кивнул он на Уиллиса, — не обладаем информацией об усыновителях.

— Так я тебе и поверил! Прекрати врать! — вскипел Михаил Юрьевич. — Не то вобью ложь в твою вонючую глотку! Кто же тогда ею обладает?

— Ей-Богу, не вру! — взмолился перепуганный Сэм. — Эти клиенты проходят в делах под шифрами. И знает их только Маркус и тот агент, который курирует сделку. В данном случае — Джим Ричардсон.

Он перевел дыхание и добавил, мешая правду с ложью:

— Вот почему я взял Джима с собой. Наш босс посоветовал мне по-хорошему заключить с вами сделку, а этот вот, — удрученно махнул ручкой в сторону шефа секьюрити, — сбил меня с пути истинного.

«Врет, негодяй! — не поверив, подумал Михаил Юрьевич, слушая перевод его сбивчивой речи. — Нарочно отослал Ричардсона, чтобы потом легче было меня обмануть, — мысленно заключил, приходя в ярость. — Ну я тебе покажу!»

— Значит, все же решил передо мной ваньку валять? — гаркнул он, забыв, что Лоуренс не понимает по-русски. — Думаешь, я такой олух, что поверю, будто исполнительный директор не в курсе всех дел? Может, это прочистит тебе мозги, — прорычал, отвешивая ему полновесную пощечину.

Поскольку Сэм, вскрикнув от боли, продолжал молчать, лишь закрыв глаза в ожидании нового удара, Юсупов в ярости решил, что ему надо добавить, и удары посыпались градом. Директор так пронзительно вопил, что Игорь не выдержал и вмешался:

— Михаил Юрьевич, может, хватит? Как бы не сдох, уж больно мозглявый.

Это охладило его шефа, и он вытер платком взмокший лоб. Воспользовался перерывом и Лоуренс.

— Можете меня хоть убить, но все равно без толку, — пискнул он, выплевывая выбитый зуб. — Мне и правда неизвестны коды клиентов. А сукин сын Джим смылся отсюда, как только понял, что наша авантюра провалилась.

Михаил Юрьевич был так разъярен его упорством, что неизвестно, чем бы это кончилось, если бы звуки сирены не возвестили о прибытии полиции. Ее вызвал негр-привратник, когда услышал крики и вопли, раздающиеся из дома. Он был предупрежден Уиллисом насчет лжеграбителей, но, заглянув в окно и увидев своего шефа связанным, сразу бросился к телефону.

Через несколько секунд в гостиную ворвались четверо дюжих полицейских. Они сразу поставили Лоуренса, Юсупова и Игоря к стене с поднятыми руками, развязали и подняли с пола Уиллиса. Обнаружив у русских пистолеты, отобрали оружие и надели на них наручники. И хотя переговаривались копы, естественно, по-английски Михаил Юрьевич отлично все понял.

— Они принимают нас за «русскую мафию», — повернув голову, изумленно шепнул он стоящему рядом Игорю.

— Похоже, неважные у нас дела, шеф, — удрученно отозвался его молодой помощник, не без оснований предвидя большие неприятности.

Глава 27. Русская мафия

У разбиравшего происшествие сержанта полиции был более самоуверенный и важный вид, чем у иного генерала. Не скрывая своей враждебности, он подозрительно оглядел внушительную фигуру Юсупова и в который уже раз спросил:

— Так вы продолжаете утверждать, что прибыли к нам, чтобы найти свою дочь? Но почему тогда носите оружие, не имея лицензии?

— Это оружие, как уже вам объяснил через переводчика, я отобрал у одного из гангстеров, который стрелял сразу из двух пистолетов, — терпеливо повторил Михаил Юрьевич. — А второй его ствол передал своему помощнику, который погнался за бандитом.

— Бросьте рассказывать сказки! — грубо оборвал его сержант. — Никаких ведь гангстеров не было! И все ваши деньги мы обнаружили в машине.

Он откинулся на спинку кресла и, сверля Юсупова пристальным взглядом маленьких, холодных, как льдышки, глаз, изрек:

— Картина ясная. Угрожая оружием, вы силой вымогали нужные сведения, за которые должны были заплатить согласно подготовленному договору. Для этого заманили своих американских партнеров в загородный особняк.

Сержант подождал, когда Игорь это переведет, и, презрительно скривив губы, добавил:

— Это характерный прием русской мафии. Но вы забыли, что находитесь не у себя дома. У нас такие номера не пройдут!

— Вы слишком поспешно делаете выводы, сержант, — стараясь сохранять спокойствие, возразил ему Юсупов. — И я взываю к вашему здравому смыслу.

Подождав, когда Игорь это переведет, он продолжал:

— Так изображают дело сотрудники фирмы, которые нас подставили. Но я призываю вас руководствоваться фактами. Я сам детектив и прошу обязательно зафиксировать следующее. Кто арендовал этот особняк? Кем и когда приобретены пистолеты? Не фигурируют ли они в других преступлениях?

Он снова подождал перевода и подчеркнул:

— Я ведь специально не удалил отпечатки с пистолетов, хотя вполне успел бы это сделать до вашего прибытия. Так вам намного легче будет узнать, кому они принадлежат, и установить преступников.

Сержант был неглуп, и сказанное Михаилом Юрьевичем на него произвело впечатление.

— Теперь понимаю, почему вы не избавились от пистолетов, когда прибыла полиция, — уже более миролюбиво произнес он. — Так как, говорите, выглядели эти налетчики?

— Оба были в масках. Один, за которым я погнался, — вместо Юсупова описал Игорь, — был среднего роста и заметно сутулился. И голос у него был тонкий. А тот, которого уложил мой шеф, был тучным верзилой и говорил хрипло, будто простуженный. Первый назвал его «питон».

Он сделал паузу, как бы сомневаясь, нужно ли говорить, но все же добавил:

— Искать вам придется только одного, толстого. Сутулый погиб в автоаварии. Я своими глазами это видел.

— Вы заметили, кто напал сзади на вашего шефа? Может, удар ему нанес этот бандит, а не Уиллис, как он утверждает? — строго спросил сержант.

— Мой шеф — опытный детектив и знает, что говорит. Но врать вам не буду, — честно ответил Игорь. — Я этого не видел, так как сразу пустился в погоню за убегавшим налетчиком. Иначе разве бросил бы его в беде?

— Ну, положим, сотрудники фирмы утверждают, — недоверчиво глядя, возразил сержант, — что, когда произошла схватка вашего шефа с Уиллисом, вы убежали с деньгами, и пытавшийся догнать Ричардсон вас упустил.

— Тогда почему я вернулся и куда подевался потом Ричардсон? — находчиво задал ему вопросы Игорь. — И откуда я знаю о том, что погиб сутулый налетчик?

— Прошу вас обратить внимание, — счел нужным добавить Михаил Юрьевич, — что, если бы все было так, как говорят сотрудники фирмы, вызывать полицию не стали бы. После удара кастетом я потерял сознание, и Уиллис один мог меня связать, а их было трое. Как же получилось, что я всех одолел?

— Действительно, как? — с интересом взглянул на него сержант.

— Только так, как и было на самом деле, — серьезно ответил Юсупов. — Пока я валялся без сознания, Уиллис и Ричардсон, поняв, что их авантюра провалилась, увезли второго бандита. И мы схватились с мулатом, когда он вернулся.

Возникла пауза, во время которой сержант раздумывал, сопоставляя факты.

— Да, в этой истории много неясного, — вынужден был признать он. — Особенно это касается налетчиков, если они были на самом деле. Во всяком случае, пока более предпочтительна версия сотрудников фирмы. Вас застали во время переговоров с ними, вооруженными пистолетами. Оба сотрудника были избиты, а шеф службы безопасности связан.

Офицер полиции поднялся и объявил свое решение:

— Итак, я вас задерживаю за вооруженное вымогательство, а там следствие разберется, кто прав и кто виноват. Думаю, что вам понадобятся очень хорошие адвокаты!

Американские газеты Даша не читала, так как политика ее интересовала мало. Телевизор не смотрела, поскольку предпочитала приобщаться к культуре, посещая вместе с Робертом концерты и модные театральные постановки. Поэтому новость о том, что в Атланте полицией задержаны очередные представители «русской мафии», поначалу прошла мимо ее ушей. Она узнала об этом только в субботу во время обеда, когда проводила очередной уик-энд с Бобби на его вилле.

— Черт-те что у нас творится! — изрек глава семейства Тим Боровски, отложив в сторону спортивную газету, в которой обычно просматривал свежие новости. — Даже здесь об этом пишут. До чего обнаглела русская мафия! — покосился он на

Дашу. — Раньше занималась вымогательством только у своих, а теперь взялась и за нас, американцев!

Его сообщение ни у кого не вызвало интереса, кроме Марии Игнатьевны.

— А что опять натворили, Тимоша, наши бывшие соотечественники? — спросила она сына. — Неужели им мало рэкетировать жуликов, удравших к нам из России?

— Представляешь, мама? Угрожали пистолетами и избили сотрудников уважаемой фирмы «Охрана здоровья нации», — возмутился Тим. — В том числе, даже начальника их службы безопасности. До чего распоясались!

— Ну и чего им надо было от этой фирмы? — лениво поинтересовался Роберт, обсасывая баранье ребрышко.

— В газете написано, что главный мафиози добивался получения секретных сведений. Утверждал, что разыскивает своего пропавшего ребенка. А скорее всего, — предположил Тим, — это криминал, связанный с киднеппингом, который уже приобрел международные масштабы.

Последнее заинтересовало Дашу.

— Там ничего не сказано, кто эти русские? — живо спросила она.

— Их было двое, — ответил Тим и, снова заглянув в газету, уточнил: — Какие то Майкл Джюсупов и Айгор Уолгин, — по-английски прочитал он.

Словно молния, сверкнула в голове у Даши догадка. «Неужели это Михаил Юрьевич прилетел разыскивать Оленьку и попал в беду?» — подумала она, почти уверенная, что так оно и есть.

— Таких фамилий у нас я не встречала. Наверное, Юсупов и Волгин? — сказала Даша и попросила Тима: — Разрешите мне взглянуть!

Однако в том, что не ошиблась, она убедилась, еще не читая заметку. В этой газете были фотографии «русских мафиози», и один из них был несомненно ее свекор! Очевидно, это открытие можно было прочитать на ее растерянном лице, потому что все сразу на нее уставились, а Роберт удивленно спросил:

— Похоже, Ди, ты кого-то из них знаешь?

— Ты явно их узнала, Ди! — настороженно заявил Тим. — И тебе придется нам объяснить, что могло тебя связывать с гангстерами.

«Делать нечего, придется рассказать кое-что о своих личных делах, как это ни неприятно», — тоскливо подумала Даша, и вздохнув объяснила:

— Произошло недоразумение, которое наверняка скоро разъяснится. Никакие это не мафиози! А Михаил Юсупов — не кто иной, как отец моего мужа. Еще бы мне его не знать!

Она сделала паузу и решив, что сказала достаточно, лишь добавила:

— Михаил Юрьевич очень достойный человек, по рождению русский князь и не способен на преступление. Он возглавляет детективное агентство и действительно разыскивает свою дочь, которую у него похитили и увезли в США.

Ее слова произвели эффект разорвавшейся бомбы. За столом воцарилось молчание. Все размышляли над этим скандальным происшествием, которое, как оказалось, затронуло и их.

— Ты что же, Ди, сообщишь об этом мужу? — насупившись, спросил Роберт. — Надо ли это делать? Ведь его отец сам даст знать о своем аресте.

— С мужем я разговаривать не стану. Это ни к чему, — успокоила его Даша. — А вот его матери обязательно позвоню. Это мой человеческий долг! Как знать, имеется ли у ее мужа возможность сообщить о своем аресте? И вряд ли в России объявят об этом в прессе.

Она помолчала и сочла нужным добавить:

— Я просто обязана помочь Юсупову оправдаться и найти похищенную дочь. Надеюсь, что Роберт, — бросила на него теплый взгляд, — мне в этом окажет содействие.

Последнее время, с тех пор как Даша прекратила с ним интимные отношения, Бобби на нее немного дулся. Хотя она объяснила, что иначе не может жить в ладу со своей совестью, так как дала клятву перед алтарем в церкви, от которой освободит только развод, он с ней не согласился.

— У тебя устаревшие взгляды, Ди! — возразил он. — Глупо себя мучить и лишать счастья. По-моему, это какое-то самоистязание.

— Ничего страшного. Развод не за горами, — стойко держалась Даша. — Не знаю, как ты, но я хочу себя уважать и быть чистой перед Богом! Ведь я даже не твоя невеста.

— Ну это мы поправим! — оживился Бобби. — Устроим нашу помолвку, не дожидаясь решения суда. Ты не возражаешь?

— А что? Это можно, — дала согласие Даша. — Помолвка — это еще не свадьба.

Так что вопрос об их помолвке был решен, и в его семье к ней относились уже как к будущей невесте. Щепетильных вопросов ей больше не задавали, и после обеда она, не теряя времени, принялась звонить в Москву.

В связи с большой разницей во времени в Москве была уже глубокая ночь, когда в квартире на Патриарших прудах раздался настойчивый звонок телефона.

— Кто это? — несмотря на хорошую слышимость, не сразу поняла спросонья Светлана Ивановна. — Ты, что ли, Даша? Почему так поздно?

— Это из-за часового пояса. У нас-то еще день. Звоню потому, что случилась большая неприятность, — без предисловий сообщила ей невестка. — Вы уже знаете, что Михаил Юрьевич попал в тюрьму?

— Да что ты говоришь? — испуганно воскликнула Светлана Ивановна. — Он об этом не сообщал. За что?

— А у нас об этом трезвонят газеты. Пугают «русской мафией»! — иронически произнесла Даша. — Что случилось, точно не знаю, но ясно одно: у него вышла стычка с работниками фирмы, от которых он требовал информацию об Оленьке, и они устроили какую-то провокацию!

— Спасибо, дорогая! Вижу, что у тебя золотое сердечко, — растрогалась свекровь. — Немедленно сообщу об этом Пете, — торопливо добавила она. — С него сняли все обвинения, и он уже собирался прибыть на помощь отцу. А теперь вылетит немедленно.

— От всей души желаю успеха! Я имею в виду поиски Оленьки, так как у Михаила Юрьевича все будет в порядке. В этом можно не сомневаться! — бодро сказала Даша, закругляя разговор, поскольку опасалась, что свекровь коснется ее отношений с Петром. — Вы мне звоните, если будет нужна моя помощь. Номер телефона прежний, — добавила она и с облегчением положила трубку.

А Светлана Ивановна, несмотря на поздний час, тут же позвонила сыну.

— Ты чего спать не даешь? — недовольно проворчал Петр, когда ей с большим трудом удалось заставить его взять трубку. — На тебя грабители напали?

— Папа попал там в тюрьму. Его выручать надо! — всхлипывая, объяснила ему мать. — Попался на какую-то провокацию. Ты уже получил визу, Петенька?

— Она у меня долговременная. Так что, если управлюсь с делами, завтра же вылечу, — постарался успокоить ее сын. — А в чем его обвиняют, он не сказал? Я бы проконсультировался у хороших юристов.

— Это не он, а Дашенька мне позвонила. Только сейчас. Она узнала из газет, — с горечью объяснила Светлана Ивановна. — А папе, наверное, полицейские не разрешили.

— Ну ладно! Ты только не волнуйся, мамочка, — заверил ее Петр. — Я не дам им держать отца за решеткой. В крайнем случае добьюсь, чтобы выпустили под залог. Там с этим проще, чем у нас. Найму лучших адвокатов!

— С Богом, сынок! Я на тебя надеюсь, — успокоенно произнесла Светлана Ивановна. — Прошу тебя, ты только не мешкай!

— Постараюсь улететь завтра вечерним рейсом! Позвоню тебе с аэродрома, — твердо пообещал ей Петр. — А теперь все! Мне надо выспаться. Ты ведь знаешь, — напомнил он матери, — какой длинный предстоит перелет.

Положив трубку, он сразу же уснул, так как не придал слишком большого значения переделке, в которую попал Михаил Юрьевич. Он был уверен, что, прилетев в США, где все решают деньги, сумеет вызволить отца из тюрьмы, и вообще после своего освобождения был настроен оптимистично.

Но к Светлане Ивановне сон уже не пришел, и она остаток ночи проворочалась в постели, думая о муже и представляя, как плохо приходится ему, гордому и самолюбивому, в тамошней тюрьме среди грубых копов. Утешало ее лишь сознание того, что сын их не подведет и отца непременно выручит!

У главы «Охраны здоровья нации» Маркуса Донована были обширные связи повсюду: и в полиции, и во властных структурах, и в прессе. Однако все его старания интерпретировать конфликт с русскими в свою пользу окончились неудачей. Его репутация и так была сильно подорвана заключением в тюрьму за неуплату налогов, но вдобавок проведенное расследование полностью опрокинуло версию происшествия, изложенную сотрудниками фирмы.

Первую брешь в их логичной и правдоподобной, на первый взгляд, версии о вооруженном шантаже «русской мафии», которой они поспешили осчастливить журналистов, а те сообщили остальным гражданам, пробил документ об аренде особняка. Было установлен факт, что снял его шеф службы безопасности фирмы Уиллис, а следовательно, заманили туда русских, а не наоборот.

Но главный удар по фальшивой версии нанесли пистолеты, которыми якобы были вооружены русские шантажисты. Очень быстро удалось установить, что принадлежали они охраннику одной из фирм по продаже автомобилей. За большой рост и тучность его прозвали «питоном». Напарником этого верзилы, как и утверждали русские, был сутулый парень, погибший в автокатастрофе.

Как ни старался начальник полицейского участка Питер Джексон, давний приятель Донована еще по колледжу, слепить рассыпающееся обвинение, из этого ничего не вышло.

— Ты же опытный малый, Пит. Я же не требую, чтобы ты отправил русских на электрический стул, — настойчиво уговаривал его, ежедневно названивая из тюрьмы, Маркус Донован. — Бог с ними, с пистолетами и версией моих олухов! Неужели побоища, которое устроили эти русские, недостаточно, чтобы выслать их из страны? Нам же больше ничего не надо!

— Этого слишком мало, Марк! Да и побили они твоих за дело. На суде это сразу выяснится, и твоим солоно придется, —

угрюмо возразил другу Джексон. — Единственное, что я могу сделать, это их крупно оштрафовать за нанесенные побои.

Сделав паузу, он уже мягче добавил:

— И еще постараюсь по старой дружбе спасти тебя от дискредитации за «утку», которую вы скормили газетчикам. Я выпущу русских под солидный залог, не снимая полностью обвинения. Будто бы надо что-то еще доследовать. Хотя все уже и так ясно.

Джексон вздохнул и упрекнул друга:

— Ну скажи на милость, на кой дьявол вы затеяли это ограбление? Жадность обуяла? Этот «питон» ведь во всем нам сознался! Спровоцировали бы русских на дебош, и все было бы о'кэй!

— Черномазый Уиллис нас попутал. Уж больно соблазнительно было хапнуть за здорово живешь целую сотню тысяч! И тебе бы от них досталось, сам знаешь, — не скрывая сожаления об упущенном, признался Донован.

— Ну ладно. Что толку теперь об этом говорить, Марк, — прервал его Джексон. — Болвана Уиллиса выгони! Мы его во всем обвиним, когда закончим следствие. К этому времени чтоб духу его не было в Атланте! Тогда судить будет некого, и это дело мы замнем.

Поняв, что проиграл, Маркус Донован вынужден был отступить, и к тому времени, когда в полицейском участке появился Петр Юсупов в сопровождении адвоката, которого привез с собой из Нью-Йорка, фортуна уже окончательно повернулась лицом к «русским мафиози».

— Следствие еще не окончено, но дело идет к их оправданию. Мне удалось уговорить копов до его завершения освободить вашего отца и его помощника под залог, — с довольным видом, выйдя из кабинета начальника, сообщил адвокат ожидавшему его в приемной Петру.

— О какой сумме идет речь? — поинтересовался Петр.

— Предлагают оставить в качестве залога сто тысяч долларов, изъятых у них при аресте, — с усмешкой, говорящей не в пользу копов, ответил юрист. — Вашего отца еще крупно оштрафуют за побои, которые он, на мой взгляд, справедливо нанес этим мошенникам. Говорят, набежали и другие расходы. Вы согласны?

— Пусть оставят эти деньги, потом разберемся, — презрительно произнес Петр. — Главное, чтобы их поскорее выпустили на свободу!

По-видимому, он был прав, утверждая, что в Америке правят деньги. Ибо еще не успел подписать все необходимые документы, как дюжий коп ввел в приемную полицейского участка Михаила Юрьевича и Игоря. Оба имели помятый вид и были плохо выбриты, но их счастливые лица говорили без слов, как они рады своему освобождению.

Петр порывисто вскочил и стремглав бросился к ним навстречу. Отец и сын крепко обнялись и поцеловались, немного стесняясь глазеющих на них копов.

«Да уж, устроит мне босс сейчас головомойку! — уныло думал Сэм Лоуренс, шагая вслед за сопровождавшим его охранником по коридорам тюрьмы. — Но вряд ли уволит, — успокаивал он себя. — Кто еще, кроме меня, в его отсутствие управится с нашими делами?»

В кабинете начальника его уже ждал Маркус Донован.

— Присаживайся, помощничек, — с ядовитой усмешкой предложил он Сэму. — Объясни, как же ты так облажался? Вот уж чего от тебя не ожидал!

— И на старуху бывает проруха, Маркус, — виновато опустив голову, ответил Лоуренс, решив активно защищаться. — Меня подвел черномазый! Все было рассчитано точно и организовано, как надо. Но Уиллис недооценил этого верзилу русского. Не учел, что он классный боец! Из-за этого и вышла осечка.

— Я знаю. Том выпустил из-под контроля Юсупова, тот уложил «питона», а потом спеленал и его самого, — неожиданно согласился с ним босс. — Не ожидал такой слабины от Уиллиса. Он же обладатель черного пояса!

— А этот русский оказался сильнее. Наверное, он у них чемпион! Если б ты только видел, как они дрались, Маркус, — вытаращив глаза, поведал ему Лоуренс. — В кино ходить не надо! Том показал все, на что способен, но проиграл. И меня, — добавил плаксиво, чтобы разжалобить босса, — русский чуть потом не убил. Вот смотри, — разинув рот, показал брешь на месте выбитого зуба.

— И поделом! Впредь будешь умнее, — заметно смягчившись, бросил Донован. — Я ведь тебя предупреждал, что лучше было решить дело с русскими миром.

— Видит Бог, Маркус, — клятвенно заверил его Лоуренс, — что я пытался обоих убедить в этом — и Уиллиса, и Ричардсона. Но, виноват: дал им себя уговорить. Уж больно простой и надежной казалась комбинация, предложенная цветным! И потом, — находчиво добавил, — она нам давала возможность отправить русских восвояси.

Сэм умолк, боязливо ожидая реакции босса, но тот молча смотрел на него, как бы оценивая : принесет ли он еще какую-то пользу фирме? Наконец, когда исполнительный директор совсем разволновался, Донован изрек:

— Ладно, с кем не бывает ошибки. Прощаю тебя, несмотря на нанесенный фирме ущерб. Но Уиллису и Ричардсону объяви, что я их увольняю за то, что не вняли моей рекомендации подписать с Юсуповым договор. Ты ведь им и правда передал мое мнение? — жестко взглянул он на Лоуренса.

— Клянусь, Маркус! — заверил его Сэм. — Я и сам был за это.

— Рассчитайся с ними сполна, — сухо распорядился Донован. — И как следует растолкуй, что им обоим надо немедленно убраться из города!

— Зачем? — удивился Лоуренс. — Им что-нибудь угрожает?

— Ты стал хуже соображать, Сэм, — недовольно посмотрел на него Донован. — Хочешь, чтобы разразился скандал, когда полиция закончит расследование? Русских выпустили, так кого же, по-твоему, тогда обвинят?

— Неужели нельзя замять это дело? При твоих-то связях, Маркус, — льстиво произнес Лоуренс, с надеждой глядя на босса.

— Можно, если не доводить до суда, — отрезал Донован. — Вот поэтому нужно, чтобы исчезли и Уиллис, и Ричардсон. Теперь все понял?

— А как же тогда я? — испугался Лоуренс. — Мне одному за всех отвечать?

— Да ты совсем поглупел! — раздраженно бросил ему босс. — А кто тогда, по-твоему, пострадавшие? Русские, что ли?

Донован сделал паузу и назидательно произнес:

— Слушай меня и учись: мы с тобой ничего не знали о замыслах Уиллиса и Джима. Это они организовали ложный налет, чтобы хапнуть у русских сто тысяч. А пострадала в результате наша фирма и лично ты, — он насмешливо взглянул на Сэма, — ты же потерял зуб.

Наконец-то до Лоуренса дошел хитрый замысел босса.

— Вижу, теперь ты все понял, Сэм, — снисходительно заключил Донован. — Ну, тогда действуй! И чтоб больше не было осечек!

Солнечные лучи погожего осеннего дня заливали роскошную гостиную люкса, занимаемого Петром Юсуповым в одном из лучших отелей Атланты. Ему, молодому президенту концерна «Золото России», необходим был люкс не только для личного комфорта, но и для престижа своего предприятия, высоко котирующегося на мировых рынках.

У зеркального окна во всю стену, сидя в глубоких удобных креслах, Петр вместе с отцом и Игорем обсуждали дальнейшие планы поиска Оленьки. Само собой разумеется, инициативой владел Михаил Юрьевич.

— Надо же такому случиться, чтобы тот, кто нам нужен больше всех, словно сквозь землю провалился! — посетовал он, огорченно склонив голову. — Пройдоха Ричардсон будто предчувствовал, что мы хотим взять его в оборот. Мало того, что срочно уволился с работы, вдобавок тут же съехал с квартиры!

— Ну и где же теперь его искать, папа? — растерянно посмотрел на него Петр. — Боюсь, что это безнадежное дело!

— Да, теперь найти Ричардсона архитрудно, — согласился Михаил Юрьевич и все же упрямо добавил: — Но решить задачу нельзя лишь в том случае, когда заранее ее пугаешься.

— Это верно, папа, но что конкретно мы можем сделать? — удрученно сказал Петр. — Лично я ничего не могу придумать. Кто знает, куда он сбежал?

— Придется срочно обследовать оставленную им квартиру, — решительно предложил Михаил Юрьевич. — Пока там никто не поселился.

— Мы, конечно, можем найти там какой-нибудь его след. Но ведь нарвемся снова на неприятности, — озабоченно произнес Игорь. — Это уж точно будет нарушением закона, и, если поймают, нам не выкрутиться!

Его резонное замечание немного охладило Михаила Юрьевича. Он немного подумал, с сожалением глядя на своего молодого помощника, и, приняв решение, сказал:

— Ты прав, Игорек! Я не должен требовать от тебя того, что вполне может обернуться тюремным заключением, да еще в чужой стране. Мы с сыном — это другое дело. Наш риск обоснован необходимостью спасения родного человека. В этом — наше оправдание, а у тебя его нет!

Он сделал паузу и добавил:

— Придется обойтись без твоей помощи. Ты показал себя молодцом, но нам с Петей и дальше все время придется рисковать. Иначе ничего не выйдет. Завтра отправляйся в Нью-Йорк и оттуда — домой, — жестко распорядился как начальник, но тут же улыбнулся. — Погуляй там два дня. Я ведь помню свое обещание.

— Но почему все же не попытаться получить нужную информацию у мистера Донована? — напоследок смело высказал свое мнение Игорь. — Разве это не более легкий путь, чем розыски сбежавшего Ричардсона? Ведь Джим — неизвестно где, а хозяин фирмы здесь, у нас под боком.

— Ты думаешь, что один такой умник? — иронически взглянул на него Михаил Юрьевич. — Поиски Ричардсона — это трудное дело, но зато у нас есть шансы, а браться за Донована — полная безнадега!

— Не понимаю, почему? — не выдержал Игорь. — Неужто нельзя его уговорить? Купить, наконец!

— Вначале, думаю, это было возможно. Но после случившегося — исключено! — спокойно объяснил ему шеф. — Донован и раньше колебался, а теперь, после огласки нашего несостоявшегося договора, на контакт не пойдет, так как рискует поплатиться головой. Связавшись с ним, мы лишь нарвемся на новую провокацию, и на этот раз нас уж точно выдворят из США.

Вопросов больше не последовало, и они отправились пообедать в ресторан отеля, после чего Игорь занялся сборами в дорогу, а Михаил Юрьевич и Петр вернулись в люкс, чтобы тщательно все продумать и подготовиться к обыску на бывшей квартире Ричардсона.

Прибегать к обыску и идти на нарушение закона отцу и сыну Юсуповым так и не пришлось. Во время предварительного осмотра квартиры, под видом желающих ее снять, у них возник новый план, сулящий принести успех.

Старый холостяк Джим Ричардсон жил в огромном многоквартирном доме гостиничного типа. В оставленной им квартире было всего две комнаты: кухня и санузел. Уже во время предварительного осмотра Петру удалось отвлечь сопровождавшего их хозяина придирками к неисправным деталям оборудования. Это дало возможность Михаилу Юрьевичу профессионально быстро обыскать пустую квартиру, незаметно подобрав все, что привлекло его внимание.

Бегло просмотрев эти бумажки и не найдя в них ничего нужного, Юсупов нахмурился, однако, когда взгляд упал на телефонный аппарат, ему в голову пришла дельная мысль, и его лицо прояснилось. Поспешив на кухню, где Петр продолжал препираться с хозяином по поводу текущих кранов, он с ходу задал вопрос:

— У вас в доме имеется свой коммутатор, или каждый телефон соединяется непосредственно?

— Конечно, звонки идут через коммутатор, — повернувшись к нему, ответил хозяин. — Иначе невозможно контролировать оплату жильцами счетов. Ведь есть такие, кто много наговаривает, а вовремя не платит. Из-за них могут отключить связь.

— Значит, вы фиксируете разговоры по каждому телефону? — переспросил его Михаил Юрьевич. — Я правильно вас понял?

— Именно так, — ничего не подозревая, подтвердил хозяин.

— А могли бы вы показать нам на примере выехавшего жильца, сколько придется платить за телефон, — как можно любезнее попросил его Михаил Юрьевич. — Ну, хотя бы только за последний месяц.

Увидев, что хозяину это явно не понравилось и он нахмурился, заподозрив неладное, Петр сразу пришел на выручку отцу.

— Ради Бога, только не подумайте ничего плохого! Мы вовсе не копы, а иностранцы и хотим лучше знать все о здешней жизни. Разумеется, — он достал из бумажника десятидолларовую банкноту, — мы заплатим вам за причиненное беспокойство.

Вид купюры сразу успокоил хозяина, и, завершив осмотр, они спустились на первый этаж, где находился коммутатор. Через полчаса Михаил Юрьевич и Петр уже возвращались в отель, унося распечатку телефонных звонков Джеймса Ричардсона за последние две недели. Теперь им было известно, где его следует искать, хотя и предстояло решить задачу со многими неизвестными.

Основательно поужинав и выпив по стопке за удачу, отец и сын поднялись в свой люкс и принялись анализировать записи телефонных номеров, с которыми чаще всего соединялся Ричардсон в последние дни. Таких они выбрали шесть, сделав вывод, что подыскать себе место, где бы он мог на время надежно укрыться, Джиму было совсем не просто.

После этого Петр стал по очереди звонить по каждому из номеров, выдавая себя за сослуживца, который должен выполнить поручение босса. По первому телефону дозвониться не удалось, так как никто не отвечал. По второму — трубку взяла пьяная баба, которая узнав, кто ему нужен, разразилась площадной бранью и предложила убираться к дьяволу «вместе с этим импотентом». Ее номер они, немного подумав, вычеркнули.

Дозвонившись по третьему номеру, Петр сразу же передал трубку отцу, так как подошел мужчина, а только Михаил Юрьевич слышал голос Ричардсона во время переговоров в особняке.

— Это не он, — послушав отзыв на другом конце провода, шепнул отец Петру, возвращая трубку, и тот торопливо заявил незнакомцу:

— Срочно нужен Джим! Меня босс просил его разыскать.

— Если разыщете этого подонка, то сообщите и мне! Буду весьма благодарен, — резко ответил незнакомец. — Он занял у меня денег и куда-то сгинул. Но, думаю, вам это не удастся! — прервал он связь, по-видимому в сердцах швырнув телефонную трубку.

Этот номер телефона они тоже вычеркнули. Круг поисков сузился, и на четвертом заходе им наконец улыбнулась удача.

— А кто его спрашивает? — отозвался старческий женский голос.

— Его приятель, — сообщил Петр, стараясь подражать грубому голосу человека, с которым недавно разговаривал. — Джим у меня занял немного денег. Вот хочу узнать, когда отдаст.

— Джимми сейчас нет дома, но завтра он вернется, — сказала старушка. — А я его тетя, так что ему передать. Как тебя звать-то?

— Я ему сам завтра позвоню, — поспешно ответил Петр и положил трубку.

— Ну вот и отыскали пропажу! — обрадованно произнес Михаил Юрьевич. — А Игорь еще сомневался. Все! Собирайся, сын, в дорогу. Завтра возьмем малыша Джимми тепленьким.

— Погоди, папа! Надо же знать, куда ехать, — с сомнением покачал головой Петр. — Боюсь, нам и дня не хватит, чтобы выяснить, где живет его тетка.

— Не беспокойся, еще сегодня это узнаем. На что тогда телефонный справочник и посреднические бюро? — бодро заявил Михаил Юрьевич. — Можно как угодно критиковать американцев, но сервис у них — на грани фантастики!

Преисполненный надежды, он широко улыбнулся сыну и попросил:

— Закажи на утро машину. Но не престижный лимузин, который здесь тебя возит, а спортивную, с мощным мотором и желательно поновее.

А всего несколькими часами раньше в Майами, в офисе Генри Фишера, состоялась короткая беседа между ним и Джимом Ричардсоном. На этот раз миллионер принял посредника без проволочек.

— Так ты говоришь, что отец девочки здесь и ее разыскивает? — с мрачным видом уставился Фишер на сидящего напротив Ричардсона. — Выходит, этот парень пытался силой выбить из вас мой адрес? А ты не врешь, что вы его не выдали? — грозно нахмурил брови, бывший мусорщик. — Смотри, со мной шутки плохи!

— Да разве я посмел бы, — заискивающе глядя, заверил его Джим. — Ведь никто, кроме меня, его не знает, — соврал он, чтобы набить себе цену. — Только еще наш босс Донован, который сидит в тюрьме, — поправился он и для убедительности добавил: — Русский взял в оборот Лоуренса и мулата, а я успел вовремя смыться. Об этом писали газеты.

— Значит, обо мне известно лишь тебе и этому Доновану? — переспросил его Фишер, сверля холодным взглядом водянистых глаз. — Почему я должен этому верить?

— Потому что все дела по усыновлению у нас засекречены. Вы же знаете, что по условиям договора мы обеспечиваем анонимность клиентов, — старательно объяснил посредник. — О них знает только босс и агент, ведущий дела. В данном случае я.

Он сделал паузу и, умильно глядя на миллионера, с явным намеком добавил:

— Вы же видите, как я добросовестно выполняю свои обязанности. Сразу сообщил, когда стало известно, что русские разыскивают вашу приемную дочь. И сейчас первым делом бросился к вам. А этот Юсупов, между прочим, предлагал нам за информацию сто тысяч.

«Выпрашивает взятку за молчание», — сразу раскусил его опытный делец Фишер, но не подал вида и лишь поинтересовался:

— А что, этот русский так богат? Они же все там нищие, как мыши.

— Не он сам, а его сын. Мы выясняли, и в газетах об этом было. Он владеет предприятиями по добыче и обработке драгоценных металлов.

— Вот оно что, — задумчиво протянул Фишер и, прищурив глаза, прямолинейно спросил:

— Ну и сколько ты хочешь за то, чтобы навсегда обо мне забыл?

— Да что вы, разве я смею? — изобразил смущение Джим. — Но вообще-то в связи с этой историей босс меня уволил, и сейчас мое материальное положение...

— Можешь не продолжать, — с брезгливой гримасой перебил его Фишер. — Думаю, пяти тысяч тебе будет достаточно?

Пока Джим Ричардсон смущенно бормотал слова благодарности, миллионер достал чековую книжку, оторвал листок и, подписав, протянул его посреднику.

— Все! Можешь идти, и надеюсь, я тебя больше не увижу.

В брошенной им фразе был более глубокий смысл, чем могло показаться, ибо только за Ричардсоном закрылась дверь, как Фишер вызвал к себе шефа секьюрити.

— Срочное дело, Мигель! — коротко приказал он жгучему брюнету с низким лбом и перебитым, как у боксера, носом. — Сейчас от меня вышел посредник Джим Ричардсон. Пошли кого-нибудь за ним и сделайте так, чтобы он замолчал. Навсегда!

Мигель со всех ног бросился выполнять приказание, а Фишер озабоченно подумал: «Надо будет заткнуть глотку и мерзавцу Доновану. А если успел продать меня русскому, тогда сдеру с них обоих отступного, — успокаивал он себя. — Хорошо, что с этого Юсупова есть чего взять!»

Между тем ничего не подозревающий Ричардсон, согреваемый мыслью о чеке на кругленькую сумму, который спрятал в кармашек записной книжки, не спеша направился в закусочную, где основательно заправился перед обратной дорогой. Выйдя оттуда и сев в свой подержанный «фордик», он не только не заметил двух пар внимательно наблюдавших за ним глаз, но и серого «понтиака», который сразу же тронулся следом и уже всю дорогу не отставал. В его смуглом водителе, несмотря на низко надвинутую на глаза фуражку, без труда можно было узнать Мигеля.

Расстояние от Атланты до Колумбуса, где проживала престарелая тетушка Джима Ричардсона, было невелико и благодаря прекрасной автотрассе Петр с отцом проделали весь путь всего за пару часов. К десяти утра они уже были около одноэтажного кирпичного дома с гаражом, пристроенным к нему сбоку, традиционным газоном и цветниками за невысокой металлической оградой. Припарковав машину в пятидесяти метрах от дома, в конце улицы, Юсуповы занялись наблюдением.

Сначала, около одиннадцати, из дома вышла высокая пожилая дама, по всей видимости, тетка Ричардсона, хотя они представляли ее много старше. В руках у дамы была корзинка, и, когда около полудня хозяйка возвратилась, в ней лежали продукты. Не прошло и получаса, как к дому подкатил видавший виды «форд». Он был весь покрыт пылью, так как проделал путь более семисот километров, сначала от Майами до Джексонвилла, где Джим заночевал в мотеле, а потом уже до Колумбуса.

Из машины вышел Ричардсон, открыл ворота: сначала в ограде, а затем в гараже и загнал туда свой «фордик». Через несколько минут он вышел, запер ворота и вернулся в гараж. В этот момент Юсуповы заметили, что на другом конце улицы остановился серый «понтиак», в котором сидели двое мужчин. Тот, что был за рулем, остался в машине, а второй — молодой блондин крепкого сложения в джинсах и майке, воровато оглядевшись по сторонам, быстро направился к дому.

— Похоже, что нас опередили — обеспокоенно бросил Михаил Юрьевич сыну, порываясь выйти. — Так мы можем остаться ни с чем!

— Погоди, папа! — удержал его за руку Петр. — Ты снова хочешь затеять свалку? Если нас поймают, на этот раз мало не будет!

Его слова охладили отца. Михаил Юрьевич остался в машине, но с тревогой высказал предположение:

— Боюсь, Петя, что эти «друзья» прибыли, как раз для того, чтобы заставить его молчать. Хорошо еще, если только припугнут. Но ты прав: ввязываться в новую историю нам нельзя, — понуро согласился он. — Будет только хуже!

Они были далеко от дома и не могли видеть и слышать, что там происходит. Но ждать им пришлось недолго. Не прошло и четверти часа, как дверь в нем открылась, и из нее показался молодой блондин. Взглянув по сторонам, он спокойно пошел к своей машине, и она сразу отъехала.

— Ты запомнил ее номер? Запиши на всякий случай, я хорошо разглядел его в бинокль, — сказал Михаил Юрьевич, собираясь выйти наружу.

— Думаю, номера они заменили. — ответил Петр. — Дай пойду я! — попросил он отца. — Не стоит тебе снова рисковать. Да и английским я лучше владею.

— Нет, Петя, тебе там не место! — с мрачной уверенностью произнес Михаил Юрьевич. — Полагаю, что говорить уже ни с кем не придется. А ты заведи мотор и будь готов подкатить сразу, как только выйду.

Он вылез из машины и быстрым шагом направился к дому. Дверь была не заперта и то, что он там застал, подтвердило его худшие опасения. Старая дама лежала бездыханной в луже собственной крови посреди гостиной. У нее был проломлен череп, и рядом валялось орудие убийства — тяжелый подсвечник из пары, стоявших на полке камина. Опытному детективу было ясно, что преступник неслышно подкрался к ней сзади и, зажав одной рукой ей рот, другой нанес смертоносный удар.

«Ну и ловок же убийца! Сразу видно, что работал профессионал, — подумал Михаил Юрьевич. — Но где же сам Ричардсон? Неужели он ничего не слышал?»

Ответ на этот вопрос он получил, заглянув в гараж. На веревке, перекинутой через металлическую балку, висело тело несчастного Джима с жутко высунутым языком, а рядом на полу валялся опрокинутый табурет. Это, по замыслу киллера, должно было свидетельствовать о самоубийстве племянника, нанесшего в ссоре своей тетке роковой удар.

Однако для бывалого следователя эта версия была шита белыми нитками. Не говоря уж о том, что на орудии убийства наверняка не было отпечатков пальцев Ричардсона, даже беглый осмотр опровергал, будто у него было душевное расстройство. В момент нападения он преспокойно протирал пыль с машины, которая была уже наполовину чистой. Об этом свидетельствовала тряпка, зажатая в правой руке, которую не выпустил, когда его душили.

За годы войны, за годы следствий Михаил Юрьевич видел и не такие ужасы, поэтому он хладнокровно подставил табурет и быстро обыскал остывающий труп. Оставив нетронутыми документы и бумажник с деньгами, он забрал записную книжку Ричардсона и все бумаги, которые нашел у него в карманах. После этого он вновь опрокинул табурет и осторожно вышел из дому, стараясь не привлекать к себе внимания.

Петр тронул машину сразу, как только завидел отца. У дома он притормозил и, лишь Михаил Юрьевич сел рядом, нетерпеливо спросил, предугадывая ответ:

— Что так быстро? Все очень плохо?

— Хуже не бывает! Они убили обоих, — мрачно бросил ему отец и с удрученным видом добавил: — Опять нам придется все начинать с нуля.

Глава 28. Открытие Даши

— Ну что же, одну пасть мы заткнули, — удовлетворенно произнес Генри Фишер, выслушав доклад шефа секьюрити Мигеля. — Теперь пришла очередь Донована. Но тебе до него не добраться, — с сожалением взглянул он на своего верного подручного. — Не умеешь ты, дружище, ладить с копами, да и не жалуют они латиносов.

— Думаю, что смогу, — самолюбиво возразил пуэрториканец. — И посложнее дела проворачивал. А в тюрьме Атланты у меня земляк охранником служит.

— Нет! Хватит с тебя и одного прокола, — отрезал Фишер. — Это плохо, что у Ричардсона остался мой чек.

— Но киллер ничего не нашел в бумажнике, кроме денег, — оправдывался шеф секьюрити. — И в карманах — тоже ничего.

— Ладно, иди! Я к тебе претензий не имею, — успокоил его босс. — Просто там надо сработать так, чтобы на нас даже тень не упала.

Отпустив Мигеля, Фишер некоторое время предавался раздумью, а потом решил прибегнуть к прежним криминальным связям. Начав свое восхождение с уборщика мусора в бандитском Чикаго и пройдя жестокую школу примитивной конкурентной борьбы, где конфликты и споры в лучшем случае решались с помощью кулаков, он к тридцати годам стал одним из районных боссов.

Однако настоящего успеха Генри добился, возглавив профсоюз мусорщиков. Именно тогда Фишер в тесном контакте с гангстерами и продажной властью сколотил основу своего капитала, что позволило ему потом создать свою фирму и добиться подлинного могущества. С тех пор прошло много лет, он переехал во Флориду и теперь занимался вполне легальным бизнесом. Но старые связи не порывал и время от времени их использовал.

Вот и сейчас он уверенно набрал знакомый номер чикагского мафиози, с которым когда-то провернул немало удачных дел. Тот на старости уже отошел от активных операций, но Генри знал, что ими теперь заправляет его сын.

— Привет, Билл! Скрипим понемножку? — запросто обратился к нему Фишер, услышав знакомое хриплое покашливание. — Еще не бросил курить, старина? Смотри, сигары тебя в гроб загонят!

— Ладно, брось каркать! Ты мне зубы не заговаривай, — с обычной грубоватой простотой отозвался Билл. — Говори, чего тебе от меня понадобилось?

— У тебя сохранились какие-нибудь связи в Атланте? — перешел к делу Фишер. — Надо пришить одного заключенного в тамошней тюрьме. Чтобы не болтал.

— А он важная птица? — не отвечая на вопрос, уточнил Билл.

— Не слишком. Глава ассоциации «Охрана здоровья нации». Это что-то вроде посреднического бюро, — пренебрежительно объяснил Фишер. — Видно, что не слишком силен, раз попал в тюрягу за неуплату налогов.

— Ну, это не скажи, — не согласился мафиози. — Эти посредники большие ловкачи и у них широкие связи. А с налогами, Генри, сам знаешь: любого можно попутать.

«Цену себе набивает, гад, — выругался про себя Фишер. — Наверное, порядком запросит», но вслух дружеским тоном сказал:

— Так или нет, но этому парню нужно заткнуть глотку. Ты же, Билл, меня знаешь: я ведь не жмот!

— Ладно, можешь считать его покойником, — хрипло пошутил мафиози и уже серьезно добавил: — Говори, кто такой, и жди от меня чек на оплату.

Спустя неделю после этого разговора в тюрьме Атланты случилось обычное ЧП. После прибытия очередной группы заключенных на прогулке произошла ссора между новеньким уголовником и Донованом, окончившаяся для последнего плачевно. Бандит всадил ему в бок заточку, которую каким-то образом сумел утаить от охраны. Спасти жизнь Маркусу врачи не смогли.

Заподозрив, что это заказное убийство, начальник тюрьмы попробовал провести дознание своими силами и взял убийцу в крутой оборот, не жалея кулаков и кованых ботинок. Но тот стойко выдержал побои, не сказав ни слова. А на следующий день, преступника от него забрали, и толстяк понял, что концы хотят спрятать, и смерть его друга Донована выгодна кому-то из власть имущих.

Ярким солнечным утром, когда Оленька Юсупова только проснулась и еще нежилась в своей роскошной постели, к ней в спальню вошла приемная мать, Сара Фишер. Как всегда, она рано поднялась, сделала утреннюю зарядку, приняла ванну и выглядела не по возрасту бодрой и свежей.

— Вставай, засоня! Пора уже завтракать, а ты все еще валяешься в кровати. Не забыла, что сегодня поедем с тобой к директору школы?

До этого дня Лола, как теперь Фишеры звали Олю, занималась с репетиторами, углубляя знание английского языка. Прилежная ученица, Оленька и здесь делала большие успехи. Она уже сносно говорила по-английски и быстро одолела отставание по некоторым предметам.

Долго уговаривать ее не пришлось. Живо вскочив с постели, Оленька аккуратно ее застелила и отправилась умываться. Завтракали они вдвоем с Сарой, так как хозяина дома не было. После дружеской попойки он заночевал в гольфклубе. И конечно, первым вопросом, который девочка задала приемной матери, был о сестре.

— Тетя Салли! Когда же к нам приедет Наденька? — с мольбой посмотрела она на Сару. — Мне с таким трудом удалось подогнать то, что мы не проходили. А Надюша может безнадежно отстать.

— Ты же знаешь, как тяжело больна Надин, — страдая в душе от своей лжи, в который уже раз объяснила ей Сара. — Главное — это, чтобы она выздоровела. Потом все поправим! Наймем лучших учителей, и наверстает упущенное.

— Но почему Наденька мне ничего не пишет? — жалобно произнесла Оля, и ее чудные синие глаза наполнились слезами. — Я до сих пор не получила от нее ни строчки!

— У Надин опасное инфекционное заболевание, — покраснев и отводя глаза, продолжала врать Сара. — Поэтому ей запрещают писать письма. Болезнь очень заразная!

— Ну а мне-то ведь можно ей написать? — просительно произнесла Оля. — Она скорее выздоровеет, узнав, как мне здесь хорошо живется и какие вы с дядей Генри замечательные люди!

Сара Фишер с любовью и жалостью посмотрела на прелестное личико Лолы. Она уже успела привязаться к ней всем сердцем, и ее простая душа восставала против продолжающегося обмана, но и правду говорить было нельзя.

— Ну что же, напиши, — со вздохом согласилась она. — Только боюсь, Лолита, что, прочитав твое письмо, сестра еще больше расстроится. Не лучше ли будет обождать?

— Да что вы, тетя Салли! — обрадованно воскликнула Оля. — Наденька будет счастлива. Она же ничего обо мне не знает и очень волнуется! Наверное, это мешает ей выздороветь.

Однако сразу после завтрака Оленьке сесть за письмо не пришлось. Сара потащила ее на обязательную утреннюю пробежку. Зато, когда вернулись, приняв душ и искупавшись в бассейне, она немедленно уединилась в своей комнате и принялась за письмо сестре.

«Дорогая Надюша! — писала она. — Наконец-то могу сообщить, что со мной произошло за это время. Просто какие-то сплошные чудеса! После того как мы попрощались в детдоме, моя жизнь похожа на то, что мы смотрели по телеку.

Сначала меня Джим-американец, которого ты видела в кабинете директора, поселил в гостинице «Палас» вместе со своей секретаршей мисс Коннори. Она хорошо говорила по-русски и за мной ухаживала. А потом на красивом авиалайнере мы совершили перелет в США. Ты же помнишь, как было интересно, когда мы с папой и мамой летали отдыхать в Римини? Как нас проверяли в аэропорту пограничники и эти, что в вещах роются, — таможенники? Так и здесь было, но копались они дольше, особенно в Америке. Наверное, думали, что мы шпионы или террористы. Правда, смешно?

Но настоящая сказка началась, когда прилетели! США, Надюша, — это очень богатая страна! У них столько небоскребов, что дух захватывает. Все современное, новенькое. А Флорида — просто рай земной! Такая здесь красота и погода чудесная. Наш городок Уэст-Палм-Бич — небольшой, но расположен на берегу теплого Карибского моря, чистенький и весь в зелени. В центре обычные дома, а вдоль побережья много богатых вилл, какие мы видели по телеку.

Вот на такой вилле я сейчас живу! Моих приемных родителей зовут Салли и Генри. Они добрые и симпатичные, хотя уже довольно старые. Конечно, их не сравнить с папой и мамой! Мне все еще не верится, Надюша, что больше их не увижу. Вспоминая, часто плачу. Ты ведь тоже их никогда не забудешь?

Я мечтаю сейчас только об одном: чтобы ты поскорее выздоровела и оправилась от своей ужасной болезни. Тогда сможешь выдержать трудный перелет. Тетя Салли и дядя Генри мне обещали, что как только разрешат врачи, они сразу пошлют за тобой. Вот будет здорово! Я уверена, тебе здесь понравится. И главное, мы снова будем вместе!

Сегодня меня повезут в здешнюю школу. Со мной все это время занимались учителя, и, похоже, я там не буду отстающей. Тебе, конечно, трудно будет догонять, но тетя Салли сказала, что наймет репетиторов, да и я помогу. Так что не о чем беспокоиться.

Целую тебя, дорогую сестричку, и не дождусь, когда снова увижу! Оля».

Над этим письмом Оленька прокорпела битый час, и два раза переписывала, прежде чем передать приемной матери, которая обещала тут же отправить его в Москву заказной почтой. Она так и не узнала, что Сара Фишер, прочитав эти трогательные строки и утерев слезы, все же выбросила его в мусорный ящик.

— Нет, Ди! Так дальше продолжаться не может, — решительно заявил Роберт Боровски Даше, когда они, наплававшись в бассейне, нежились на солнышке, полулежа в удобных шезлонгах. — Что за глупые предрассудки! Мы же с тобой все решили, а из-за них лишаем себя радости жизни! Я плохо сплю по ночам, — пожаловался он. — Так и заболеть недолго!

— А ты думаешь, мне не тяжело, — тихо отозвалась Даша, глядя затуманенным взором на его крепкое мускулистое тело и испытывая понятное физическое томление. — Я ведь тоже, Бобби, живой человек.

Однако она справилась со своей слабостью и сказала:

— И все же давай еще немного потерпим, дорогой! Хотя бы до помолвки. Я тебе не говорила, чтобы не волновать, — призналась, немного замявшись, — но мой муж сейчас находится здесь, в Соединенных Штатах. Прилетел на помощь своему отцу, когда узнал о его аресте.

— Конечно, от тебя, — нахмурясь, ревниво бросил Роберт.

— Да, это я сообщила его матери, и ты об этом знаешь, — спокойно парировала его реплику Даша. — Никаких отношений я с ним не поддерживаю.

Но Роберту пришла в голову удачная мысль, и лицо у него прояснилось.

— И между прочим, напрасно, — неожиданно заявил он. — Тебе стоило бы с ним встретиться!

Видя, что Даша изумленно подняла на него глаза, Роберт ей объяснил:

— То, что он здесь, может существенно продвинуть дело с разводом.

— Это каким же образом? — не поняла Даша.

— В России, похоже, волокитят ваш развод и, как знать, может быть, при его участии, — угрюмо предположил Роберт и развил свою мысль: — А у нас есть места, где расторгнуть брак можно очень быстро. Особенно в том случае, если имеется согласие обеих сторон. Ведь твой Петр Юсупов на словах вроде бы не возражает? — добавил он с долей сомнения.

— Он не на словах дал свое согласие, а подписал все, о чем я его просила, — сердито бросила Даша, которую задел его язвительный тон. — Несмотря ни на что, Петр — человек слова и не способен на подлые увертки!

— Вот и отлично! — как ни в чем не бывало продолжал Роберт. — Пусть снова, уже здесь оформит согласие, как требуют наши законы, и я берусь обеспечить, чтобы ваш брак был расторгнут незамедлительно.

Немного поразмыслив, он предложил:

— Надо как можно скорее получить у него нужные нам документы! Я найму для подготовки знающего юриста, а тебе нужно об этом договориться с мужем. Вам вообще не обязательно для этого встречаться! — нахмурился он. — Достаточно все ему объяснить по телефону.

Даша с улыбкой взглянула на забавно вытянувшееся веснушчатое лицо Роберта и уверенно предположила:

— Думаю, что мне достаточно передать Петру свою просьбу через Михаила Юрьевича, и все нужные нам документы будут подписаны. Так я и поступлю, — решила она. — Сегодня же могу позвонить, если ты, Бобби, узнаешь, в каком отеле Атланты остановились Юсуповы.

— Вот и умница! — обрадованно произнес Роберт вставая. — Не теряя времени, свяжусь с юристом, чтобы срочно готовил бумаги. А тебе придется посидеть дома, так как у него могут быть вопросы, — деловито добавил он. — Ты согласна?

— Конечно, раз это необходимо, — улыбнулась ему Даша. — Буду сидеть, ожидая звонка, как привязанная.

— А пока, может, выдашь мне аванс в счет счастливого будущего, — склонившись к ней, Бобби поднял ее с шезлонга и заключил в горячие объятия.

— Нет, милый, — с трудом вырвавшись, воспротивилась Даша. — Наверное, все же правильнее будет, сначала заняться делами.

Тем не менее встреча между Петром Юсуповым и Дашей вскоре состоялась.

И произошла она по инициативе Михаила Юрьевича, который, вновь занимаясь решением головоломки, какую представляла из себя собой расшифровка различных бумаг и записей покойного Ричардсона, поневоле вспомнил о снохе. Так, изучая найденные в его карманах квитанции и счета, он смог установить, что свою последнюю поездку Джим совершил во Флориду, посетив города Джексонвилл и Уэст-Палм-Бич.

В записной книжке Ричардсона и перечне телефонных номеров, по которым он звонил в последние дни, ни одного абонента из Джексонвилла не оказалось. Зато был номер телефона в Уэст-Палм-Бич, и этот же номер на фамилию Фишер фигурировал в его записной книжке. Необходимо было срочно навести справки об этом субъекте, но Флорида была далеко, и Михаил Юрьевич сознавал, что если займется этим сам или с помощью какого-нибудь агентства, то потеряет много времени. Тут он и подумал о Даше, которая там уже освоилась, и, конечно, сможет добыть нужную информацию быстрее него.

Михаил Юрьевич был человеком действия и при других обстоятельствах сразу бы позвонил своей снохе, тем более что знал телефон ее отеля в Майами.

Однако никак не мог преодолеть свою гордость и попросить о помощи женщину, бросившую его сына. Но все решилось просто. Даша позвонила ему сама.

«Да это просто Божье Провидение! — поразился он, услыхав в трубке ее голос. — Ну как теперь не поверить в удачу, если с нами Господь!» — подумал, преисполняясь надеждой и, все еще не веря самому себе, переспросил:

— Даша, это ты? Ну и чудеса творятся! Ведь я только что думал о тебе. Ты мне очень нужна, — уже по-деловому добавил Михаил Юрьевич.

— И вы мне очень нужны, поэтому звоню, — просто ответила Даша. — У меня к вам очень серьезный разговор, и я надеюсь на ваше понимание.

— Вот видишь, какое совпадение! У меня ведь тоже к тебе очень серьезный и срочный разговор, который никак нельзя осуществить по телефону, — с мягкой настойчивостью произнес Михаил Юрьевич. — Давай я прилечу в Майами, и мы с тобой решим все вопросы, — решительно предложил он. — Завтра, прямо с утра.

«Ну вот, этого еще не хватало, — мысленно подосадовала Даша. — Наверняка и Роберт захочет присутствовать при нашей встрече. А это ни к чему. Он только разозлит свекра, и ничего не выйдет!»

— Ты чего замолчала? Тебя это не устраивает? — спросил ее Михаил Юрьевич, так как пауза затянулась.

— Пожалуй, нам все-таки лучше встретиться где-нибудь на полдороге, — Даше показалось, что она нашла подходящее решение. — По некоторым соображениям, вам появляться здесь не стоит. Мне тоже лететь в Атланту не с руки. А дороги здесь классные. У вас есть авто?

— Все понял. Без проблем, — коротко ответил Михаил Юрьевич, выражая свое согласие. — Говори, когда и где тебе удобнее.

— Давайте встретимся завтра в ресторане высотного отеля на центральной площади Джексонвилла. Это будет удобно и мне, и вам, — предложила Даша. — Уверена, что меня отпустят, и я смогу быть там между двенадцатью и часом. Вас это устроит?

— Вполне. Прибуду без опозданий, не сомневайся, — заверил ее свекор и тепло добавил: — Итак, до скорой встречи!

В эту ночь Даша плохо спала. Предстоящая встреча с Михаилом Юрьевичем вновь всколыхнула в ней воспоминания о днях своей горячей любви к Петру и незабываемого блаженства, испытанного в его объятиях. И как ни старалась она вытеснить эти сладкие переживания, напоминая себе об обидах и огорчениях, нанесенных ей мужем, избавиться от них не могла.

Так и не выспавшись, Даша спозаранку двинулась в путь. В дороге ее бодрила и выручала огромная скорость, которую развивала машина на великолепной широкой автостраде, протянувшейся вдоль всей Флориды. Двигаясь медленнее, она, наверное, уснула бы. И все равно в Джексонвилл приехала на час позже. Оставив машину на платной парковке, бегом направилась к отелю и в зале ресторана уже издали увидела высокую фигуру скучающего Михаила Юрьевича.

— Вы меня заждались? Ради Бога, извините! — взмолилась Даша, опустившись рядом с ним на стул и стараясь унять одышку от быстрого бега. — Я плохо рассчитала время.

— Ладно уж! Женщины вечно опаздывают, — амнистировал ее свекор и, бросив теплый взгляд своих карих глаз, восхищенно произнес: — А ты все хорошеешь! По тебе не скажешь, что отмахала почти полтыщи километров!

— Да что вы, Михаил Юрьевич! Я ужасно выгляжу, потому что мало спала ночью, — возразила Даша, хотя все равно комплимент был ей приятен. — Давайте сразу перейдем к делу, — предложила с дружелюбной улыбкой. — Сначала вы мне изложите свое, а потом и я скажу, что мне от вас... — она запнулась, так как слова застряли у нее в горле.

По узкому проходу между столиками, не торопясь, шел ее муж. Она и думать не могла, что так разволнуется, снова его увидев. Петр еще издали приветливо ей улыбнулся, а когда подошел ближе, глядя на нее таким же, как у отца теплым взглядом, мягко сказал:

— Здравствуй, Даша! Извини, если помешал вашей беседе. Но я засиделся в машине и решил узнать, как у вас идут дела.

Его прямая бесхитростная натура не позволяла ему лукавить, и он честно признался:

— А по правде сказать, и на тебя хотелось взглянуть. Давно не виделись.

Вид Петра, большого и доброжелательного, его дружеская улыбка и теплый взгляд наполнили сердце Даши тоскливым стыдом. Она живо вспомнила свою измену мужу с Робертом и от сознания непоправимости происшедшего ощутила невыносимую горечь. Однако справилась с собой и, покраснев, произнесла:

— Хорошо, что и ты здесь. Это нужно для дела.

— А в чем состоит это дело? — спросил Петр присаживаясь.

— Наш развод слишком затянулся, — стараясь не глядеть ему в глаза, объяснила Даша. — Вот я и решила оформить его здесь, в Америке.

— Не слишком ли ты с этим спешишь? — хмуро отозвался Михаил Юрьевич.

— Так надо, — испытывая мучительную неловкость, но решив идти до конца, ответила Даша. — Наверное, скоро я снова выйду замуж.

— Вот, значит, что у тебя за дело, — не скрывая досады, процедил сквозь зубы свекор. — А при чем здесь я?

— Я хотела через вас передать Пете эти бумаги, — объяснила Даша, вынимая из папки подготовленные документы. — Ведь нам нелегко с ним встречаться. Но, поскольку он здесь, — просительно посмотрела на них обоих, — покончим с этим разом!

— Не возражаю, — не глядя на нее, буркнул Петр и достал авторучку. — Давай сюда свои бумаги!

Он взял у нее документы и, лишь бегло взглянув, подписал. Вернув их Даше, сразу поднялся.

— Надеюсь, ты обо всем хорошо подумала, — с горечью сказал он. — Но вряд ли будешь с ним счастлива!

Петру хотелось ей многое высказать, но он лишь с досадой махнул рукой и, уходя, бросил отцу: — Я буду ждать тебя в машине.

Даша молча проводила его взглядом. В ее глазах стояли слезы. Затем, в расстройстве, она, судорожно вздохнув, схватила свою сумку, порываясь встать и уйти, но ее остановил Михаил Юрьевич.

— Ты куда это собралась? — удержал он ее за локоть. — Получила, что тебе было нужно, и бежать? Нехорошо! — укоризненно покачал головой. — Ведь и у меня есть к тебе дело.

— Ах, да! Простите, Михаил Юрьевич, — смущенно пробормотала Даша. — Надо же, запамятовала. Это все нервы, — оправдываясь, добавила с жалкой улыбкой.

— Ладно, замнем для ясности! Мне сейчас не до эмоций. Дело не терпит, — озабоченно сказал свекор. — Нам нужна твоя помощь в поисках Оленьки.

— Да я рада бы, но что могу сделать? — вырвалось у Даши.

— Представь себе, можешь! Иначе бы не обратился, — сухо сказал он и, достав из кармана, протянул банковский чек. — Вот, посмотри на подпись! Она довольно четкая. Даже с моим знанием английского можно разобрать фамилию.

— По-моему, это — Фишер, — уверенно сказала Даша. — Довольно распространенная здесь фамилия.

— Вот-вот, и я так думаю, — обрадованно произнес Михаил Юрьевич. — И еще полагаю, что это очень состоятельный человек. Живет он во Флориде. Может быть, тебе эта фамилия встречалась среди ваших богатых клиентов?

К его удивлению, Даша не замедлила с ответом.

— У хозяев фирмы, в которой я работаю, есть друзья по фамилии Фишер. Но живут не в Майами, — удивленно сообщила она. — Неужто они имеют какое-то отношение к похищению Оленьки? Это известные и влиятельные люди, а глава семьи — мультимиллионер.

— А проживают они, случайно, не в Палм-Бич? — волнуясь, нетерпеливо прервал ее Михаил Юрьевич.

— В Уэст-Палм-Бич, — поправила Даша, глядя на него круглыми от изумления глазами. — Боже мой, это невероятно! Может быть, Оленька где-то совсем рядом?

— Так это или не так, покамест все сходится, — хриплым от волнения басом заключил Михаил Юрьевич. — И ты, как вижу, поняла, что от тебя требуется?

— Ну конечно! — заверила его Даша. — Постараюсь все разузнать и сразу же сообщу результаты.

Она решительно поднялась, и на этот раз свекор ее не удерживал.

— Только будь очень осторожна! Постарайся их не спугнуть, — напутствовал он Дашу, пожелав доброго пути.

Помолвка Роберта Боровски с русской супермоделью Дашей Волошиной состоялась на торжественном рауте, организованном его отцом на своей яхте, куда были приглашены все видные и влиятельные друзья их семьи. Судно было празднично разукрашено и иллюминировано. Гремела музыка, и под зажигательные ритмы на просторной передней палубе резвились неутомимые танцоры. Их энтузиазм подогревался снующими в этой толкучке стюардами с подносами, уставленными коктейлями и прохладительными напитками.

Счастливый и улыбающийся Бобби в ослепительно белом смокинге с ярким цветком в петлице выглядел шикарно, выделяясь в толпе ростом и спортивной осанкой. Даша, как всегда, блистала изяществом и красотой, но в отличие от жениха улыбка ее была натянутой и в поведении не ощущалось радости. Это бросалось в глаза.

— Что-то невеста не в настроении. Наверное, ей нездоровится, — шептались гости, не допуская мысли о каких-либо осложнениях в ее отношениях с таким завидным женихом.

Однако Даша, последнее время так мечтавшая об этом дне, несмотря на великолепный праздник, отнюдь не ощущала себя счастливой. Неожиданная встреча с Петром враз разрушила ее иллюзии. Она, наконец, ясно осознала, что, хотя Бобби ей физически мил, у нее нет к нему настоящей любви и, наверное, никогда уже не будет. Но слово ему было дано, с мужем окончательно порвано, и отступать было некуда.

— Да что с тобой, Дашутка? — отозвав в сторонку, озабоченно спросила бабушка Мария Игнатьевна. — Я же вижу, ты улыбаешься, а у самой на душе кошки скребут. Откройся, что тебя мучает?

Естественно, Даше стало бы легче, если бы было кому открыть свою душу. Но такого человека здесь не было. «Баба Маня — отзывчивая и добрая, но она не простит, если узнает, что до сих пор люблю мужа, а к ее внуку такого чувства у меня нет», — резонно подумала она и подсознательно назвала другую причину:

— Меня угнетает и не дает радоваться тяжелое известие, которое получила на днях от родственников мужа, и связанная с этим забота. Как ни стараюсь отвлечься, — пожаловалась, — ничего не получается!

— А что такое случилось? И почему тебя заботят дела родственников мужа? — удивилась Мария Игнатьевна. — Ведь ты же с ним вот-вот разведешься.

— Речь идет о его малолетней сестре, баба Маня, — печально объяснила Даша. — Которую похитили. Я вам об этом рассказывала.

— Припоминаю. Но с какой стороны это касается тебя? — не поняла старушка.

— Это тайна. Но я вам ее открою, если пообещаете сохранить, — ответила Даша. — А еще лучше, если бы вы мне помогли!

В голубых старческих глазах Марии Игнатьевны зажглось любопытство.

— Говори! Можешь во мне не сомневаться, Дашутка, — заверила она. — Никому не проболтаюсь!

— Вы ведь знакомы с Фишерами? Так вот, — заговорщицки прошептала Даша ей на ухо, — Юсуповы полагают, что похищенная дочь Оля находится у них, и просили меня это проверить. Я очень люблю свою маленькую золовку. Вы когда-нибудь бывали у Фишеров дома?

— Всего раз или два. Однако никаких детей у них я не видела. Ни их, ни их родственников, — ответила Мария Игнатьевна. — Супруги Фишеры бездетные и ведут очень замкнутый образ жизни. Твоя бывшая родня ошибается! Хотя... — она внезапно осеклась и умолкла, что-то припоминая.

— Хотя что? — пытливо напомнила ей Даша.

— Да вроде бы Сара, супруга Генри Фишера, как-то говорила о своем желании усыновить ребенка, но боялась, что он будет для них слишком большой обузой, — ответила Мария Игнатьевна и поразилась: — Неужто осуществила-таки то, что задумала?

— Баба Маня, дорогая! Не могли бы вы это каким-нибудь образом проверить? — взмолилась Даша. — Надо узнать, во-первых, взяли они ребенка или нет, а во-вторых, не наша ли это Оля.

— Хорошо! Они оба здесь, и я сегодня же пообщаюсь с Сарой. Постараюсь исподволь все узнать. Мне самой интересно, — с азартом охотника пообещала старушка. — А еще попробую напроситься к ней в гости.

В этот момент их разговор был прерван Робертом.

— Вот вы где уединились? — подойдя, обрадованно произнес он. — А я-то ищу тебя, Ди, повсюду. С бабушкой ты и дома успеешь наговориться. Нас гости требуют!

Он перевел дыхание и объявил:

— Все уже собрались на корме и ждут только нас. Ведь сейчас будет самый торжественный момент — обмен кольцами!

И Роберт, взяв их под руки, повел на корму, где был накрыт большой стол для праздничной трапезы.

Был уже поздний вечер, когда гости после грандиозного ужина разбрелись по шикарной яхте Тима Боровски, чтобы продолжить развлекаться соответственно своим интересам. Кто помоложе, отправились на палубы, чтобы размяться в танце и пофлиртовать. Более сексуально озабоченные заперлись в каютах, а пожилых ожидали карточные игры и небольшое камерное шоу в музыкальном салоне.

Заметив, что Генри Фишер, перемигнувшись с одной из топ-моделей, вместе с ней незаметно исчез из салона, наблюдательная Мария Игнатьевна подошла к его скучающей супруге.

— Чудесный вечер, Салли! Не лучше ли выйти на палубу и подышать свежим воздухом? — приветливо предложила она. — Посмотрим, как веселится молодежь, и полюбуемся на закат солнца.

Миссис Фишер, слушавшей без всякого удовольствия завывания безголосой певицы, ее идея пришлась по душе и, взяв косметичку, она молча встала со своего места. Дамы поднялись на капитанский мостик, откуда открывался лучший вид, и уселись рядом на лавочку, любуясь на тихую водную гладь, в которой ярко отражались огни иллюминации.

— Ну как протекает жизнь, Салли? — ненавязчиво поинтересовалась Мария Игнатьевна. — Вы с Генри по-прежнему занимаетесь спортом? В какой отличной форме вы оба! Смотри, как он еще молоденькими интересуется. Не ревнуешь?

— Мой Генри — известный кобель. В молодости ни одной юбки не пропускал, ревнуй не ревнуй, — довольно равнодушно ответила Сара. — Я положе была, это близко к сердцу не принимала, а сейчас уж и подавно. У меня теперь куда более интересные заботы.

«Похоже на то, что Дашутка правду сказала. Ее новые заботы — это, конечно, ребенок», — подумала Мария Игнатьевна, а вслух вроде бы без особого интереса спросила:

— И чем же ты таким занялась, Салли, что тебе муж стал безразличен? Уж не думаешь ли ты меня убедить, — подмигнула она ей, — что тебя уже мужчины не интересуют?

— Ну почему же, Мэри? Иногда еще нападает охота, — с грубоватой простотой призналась бывшая прачка. — Но моего бычка пока на всех хватает, — рассмеялась она. — А с каждым годом желания все меньше.

— Так чем же ты все-таки сейчас увлеклась? Ведь так мне и не ответила, — напомнила ей Мария Игнатьевна.

Миссис Фишер немного поколебалась и неуверенно произнесла:

— Пожалуй, скажу тебе, Мэри, хотя мы с Генри пока это не афишируем. У нас в доме появился ребенок, — ее голос наполнился теплотой. — Прелестная девочка.

— Теперь я тебя вполне понимаю, — добродушно отозвалась старушка. — Чего-чего, а забот с детьми хватает. Особенно с непривычки. Но эти заботы нужные и доставляют радость.

— Просто море радости! — разулыбалась Сара. — Да еще девочка — настоящее чудо! Она уже большая, хорошо себя ведет и очень красивая, — восторженно поведала она. — Нам необычайно повезло!

— Но откуда она у вас появилась? — продолжала исподволь выведывать у нее Мария Игнатьевна. — Это бедная родственница или сирота, отданная вам с Генри на воспитание?

— Ни то, ни другое, — с досадой ответила Сара. — Не хотелось до времени никому говорить, но мы ее удочерили. У этой девочки в далекой России погибли в авиакатастрофе родители, — решилась она открыть старой леди свою тайну. — Когда ее предложили, нас привлекли три обстоятельства.

Она перевела дыхание и перечислила:

— То, что у девочки нет в Америке родственников, — это раз. То, что она уже большая и нет нужды возиться с горшками и пеленками, — два. И в-третьих, нам с Генри очень понравилось, что девочка благородного происхождения — чуть ли не княжеского рода!

— Интересно, из какого же? — живо откликнулась старушка. — Я ведь, Салли, тоже родом из России и помню историю этой страны.

— А я, к сожалению, ее совсем не знаю, — вздохнула миссис Фишер. — Тебе что-нибудь говорит фамилия Шереметева? По документам, она из этого рода. И ее имя — Елена, но мы зовем ее Лолой. Нам с Генри так больше нравится.

«Значит, девочку зовут Леной Шереметевой, — зафиксировала в уме Мария Игнатьевна. — При чем же здесь Юсуповы? Думаю, их и Дашутку ждет большое разочарование», — мысленно усомнилась она, но вслух все же мягко сказала:

— Это очень интересно, Салли! Хотелось бы посмотреть на твою приемную дочь. Я еще не разучилась говорить по-русски. А как вы с ней объясняетесь? Нет проблем?

— Никаких! Лола хорошо владеет английским, — с довольным видом ответила Сара. — А как начнет посещать нашу школу, совсем станет американкой!

Поняв, что вряд ли получит от нее дополнительную информацию, мудрая Мария Игнатьевна решила закруглить разговор.

— Тебе не кажется, Салли, что становится свежо? Как бы нам не простыть! — с беспокойством сказала она. — По-моему, разумнее вернуться в салон. Ты согласна?

Миссис Фишер против этого не возражала, и они, не спеша, стали спускаться с капитанского мостика.

Было еще раннее утро, и Даша только что поднялась с постели, когда в ее номере раздался телефонный звонок. Подняв трубку, она услышала бодрый голос бабушки Роберта — Марии Игнатьевны.

— Ну вот, Дашутка, сегодня есть возможность прояснить вопрос с приемной дочерью Фишеров, — без обиняков заявила она. — Вчера вечером мне позвонила Сара и пригласила меня ее навестить. Говорит, что приемная дочь Лола захандрила, и надеется, что разговор с русской бабкой немного развеет ее тоску.

— Это хорошо! — обрадовалась Даша. — Вы, баба Маня, потом мне ее подробно опишете. А еще лучше будет, если вам удастся девочку обо всем расспросить.

— Вряд ли мне это позволят, — усомнилась Мария Игнатьевна. — А чтобы не надо было ее описывать, незаметно сделаю несколько фотоснимков. У меня есть маленькая камера, которую всегда беру с собой в путешествия.

Она сделала паузу и твердо заявила:

— Но без тебя я туда не отправлюсь!

— Это почему же? — удивилась Даша. — Я работаю, и потом ведь Фишеры меня к себе не приглашали.

— Как знаешь, но я без тебя, Дашутка, туда не поеду, — решительно отрезала баба Маня. — Во-первых, это нужно тебе, а не мне, и во-вторых, я слишком стара, чтобы водить машину на такие расстояния.

— Ну ладно, отвезу, если договоришься с Бетти, а то хозяйка уже на меня косо смотрит за мои частые отлучки с работы, — неохотно согласилась Даша.

— Ничего, Бобби предупредит мать. Пора бы уже Элизабет привыкнуть, что ты без пяти минут ее невестка, — небрежно бросила баба Маня. — Итак, жду тебя, Дашутка! Мы к часу должны быть на месте.

Пришлось Даше в темпе принимать ванну, приводить в порядок прическу и заказывать завтрак в номер. Однако она управилась, и в одиннадцатом часу они уже катили на ее новеньком «шевроле» по автостраде в Уэст-Палм-Бич.

А в это время на шикарной вилле Фишеров Генри, узнав от супруги о визите миссис Боровски, был неприятно удивлен и раздосадован.

— Зря ты, Салли, пригласила сюда эту старую проныру, — сердито выговаривал он ей. — У нее язык как помело! Ну зачем она тебе понадобилась?

— Лола все тоскует по сестре, в школе чуждается сверстников. Учителя жалуются, что невнимательна на уроках, — объяснила супруга. — Вот я и решила, что общение с доброй русской старухой отогреет ее душу. Тем более что я, Генри, — добавила извиняющимся тоном, — на яхте проговорилась ей о нашей девочке.

— Да уж, оплошала ты, Салли, — обеспокоенно сказал Фишер. — Ведь я говорил тебе о том, что ее разыскивают русские. Теперь, если старуха Боровски растрезвонит о Лоле всем знакомым, сыщики могут напасть на ее след.

— Неужели, Генри, у нас ее могут отобрать? — испугалась Сара.

— Пусть только попробуют! — самоуверенно бросил Фишер. — Однако, дорогая, неприятностей не оберешься. Лучше этого не допускать.

Он немного подумал и посоветовал жене:

— Лолу старой пройдохе не показывай! Прими ее любезно, соври чего-нибудь в оправдание: мол, заболела и тому подобное и займи другим.

— Но она захочет все же взглянуть на девочку, — растерянно произнесла Сара. — И потом, чем же я ее займу?

— Поведи ее в оранжерею и продемонстрируй новую коллекцию кактусов. А вот Лолу показывать нельзя!— категорически запретил Фишер и, поразмыслив, предложил:— Давай я куда-нибудь свожу ее после школы? Ну хотя бы в дельфинарий. Она ведь кончает занятия в два? В какое время приедет к тебе старуха?

— Я пригласила ее к часу дня с тем, чтобы пообщаться с Лолой, когда шофер привезет из школы и, как всегда, в три вместе пообедать, — ответила супруга и облегченно вздохнула. — А ты это неплохо придумал, Генри. Я так и сделаю!

Вот почему, когда изрядно уставшие Мария Игнатьевна и Даша, проделав длинный путь, прибыли на виллу Фишеров, их ждало разочарование.

— Ну и молодцы, что приехали! — изобразила радость встретившая их хозяйка. — Поможете мне развеять скуку, но зато у меня есть, чем вас удивить. Я покажу вам новое украшение моей оранжереи совершенно эксклюзивные виды кактусов, которые вы нигде еще не встречали.

— А как себя чувствует Лола? — без обиняков спросила Мария Игнатьевна о главном, что ее интересовало. — Неужели ты думаешь, Салли, что я проделала такой утомительный путь, чтобы полюбоваться на твои кактусы?

— Прости, но повидать ее вам, наверное, не удастся. Я познакомлю с ней в следующий раз, — без стеснения солгала Сара. — Лола уже хорошо себя чувствует и отправилась на занятия в школу. Мы пообедаем втроем, без нее.

Узнав, что они проделали такой долгий путь напрасно, старая миссис Боровски и Даша несколько секунд пребывали в шоке.

— Очень жаль, Салли!— придя в себя, с упреком сказала Мария Игнатьевна. — Я уговорила Ди, — кивнула на Дашу, — чтобы свозила меня к тебе, лишь потому, что хотела взглянуть на маленькую русскую княжну и улучшить ее самочувствие. Не пойму, что мешает повидаться с ней после школы?

— А она не приедет домой обедать. Лола попросила Генри сходить с ней в зоопарк или еще куда-то, — объяснила ей Сара, привирая. — Вернутся они поздно.

«Что-то Фишеры заподозрили. Решили не показывать Лолу», — одновременно подумали обе визитерши, а Мария Игнатьевна, не скрывая обиды, сказала:

— Ты уж извини меня, Салли, но твои кактусы мы посмотрим в следующий раз. Я приехала по твоей просьбе, чтобы помочь, а на праздные дела у нас нет времени.

— Вы что же, не останетесь даже обедать? У нас подают ровно в три, — изобразила сожаление Сара, радуясь тому, что так легко от них избавляется.

— Обеда слишком долго ждать, а у Ди вечером показ новой коллекции одежды, — дипломатично отказалась Мария Игнатьевна. — Мы перекусим по дороге.

Миссис Фишер не стала их больше удерживать, и, садясь в машину, Даша, лукаво улыбаясь, сказала:

— А ведь я догадалась, что вы, баба Маня, задумали. Ведь мы сейчас поедем в школу, не так ли?

— Само собой, Дашутка! — тоже улыбнувшись, подтвердила старушка. — Не зря же мы проделали такой длинный путь.

— Значит, нам надо спросить, куда ехать?

— Я знаю, где здесь элитарная школа. Ее кончил внук моей приятельницы, — ответила баба Маня. — Езжай пока прямо, я покажу тебе дорогу!

Однако в школу их не пропустили.

— Вас нет в заявке, — наотрез отказал им дежурный охранник. — Мне не велено впускать посторонних. — Позвоните в дирекцию.

Мария Игнатьевна и Даша растерянно переглянулись. «Еще чего не хватало, — подумали обе. — Нельзя допустить, чтобы об этом сообщили Фишерам!»

— В дирекции нас не знают. Мы ведь заехали по дороге, просто на нее взглянуть, — ослепительно улыбнулась Даша молодому охраннику, пожиравшему ее глазами.

— Если вам только взглянуть, то и заходить не надо, — решил услужить он красавице — Дети сейчас на спортплощадке, и вы сможете пообщаться через ограду. Корты находятся за углом правой пристройки к основному зданию.

Выйдя из проходной и обогнув справа центральный корпус школы, они без труда нашли игровые площадки обнесенные высокой оградой из металлической сетки. И сразу же на ближнем теннисном корте Даша заметила не по возрасту статную девочку с золотистыми вьющимися волосами. Ей не потребовалось всматриваться, чтобы без колебаний определить — это Оленька Юсупова!

Первым порывом у Даши было закричать во все горло так, чтобы Оля ее услышала, но она вовремя одумалась и лишь взволнованно бросила стоявшей рядом Марии Игнатьевне:

— Это она, баба Маня! Не знаю, что и делать!

— Не вздумай подымать шум! — предупредила ее мудрая старушка. — Нас тогда Фишеры сожрут, и делу не поможешь. Лучше всего поскорее сообщить ее отцу, этому... — замешкалась, припоминая, — князю Юсупову.

«А ведь баба Маня права, — с трудом сдерживая свои эмоции, мысленно согласилась с ней Даша. — Пусть Михаил Юрьевич сам решает, как ему теперь надо поступить!»

Они вернулись к своей машине, и уже в пути, из придорожного ресторана, где остановились пообедать, Даша позвонила своему свекру. Михаил Юрьевич был на месте, словно ждал ее звонка.

— Слава Богу, Оленька нашлась! — задыхаясь от волнения, сообщила ему Даша. — Она у Фишеров. Но под другой фамилией. А они ее зовут Лолой.

Глава 29. Неудачные переговоры

Вечером того же дня в ресторане отеля, где остановились Юсуповы, Михаил Юрьевич и Петр, сидя за уютным столиком в углу зала, с душевным подъемом отмечали удачное продвижение поисков Оленьки. В том, что Даша не подвела и ошибки быть не может, они оба нисколько не сомневались.

— Давай выпьем, папа, за то, чтобы все формальности поскорее остались позади и мы вместе с Оленькой смогли бы отправиться домой, — предложил Петр, наполняя хрустальные бокалы «столичной», которую особенно приятно было пить на чужбине. — Наконец-то нам повезло!

— Принимается! Сразу даже Америка мне стала нравиться, как нашлась наша девочка, — радостно улыбаясь, отозвался Михаил Юрьевич. — Я стал замечать все, что у них есть хорошего и что стоило бы перенять нам.

Они выпили, закусили анчоусами и великолепной ветчиной и снова налили по полной.

— Сейчас самое главное, Петя, это договориться с Фишерами, — раздумчиво и, как бы соболезнуя американцам, произнес Михаил Юрьевич. — Их ведь можно понять. Решили усыновить ребенка, заплатили много денег и — стали жертвой обмана! Представляешь? Они уже успели назвать ее по-своему, отдали в школу, заботятся как о дочери. Каково им теперь давать задний ход?

Удрученно посмотрев на сына, он поднял свой бокал:

— Выпьем за то, чтобы переговоры с ними прошли менее болезненно и они отдали бы нам Оленьку без проволочек!

Петр ответил ему понимающим взглядом, они чокнулись и осушили бокалы.

— Я все же думаю, папа, они так легко не сдадутся, — задумчиво произнес он, когда они закусили. — Если сделка была законной и документы оформлены как надо, Фишеры могут уйти в глухую защиту. Они могут не признать наши права, и у них есть для этого основание.

— Да ты что? — возмущенно воскликнул отец. — Какое еще основание, когда Оленька была похищена? Я ведь покажу им документы, что она моя дочь!

— Только не надо горячиться, папа! Все значительно сложней, чем тебе представляется, — резонно заметил Петр. — Даша ведь сказала, что наша Оля по всем документам значится как Елена Шереметева и еще надо доказать, что это липа!

— Ну и что? Нет ничего проще! — запальчиво произнес Михаил Юрьевич. — Возьмем и поставим рядом Наденьку, если они верят фальшивым бумажкам!

— Ты ведь юрист, папа! Должен учитывать специфику судейского крючкотворства, — укоризненно покачал головой Петр. —

Они же будут доказывать, что наши девочки — просто двойники, и на этом постараются нас обштопать.

— Но ты забываешь, Петя, что Оленька — не глухонемая! — горячо возразил ему Михаил Юрьевич. — Она же молчать не будет.

— Они, папа, куда-нибудь ее увезут или еще чего-нибудь придумают, — стоял на своем Петр. — Не забывай, что Фишер — мультимиллионер, и у него здесь связи. А мы для них лишь настырные иностранцы.

Михаил Юрьевич возмущенно посмотрел на сына.

— Ты рассуждаешь, как бесчувственный деляга! Но и судьи — тоже люди. И у них есть душа и сердце. Не могут они поступить так бесчеловечно!

— Может, ты и прав, папа, — сдался Петр. — Мне тоже хочется верить в людей и торжество справедливости. Но все же нам лучше не доводить это дело до суда, — убежденно добавил он. — Сам знаешь, что делают деньги и подкуп!

— Вот поэтому, сын, предлагаю выпить за то, чтобы низменные чувства и корысть не брали верх в людях над дарованной нам Богом совестью, — провозгласил тост Михаил Юрьевич. — Иначе выродится род человеческий!

Они снова выпили, молча покончили с едой, и лишь за десертом Петр, как всегда умевший найти свежие идеи, неожиданно предложил:

— Раз уж ты возлагаешь надежды на то, что у них может пробудиться совесть, тогда лучше всего подключить к переговорам маму. Вот она, по-моему, сумеет ее пробудить, если это вообще возможно.

— А что? Хорошая мысль! — одобрительно подхватил отец. — Она ведь сама сюда рвется. Еле упросил ее подождать, когда узнала, что мы нашли Оленьку. Говорит, что с Наденькой управятся бабушка с дедом. Они согласны это время пожить у нас.

— Тогда нужно раздобыть ей приглашение от какого-нибудь театрального продюсера. Я берусь это срочно провернуть, — деловито предложил Петр.

Они немного помолчали, размышляя, и Михаил Юрьевич заключил:

— Значит, Петя, сделаем так. Ты займись оформлением въездных документов на маму, а я, не теряя времени, отправлюсь в Уэст-Палм-Бич и начну переговоры с Фишерами. Пока суть да дело, она и прилетит к нам на помощь.

Взглянув на сына с любовью и уважением, он добавил:

— Думаю, что свою идею ты подал своевременно. Очень сомнительно, что мои переговоры с этим американским мультимиллионером принесут желанный результат.

— Тысяча чертей! — с досадой выругался Фишер, когда секретарша Мэрилин сообщила ему, что с ним хочет встретиться какой-то мистер Джюсупофф, судя по акценту иностранец. — Значит, они сумели-таки отыскать Лолу.

— Хорошо, назначь ему время приема после ланча, — подумав, распорядился он. — Не сказал, где остановился?

— Нет, не говорил. Позвонит через полчаса, — ответила Мэрилин и добавила, интимно понизив голос. — Вас ждать сейчас, босс?

— Что, плохо провела ночь? — не без игривости пошутил Генри. — Я бы тоже непрочь с тобой поразмяться, да вот до полудня ничего не получится. Должен уделить внимание семье.

Он и правда обещал Саре вместе с ней переговорить с подрядчиком по поводу новой пристройки к оранжерее, и, когда тот прибыл, на это у него ушло не менее двух часов. В своем офисе появился только около часа дня и узнал, что Юсупов уже ждет его в приемной.

Внушительный внешний вид отца Лолы произвел на Фишера впечатление. Он и сам был крепко сколоченным крупным мужчиной, но этот русский заметно превосходил его ростом и силой. «Похоже, правду писали газеты, будто этот тип в драке взял верх над гангстерами, — с опаской подумал он. — Наверное, какой-нибудь их чемпион. С ним надо ухо держать востро!»

— Итак, я вас слушаю, — высокомерно глядя на нежданого визитера, произнес Фишер после обмена рукопожатием. — Не часто меня здесь посещают русские. Так чем могу быть вам полезен?

Все же голос у него звучал фальшиво, и Михаил Юрьевич решил взять быка за рога.

— Я думаю, нам не стоит играть в кошки-мышки, Генри, — стараясь говорить спокойно, обратился он к Фишеру. — Мне, как опытному детективу, уже давно ясно: вы хорошо знаете, что я разыскиваю свою дочь, и стараетесь всячески воспрепятствовать этому.

— Интересно, на основании чего вы пришли к такому выводу? Как зовут вашу дочь? — холодно глядя на Юсупова, уклонился от прямого ответа миллионер.

— Мою дочь зовут Ольгой Юсуповой, и вы это отлично знаете, — глядя ему в глаза, жестко произнес Михаил Юрьевич. — А о том, что вы не останавливаетесь ни перед чем, чтобы помешать мне ее найти, говорят два заказных убийства: главы посреднической фирмы Донована и его агента Ричардсона.

Умышленно сделав паузу, он со скрытой угрозой добавил:

— И в отличие от полиции у меня нет сомнений, кто является заказчиком.

Однако Генри Фишер был тертым калачом и не терялся в подобных острых ситуациях.

— Это очень серьезные и оскорбительные обвинения! — изобразив негодование, мрачно посмотрел он на Юсупова. — Мне бы следовало указать вам на дверь, но вижу, что вы добросовестно заблуждаетесь, поскольку я действительно недавно удочерил русскую девочку.

Он перевел дыхание и, остро взглянув на противника, добавил:

— Но мою приемную дочь зовут иначе. По документам, а они, — подчеркнул, — подлинные, эта девочка — Елена Шереметева, а никакая не Юсупова!

Михаила Юрьевича, как говорится, на мякине было не провести. Сдержав подступавший аж к горлу гнев, он резко произнес:

— Зря вы, Генри, затеваете эту тяжелую для нас обоих, а для вас однозначно проигрышную борьбу. Вы же прекрасно знаете, что эти документы — хорошо сработанная липа и я, как отец, никому не отдам свою дочь!

Бросив на откинувшегося в кресле Фишера мрачный взгляд, он предупредил:

— Заказать меня, как тех фирмачей, вам нет никакого смысла, потому что есть надежная замена: сын, родственники, друзья. Да и со мной покончить будет не так легко. Я не доставлю вам такой радости!

«Может, и правда не стоит с ним связываться? Серьезный противник, — глядя на него, опасливо подумал Фишер. — И денег выброшу кучу и неприятностей не оберешься. Но, если уступлю, Салли мне этого не простит», — мысленно заключил он, и это решило дело.

— Значит, хочешь со мной потягаться, Майкл? — с холодной насмешливостью произнес он, сбрасывая с себя маску. — Советую подумать, прежде чем пойдешь на самоубийство. Ты, наверное, забыл, что здесь Америка, а не Россия?

Глядя на Юсупова с видом абсолютного превосходства, откровенно заявил:

— Зачем мне тебя убивать? Живи, воспитывай вторую дочь. А эту, считай, ты потерял. Надо было лучше ее беречь! Ну куда тебе тягаться со мной? Силой у меня ее не отнимешь, — Генри нагло ухмыльнулся, — а по суду никому ничего не докажешь. Лишь окончательно разоришься!

Волна яростного гнева ударила Юсупову в голову. Он вскочил, сжав кулаки, готовый сокрушить негодяя, пожелавшего отнять у него дочь. Однако разум взял верх над обуревавшими его чувствами, и, опустившись на свое место, он хрипло спросил:

— Но все же почему, Генри, вы зациклились на моей дочери? Не разумнее ли в сложившейся ситуации взять другого ребенка? Ведь ничего хорошего у вас не выйдет! Наша Оля уже большая, и, когда все узнает, семейного счастья вам не видать!

— Я приму меры, чтобы не узнала! — серьезно заявил Фишер. — Лола к нам уже привыкла, ее полюбила моя жена. Можешь, Майкл, не беспокоиться: ее ждет блестящее будущее.

Михаил Юрьевич понял, что дальнейший разговор не имеет смысла. Он уже полностью овладел собой и рассуждал трезво и прагматично.

— Ну что же, очень жаль, Генри! Лучше бы нам договориться по-хорошему. Зря ты себя переоцениваешь и в грош не ставишь силу закона! — жестко глядя ему в глаза, заявил на прощание. — Честно предупреждаю, что у меня против тебя есть солидные козыри! Подумай еще раз: может, все же выгодней получить от нас компенсацию и не затевать позорное для тебя дело?

Юсупов больше ничего не сказал и, круто повернувшись, вышел.

Мультимиллионер Генри Фишер был вовсе не так уверен в своей победе над отцом Лолы, как демонстрировал ему при встрече. Вернулся домой он хмурый и озабоченный, что не преминула заметить супруга.

— Чего это ты, дорогой, сам не свой? — спросила его Сара, обратив внимание, что муж, который, сидя у окна в кресле, просматривал свежую прессу, отложил газету и, встав, с озабоченным видом заходил по комнате. — У тебя в делах непорядок?

— Это у нас с тобой в делах непорядок, — остановившись возле нее, угрюмо бросил Фишер. — Оставь свое вязание! Сейчас и ты станешь сама не своя, когда все узнаешь.

— А что стряслось? — с тревогой в глазах посмотрела на него Сара, зная, что муж не стал бы так беспокоиться по пустякам.

— Подвели нас русские мошенники с Лолитой. Будь они прокляты! — в сердцах выругался Фишер. — Обманули, что сирота. Сегодня у меня был ее отец!

— Неужели, Генри? — испуганно всплеснула руками Сара и как ужаленная вскочила с кресла. — Как же он сумел ее найти?

— Вот сумел. Он оказался профессиональным детективом, — буркнул Фишер. — Даже успел собрать на меня досье. Угрожал мне, Салли, — добавил хмуро, не скрывая озабоченности,

Он помолчал, проницательно глядя на свою верную подругу, на лице которой как в открытой книге отражалась вся гамма обуревающих ее чувств, и спросил, заранее предугадывая ответ:

— Может, отдадим ему дочь, Салли? Он не отвяжется. Доставит нам неприятностей по полной программе! А мы возьмем другую девочку, — закинул удочку на всякий случай.

— Об этом не может быть речи! — отрицательно замотала головой Сара. — Мне никто не нужен, кроме Лолиты! Если у нас ее отберут, никого больше не возьму. Но ты ведь не допустишь этого, Генри?

— Уж постараюсь, будь уверена, — чтобы немного успокоить ее, сказал Фишер, с сочувствием глядя на постаревшее и все еще дорогое ему лицо жены.

Несмотря на то что бывший чикагский мусорщик в силу темперамента был заядлым юбочником и исповедывал известную сомнительную философию: бей сороку и ворону, это не мешало ему искренно любить и уважать свою супругу.

Для ее счастья и благополучия он готов был пойти на любой риск.

Ласково обняв Сару и усадив обратно в кресло, Фишер сел рядом и деловым тоном сказал:

— Ну что же, тогда обсудим ситуацию, дорогая. Вместе с тобой мы, глядишь, чего-нибудь да придумаем.

— А нельзя никак от них откупиться, Генри? Может, они очень нуждаются? — предложила Сара, самое надежное, по ее мнению, средство. — Для нашей Лолиты не жалко никаких денег!

— Не тот случай, дорогая. Он сам предлагал компенсировать наши потери, — хмуро ответил Фишер. — Но можно попробовать сделать как раз наоборот.

— Ты что имеешь в виду? — не поняла его супруга.

— Воспользоваться его предложением и с учетом понесенного морального ущерба потребовать столько, чтобы это оказалось ему не по силам. Если сумею подписать с ним соглашение и он его не выполнит, мы выиграем дело в суде.

Фишер помолчал, размышляя, и мрачно заключил:

— Но это сомнительный путь, хотя и его испробовать можно. На мой взгляд, самое лучшее в данной ситуации — это надежно спрятать Лолиту от родных и ищеек, — предложил он жене приемлемый выход. — Возьми и увези ее куда-либо подальше, чтобы не скоро нашли. Время будет работать на нас!

Сара долго не отвечала, напряженно взвешивая все «за» и «против», но потом решительно отвергла это предложение.

— Нет, этого делать нельзя! Лолита только освоилась с нашей жизнью, начала заниматься в школе, и вдруг я увезу ее на край света? Мне и так нелегко с ней здесь, а что будет там, представляешь? — озадаченно посмотрела на мужа. — Нет уж, Генри, постарайся тут уладить это дело! Ты ведь у меня все можешь, не так ли, дорогой? — порывисто прильнула она к нему.

— Что уж с тобой поделаешь, Салли. Пусть будет по-твоему, — потрепав ее по голове, согласился Фишер. — Придется попробовать первый вариант, а там видно будет. Удрать с ней вы всегда успеете!

В то утро лил проливной дождь. После завтрака в ресторане отеля Юсуповы вернулись в свой люкс за плащами, собираясь на консультацию к юристам, когда им позвонили из офиса Фишера.

— Это мистер Майкл Джюсупов? — спросил мелодичный женский голос.

— Нет, с вами говорит его сын. Сейчас он подойдет, — оказавшись ближе к телефону, ответил Петр и обрадованно бросил отцу: — Звонят от Фишера!

— Значит, как говорится, лед тронулся, — оживился Михаил Юрьевич, беря у него трубку.

— Мой босс приглашает вас на переговоры, — объявила ему Мэрилин. — Когда вы сможете к нему прибыть? Он пришлет за вами свой самолет.

— Пришлет личный самолет? — намеренно переспросил ее Михаил Юрьевич, выразительно поглядев на сына и, поскольку тот отрицательно затряс головой, вежливо отказался: — Поблагодарите за нас мистера Фишера и передайте, что мы с сыном сможем быть у него не позже пяти. У нас спортивная машина, а полет, — пояснил он с усмешкой, — переносим очень плохо.

Положив трубку, Михаил Юрьевич повернулся к Петру, который уже полез в шкаф доставать дорожные принадлежности.

— Консультацию у юристов отменяем! Иди готовь машину, а я позвоню к ним в контору и договорюсь на послезавтра. Согласен с тобой, что лететь на его самолете было бы слишком рискованно, хоть и намного быстрее.

— Мое деловое чутье подсказывает, что Фишер и правда решил провести с тобой переговоры, папа, — сказал ему Петр. —

Думаю, что вряд ли так примитивно хотел заманить тебя в ловушку. И все же рисковать, разумеется, не стоит!

Не мешкая, они закруглили текущие дела в Атланте и отправились в путь. За пять часов взятый на прокат «ягуар» домчал их по прекрасному шоссе до места назначения. Они сделали всего лишь две остановки: пополнили топливный бак на одной из бензоколонок и пообедали в знакомом ресторане Джексонвилла.

Немного передохнув в уютном пивном баре, они ровно в пять прибыли в офис Генри Фишера. На этот раз хозяин уже находился у себя. Петр остался в приемной в приятной компании Мэрилин, не спускавшей глаз с такого видного молодого русского, а Михаил Юрьевич, не мешкая, прошел в кабинет босса. Он всей душой надеялся, что трезвый рассудок и человеческие чувства у приемных родителей его дочери взяли верх над эгоизмом, и обоюдным мучениям будет положен конец. Однако эти надежды не оправдались.

— Я по-прежнему уверен, Майк, что одержу победу в споре за Лолу, — сразу же заявил ему Фишер, как только они обменялись рукопожатием и Юсупов уселся в кресло. — Но боюсь, что эта тяжба потребует больших затрат нервной энергии у всех участников и, главное, — пагубно отразится на здоровье моей жены.

Он перевел дыхание и продолжал излагать то, что хорошо заранее продумал:

— Нам с супругой стоило немалых переживаний решение об усыновлении ребенка и весь процесс удочерения Лолиты. Жена и сейчас сильно нервничает из-за возникших осложнений, будет переживать их и впредь, что не может не отразиться на ее самочувствии и психическом состоянии. Я уже не говорю об огромных материальных потерях.

— Короче, какая сумма вас удовлетворит, чтобы мы кончили это дело миром? — прервал его излияния Михаил Юрьевич, которому уже было ясно, о чем идет речь. — Я все отлично понимаю, Генри, и еще прошлый раз сказал вам, что мы готовы компенсировать понесенный, хоть и не по нашей вине, ущерб.

— А ты не слишком торопыжничай, Майкл! В делах это противопоказанно, — с циничной развязностью бросил Фишер. —

Ведь речь пойдет об очень большой сумме. Наш материальный и моральный урон слишком велик, чтобы мы с женой так просто смирились со своей неудачей.

К его удивлению, Юсупов отреагировал на это вполне спокойно.

— Я ожидал нечто в таком роде, Генри, — ответил он хмуро и лишь добавил: — Однако считаю, что вы должны получить компесацию также от посредников этой противозаконной сделки.

— Ничего не получится, Майкл! — ждавший этого вопроса, возразил Фишер. — В том-то вся беда, что к ним не придерешься, так как их самих надули русские. Да теперь и не к кому предъявить претензии, — взглянул на Юсупова с циничной ухмылкой. — Ты сам знаешь это.

— Ладно, ваша взяла, — угрюмо согласился Михаил Юрьевич. — Пригласите сюда моего сына, Генри! Он ожидает в приемной. Это ему предстоит оплатить ваши счета.

Очевидно, Фишер был об этом осведомлен, потому что отдал распоряжение Мэрилин, и в кабинет тут же вошел Петр. Представившись хозяину на вполне приличном английском, он сел, и Михаил Юрьевич объяснил ему по-русски:

— Я без тебя, Петя, не стал обсуждать финансовые вопросы. Похоже, сукин сын собирается содрать с нас три шкуры! Итак, — обратился он к Фишеру, — мы готовы выслушать ваши требования.

— Ну и отлично, — ехидно глядя на них, произнес Генри. — Мои расчеты очень просты. Я угрохал только на посредников, доставку и содержание Лолиты около полутора миллионов своего капитала. Но моральные издержки, мои и жены, я ценю намного выше. Думаю, вам известно, сколько я стою?

— Нам это известно. Назовите сумму, — спокойно отозвался Петр.

— Пять миллионов, и ни центом меньше! — прищурившись, выпалил Фишер, с удовольствием наблюдая расстерянность на враз вытянувшихся лицах русских.

Чувствовалось, что готовясь к худшему, такого наглого рвачества они все-таки не ожидали.

Возникла тягостная пауза. Михаил Юрьевич молчал, с убитым видом повесив голову. Петр мрачно размышлял и в конце-концов решительно произнес:

— Так дело не пойдет! Не хочу спорить о справедливости ваших расчетов, мистер Фишер. Вам лучше знать, — дипломатично заметил он, — свои денежные и моральные издержки. Но совершенно необоснованно так жестко требовать с нас оплаты всей суммы. Допустим, вы не можете ничего получить с виновников, однако это не значит, что за них должны платить мы. Короче, — твердо заключил он. — я согласен выплатить только половину названной вами суммы.

«Ну вот наш разговор и подошел к финалу, — удовлетворенно подумал Генри Фишер. — Конечно, я могу заартачиться, но что это даст? Уверен, что два с половиной миллиона тоже непосильная для них сумма. Просто интересно: неужели сумеют ее набрать? С другой стороны, — заговорил в нем делец, — если наберут, это будет совсем неплохая компенсация!»

— Ну что с вами поделаешь, — решившись, согласился он. — Пусть будет по-вашему. Только нам надо будет оформить письменное соглашение, — добавил, вспомнив рекомендацию юристов. — В одном экземпляре, который я оставлю у себя в качестве гарантии.

— Нет, Генри! Ты совершил ошибку, — заявил Фишеру приятель, маститый и дорогостоящий адвокат Дэвид Маккоун, когда он рассказал о договоре, который заключил с отцом своей приемной дочери. — Если они не достанут денег, то этот документ поможет оттягать у тебя ребенка.

Они стояли на поле гольфклуба, закончив очередную партию. Был чудный тихий солнечный день, и лишь с океана долетал легкий освежающий ветерок. Вокруг широко простирался безукоризненно подстриженный газон. Мальчики-грумы подали им полотенца и, утирая пот, друзья уселись отдыхать в услужливо пододвинутые кресла.

— Так почему ты считаешь, Дэйв, что мне может повредить этот договор? — с озабоченным видом спросил Фишер, зная, что его приятель зря слов на ветер не бросает. — Ведь по нему они обязались выплатить очень неплохую компенсацию.

— Да потому, что, подписав этот документ, ты сам признал факт незаконности твоей сделки по удочерению русской девчонки, — посмотрел на него Маккоун, как взрослый на ребенка. — Неужели тебе это непонятно, Генри?

Видя, что его друг все еще не осознал смысла сказанного, он объяснил:

— Ты ведь сам мне признался, что по документам твоя приемная дочь носит совсем другую фамилию, чем эти русские, с которыми у тебя проблемы. Разве не так?

Фишер молча кивнул, и, хотя было видно, что до него уже дошла мысль адвоката, тот все же наставительно продолжал:

— Имея на руках этот договор, они легко могут отказаться от его выполнения. Поскольку их похищенную дочь вывезли по фальшивым документам, подадут иск о признании твоей сделки с преступниками незаконной, и выиграют это дело! Даже я, Генри, не смогу тебе помочь.

К его вящему удивлению, Фишер весело рассмеялся: так позабавил ушлого дельца нравоучительный тон адвоката и написанное на его холеном лице чувство собственного превосходства.

— Да ты, видно, за простака меня держишь, Дэв? Напрасно! — отсмеявшись, небрежно бросил он приятелю. — Все, что ты сказал, мне было ясно с самого начала, и я это учел.

— Каким же образом, если, как говоришь, уже подписал с ними договор? — на этот раз не понял его адвокат.

— А я составил договор только в одном экземпляре и оставил его у себя! — гордясь своей предусмотрительностью, объяснил ему Фишер. — Как раз для того, чтобы они не могли использовать этот документ против меня. Если что-то пойдет не так, уничтожу его, и дело с концом!

— Вот это ты верно сделал, Генри, — бросив уважительный взгляд, одобрил приятеля маэстро. — Нельзя предоставлять противнику такие сильные козыри!

Ему стало неловко перед Фишером за свой менторский тон и, чтобы сохранить престиж более искушенного в юридических процедурах специалиста, на этот раз по-приятельски посоветовал:

— Все же, Генри, будь бдителен, во время дальнейших встреч и переговоров с ними по этой сделке! Они ведь не раз могут затеять споры по толкованию тех или иных пунктов договора.

— Ну и что? Это привычное для меня дело, — не понял его Фишер. — Ты хочешь участвовать в переговорах?

— Я не то имел в виду, — вновь тоном, в котором звучали нотки превосходства, пояснил Маккоун. — Этот русский детектив может быть очень хитер. Боюсь, что он сумеет либо тайно сфотографировать, либо каким-то другим способом раздобыть копию нужного ему документа.

— Не беспокойся, Дэйв! Уж я позабочусь, чтобы этого никогда не случилось, — самоуверенно бросил Фишер. — Но за добрый совет спасибо.

— И все же, Генри, я на твоем месте не был так спокоен, — с сомнением произнес Маккоун. — Еще и еще раз подумай, дружище: стоит ли тебе идти с ними на эту сделку. Тем более что Сара хочет девочку оставить у себя.

«А что? Скорее всего Дэйв прав, — подумал Фишер, отнюдь не уверенный в том, что поступает верно. — Надо будет еще раз все взвесить».

— А ты убежден, что выиграешь процесс, если русский подаст на меня в суд при нынешних обстоятельствах? — напрямую спросил Фишер, проницательно глядя в глаза своего именитого приятеля. — Ведь эта тяжба будет стоить мне кучу денег!

— Процесс обойдется тебе недешево и будет трудным. Но я его непременно выиграю, Генри! — уверенно заявил Маккоун. — Я об этом уже думал, и у меня есть секретное оружие, которое обеспечит нам победу.

— Ну что же, и я подумаю, — принял решение Фишер и предложил:

— Давай-ка сыграем еще одну партию, Дэйв! Должен же я сегодня взять у тебя реванш?

Приятели поднялись и, взяв клюшки у грумов, продолжили игру в гольф.

Примерно в это же время у Петра Юсупова состоялся телефонный разговор с Москвой. На другом конце провода был его личный друг и вице-президент концерна «Золото России» Виктор Казаков, замещавший своего шефа на время его отъезда.

— Так вот, Витя. Известные тебе обстоятельства вынуждают меня пойти на крайность, — объяснял ему Петр сущность своей проблемы. — Мне необходимо в срочном порядке раздобыть под залог всех моих акций огромную сумму валюты, два с половиной миллиона баксов, и перевести сюда на мой личный счет. Сумеешь это сделать? — с беспокойством спросил он. — У меня хватит активов?

— О чем речь? Я ведь понял, что это нужно для выкупа Оленьки, — упавшим голосом произнес верный друг. — Стоимость принадлежащих тебе контрольных пакетов только по «Алтайскому самородку» и «Цветмету» намного превышают эту сумму. Проблема лишь в том, чтобы не продешевить при закладе. Но наши банки, уверен, тебя выручат.

Казаков на секунду умолк и скорбным голосом добавил:

— Но ты фактически потеряешь, Петя, все, что у тебя есть. Разумеется, твою прозорливость и деловую хватку все очень ценят, однако каково тебе будет из хозяина превратиться в подчиненного? Неужто ничего нельзя сделать, — спросил он с робкой надеждой, — чтобы выручить Оленьку не такой ужасной ценой?

— Это прямой путь вернуть сестру. Все остальное слишком рискованно, — тяжело вздохнув, объяснил Петр. — Я все понимаю, Витя, но не могу поступить иначе. Душа не позволяет заниматься расчетами. Надеюсь, что кое-что все же останется и со временем наверстаю потерянное.

Он перевел дыхание и, уняв волнение, деловито распорядился:

— Держи со мной связь и в случае затруднений немедленно дай знать! Я тут же прилечу к тебе на подмогу.

Положив трубку, Петр повернулся к отцу, сидевшему рядом, мрачно опустив голову. По покрасневшему лицу и тяжелому дыханию Михаила Юрьевича было видно, как он сильно переживал, слушая их разговор и думая о неизбежном разорении сына.

— Ну вот, папа, все теперь будет в порядке. Виктор Казаков не подведет, — заявил Петр бодрым тоном, стараясь не показывать, как сильно расстроен. — Он расшибется в лепешку, а с банками договорится. Если что не так, я сразу вылечу в Москву. Все равно ведь придется лететь за мамой.

— Я не сомневался в тебе, сын. Знал, что все отдашь, если потребуется. Но мне тяжко сознавать, чего это тебе будет стоить, — траурным тоном отозвался Михаил Юрьевич. — Можешь не сомневаться, я сделаю все, что в моих силах: мобилизую связи с крупными клиентами, которые мне многим обязаны, чтобы помочь тебе снова встать на ноги.

— Спасибо, папа. Наверное, мне теперь и впрямь понадобится помощь, — с горечью признался Петр. — Но я не смотрю в будущее столь трагично. Конечно, тяжело расставаться с достигнутым. И жаль мне не столь капитала, как того, что без него не сумею осуществить намеченные крупные дела.

Он сделал паузу, успокаивая дыхание, и более бодро добавил:

— Однако уже осуществленные мною проекты и их коммерческий успех дают мне надежду, что я найду солидных инвесторов. Завоеванный мной авторитет поможет в этом. Тогда я смогу постепенно вернуть утраченное!

— А я просто убежден в этом! — воспрянул духом Михаил Юрьевич. — Ты весь в меня, Петя. Мне довелось попадать в ситуации, куда более отчаянные, чем эта, иногда, казалось, безвыходные. Но все равно я не падал духом! Твердо верил в высшую справедливость, и судьба в конце-концов мне улыбалась.

— И я в это верю, папа! Иначе невозможно жить и бороться, — убежденно произнес Петр и впервые за день улыбнулся отцу. — Вот увидишь, все у нас кончится благополучно. Моя интуиция мне это говорит, а она меня никогда не подводит!

Как только Виктор Казаков сообщил, что договорился с банками о закладе акций, Михаил Юрьевич Юсупов немедленно связался с офисом Генри Фишера. Однако его ждала неудача.

— Босс отсутствует и пока неизвестно, когда будет, — ответил ему мелодичный голос секретарши Мэрилин.

— Надо его срочно разыскать! Речь идет о миллионах долларов, — потребовал Юсупов. — Свяжитесь с ним по мобильному!

— К сожалению, это невозможно, — с фальшивым вздохом соврала Мэрилин, которой Фишер приказал не соединять его с Юсуповыми. — Босс отправился в море на рыбалку и на отдыхе не берет трубку служебного мобильника.

— Так сообщите ему о нас по рации! — рассвирепел Михаил Юрьевич. — Связь с берегом у него наверняка есть!

Не выдержав его натиска, Мэрилин, попросив минуту обождать, заглянула в кабинет к Фишеру, который, разумеется, был на месте.

— Джюсупофф настаивает на встрече. Требует, чтобы немедленно связалась с вами по рации, — растерянно посмотрела она на босса. — Что же мне делать?

— То, что я тебе приказал. Тянуть резину, — с усмешкой ответил Фишер и пояснил: — Я не готов говорить с ними. Не принял окончательного решения.

— Так что же ему сказать? Рация сломалась? — надула и без того пухлые губки Мэрилин.

— Фантазия у тебя богатая, — отшутился Фишер. — Всегда придумываешь разные причины, когда опаздываешь на работу.

С недовольной миной на лице Мэрилин вернулась на место и, не слишком мудрствуя, заявила ожидавшему ответа Юсупову:

— Передала вашу просьбу менеджеру. Обещал связаться с боссом. Позвоните завтра утром.

Положив трубку, Михаил Юрьевич нахмурился.

— Здесь что-то не так, — подозрительно сообщил он Петру. — С менеджером она могла поговорить по телефону, а я отчетливо слышал стук ее каблучков. Ну конечно, — осенило его. — Она ходила советоваться к боссу. Это же ясно!

— А почему он уклоняется от разговора? — недоумевал Петр.

— Хрен его знает, — с досадой ответил отец. — Похоже, решил дать задний ход.

Он снова задумался, все более мрачнея и, приняв решение, заявил:

— Все! Собираемся снова в дорогу, так как время, Петя, работает против нас. Не позволим этому мерзавцу играть с нами в прятки. Клянусь, что застанем его на месте!

Чтобы прибыть в Уэст-Палм-Бич к началу рабочего дня, Юсуповы выехали еще засветло, и на этот раз покрыли уже знакомый путь всего за четыре часа. Михаил Юрьевич не ошибся: Генри Фишер оказался на месте. И хотя отказался их принять, это ему не удалось. Как говорится, не на тех нарвался! Отцу с сыном не потребовалось большого труда, чтобы уложить троих дюжих охранников и расчистить себе путь к лифту босса, который они приметили еще прошлый раз в его кабинете.

У Генри Фишера отвисла от удивления челюсть, когда дверцы его персонального лифта открылись, и к нему в кабинет ворвались оба Юсуповых с явно недружественными намерениями. Но не раз побывавший в крутых переделках, бывший чикагский мусорщик не растерялся. Когда почти одновременно с ними в дверях появилась охрана, он властным жестом остановил новую схватку, в которой мог пострадать сам.

— Пошли вон, коль пропустили! Я потом с вами разберусь, — грубо шикнул Фишер на своих незадачливых охранников. — И чтобы их, — указал на Юсуповых, — больше пальцем никто не тронул!

Когда те вышли, он грузно поднялся со своего места и, не скрывая злобы, тоном, каким объявляют войну, заявил:

— Я избегал разговора, так как еще колебался. Но теперь принял решение. Мы не отдадим Лолиту! Она вовсе не Юсупова, а Шереметева. И на этом наш с вами разговор окончен!

— А как же подписанный вами договор? — одновременно вырвалось у обоих Юсуповых.

— Нет никакого договора, — хладнокровно ответил Генри Фишер, достав его из ящика стола и разорвав на их глазах в мелкие клочья. — Пусть свое слово скажет американский суд!

Поняв, что делать здесь им больше нечего, Юсуповы вышли из кабинета. Оба отчетливо сознавали, что впереди их ждет отчаянная борьба с мафиозным мультимиллионером, и неизвестно, чем она кончится.

Глава 30. Гримасы Фемиды

— Я очень огорчена, что ваши переговоры с Фишером окончились неудачей, и вы решили подать на него в суд, — с искренним сочувствием сказала Даша, позвонив Михаилу Юрьевичу, как всегда, когда он этого не ожидал.

— А ты откуда узнала? — удивился свекор. — Вряд ли Фишер и его супруга об этом распространяются.

— Сами знаете, земля слухом полнится, — ответила Даша. — Но вообще-то узнала я совершенно случайно. У нашей фирмы очень хороший юрисконсульт. С ним по секрету поделился этой новостью адвокат Фишера. Ну а когда тайну знают двое, то это уже не секрет.

По понятным соображениям, она не стала объяснять свекру, что узнала о предстоящей тяжбе от Роберта, которому об этом рассказал юрист. Он же ей сообщил, что адвокат Фишера — один из лучших в Штатах, очень хитер и ловок и, как правило, выигрывает все процессы. По его мнению, дело Юсуповых было безнадежным. Развод Даши с мужем не сделали его родных чужими, и трагедия, которую они переживали, не давала ей покоя.

— В суд мы еще не подавали, но собираемся. Уж очень непростое это здесь дело, — озабоченно произнес Михаил Юрьевич. — Вот Петя, как раз сейчас мотается по конторам юристов. Готовит нужные документы и на ходу пытается разобраться в специфике ихнего судопроизводства. Похоже, что успех зависит от выбора адвоката.

— Вот и мне говорят то же самое. Нужен очень хороший, но, самое главное, порядочный адвокат, — сказала Даша. — Такой, на которого можно положиться.

— Что ты имеешь в виду? — не понял ее Михаил Юрьевич.

— Чтобы не предал вас, если противная сторона заплатит ему больше. Такое, говорят, здесь случается, — объяснила Даша и с сочувствием добавила: — А вам придется особенно трудно, так как Фишер очень богат и, по слухам, не брезгует любыми средствами для достижения своих целей.

— Неужто и самые дорогие адвокаты способны пойти на такое? — с горечью произнес Михаил Юрьевич. — Ведь Петя вполне может обмануться в своем выборе!

— Я тоже об этом подумала, когда все узнала. Поэтому вам звоню, — горячо сказала Даша. — Хочу помочь отобрать Оленьку у негодяя, который бессовестно старается завладеть чужим ребенком.

— Спасибо тебе! Не даром говорят, что друзья познаются в беде, — благодарно произнес Михаил Юрьевич. — Мне стыдно, Дашенька, оттого что только сейчас я оценил твою добрую душу и преданность нашей семье. Прости меня за это!

Он говорил с такой теплотой и искренностью, что застарелая боль и обиды враз куда-то исчезли, и Дашино сердце вновь наполнилось любовью и к нему, и ко всем остальным членам семьи Юсуповых — ее семьи.

— Будет вам, Михаил Юрьевич! Давайте поговорим о деле, — сказала она с подкупающей простотой. — Наш юрисконсульт — весьма опытный и авторитетный специалист и на него можно положиться в выборе адвоката. Если не возражаете, то я устрою вашу с ним встречу.

— Ну конечно, Дашенька! И Петя обрадуется, так как находится в большом затруднении, — с энтузиазмом воспринял ее предложение свекор. — Мы сделаем вот что: встретимся с твоим юристом в Уэст-Палм-Бич.

— Почему именно там, а не у нас в Майами? — недоуменно спросила Даша и добавила: — Это было бы удобнее.

— Для юриста, но не для нас. Сейчас я тебе все объясню, — ответил Михаил Юрьевич. — Раз ты теперь с нами заодно, посвящу в наши планы.

Он сделал паузу и сообщил:

— Мы решили перебраться в Уэст-Палм-Бич, и ты понимаешь, почему. Уже сняли люкс в тамошнем отеле и наняли детективов для наблюдения за виллой Фишера и за Оленькой. Вот там и будем встречаться со всеми, кто нам потребуется. А юристу от нашего имени передай, что его услуги будут щедро оплачены.

— Теперь понятно. Я с ним переговорю и устрою встречу, как только вы сообщите мне свои новые координаты, — отозвалась Даша и пошутила: — Вы ведь снова богаты, раз Фишер отказался от компенсации.

— Думаю, что после суда ты этого уже не скажешь, — тоже шутливо ответил ей Михаил Юрьевич. — В том, что американская Фемида нас обчистит, можно не сомневаться. Хорошо еще, если по миру не пустит!

— Будем надеяться, что этого не произойдет, — в заключение разговора сказала Даша и добавила: — Безотлагательно дайте о себе знать, как только переберетесь в Уэст-Палм-Бич!

Генри Фишер нисколько не сомневался в своей победе над отцом Лолы, но все же, получив извещение о том, что тот предъявил ему иск о возвращении похищенной дочери, не на шутку разволновался. В его жизни случалось всякое, но такого еще не было! Ведь, кроме нервотрепки, по существу, это дело грозило вызвать большой общественный резонанс, который мог обернуться отнюдь не в его пользу.

— Все-таки чертовски не хочется доводить это дело до суда, — признался он супруге после завтрака, когда Лолиту уже отправили в школу. — Боюсь, в газетах и по телеку об этом будет много толков. Ведь журналистов хлебом не корми, лишь бы можно было преподнести обывателю что-нибудь душещипательное! — злобно пробурчал он и посмотрел на нее, как бы ища сочувствия.

— Ну а как иначе нам с тобой узаконить удочерение Лолиты и покончить с приставаниями ее родных? — вопросительно посмотрела на него Сара.

Бывшая прачка, она в детстве и юности сполна испытала на себе жестокость и несправедливость жизни и чувствительностью и сентиментальностью не отличалась. Не требовала снисхождения к себе и не проявляла его к другим. Обретя наяву, а не в мечтах, дочку и привязавшись к ней сердцем, она не созна-вала глубину горя настоящих родителей. По ее мнению, они и так не были обделены судьбой, поскольку имели сына и еще одну дочь.

— Удочерение Лолиты у нас оформлено по всем правилам и как раз может быть оспорено только этим судом, — объяснил ей Генри и добавил просительным тоном: — Может, увезешь девчонку куда-нибудь подальше, Салли? Ведь она и там сможет учиться в школе.

— Но что это даст, кроме неудобств? — возразила жена. — Ведь суд-то, Генри, все равно состоится.

— Это во многом облегчит мне тяжбу, — привел свои доводы Фишер. — Из-за отсутствия Лолы можно затянуть ее на долгое время. Она измотает Юсуповых, потребует больших дополнительных расходов и может заставить отказаться от своего иска. Но главное, не будет процесса — не будет вокруг него и шумихи!

— А как же ты надеешься долго скрывать от суда Лолиту? — с сомнением посмотрела на мужа Сара. — От тебя же потребуют ее явки именем закона!

— Ты все же наивная, Салли, — усмехнувшись, ответил Фишер. — Придумаем для нее какую-нибудь тяжелую болезнь. Если понадобится, то подкупим целый консилиум врачей, чтобы дали нужное заключение.

Однако ему не удалось убедить супругу.

— Насколько я понимаю, Генри, суд могут провести и в ее отсутствие. Тогда окажется, что ты зря отправил нас в ссылку, — решительно возразила она. — Разве ты не уверен в том, что мы выиграем этот процесс?

— Мы его выиграем в любом случае, Салли. В этом можешь не сомневаться! — заверил жену Фишер. — Но если все же состоится процесс, то слишком много потеряем!

— Неужели ты пожалел денег, Генри? — пренебрежительно бросила Сара. — Ведь у тебя их куры не клюют!

— Ну как ты не понимаешь, Салли? — с досадой объяснил Фишер. — Дело вовсе не в затратах на этот процесс, а в том, что шумиха, которая непременно будет поднята в прессе, на радио и телевидении, принесет много бед: скандал станет известен в обществе, что значительно подорвет мой бизнес.

— А мне на это плевать, Генри! Пусть все катятся к чертовой матери! — в сердцах выкрикнула Сара. — Мне никто не нужен, кроме тебя и Лолиты. И разве нам не хватит того, что имеем, чтобы счастливо прожить втроем?

Поняв, что переубедить жену ему не удастся, Фишер оставил дальнейшие попытки.

— Ну ладно, Салли, успокойся! — миролюбиво произнес он. — Придется мне настропалить этого ловкача Маккоуна. Может, ему еще удастся хорошенько припугнуть родных Лолы и заставить их отказаться от своего иска.

Когда в люксе Юсуповых, снятом ими в одном из лучших отелей Уэст-Палм-Бич, раздался телефонный звонок, Михаил Юрьевич поднял трубку, уверенный, что это Даша, от которой ждал сообщений, но ошибся. Услышанный им низкий и густой голос был ему незнаком.

— Надеюсь, я говорю с мистером Майклом Джюсупофф? — самоуверенным тоном спросил неизвестный. — Если так, у меня к вам дело.

— Вы не ошиблись, но я прошу вас представиться, — ответил Михаил Юрьевич и поинтересовался: — Хотелось бы знать: кто дал вам мой номер телефона?

— Минуточку терпения, Майкл, и вам все станет ясно, — развязно произнес обладатель густого голоса. — С вами говорит адвокат мистера Фишера. Мое имя Дэвид Маккоун, и оно, — подчеркнул он паузой, — известно всей Америке! А узнать, где вы находитесь, нам помогли в отеле Атланты, который вы вчера покинули.

— Так что вам от меня нужно, мистер Маккоун? — сухо спросил его Михаил Юрьевич. — Говорите, я слушаю!

— По телефону это обсудить невозможно. Нам нужно встретиться, Майкл! — напористо предложил адвокат. — Мне надо сказать вам нечто очень важное.

— У меня возражений нет, — согласился Юсупов. — Откуда вы говорите?

— Из своего офиса в Майами, — ответил Маккоун. — Вы не могли бы заглянуть ко мне? — предложил он и любезно добавил. — Угощу вас отличным виски!

— Нет уж! Приезжайте вы сюда, — возразил ему Михаил Юрьевич. — Если вас устроит, — взглянул на часы, — можем встретиться в полдень в ресторане отеля или в моем номере. Как вам больше нравится.

— Предпочитаю ресторан. Нейтральная территория, — полушутя пророкотал в трубку Маккоун. — Только если позволите, подъеду к часу. Иначе могу не успеть.

— Без проблем, — согласился Юсупов и счел нужным предупредить. — Только на встречу я приду с сыном. — Он лучше меня разбирается в том, что касается финансов.

Маститого адвоката Юсупов приметил наметанным глазом издали. Среди других посетителей ресторана он выделялся не только ростом и дородностью, но и артистичной величественностью осанки. Когда Михаил Юрьевич подошел, Маккоун приветливым жестом указал ему на стул за своим столиком. Очевидно, узнал по фотографии.

— Присаживайтесь! Сейчас нам принесут аперитивы, — любезно произнес он. — Может, заказать что-нибудь более существенное? — вопросительно взглянул на Юсупова. — Но, думается, мы это еще успеем, — добавил с лукавой усмешкой, — если сумеем договориться.

Вышколенный официант принес и поставил на столик коктейли. Михаил Юрьевич сел напротив Маккоуна и, потягивая через соломинку черри-бренди, деловито предложил:

— Так какие вопросы, Дэвид, нам нужно обсудить? Через четверть часа сюда подойдет мой сын, но мы можем начать без него.

— Не буду ходить вокруг да около, Майкл, и открою сразу цель путешествия, которое я проделал ради встречи с вами, — велеречиво, словно выступал перед большой аудиторией, хорошо поставленным голосом произнес Маккоун. — Это, несмотря на занятость и очень дорогое, — подчеркнул он, — мое время.

Юсупов на это не отреагировал, и адвокат продолжал:

— Так вот, Майкл, я хочу предотвратить трагедию. Да, именно трагедию, я не ошибся. Трагедию вашей семьи! Вы думаете, я имею в виду похищенную у вас дочь, которую, как вы считаете, приютила семья Фишеров? Отнюдь нет!

Маккоун сделал паузу, ожидая реакции на свои слова, но ее не последовало, и он с тем же жаром продолжил заготовленную речь.

— Разве это трагедия, когда пропадает одна из двух дочерей? Да, это большое горе, но отнюдь не трагедия. Вот когда родители теряют единственное дитя, что не так редко происходит в нашей суровой жизни, тогда это подлинная трагедия! Ваша трагедия, Майкл, совсем в другом.

Адвокат снова прервал свою речь, и на этот раз Юсупов не смолчал.

— Так в чем же тогда наша трагедия? — раздраженно бросил он, не понимая, куда клонит адвокат, и начиная злиться на краснобая.

— Она в том, что неразумно и неправомерно затеяв судебный процесс с мультимиллионером, вы, ничего не добившись, наверняка останетесь без гроша. Сами станете нищими и свою оставшуюся дочь сделаете несчастной. Генри Фишер вас разорит. Вот это будет настоящая трагедия!

— Я вас понял. Хотите запугать нас ужасными последствиями, чтобы мы отказались от своей дочери? — гневно прервал его Михаил Юрьевич. — А вы в здравом уме, мистер Маккоун?

— В здравом, мистер Юсупов, — сменил тон на жесткий бывалый адвокат. — На суде будет доказано, что Лола — не ваша дочь. Уж поверьте слову Маккоуна! Ведь я по-человечески хочу предотвратить вашу трагическую ошибку. Примиритесь с неизбежным и отправляйтесь домой! — повысил он голос. — Моему клиенту тоже морально тяжело. Он готов возместить все ваши расходы и компенсировать переживания, вызванные этой несчастной историей, в размере, — он сделал многозначительную паузу, — полутора миллиона долларов!

Закончив речь на этой высокой ноте, Маккоун залпом выпил свой коктейль. Михаил Юрьевич хмуро смотрел на модного адвоката, и в нем боролись здравый смысл со жгучим желанием плюнуть в его самодовольную физиономию. Разум одержал победу, и он, сдерживая отвращение, сказал:

— Странные понятия у вас, мистер Маккоун и у мультимиллионера Фишера о морали и человечности, если вы способны отнять у родителей их ребенка. Да что толку с вами об этом говорить? Встретимся на суде!

Увидев подошедшего сына, он коротко бросил:

— А мы, Петя, уже закончили разговор. Посмотри на этого господина и, если он случайно окажется поблизости, предупреди, чтобы держался от меня как можно дальше! Иначе я не отвечаю за целость его шкуры.

Светлана Ивановна с Наденькой прилетали около полудня в сопровождении Петра, который встречал их в Нью-Йорке. Было много споров и сомнений, стоит ли отрывать девочку от учебы и подвергать неизбежному стрессу. Но ее точное сходство с сестрой послужит веским доказательством на судебном процессе, и это решило дело.

— Сегодня сюда прибудут твоя свекровь и Надюша. Вот я и подумал: может, захочешь их встретить? — дружеским тоном сказал Михаил Юрьевич, позвонив утром Даше. — Родственники все же.

— Спасибо за приглашение, но удобно ли? — засомневалась Даша.

— Брось жеманничать! Враз не становятся чужими. Ведь ты мне здорово сейчас помогаешь, — горячо возразил свекор. — Пока нет развода, я об этом даже слышать не хочу. Если не хочешь, так и скажи!

— Конечно, мне очень хочется видеть Светлану Ивановну и Надюшу! Что ж, приеду к этому рейсу, — решившись, откликнулась Даша. — Придется снова удрать с работы.

«Неправильно все же, я поступаю. Неестественно продолжать встречаться с родней мужа, когда с ним разводишься, — удрученно думала она в ожидании, когда за ней заедет Роберт, чтобы отвезти на работу. — Вот и Бобби на меня за это сердится, и, наверное, он прав».

Действительно, последнее время отношения между ними были довольно натянутыми, и объяснялось это прежде всего тем, что и после помолвки Даша, несмотря на все старания жениха, противилась интимной близости. А вдобавок еще взялась помогать бывшим родственникам отсудить у такого влиятельного человека, как Фишер, его приемную дочь.

— Не понимаю, Ди, зачем тебе это надо? — недовольно произнес Роберт, когда невеста сообщила ему, что собирается съездить в аэропорт, чтобы встретить мать и сестру мужа. — Пора уже порвать с ними все связи! И потом, ты ведь там можешь встретить Петра, а сама говорила, что тебе это тяжело.

— Но я ведь живой человек, Бобби, и люблю бывшую свекровь и маленькую золовку, — неубедительно оправдывалась Даша. — Дай мне немного времени, и я, конечно, от них отвыкну. А пока ничего не могу с собой поделать. Ужасно как хочется их повидать! Ты уж потерпи, милый.

— Ладно, что с тобой поделаешь, — хмуро согласился Роберт. — Только поедем в аэропорт вместе. Хочу посмотреть на вашу встречу. Не бойся! — добавил, видя ее протестующий жест. — Я не собираюсь знакомиться с ними и заводить ссору. Просто постою в сторонке и подожду, когда ты освободишься.

Даше на это возразить было нечего, и к прилету нью-йоркского рейса Роберт привез ее в аэропорт. Они вместе вошли в зал ожидания и сразу увидели там Михаила Юрьевича, выделявшегося в толпе своим внушительным видом. Он, конечно, приметил сопровождавшего ее Роберта, но как ни в чем не бывало приветственно помахал им рукой. Сделав знак жениху оставаться на месте, она подошла к свекру.

— Ну вот и я, — ничего не объясняя, просто сказала Даша. — Наш рейс вроде бы не задерживается?

— Прибывает вовремя, — суше, чем обычно, ответил Михаил Юрьевич, бросив ревнивый взгляд в сторону Роберта, но воздержался от упрека. — Все же хорошо, что ты приехала.

В это время объявили, что авиалайнер совершил посадку, и ожидающие его устремились встречать вновь прибывших. Михаил Юрьевич с Дашей подошли к турникетам, а Роберт остановился в отдалении, заняв позицию, удобную для наблюдения. Он видел, как они стремглав бросились к высокой золотоволосой даме, которая одной рукой везла за собой большой чемодан, а другой держала удивительно похожую на нее девочку. Роберт не сразу обратил внимание на следовавшего за ними долговязого молодого парня со спортивной сумкой, небрежно перекинутой через плечо. И лишь когда даму схватил в объятия ее муж, Даша, прижав к себе, поцеловала ребенка, а долговязый остановился рядом с улыбкой, наблюдая эту сцену, до Бобби дошло, что перед ним не кто иной, как его соперник Петр.

«Наверное, Ди знала, что и он прилетает, а мне ничего не сказала, — ревниво подумал Роберт. — Ну что же, полюбуемся на эту теплую встречу!» Однако его опасения не оправдались, и они обменялась с Петром лишь приветствием. Зато со свекровью Даша обнялась и расцеловалась. Пока Михаил Юрьевич ласкал и тискал свою маленькую дочку, они оживленно беседовали, но когда вещи были погружены на тележку, на приглашение Юсуповых следовать за ними, судя по жестам, его невеста ответила отказом.

Это действительно было так.

— Поедем, Дашенька, с нами! Мне о многом хочется с тобой поговорить, — попросила ее Светлана Ивановна и прозрачно намекнула. — Ведь потом, когда вы с Петей разведетесь, будет поздно.

«Нет, поезд уже ушел», — печально подумала Даша, но вслух сказала первое, что пришло в голову:

— Я бы с радостью, но мне нужно на работу.

А Михаил Юрьевич, отлично понимая, в чем дело, тихо сообщил стоявшему рядом с ним сыну:

— Она приехала не одна. Взгляни направо — и увидишь, с кем. Смотри и мотай на ус!

Не спеша посмотрев туда, куда указал отец, Петр сразу заметил пристально наблюдавшего за ними Роберта, и глаза соперников встретились.

Адвокат Гордон Смит, нанятый семьей Юсуповых по рекомендации Даши, оказался солидным и глубоко знающим свое дело юристом. Разработанная им стратегия поведения на процессе учитывала все обстоятельства: личности судей и представителей противной стороны, а главное — психологию их и публики, что позволяло надеяться на победу. А накануне дня, на который был назначен суд, на совещании, проходившем в уютной гостиной люкса, он открыл им и свою остроумную тактику.

— На объективность судьи надежды мало, — откровенно предупредил он своих клиентов. — Для обвинения его в подкупе и отвода нет данных, но я точно знаю, что на него оказал давление один из друзей Фишера.

— Выходит, результат предрешен? — удрученно спросила Светлана Ивановна.

— Отнюдь нет, — постарался успокоить ее Смит. — У нас ведь демократическая страна, леди! И судьи вынуждены считаться с общественным мнением. Дорожа своей репутацией, они не могут грубо попирать факты. Вот на этом и основана моя тактика!

Все внимательно слушали, и адвокат продолжал:

— Наши ссылки на подделку документов, признаки которой были обнаружены экспертизой, вряд ли сработают, и главной стратегической линией остается идентификация на заседании суда, так называемой Лолы-Елены Шереметевой с вашей дочерью Олей Юсуповой. Только в случае, если суд и присутствующая публика, среди которой, несомненно, будут журналисты, лично в этом убедятся, можно рассчитывать на победу!

Он выдержал паузу и изложил свои тактические соображения.

— Наша публика очень любит драматические эффекты. Учитывая это, мною задуманы две кульминации процесса. Первая — это встреча «Лолиты», приемной дочери Фишеров, с вами — ее родными отцом и матерью, которая должна вызвать бурю эмоций в зале, когда она вас узнает и бросится в ваши объятия!

Смит снова сделал приличную паузу, как бы подчеркивая этим значимость придуманного им тактического хода.

— А вторая, чтобы доконать судью, — произнес он с горделивыми нотками в голосе, — это трогательная сцена встречи маленьких сестер-близнецов после долгой разлуки. Ведь они очень любят друг друга? И, кроме того, их сходство, не являясь юридическим аргументом, все равно будет мощным доказательным фактором. Зная, что все это получит широкую огласку, судья сдастся!

Воцарилось молчание, но по просветлевшим лицам Юсуповых было видно, что речь адвоката укрепила их надежду на благополучный исход дела. Однако Михаил Юрьевич все же выразил опасение:

— А что, если они под каким-либо предлогом не привезут на суд нашу Олю? — вопросительно взглянул он на Смита. — Ведь тогда рухнет вся ваша тактика.

— Но тогда и суд не состоится, — ответил адвокат, который был готов к этому. — Все, что задумали, осуществим на следующем заседании. Только и всего!

Он сделал паузу и добавил:

— Ответчик, конечно, может для затяжки процесса попытаться укрыть от суда девочку. Но это сработает против него, да и вам, — выразительно посмотрел на Михаила Юрьевича, — нужно воспрепятствовать этому.

— Такие меры нами уже приняты, — ответил ему Петр. — За виллой Фишера непрерывно ведут наблюдение два детектива и регулярно передают сообщения. Наша Оля находится там и продолжает посещать школу.

— Ну что же, это хорошо! По-моему, Фишер напрасно так уверен в победе. Коллега Маккоун очень ловок и изобретателен, но на этот раз его ждет фиаско! — уверенно заключил он. — От вас требуется только в точности выполнять все мои указания!

Однако у Юсуповых был к нему еще один серьезный вопрос, и Михаил Юрьевич его задал:

— Непонятно все же, почему вы против проведения анализа на ДНК. Разве это не проще и надежней?

Смит скептически поджал губы:

— Это как раз и не проще, и уж совсем ненадежно!

Он сделал паузу и снисходительно объяснил:

— Ваши анализы здесь не признают, а наши уж Фишер постарается фальсифицировать — денег у него хватит.

И с сочувствием взглянув на симпатичных клиентов, добавил:

— А затянут так долго, что вам, господа, этого не выдержать!

Не теряла зря времени и противная сторона. Несколькими часами позже к сторожевой будке виллы Фишеров подкатил сверкающий на солнце «кадиллак» адвоката Маккоуна. Из него вылез хозяин, сказал что-то в домофон, и ворота автоматически открылись, пропустив машину внутрь усадьбы. Когда она остановилась на площадке около дома, оказалось, что пассажиров в ней двое. Вместе с крупным и осанистым Дэвидом, смешно контрастируя с ним, по мраморным ступеням крыльца поднялся маленький, неряшливо одетый горбун.

Генри Фишер их уже ждал в своей великолепно обставленной библиотеке. При виде вошедших Маккоуна и горбуна, он встал и, подойдя к неопрятному незнакомцу, с брезгливым видом окинул его взглядом.

— Это и есть твое секретное оружие? — недоверчиво спросил он у адвоката. — Не очень-то похож он на великого мага и чародея.

— Напрасно сомневаешься, Генри! Потерпи немного, и скоро сам убедишься, какие чудеса способен творить Фриц, — заверил его Маккоун. — А для чего тогда я его к тебе притащил?

У маленького Фрица на лице выделялись орлиный нос и жгучие черные глаза под нависшими лохматыми бровями.

— Он что-нибудь еще умеет, кроме того, что показывает фокусы? — все еще с сомнением спросил Фишер, но, заметив, что горбун злобно пошевелил лохматыми бровями, поспешил превратить вопрос в шутку: — Ты только не обижайся на меня, Фриц! — бросил он ему по-свойски. — Я ведь не из благородных. Говорю попросту и люблю побалагурить.

— Фриц покажет тебе такой фокус, Генри, что диву дашься, — вместо чародея ответил Маккоун. — Он очень талантливый гипнотизер и может за один сеанс сделать из человека зомби.

Теперь для прозорливого дельца Фишера уже не было загадкой, какое тайное оружие приготовил для победы в судебном процессе его адвокат.

— Ты хочешь сказать, что Фриц сможет так прозомбировать Лолу, что она не узнает собственных отца и мать? — изумился он. — Но это же невозможно! Неужели у него, — он посмотрел на невзрачного горбуна, будто первый раз увидел, — такой божественный дар?

— Представь себе! Я тоже этому не верил, пока лично не убедился, — поспешил подтвердить адвокат. — У нас Фриц Ранке недавно. А в Европе знают о чудесном даре, которым он обладает, и спецслужбы его уже использовали.

— Ну ладно, проверим, — зажигаясь любопытством, заключил Фишер. — Ведь недаром в народе говорят, что лучше один раз увидеть, чем сто раз услышать.

Он немного подумал и спросил:

— А как долго действует его гипноз?

— Двое суток с гарантией, — неожиданно сочным баритоном ответил Фриц на довольно приличном английском. — А далее будет ослабевать.

— Выходит, ты умеешь говорить? Я было принял тебя за немого, — пошутил хозяин и, снова став серьезным, сказал: — Это подходяще. Пойдемте в детскую и, не откладывая, займемся делом!

Просторная комната с окнами во всю стену была залита солнечным светом. Посреди нее на пушистом ковре среди красивых игрушек сидела Оля и смотрела по телевизору мультсериал. При виде взрослых она на миг от него оторвалась и вежливо поздоровалась.

— Выключи ящик, Лолита! — мягко велел ей Фишер. — Эти дяди — доктора, и им надо обследовать состояние твоей нервной системы. Салли говорит, что ты по-прежнему много плачешь.

— Я плачу потому, что со мной нет Наденьки. Вы ведь знаете, дядя Генри, — сказала Оля, и ее глаза тут же наполнились слезами. — Когда же она приедет?

— Очень скоро! — за Фишера ответил ей адвокат, изобразив на лице добрую улыбку. — Ложись-ка сюда, — подняв Олю с ковра, перенес на небольшой детский диванчик. — Вот так, на спинку, а ручки подложи за голову. Сейчас с тобой будет говорить маленький доктор, и ты почувствуешь себя намного лучше.

Оля послушно делала все, что от нее требовали. Когда она приняла нужное для гипноза положение, подошел Фриц и, завораживающе глядя ей в глаза своим пронзительным взором, стал приглушенно и медленно говорить:

— Ты ощущаешь полный покой. Слушаешь только меня. Лишь меня, и никого больше. Все прошлое забыто. Ты ничего не помнишь. Люди из прошлого — это призраки. Призраки. Тебе незачем их знать.

Так, монотонно повторяя одно и то же ровным бархатным голосом, Ранке как бы втирал в память девочки то, что ему требовалось. Глаза у Оленьки были полузакрыты, и казалось, что она дремлет, но ее мозг впитывал внушаемую ей информацию. А он продолжал:

— Ты не можешь вспомнить, как тебя зовут? Запомни хорошенько. Тебя зовут Лена. Да, ты — Леночка. А фамилия твоя Шереметева. Ты — Лена Шереметева. Шереметева Лена. Тебя будут называть Оленька, Оля. Но ты — Лена, а никакая не Оля. К тебе придут злые духи. Очень злые. Будут говорить, что они — папа и мама. Но это не папа и мама. Ты гони их прочь. Вокруг тебя будут только злые люди. Ты не узнавай никого. Никого!

Разговаривая таким образом, Фриц, к неописуемому удивлению Фишера, да и Маккоуна тоже, добился результатов, которые превзошли все их ожидания. Решив, что пора предъявить продукт своего труда, Ранке оторвал свой взгляд от ребенка и бросил в их сторону:

— А теперь слушайте и удивляйтесь!

Снова повернувшись к Оленьке, он спросил:

— Так как же зовут тебя, девочка?

— Лена Шереметева, — открыв глаза, ответила Оля.

— Да ты можешь сесть, — сказал горбун и переспросил: — А разве тебя звать не Олей? Олей Юсуповой?

Оленька села и уверенно ответила:

— Нет, я — Лена Шереметева.

Ранке самодовольно ухмыльнулся и спросил, указав на Фишера и Маккоуна:

— А что это за дяди? Ты их знаешь?

Посмотрев на них так, словно видит в первый раз, Оленька отрицательно замотала головой:

— Нет, не знаю.

— И никогда не видела раньше? — сдвинув брови, строго спросил Ранке.

— Никогда, — испугавшись, ответила Оленька и заплакала.

— Ладно, не плачь! Можешь смотреть телевизор, — уже более мягко приказал ей гипнотизер и сделал знак Фишеру с Маккоуном, чтобы вышли.

По пути в гостиную, потрясенный увиденным, Фишер, не сразу придя в себя, с тревогой спросил:

— И как долго это будет с ней продолжаться? Лолита не заболеет?

— Через несколько дней все пройдет без следа, — успокоил его чародей Фриц.

— Однако до суда ее нежелательно беспокоить, — настоятельно порекомендовал он на прощание.

— Хорошо, я это передам жене и распоряжусь, чтобы Лолите ужин и завтрак принесли в детскую, — заверил его Фишер.

Очень довольный, он вышел проводить их на широкое крыльцо дома.

— Ценный субьект! — бросил он стоящему рядом адвокату, глядя, как маленький гипнотизер, открыв заднюю дверцу, садится в салон «кадиллака».

— Ты в этом убедишься завтра на суде! А еще, когда получишь от меня смету на оплату расходов, — самодовольно усмехнулся Маккоун, пожимая ему руку.

Большой зал с высокими окнами, где проходило заседание окружного суда, был набит до отказа. Это объяснялось тем, что еще задолго до него пресса проявила большой интерес к необычному процессу и оживленно комментировала его ход. Даже на телевидении ему уделили внимание в популярном ток-шоу, и видные политики и общественные деятели высказывали различные мнения.

К радости Генри Фишера, его опасения насчет единодушного порицания со стороны общества, как известно, питающего завистливую ненависть к богачам-толстосумам, не оправдались. Лишь в ряде газет благотворительного и церковного толка, появились статьи выражающие сочувствие пострадавшим родителям. Большинство же публикаций и выступлений осуждало полунищую Россию за торговлю детьми и выражало сочувствие американским гражданам, которым за свои добрые дела приходится расплачиваться судебными исками и другими неприятностями.

В своей пылкой, но немного занудной речи адвокат, представляющий истца, подробно рассказал залу историю похищения сестер-близнецов Юсуповых, не жалея красок на описание страданий маленьких девочек и их родителей, чем неплохо подогрел присутствующую на суде публику и журналистов. Следуя своему стратегическому плану, Гордон Смит особенно упирал на право удочеренной Фишерами Оли Юсуповой самой определить свою судьбу.

Умышленно не оспаривая это право, хитрый и коварный Дэвид Маккоун в своей речи, дабы сыграть на патриотических чувствах судей и публики, сделал акцент на неблаговидном поведении иностранцев, которые сначала, как кукушки, подкидывают своих детей богатым американцам, а потом сутяжничают, нарушая покой усыновителей и их воспитанников.

Оба адвоката были очень красноречивы, умели установить контакт с залом, и публика попеременно склонялась то в одну, то в другую сторону. Кульминация наступила, как и планировал адвокат Юсуповых, когда начался опрос главных свидетелей, и Гордон Смит попросил, чтобы была приглашена похищенная Оля Юсупова. Этому категорически воспротивился, тоже следуя своему хитрому плану, Дэвид Маккоун.

— Ваша честь! Мой клиент, как законопослушный гражданин, привез на суд приемную дочь, которая не является той, кого ищут наши истцы. Об этом убедительно свидетельствуют представленные суду документы. Поэтому, взывая к вашей человечности, он просит не тревожить несчастного ребенка, нервная система которого может не выдержать таких перегрузок!

— Эти бумаги — искусно сфабрикованная липа!— вскочив с места, заявил Смит. — Нами представлены подлинные документы Оли Юсуповой и письменные свидетельства того, что ее переправил в США по заказу Фишера ныне покойный Джеймс Ричардсон.

— Подделка наших документов не доказана, — возразил ему Маккоун. — Есть лишь ряд замечаний экспертов, но сомнения, а вам как юристу это известно, трактуются в пользу обвиняемых. Я категорически возражаю против опроса приемной дочери моего клиента!

— Вот видите, Ваша честь? — громогласно воззвал больше к публике, чем к судье адвокат Смит. — Этот отказ — косвенное подтверждение правоты истца. Они просто боятся, что девочка признает своих родителей, и все станет ясно. Я настаиваю на ее вызове!

Настроение зала резко качнулось в его сторону. Раздались возмущенные выкрики:

— Привести свидетельницу! Они боятся показаний ребенка!

Хорошо проплаченный Фишером судья бросил растерянный взгляд на его адвоката, и Маккоун величественно поднявшись с места, остановил шум жестом руки:

— Прошу успокоиться, господа! Мы нисколько не боимся показаний нашей девочки, так как истина на нашей стороне. Мы просто всерьез опасаемся за ее здоровье. Очень жаль, что ваше любопытство сильнее чувства гуманности, — мягко укорил он зал и с достоинством сел, театрально махнув рукой.

— Теперь все будет в порядке, — обрадованно шепнул Смит, обернувшись к сидящим за его спиной Юсуповым. — Нам только этого было и надо!

Все взоры обратились на двери, в которых показался судебный пристав, держа за руку стройную девочку с золотоволосой головкой и яркими синими глазами. Он подвел ее к свидетельскому месту, и сидевшая в первых рядах, очень похожая на нее красивая дама, не выдержав, воскликнула:

— Доченька! Родная моя! Неужели ты не узнаешь свою маму?

Девочка повернула голову на крик, но никак не отреагировала.

— Итак, как тебя зовут? — не скрывая своей радости, торопливо спросил ее судья. — Назови имя и фамилию.

— Шереметева Лена, — глядя прямо перед собой, произнесла девочка так четко, что слышно было в дальнем углу зала.

Сразу поднялся невообразимый шум. Светлане Ивановне сделалось дурно, и Михаил Юрьевич бросился к ней, едва успев подхватить на руки теряющую сознание жену. А Петр, вскочив с места, отчаянно крикнул:

— Как же так, Оленька? Ты не узнаешь нас, своих родных?

Девочка лишь отрицательно покачала головой, и, когда судья навел порядок в зале, расстроенный Гордон Смит сделал последнюю попытку спасти дело.

— Ваша честь! — заявил он судье. — Произошло непонятное. Похоже на то, что ребенка чем-то опоили. Я требую медицинского обследования свидетельницы! А пока, чтобы проверить подозрения, прошу привести к ней сестру-близнеца. Она очень любит сестру и непременно вспомнит!

— Защита категорически возражает! — немедленно заявил протест Маккоун. — Хватит с нашего ребенка испытаний! Всем уже ясно, что она не дочь истца, а лишь похожая на нее девочка. Надо уметь проигрывать, мистер Смит, — с фальшивым пафосом воззвал он к своему сопернику.

В зале раздались жидкие аплодисменты, и судья, пользуясь благоприятно сложившейся обстановкой, поспешно объявил:

— Протест защиты удовлетворяется!

Совершенно деморализованный Смит пытался еще возражать и сбивчиво приводил какие-то доводы, но всем присутствующим на процессе и ему в том числе, было уже ясно, что в этой тяжбе победил ответчик.

Траурная обстановка царила в роскошном номере Юсуповых, когда, немного придя в себя после суда, они решили все же обсудить свои дела и решить, что им делать дальше. Само собой, настроение было пессимистическое, так как законная попытка вернуть Оленьку кончилась неудачей, а о том, чтобы отобрать ее у Фишеров силой, нечего было и думать.

У Светланы Ивановны врач обнаружил гипертонический криз и немедленно уложил в постель. Наденька, которая не была посвящена в происходящее и лишь понимала, что поиски сестры идут неудачно, помогала отцу и брату ухаживать за больной мамой, а они сидели около ее кровати в мрачном раздумье.

— Да, Петя, сегодня мы убедились, что все наши надежды на американскую Фемиду были напрасны, — наконец удрученно произнес Михаил Юрьевич, как бы подводя итог затраченным усилиям. — Мы ухлопали уйму денег, но ничего не добились.

Одна видимость у них, а не демократия. Не народ правит, а толстосумы и те, кто у них на содержании, а держат они их на коротком поводке.

— Ты прав, папа, — согласился с ним Петр. — Судья был явно ангажирован. Скорее всего подкуплен. Заметил, как он сразу свернул заседание, когда у них прошел фокус с Олей? Он и не пытался выяснить истину!

— Бедная наша девочка! Что же они с ней сделали? — всхлипнув, подала голос Светлана Ивановна. — Как бы это не отразилось на ее здоровье!

— Все-таки не похоже, чтобы ее укололи или чем-то напичкали, — задумчиво произнес Михаил Юрьевич. — Не чувствовалось наркотического воздействия, и речь была четкой. Поведение Оленьки мне больше напоминало людей, находившихся под гипнозом. Наша дочь вела себя, скорее, как зомби.

Опыт расследований помог ему разгадать тайну происшедшего с дочерью, и чем больше об этом думал, тем сильнее верил в правильность своего вывода. Явно воспрянув духом, он добавил:

— Если так, то действие гипноза скоро кончится, и, если мерзавцы его не повторят, Оленька непременно нас узнает!

— Но как тогда, Мишенька, мы сможем ее у них отобрать? Подадим жалобу в высшую инстанцию? — сразу оживилась и Светлана Ивановна. — Ты думаешь, у нас что-то получится?

— Вряд ли, хотя апелляцию подадим, — не стал обнадеживать он жену. — У нас нет ни таких капиталов, как у Фишера, ни его связей.

— Что же тогда будем делать? — вновь упала духом Светлана Ивановна.

— Я, кажется, знаю, что следует делать, — как бы пробудившись, неуверенно произнес Петр. — Оленька сама нам поможет!

Зная, что у сына в критические моменты часто возникают конструктивные идеи, отец и мать молча устремили на него глаза, в которых светилась надежда.

— Ну и что? — в один голос спросили они.

— Путь к успеху у нас только один: воздействовать на этих Фишеров через Оленьку! — коротко изложил Петр суть своей идеи. — Вы знаете, что у нее не по возрасту твердый характер. Куда сильнее, чем у Наденьки.

— Это так, — нетерпеливо перебила его мать. — Но что ты предлагаешь?

— Найти возможность сообщить Оленьке всю правду, а еще лучше нам с ней повидаться, — пояснил свою мысль Петр. — Тогда моя сестричка устроит своим приемным родителям такую жизнь, что они сами от нее откажутся! После этого, — уверенно закончил он — с ними без суда можно будет договориться.

Его родители переглянулись, гордясь сыном, и Михаил Юрьевич как глава семьи благодарным тоном заключил:

— Ну что же, Петя, ты, как всегда, подал нам хорошую мысль. Предложенный тобой план осуществить непросто, но это, пожалуй, сейчас наиболее реальный способ вернуть Оленьку домой. А на худой конец будем добиваться проведения анализа ДНК!

Глава 31. Месть Фишера

— Какие же подлецы эти Фишеры! Низкие эгоисты! Это надо же: внаглую отобрать у родных отца и матери их дочь! Наверняка купили ваших продажных судей! А вы еще кичитесь своей демократией: мол, Америка — страна равных возможностей, — вне себя от возмущения, заявила Даша Роберту, развернув газету и узнав из нее о решении окружного суда.

Они ехали после работы в его машине, собираясь пойти на вечеринку к приятелям. У Даши последние два дня были насыщены показом новых моделей одежды, и она не была в курсе дел. Сообщение о фатальной неудаче Юсуповых ее просто сразило.

— Но, насколько я знаю, Фишеры утверждают, что их девочка вовсе не дочь твоих бывших, — подчеркнул, сделав паузу, Роберт, — родственников. И сумели доказать это на суде. Может, оно так и есть?

— А я, по-твоему, слепая? Разве не говорила тебе, что собственными глазами видела их приемную дочь? Это Оля Юсупова! — рассердилась на него Даша. — Нельзя быть таким бесчувственным, Бобби! Неужели ты тоже на стороне этих подлых людей?

— Конечно, нет! Но все же это не твоя проблема, а твоих бывших родственников, — с досадой ответил Роберт. — Не возьму в толк, чего ты так переживаешь? Не о проблемах Юсуповых надо сейчас думать, а о том, как ускорить развод!

Наверное, ему не стоило в этот момент возражать ей. Даша с раздражением посмотрела на простодушное веснушчатое лицо Бобби, невольно сравнивая его с Петром, и оно показалось ей совсем не таким симпатичным, как раньше. «Да он просто глуп, — мысленно огорчилась она, — раз не способен понять такие вещи. Куда уж ему тогда понять мою душу?»

— О каком разводе сейчас может идти речь, когда в семье близких мне людей горе, — с упреком ответила Даша. — Не думала я, Бобби, что ты такой черствый!

— А по-твоему, мне следует бросить все дела, забыть о себе и вместе с тобой переживать за родственников мужа, с которым ты разводишься? — разозлился Роберт. — Петр, наверное, не такой черствый, как я. Чего же тогда променяла его на меня?

Вот этого ему уж точно не следовало говорить!

— А что? Может быть, и зря, — вспылила Даша. — Надо об этом подумать. Пока же, Бобби, — надувшись, сказала она, — отвези меня домой! Никуда я сегодня с тобой не пойду. Нет настроения.

— Но как же так, Ди? Нас ведь ждут, — опешил Бобби.

— Ничего страшного. Извинись за меня, — Даша была непреклонна.

Насупившись, Роберт высадил ее у отеля и, не проводив, как обычно, тут же уехал. А Даша поспешно поднялась к себе в номер и сразу принялась звонить в Уэст-Палм-Бич Юсуповым. Телефонную трубку взяла Светлана Ивановна.

— Спасибо Дашенька!— надтреснутым от переживаний голосом поблагодарила она невестку за сочувствие. — Судьба продолжает преследовать нас, хотя и не знаю, за что. Но мы не думаем сдаваться! И не вернемся домой без Оленьки!

— Но что же можно сейчас сделать? — горестно произнесла Даша. — Добиться пересмотра решения суда? Неужели вы верите, что это реально?

— Мы тоже в это не верим. Но обжаловать его надо, а то ведь сочтут, будто мы согласны и отступили от своих требований, — ответила свекровь. — Наши надежды теперь связаны с другим.

Она перевела дыхание и продолжала:

— Ты представляешь, эти мерзавцы чем-то опоили Оленьку, а может, что другое с ней сделали, но только на суде она никого из нас не узнала! Она даже назвала себя другим именем, которое для нее придумали, когда документы подменили. Вот такие чудеса! Нас может спасти только разоблачение этого обмана. И Петя кое-что задумал.

Светлана Ивановна задохнулась от волнения и, отдышавшись, объяснила:

— Мы уверены, что затмение ума у Оленьки — явление временное и скоро пройдет. Необходимо, чтобы она узнала обо всем, что случилось! Моя дочь уже большая девочка, нас любит и не смирится с подлым обманом, — ее голос был полон надежды. — Характера у нее хватит!

— Ну конечно! — обрадованно воскликнула Даша. — Оленька никогда не согласится, чтобы ее разлучили с вами, когда узнает правду. Возненавидит Фишеров, если они будут ей препятствовать.

— Однако проблема в том, — со вздохом сказала Светлана Ивановна, — что к Оленьке нет никакого доступа. Фишеры об этом позаботились. Вот над этим мы сейчас ломаем голову.

— Да уж, видела это собственными глазами, — подтвердила Даша. — На вилле к ней никого не подпускают, кроме учителей. В школу возят под охраной и туда тоже посторонним доступа нет. Проникнуть можно только силой.

— Этот путь исключается! Мало того, что мы в чужой стране, но Фишер — страшный человек, Дашенька, — понизив голос, сообщила ей свекровь. — По его приказу уже убили двоих посредников, которые привезли ему Оленьку, а после решения суда он уничтожит всех, кто попытается добраться до нее насильно, уже «на законном основании».

Но у Даши возникла идея, как преодолеть это препятствие.

— А я знаю, как вам помочь! — заявила она довольным голосом. — Я дружна с одной знакомой супруги Фишера, — пояснила она, не раскрывая подробностей, — которая у нее иногда бывает и сможет увидеть Оленьку. Вот и поговорит с ней. Думаю, что теперь, после суда, это организовать будет проще.

— Но ведь Оленька может не поверить чужой женщине, — резонно усомнилась Светлана Ивановна. — Уж Фишеры постараются ее разубедить!

— Это так, — согласилась Даша. — Но она вполне может устроить, чтобы нас с ней пригласили к Фишерам вместе. Мне-то уж Оленька поверит!

— Сейчас нет моих мужчин, но я уверена, что это лучше всего, что только можно было придумать! — простодушно обрадовалась Светлана Ивановна. — Не знаю, как тебя и благодарить, Дашенька! Я тебе отзвоню, когда придут.

Бабушку Марию Игнатьевну долго убеждать не пришлось. Узнав от Даши, с помощью какого чудовищного обмана Фишерам удалось выиграть судебный процесс и отобрать Олю у ее родителей, старушка пришла в негодование.

— Мне говорили, будто они люди с темным прошлым, но я не знала, что такие подлые и бессердечные, — возмущенно сказала она. — Ну да Бог их за это накажет! Он все видит и не допустит, чтобы Фишеры построили свое семейное счастье за счет горя родителей этой девочки. Представляю себе, как они сейчас убиваются!

— Им сейчас очень тяжело, баба Маня, — печально подтвердила Даша. — Но они не сдаются и продолжают бороться за свою дочь. Надо помочь им добиться справедливости. Если согласны, то необходимо действовать!

— А я могу для них что-нибудь сделать? У тебя есть предложение? — проницательно глядя на Дашу, ответила Мария Игнатьевна. — Я всегда рада помочь своим соотечественникам, а в таком богоугодном деле тем более.

— Мы должны поехать к Фишерам и поговорить с Оленькой. Рассказать ей правду, которую они от нее скрывают, — открыла ей Даша, что нужно сделать. — Этим мы поможем девочке воссоединиться со своей семьей.

Умная старушка ответила не сразу. Чувствовалось, что она тщательно обдумывает ситуацию и план действий.

— Положим, устроить это можно. Прошлый раз Сара обещала мне показать девочку. Потом испугалась, но теперь, после суда, ей бояться нечего, — наконец решившись, сказала она Даше. — Однако, такой человек, как Фишер, способен очень жестоко отомстить.

— Пусть мстит мне, я согласна! — бесстрашно заявила молодая женщина. — Не могу допустить,чтобы негодяи торжествовали и издевались над моими родными людьми! Вы, баба Маня, валите все на меня! Дескать, не знали и не думали, что я состою с Оленькой в родстве. Тогда от вас отвяжутся.

— Ладно, уговорила. Бог поддержит нас в добром деле, — согласилась Мария Игнатьевна. — Сейчас прямо я Саре и позвоню. Зачем откладывать? У меня есть номер ее мобильного телефона.

Супруги Фишеры, как всегда, совершали утренний кросс по аллеям своего парка, когда в чехольчике на поясе у Сары запищал мобильный аппарат. Не прекращая бега, она вытащила его и поднесла к уху.

— Это ты, Салли? — задребезжал в трубке старческий голос Мэри Боровски. — Поздравляю тебя и Генри с блестящей победой на суде! Надеюсь, теперь позволишь взглянуть на твою маленькую княжну? Ведь ты не дашь мне умереть от любопытства?

— Генри! — на ходу бросила Сара трусившему рядом мужу. — Звонит старуха Боровски. Поздравляет нас и просит показать Лолу. Ведь теперь можно? Я ей обещала.

— Пускай приезжает, старое трепло! — благодушно разрешил Фишер. — Теперь нам с тобой, Салли, сам черт не страшен. Покажи ей Лолиту, когда придет из школы, но не давай слишком много расспрашивать. Скажи, нельзя ее утомлять.

Благодарно взглянув на мужа, Сара сказала в трубку:

— Ну что же, Мэри, милости просим! Я держу свое слово! А во сколько ты сможешь приехать? — спросила и тут же добавила: — Желательно, как обычно, к двум часам дня.

— Спасибо, дорогая! Я буду вовремя, так как меня снова привезет невеста Бобби, Ди, — самым сердечным тоном, на который была способна, ответила Мария Игнатьевна. — Мы у тебя не отнимем много времени. Поболтаем с тобой часок, познакомимся с вашей принцессой, — шутливо упомянула о цели визита, — и снова в обратный путь.

— Вот мы и договорились, — заключила Сара. — Только не опаздывайте! Как раз в это время из школы привезут Лолу, и, прежде чем отправить ее в детскую, я вас познакомлю.

Таким образом, проделав уже знакомый путь, Мария Игнатьевна и Даша, стараясь унять волнение, охватившее их еще в дороге, а по мере приближения к цели еще больше усилившееся, около двух пополудни въехали на территорию виллы Фишеров. В пути они договорились, как сообщить Оленьке правду о том, что произошло.

— Нельзя тебе, Дашутка, сразу показываться ей на глаза!— решила мудрая баба Маня. — Это напугает девочку, и неизвестно, как она себя поведет. Может, тогда вообще не удастся с ней поговорить.

— А как же тогда быть? — озабоченно спросила Даша. — Когда она приедет из школы, я могу выйти, — находчиво предложила она, — а вы ее предупредите. Ведь Сара ни слова не понимает по-русски.

— Хорошая мысль! — одобрила Мария Игнатьевна. — Так и сделаем. Когда мы услышим, что она приехала, ты под каким-нибудь предлогом выйди, а я ее к тебе пришлю. Скажу, чтобы не подавала виду. Салли ничего не поймет!

Хозяйка виллы их ждала у парадного подъезда и встретила очень любезно.

— Как доехали? Без приключений? — приветливо улыбаясь, спросила она. — Дорога отличная, но много лихачей и пьяных водителей.

— Чего-чего, а этих мужланов хватает, — в тон ей ответила миссис Боровски. — Почти полдороги ехали без проблем, но потом к Ди привязался полупьяный молодчик и, представляешь, Салли, не отставал ни на шаг. Я даже боялась, что наши машины шаркнутся бортами!

— Небось заигрывал? Хотел познакомиться? Обычное дело, — по-простецки подмигнула Даше хозяйка. — Вот они, издержки обладания красивой мордашкой. От меня бы он сразу отвалил, — бывшая прачка не стеснялась в выражениях. — Ну и как вы от него отделались?

— А на въезде в Палм-Бич его остановил полицейский патруль, — улыбаясь, ответила Даша. — Не то не знала бы, что делать. Ужасно настырный тип!

— Не на меня нарвался! — весело бросила Сара, провожая их в гостиную. — Я бы ему яйца оторвала и сказала, что так и было.

Они уселись в мягкие кресла у огромного окна с прекрасным видом на океан, и в ожидании приезда школьницы гости стали распрашивать Сару о суде.

— Но я и сама-то мало чего знаю, — немного сконфуженно призналась она. — Мне ведь там присутствовать не пришлось, поскольку Генри побоялся, что могу слишком разволноваться. А газет я не читаю.

— Разве стоило волноваться? — переглянувшись с Дашей, коварно спросила Мария Игнатьевна. — Эти люди имели какие-то права на Лолу?

— Кто его знает? — уклончиво ответила Сара, прямая натура которой противилась лжи. — Муж меня заверил, что не имеют и мы выиграем суд. Так, к счастью, и вышло. Но что меня особенно порадовало — Лолита сама не захотела их знать. Вот вам и ответ на ваш вопрос!

В это время они услышали шум мотора подъехавшей машины.

— Извините, Салли, но мне надо немного привести себя в порядок, — сразу же произнесла Даша. — Подскажите: где тут у вас?

— По проходу налево, — указала на боковую дверь хозяйка, поднимаясь. — Ты тоже пойди, освежись с дорожки, Мэри. А я пока встречу мою маленькую Лолу.

Она пошла к выходу, и Даша, проворно вскочив с места, в волнении бросила Марии Игнатьевне:

— Буду ждать Оленьку в туалетной комнате. Вы уж постарайтесь, чтобы она поскорее туда пришла!

— Успокойся и соберись. Я сумею сделать все, что надо, — заверила ее Мария Игнатьевна. — А ты там получше продумай, как будешь с ней говорить.

— Боюсь, что все забуду, когда увижу Оленьку, — пожаловалась Даша. — Это легко сказать: не волнуйся, а вот как унять нервы?

Не мешкая более, Даша вышла из гостиной и, пройдя по проходу, без труда нашла туалетную комнату. Как и все в этом дворце, она была великолепно оборудована, блистала чистотой и роскошью отделки. Работал кондиционер. Достав из сумочки косметику, Даша неторопливо стала поправлять макияж, стараясь успокоиться перед встречей со своей юной золовкой.

Буквально через минуту, после того как вышла Даша, в дверях гостиной появилась хозяйка, ведя за руку застенчиво улыбающуюся Олю.

— Ну вот, Мэри, это и есть моя приемная дочь Лолита, — с гордостью объявила она. — А эта старая леди, — широким жестом указала она на гостью — моя хорошая знакомая миссис Боровски. Она, как и ты, из России, и вы можете перемолвиться на своем родном языке.

Глаза Оленьки расширились от удивления, и на щеках выступил румянец.

— Здравствуйте! — обрадованно откликнулась она. — Я давно не говорила по-нашему, — жалобно взглянула на гостью. — Здесь не с кем.

— Слушай меня внимательно! — не теряя времени и не называя по имени, чтобы не заподозрила Сара, сказала Оленьке баба Маша. — И не показывай виду, что поражена тем, что скажу! Тебя все время подло обманывают. Вас с сестрой похитили преступники. Все твои родные живы и здоровы. Это тебе подтвердит Даша, которая приехала со мной и ждет тебя в туалетной комнате.

Изумление на лице Оленьки сменилось недоверчивостью:

— А вы меня не обманываете? Все наши погибли в авиакатастрофе! Мне так сказали в милиции.

— Я же говорю, что это обман. Преступники кем хочешь могут прикинуться.

Ничего не понимая, Сара все же насторожилась.

— О чем это вы спорите? — удивленно спросила, вмешиваясь в их разговор.

— А Лола не верит, что я всю жизнь прожила в Америке и не разучилась говорить на родном языке, — находчиво соврала умная старушка. — Она боится, что так не сможет.

— Действительно, Мэри, как ты это сумела? — тоже поинтересовалась Сара.

— Потому что мы дома все говорили по-русски, — на этот раз правдиво объяснила ей Мария Игнатьевна.

— Тогда Лола его скоро забудет. Ей он теперь ни к чему, — усмехнулась Сара. — Ну ладно, поговорите еще. Не буду вам больше мешать.

— Ты поняла, Оленька: почему пока должна помолчать? Нельзя допустить, чтобы Фишеры догадались, кто открыл тебе правду, — снова повернувшись к таращившей на нее глаза девочке, наказала старушка. — Скажи, что тебе надо по маленькому, и иди к Даше. Она ждет в туалетной комнате и все объяснит.

— Хорошо, я вас поняла, — отозвалась Оля и, обратившись к приемной матери, извиняющимся тоном сказала: — Мне очень неловко, но я хочу в туалет.

— О чем речь? Конечно, пойди! — рассмеялась Сара. — Миссис Боровски тебя подождет. И я отдохну от вашей непонятной речи. Сижу, как дура!

Оленька стремглав выбежала из гостиной, вихрем пронеслась по проходу и, вбежав в туалетную комнату, замерла, как вкопанная. Старая леди не обманула! Перед ней стояла и ласково улыбалась живая и невредимая Даша. Немая сцена длилась не более минуты, и, сорвавшись с места, они заключили друг друга в объятия.

— Как же... так, Дашенька? Это... как... в сказке! — сбивчиво шептала Оленька, когда воскресшая, словно по волшебству, жена брата покрывала поцелуями ее личико, мокрое от хлынувших слез. — Выходит, вы... не погибли... в самолете?

— Ничего этого не было! Вас с Наденькой подло обманули. Все наши живы-здоровы и находятся здесь, — уверила ее Даша. — И папа с мамой, и твой брат и даже Наденька. Они приехали за тобой, но Фишеры тебя не отдают!

— Но как же так? Почему? — непонимающе глядя на нее, жалобно произнесла Оленька. — Ведь тетя Салли и дядя Генри очень добрые.

— Выходит, что не очень. Они отказались потому, что преступники их тоже обманули. Фишеры очень хотели взять себе дочку, а преступники, которые тебя им продали, сказали, что ты сирота, — как можно проще объяснила ей Даша.

Оленька подавленно ее слушала, и она сказала главное:

— Дело дошло до суда, и Фишеры его выиграли, потому что ты не узнала там никого из своих родных! Даже назвала себя другим именем. Как же такое могло случиться? Они что-то с тобой сделали, Оленька?

Девочка недоуменно на нее посмотрела, плохо понимая невероятные вещи, о которых говорила жена брата, но затем взгляд у нее стал более осмысленным.

— А я думала, что видела все это во сне, — невнятно, будто что-то припоминая, медленно произнесла она, зажмурив глаза. — Будто я была не я, а совсем другая девочка. И ко мне явились злые духи. Они приняли вид моих мертвых папы и мамы, чтобы меня погубить. Добивались, чтобы назвала им свое имя. Но я их обманула.

Оленька жалобно посмотрела на Дашу и дрогнувшим голосом спросила:

— Неужели это был не сон? Что же я наделала? — и, осознав, что так было на самом деле, дала волю слезам.

Даша утешала ее, как могла, но все было бесполезно и, встряхнув Оленьку, на нее прикрикнула:

— А ну прекрати немедленно! Ты ведь не хочешь остаться у Фишеров?

Девочка утихла, и она, уже спокойным голосом сказала:

— Постарайся вспомнить, что с тобой произошло, а я объясню, что ты должна сделать, чтобы поскорее вернуться к папе и маме.

— Я помню только, что ко мне приходили доктора и горбатенький с большим носом со мной разговаривал, пока не уснула. А потом мне казалось, что все происходит во сне, — неуверенно произнесла Оленька и снова заплакала. — Но выходит, что я... вела себя... ка-ак... сумасшедшая. Ведь так, Да-ашенька?

— Наверное, это был гипнотизер. Со временем все выяснится. Перестань же плакать и слушай, что скажу, — приказала ей Даша. — Сегодня ничего Фишерам не говори. А завтра объяснись с тетей Салли и скажи, что ты вспомнила, что было на суде, и хочешь вернуться к папе с мамой.

Она сделала паузу и, поскольку Оленька, перестав плакать, внимательно ее слушала, переспросила:

— Ну как, ты меня поняла? Сумеешь держаться твердо и настоять на своем? Сейчас все зависит от тебя самой. После того как им отказал суд, папа и мама не могут отобрать тебя у Фишеров. Даже приехать повидаться с тобой. Их за это могут убить. Нужно, чтобы дядя Генри и тетя Салли отказались от тебя сами!

Оленька сосредоточенно ее выслушала, понимающе качнула головой, и у Даши появилась уверенность, что девочка в состоянии поступить так, как от нее требовалось. Их шансы на успех возросли. Крепко ее поцеловав, она первой вернулась в гостиную. Через небольшой промежуток времени туда пришла и Оля. Во время обеда она была задумчивой, на вопросы отвечала односложно, но ничем себя не выдала.

Скандал разразился на следующее утро. Когда Сара Фишер зашла в спальню приемной дочери, она застала ее в постели с мокрым от слез лицом. Это ничуть ее не удивило, поскольку Лолита любила утром поваляться в постели, а плакала часто из-за разлуки с сестрой.

— Вставай, засоня! — как всегда, бодро скомандовала Сара, подходя и тормоша девочку. — Хватит разводить сырость! Ты посмотри в окно, какой славный денек.

Обычно Лола сразу ее слушалась, но на этот раз молча повернулась к стене, накрывшись с головой одеялом.

— Да что сегодня с тобой? А ну поднимайся! — рассердилась Сара, стаскивая с нее одеяло. — Ты чего такая кислая? Опять из-за Надин? Но я же сказала тебе, что заберем ее, как только поправится!

— Обма-аныва-аете, — закрыв лицо руками, сквозь слезы отозвалась Оля. — Ка-ак вам не сты-ыдно?

Такое происходило впервые, и Сара даже опешила. Лола грустила и плакала, но всегда была вежлива с приемными родителями, и упреков от нее они никогда не слышали.

— Это кто же тебя обманывает? — делая сердитый вид, чтобы скрыть испуг и беспокойство, спросила она и потребовала: — А ну выкладывай: что тебя так расстроило?

— Мои па-апа и ма-ама, ока-азывается, не умерли... приехали за-а мной, а вы меня-а... не отдае-оте, — растягивая слова, еще пуще зарыдала девочка.

Осознав, что Лолите каким-то образом все стало известно и рушится их, казалось бы, уже достигнутое семейное благополучие, Сара Фишер окончательно растерялась.

— Да что... такое... ты говоришь? Кто... тебе... это сказал? — только и смогла она вымолвить, запинаясь.

— Никто мне не говорил, — вспомнив, что обещала молчать, и перестав плакать, ответила ей Оля. — Я поверила горбатому дядьке, что меня хотят погубить злые духи. Он ведь сказал, что они примут вид мамы и папы, которые умерли, — она вытерла слезы и, всхлипнув, добавила: — Я такое часто видела по телеку.

— Ну и что? — не выдержала Сара. — Он же сказал правду!

— Зачем вы обма-аныва ете, тетя Салли? — обратила к ней заплаканное лицо Оля. — Папа и мама были настоящие! Они не умерли! Я видела их портреты в газете.

— Где же ты могла видеть? В школе? — поразилась Сара. — Ты же, Лола, газет не читаешь и по телеку ничего не смотришь, кроме детских передач!

— Я вчера вечером их в кабинете у дяди Генри посмотрела. Простите, что без спросу, — покаянным голосом честно призналась Оля. — Поняла, что случилось... что-то такое... и мне захотелось проверить.

«Дело дрянь, — удрученно подумала Сара. — Теперь вряд ли удастся что-либо поправить. Лолита — большая девочка! Если только попробовать ее уговорить». Она уже пришла в себя и могла рассуждать трезво.

— Ты неправильно поступила, Лолита, — с искренней печалью сказала Сара. — Неужели хочешь поломать блестящую судьбу, которая тебя ожидает, как нашу приемную дочь и наследницу? Ты уже достаточно большая, чтобы понимать, что дает в нашем мире человеку такое богатство, которым мы обладаем.

Девочка молча слушала, и она с воодушевлением продолжала:

— Мы с дядей Генри удочерили тебя вполне законно, как сироту. У тебя даже по документам была другая фамилия. Нам она была безразлична потому, что ты теперь — Лола Фишер. И, когда появились люди, утверждающие, что они твои родители, мы предоставили решить этот спор суду. Разве это неправильно?

Сара испытующе посмотрела на Олю, но девочка продолжала молчать, и она мягким тоном, насколько позволял ее низкий грудной голос, заключила:

— Суд, как ты знаешь, подтведил наши права. По закону, ты теперь наша дочь со всеми, — подчеркнула, сделав паузу, — вытекающими правами. Так подумай сама, зачем тебе отказываться от нас, от такой замечательной судьбы? Стоит ли возвращаться назад, где ничего такого у тебя не будет и в помине? — взглянула с укором, снова сделав паузу, и заверила: — Ты знаешь, что мы с дядей Генри тебя любим и сумеем заменить папу и маму! Как наша дочь будешь иметь хорошую возможность помочь также своей сестре Надин добиться успеха в жизни!

Непривычно длинная речь утомила Сару, и она обессиленно опустилась на стул, пытливо глядя на приемную дочь и моля Бога, чтобы приведенные доводы возымели действие. Но ее надежды не оправдались.

— Мне очень жаль, что так получилось, тетя Салли, — приподнявшись на подушках, со взрослой печалью ответила Оля. — Но раз живы мои родные, я не могу у вас оставаться. Ну разве вы, — бросила на нее девочка чистый взгляд своих синих глаз, — могли бы отказаться от своих папы и мамы даже ради всех богатств на свете?

Сара сразу вспомнила свое нищее детство. Своего отца, портового грузчика, убитого в пьяной драке, и мать — торговку овощами, грубую женщину, спившуюся с горя, когда ей не было еще десяти лет. Жили они в постоянной нужде. Но родители, простые и необразованные люди, любили друг друга и свою дочь. Отец, как бы ни уставал, находил время, чтобы приласкать и с ней поиграть, а мать, хоть могла влепить пощечину за серьезную провинность, зато чаще была нежна и всегда заботлива.

«Могла бы я отказаться от них, если бы были живы и меня захотели взять к себе миллионеры?» — мысленно спросила себя Сара и, несмотря на всю свою прагматичность, не смогла дать положительный ответ. Потому что ее бедное детство все равно осталось в памяти счастливейшим периодом жизни, и своих родителей она вспоминала с неизменной нежностью.

— Ну что же, Лола, твое поведение создает для всех нас серьезную проблему, — поднявшись, сказала она, стараясь сохранять спокойствие, хоть сердце у нее и обливалось кровью. — Надеюсь, ты не будешь объявлять голодовку? Уже давно пора завтракать. А я обещаю, что поговорю с дядей Генри, и мы еще с тобой все спокойно обсудим.

Боясь, что не выдержит и расплачется, Сара поспешно вышла из комнаты.

— Какие там газеты, Салли! Это все наделала старая карга, — вне себя от ярости бушевал Генри Фишер, когда жена, вся в слезах, рассказала ему о своем утреннем разговоре с Лолой. — Это надо же, какая сволочь! Сама одной ногой уже в могиле и другим жизнь портит!

Набравшись духу, Сара не стала звонить ему в офис, а ошарашила супруга, когда он приехал домой обедать. Тут уж она дала волю слезам.

— Но почему ты так уверен, что это она открыла глаза Лолите? — всхлипывая, с сомнением спросила она, не желая, чтобы старушка пострадала под горячую руку. — Правда, миссис Боровски при мне поговорила с Лолой немного на своем языке. Но очень спокойно. А за обедом разговор велся только по-нашему.

— Чего бы я стоил, Салли, если бы не умел видеть все насквозь, — мрачно, но не без самодовольства бросил ей Фишер. — Эта хитрая старушенция сумела так сообщить обо всем Лолите, что ты даже не заметила. И я тебе это докажу!

Чтобы немного успокоиться, он зажег сигару и продолжал:

— Тут же все сходится! Русские только у себя грызутся, а в чужих краях, как никто, стоят друг за друга. Поверь, я уже с этим сталкивался. Зачем, по-твоему, тогда прискакали они к тебе, — вперил он на жену жесткий взгляд своих ледяных глаз, — как только мы выиграли суд? Конечно, для того, чтобы вновь замутить воду. Так Юсуповы хотят добиться своего!

— Ты думаешь, они связаны с родителями Лолы? — изумленно вытаращила на него глаза Сара. — Каким образом, Генри?

— Этого я пока не знаю. Допускаю даже, что старуха Мэри просто захотела помочь соотечественникам вернуть девочку, — почти угадал проницательный делец и, нахмурив брови, мстительно добавил: — Но это ничуть не уменьшает ее вины, и она за это поплатится!

— Наша Лолита не умеет врать, — все же усомнилась Сара. — Ты думаешь, она выдумала насчет этой, — вопросительно посмотрела на мужа, — газеты, Генри?

— Вовсе нет. Такая газета у меня есть, и она могла ее посмотреть, — ответил Фишер и убежденно добавил: — Но только после того, как ее надоумила старуха Боровски.

— Что же теперь делать, Генри? — в отчаянии заломила руки Сара. — Неужто нам придется Лолиту вернуть родителям?

— Этого исключить нельзя, если она упрется, — с мрачной рассудительностью произнес Фишер. — Надо попробовать ее уговорить. Посулить золотые горы, расписать получше, чего лишится, если от нас уйдет к родителям. Весь расчет на то, что она уже большая и ее можно этим соблазнить.

— Хорошо, я попытаюсь, Генри, — уныло согласилась с ним Сара. — Мне самой кажется, что другого способа у нас нет.

Она пошла распорядиться насчет обеда, а Фишер тут же по мобильной связи вызвал к себе шефа секьюрити.

— Немедленно приезжай, Мигель! — приказал он пуэрториканцу. — Для тебя есть дело.

Фишер успел лишь освежиться под душем, как его верный подручный уже прибыл и, ожидая распоряжения босса, расположился в гостиной.

— Пройдем в кабинет, — выйдя к нему прямо в халате, сказал он ему хмуро, и Мигель сразу понял, что речь пойдет об очередном «мокром деле». — Надо, чтоб никто нас не подслушал.

Там они уселись в кресла и, понимавший без слов своего босса, Мигель, не теряя зря времени, спросил:

— О ком на этот раз пойдет речь?

— Мне напакостила старуха Боровски. Надо отомстить этой суке, — коротко объяснил ему Фишер.

— Придушить старушенцию? — не сдержал удивления обычно флегматичный пуэрториканец. — Она ведь и так вот-вот загнется.

— В этом ты прав. Она давно готова переселиться в мир иной, — недобро усмехнулся Фишер. — Я решил наказать ее по-другому. Пусть живет и мучается!

Мигель лишь молча взглянул на босса, и тот открыл ему свой замысел:

— Мы пошлем к праотцам ее единственного сына — Тима Боровски. Вот это для нее будет удар! От бездельника все равно нет пользы обществу.

Очевидно, подручный был с этим согласен, потому что с видимой охотой тут же отозвался:

— Нет ничего проще босс! Подкараулим его на яхте. Он все время на ней проводит. С бл...ми, пока жена в поте лица трудится.

— Сойдет. Только постарайтесь угробить только его одного, чтобы меньше было шумихи. Да и мочить случайных людей не стоит, — строго наказал Фишер.

— Ну, без этого навряд ли обойдется, — серьезно ответил ему Мигель. — Но мы постараемся, босс, сделать все как можно чище.

Тим Боровски, весь мокрый от усилий, издав мучительный стон удовлетворенной плоти, ослабил объятия и с блаженной улыбкой перевернулся на бок. Пышнотелая блондинка, с которой он занимался любовью в роскошной каюте своей яхты, попыталась его удержать.

— Котик, а... как же... я? Ну, еще... немножечко! Мне... надо, — прерывисто дыша, упрекнула она своего партнера. — Не будь... эгоистом, милый!

— Да погоди ты, Дороти! Дай отдышаться, — небрежно отстранил ее пожилой плейбой, — еще не вечер. Ведь знаешь, — заверил, самодовольно усмехнувшись, — что не уйдешь от меня голодной.

Подождав, когда любвеобильная дама, жена его старого приятеля, с которой он время от времени тайно встречался по ее инициативе, немного успокоится, Тим взглянул на часы и, нежно похлопав ее по голому заду, сказал:

— Сейчас принесут заказанную мной пиццу, мы с тобой подкрепимся, и этот сеанс любви будет посвящен исключительно тебе. Надеюсь, что я еще на что-то гожусь. Не хочу уступать тебя молодому любовнику!

— О чем ты говоришь? Не нужен мне молодой, — повеселев, улыбнулась ему Дороти. — Ты только больше старайся, милый.

— Вот выпью, подзаправлюсь и полностью выложусь, — подмигнул ей Тим. — Ты только не унывай, надейся!

Любовники и не подозревали, что за ними с причала пристально наблюдают в оптический прибор из маленького окошка металлического ангара. Худощавый брюнет с длинными баками, по которым безошибочно можно было узнать Мигеля, оторвавшись от окуляра, сказал стоявшему рядом помощнику:

— Все, встают! Закончили, наконец, свою случку. Невтерпеж было смотреть. Теперь можешь отнести им пиццу. Ты точно знаешь, что, кроме Боровски и его бабы, на яхте никого нет?

Его помощник, тот же молодой, коротко стриженный блондин, который был с ним в Колумбусе, уже одетый в униформу посыльного ресторана, ответил:

— На яхте они одни. С утра наблюдаю. Уходил только за пиццей после твоего прихода.

— Ну давай! Как передашь им коробку с пиццей и подсунешь взрывпакет, сразу возвращайся, — коротко распорядился Мигель. — Приведешь его в действие, только когда дамочка сойдет на берег! Ее муж очень влиятельный человек.

— Что же, мне ждать, пока им не надоест трахаться? — недовольно проворчал блондин. — Она, может, ночевать у него останется.

— Если понадобится, будешь ждать всю ночь! — отрезал шеф. — Но не думаю, что их свидание продлится так долго, — смягчив тон, успокоил подручного. — Они скрывают свою связь и должны скоро разбежаться. Первой, конечно, поспешит домой к мужу дамочка, — презрительно ухмыльнулся он.

Лжеофициант пошел относить пиццу, а Мигель, прильнув к окуляру, продолжил наблюдение. Когда молодой блондин уже без коробки вышел на палубу и стал спускаться по трапу, Мигель покинул свой пост и поднялся по крутой лестнице на набережную, где стояла его машина. Забравшись в нее, развернул газету и стал ждать, как дальше развернутся события.

Тем временем его подручный выбрался на причал и, усевшись у окошка ангара, стал терпеливо ожидать появления на палубе яхты дамы Тима Боровски.

Радиоуправляемое взрывное устройство он незаметно сунул под койку каюты, пока проголодавшиеся любовники расправлялись с пиццей. Для этого ему достаточно было изобразить, что уронил авторучку, которой полуодетый хозяин расписался в получении заказа.

Однако ждать долго киллеру не пришлось. Очевидно, в этот черный для себя день Тим Боровски не выполнил своего обещания и не оправдал сексуальных надежд жены своего приятеля, из-за чего они поссорились. Не прошло и часа, как на палубу выбежала разгневанная дама, а вслед за ней, стараясь ее удержать, хозяин яхты. Сказав, видно, что-то оскорбительное, пышная блондинка стала спускаться на берег, а неудачливый любовник, махнув с досады рукой, ушел в каюту, наверное, утешиться выпивкой.

Подождав минут десять, чтобы дать возможность даме отойти на приличное расстояние, киллер нажал на кнопку пульта, который держал в руке, и тут же прогремел мощный взрыв. Шикарную яхту Боровски буквально разорвало на куски, ее обломки скрылись в облаке пламени. Было всего пять часов вечера, и набережную сразу запрудили толпы зевак. Шум толпы перекрывал вой сирен полицейских и пожарных машин.

С высокой площадки, на которой находилась парковка, в числе других зевак за происшедшей трагедией наблюдал и шеф секьюрити Фишера. Убедившись, что яхта Боровски затонула и спасателям никого с нее спасти так и не удалось, Мигель преспокойно забрался в свою машину и отправился докладывать боссу об успешно выполненном задании.

Небольшое, но богатое и ухоженное католическое кладбище находилось на окраине Майами. К назначенному для панихиды часу туда съехалось большое количество шикарных машин самых последних и престижных моделей. Семья Кроули-Боровски занимала видное положение в городе, и у нее было много влиятельных друзей. На похороны Тима прибыли и мэр, и начальник полиции, даже член конгресса от штата Флориды. Приехали выказать соболезнование и супруги Фишеры, стоявшие в первых рядах почетных граждан с подобающе постными лицами.

Взрыву на яхте Боровски, унесшему жизнь ее хозяина, было посвящено много сообщений в прессе, однако даже в желтых газетенках не выдвигались версии, близкие к истинной причине трагедии. В основном сходились на двух мотивах убийства Тима: устранении конкурента, часто выигрывавшего парусные регаты, и мести рогоносца-мужа, поскольку постельные подвиги погибшего дотошным журналистам были известны. Сара, конечно, догадалась о том, что произошло на самом деле, и не хотела ехать, но муж ее заставил, чтобы на них не легла тень подозрения.

Старая миссис Боровски пребывала в таком горе и отчаянии, что не могла ни о чем думать, кроме постигшего ее непоправимого несчастья. Поддерживаемая с двух сторон овдовевшей невесткой и старшим внуком, она не отрывала помутневшего взора от гроба и лишь повторяла одно и то же:

— О Господи, почему ты взял к себе не меня, а его? Почему не меня, старуху, а его, полного сил и здоровья? Зачем мне теперь жить?

Если вдова Элизабет и ее сыновья вели себя сдержанно, то горькие стенания матери Тима Боровски наполняли сердца присутствующих искренним состраданием, и, пожалуй, один лишь Генри Фишер испытывал злобное удовлетворение. Сразу же как только гроб опустили в могилу, он вместе с супругой, стараясь не привлекать к себе внимания, покинул кладбище и укатил в своем шикарном лимузине.

Во время всей траурной церемонии Даша, как и подобает, одетая в черное, стояла среди ближайших друзей и сотрудников фирмы Элизабет Кроули. С самого начала, как только пришло известие о гибели Тима, она почувствовала к себе отчуждение со стороны хозяйки и остальных членов семьи. Словно она была посторонним человеком, который не в состоянии понять и разделить их несчастье. А Мария Игнатьевна, хоть не сказала ни слова, раздавленная постигшим ее ударом, иногда бросала на Дашу взгляд, в котором читался горький упрек.

Однако Даша, хотя ей и приходило это в голову, никак не могла поверить, что к взрыву на яхте причастен Генри Фишер. «Ну допустим, что он обо всем догадался и решил им отомстить. Но Тим-то здесь при чем? Он ведь был с ним в самых дружеских отношениях и ничем не досадил. Нет, это невозможно!»

Вместе с тем когда разъезжались с кладбища и Даша подошла попрощаться, ни Элизабет, ни миссис Боровски не пригласили ее поехать вместе с ними, как бы подчеркнув этим, что она для них чужая. Даже Роберт, неловко отводя глаза в сторону, извиняющимся тоном сказал:

— Прости меня, Ди, но я не смогу тебя проводить. Видишь, в каком состоянии находятся бабушка и мама? Мне необходимо сейчас быть с ними рядом, чтобы поддержать в этот трудный для нас час!

Это уже было слишком! Тупая боль и обида, которые она испытывала в душе все время похорон, внезапно вырвались наружу, и Даша запальчиво произнесла:

— А мне, выходит, не надо быть с вами рядом? Кто я для тебя и для вас всех, Бобби? Чужой, посторонний человек?

— Не надо так говорить, Ди! Сейчас неудачное время для обид и объяснений, — по-прежнему не глядя ей в глаза, возразил Роберт. — Вот мои придут немножко в себя, и все наладится.

— Что же разладилось, если я вдруг для вас стала чужой? — еле сдерживая гнев, потребовала ответа Даша. — Я понимаю и разделяю твое горе, но хочу знать сейчас же. Иначе этот разговор у нас последний!

Роберт, видя по ее гневному взгляду, что увильнуть не удастся, тяжело вздохнув, объяснил:

— Все дело даже не в маме, а в бабушке. Насколько, Ди, она к тебе была расположена, настолько теперь не хочет знать и видеть. Думаю, на нее нашло какое-то затмение из-за ужасного удара судьбы.

— Она, что же, меня винит в гибели твоего отца? — дрогнувшим голосом спросила его Даша. — Что же такое она вам сказала?

— Да ничего конкретного! Только твердит, что не желает тебя видеть, так как ты принесла нам несчастье, — с досадой произнес Роберт. — Говорит, что Бог ее наказал за то, что тебя пригрела. Она ведь верующая, и на этой почве немного свихнулась. Ты уж прости ее, Ди!

«Ну вот, и все кончилось у нас с тобой, Бобби, — испытывая острое разочарование и сердечную боль, подумала Даша. — Как бы ни было тяжело из-за гибели отца, ты все равно был обязан меня защитить, но оказался слаб!» А вслух, еле сдерживая слезы, готовые хлынуть из глаз от обиды и боли, сказала:

— К твоей бабушке у меня претензий нет, Бобби. В своем горе она сейчас ко мне несправедлива, но со временем поймет, что заблуждается. А вот тебя я простить не могу! Несмотря ни на что, ты обязан был встать на мою защиту! Запретить говорить и думать обо мне плохо! Нет, не можешь ты быть моим мужем! — Даша аж задохнулась от гнева! Немного отдышавшись, она сняла с пальца обручальное кольцо, бросила его под ноги жениху и, не думая о последствиях, направилась к выходу с кладбища. Роберт быстро поднял кольцо и сорвался с места, чтобы ее догнать, но на полпути вдруг остановился. На его простоватом веснушчатом лице отразилось смятение. Он не знал, как ему следует поступить.

Глава 32. Побеждает любовь

Супруги Фишеры вернулись с похорон Тима Боровски в Уэст-Палм-Бич к обеду. Глава семьи вел себя как обычно, но Сара пребывала в мрачном настроении. Всю дорогу она сдерживала свои эмоции, но, когда уже подъезжали к дому, ее все же прорвало.

— Вот увидишь, Генри, накажет нас Бог за твои прегрешения! — укоризненно бросила она, выходя из машины.

— Будем надеяться, что не скоро, — усмехнулся Фишер. — У него слишком много работы. Ставь машину в гараж! — приказал водителю. — Сегодня ты мне больше не понадобишься.

Умывшись с дороги, он отправился в кабинет просмотреть корреспонденцию и свежую прессу, а Сара пошла в детскую проведать приемную дочь. Она надеялась, что та, как обычно в это время, смотрит по телевизору свои любимые мультики, но, к своему огорчению, застала ее лежащей ничком на постели. Услышав шаги, Оленька встрепенулась и села на кровати.

— Вы поговорили с дядей Генри? — спросила она, обратив на Сару заплаканное лицо. — Когда я смогу увидеть моих папу и маму?

— А надо ли это, Лолита? Ты этим только причинишь лишнюю боль им и еще больше расстроишься сама, — стараясь сдержать волнение и говорить мягко, произнесла Сара. — По американскому закону ты теперь не их, а наша дочь. Дядя Генри возражает.

По бледному личику Оли снова потекли слезы, и она, ничего не сказав, опять легла, отвернувшись лицом к стене.

— Дядя Генри предлагает нам с тобой отправиться в кругосветное путешествие, чтобы поскорее забыть все неприятности, — тихим вкрадчивым голосом, как сирена, начала соблазнять ее Сара. — Ты только подумай, что мы с тобой сможем повидать? Африку со львами и пирамидами! Индию со слонами и дворцами раджей! Сказочные коралловые острова Тихого океана, кенгуру и утконосов в далекой Австралии!

Она перевела дыхание и продолжала с еще большим жаром:

— Редко какой девочке выпадает такое счастье! Потому что это путешествие стоит безумно дорого — много тысяч долларов.

Ведь ты, Лолита, была в восторге от круиза по Карибам? А то, что нам предстоит, — во сто крат интереснее! Между прочим, — сделав паузу, бросила заготовленную приманку, — если захочешь, мы можем взять с собой и твою сестру Надин. Думаю, ни она, ни твои родители не откажутся, поскольку такой случай ей больше не представится! Вот тогда, перед нашим отъездом, ты сможешь с ними повидаться.

Устав от непривычно длинной речи, Сара перевела дыхание, с нетерпением ожидая реакции Лолы на свое заманчивое предложение, но девочка молчала.

«Наверное, в ее душе идет борьба между желанием отправиться в путешествие и повидаться с родными, — мысленно предположила она. — Но я такую возможность ей предоставляю, и романтика дальних странствий должна взять верх».

Но удача не сопутствовала Саре Фишер.

— Тетя Салли, я ни-икуда не по-оеду, — повернувшись к ней лицом, сквозь слезы наотрез отказалась Оля. — Я больше не ва-аша дочь, раз у меня есть папа и мама. Ну ка-ак вы этого не понима-аете?

Ее упорство сломило Сару, и, ощущая в душе лишь разочарование и пустоту, она устало произнесла:

— Ты неправильно поступаешь, Лолита, — себе во вред. Но что с тобой, упрямой, поделаешь? Поговорю еще раз с дядей Генри. Я ведь желаю тебе добра. А пока поднимайся, пора обедать!

— Мне не хочется есть, тетя Салли, — продолжая плакать, отказалась Оля и снова повернулась к стене.

— Немедленно вставай! — строгим тоном приказала ей Сара. — Если решила показать свой характер, то глупо. Ты уже большая девочка и должна понимать, что, отказываясь от еды, подорвешь здоровье и заболеешь. А тогда уж не скоро сможешь увидеть своих родных, чего так добиваешься!

Однако и этот довод не подействовал, и, с досадой махнув рукой, Сара ушла, так как надо было распорядиться, чтобы подавали на стол.

— Наверное, Генри, ничего у нас с Лолитой не получится, — минорным тоном сообщила она мужу, когда они уселись обедать. — Она уже слишком большая, чтобы можно было сбить с толку, да и характерец у нее оказался не по годам твердый. Не знаю, что и делать.

Сара сделала паузу, ожидая ответа, но занятый едой Фишер лишь хмыкнул, и, немного подумав, она предложила:

— А что, если мне переговорить с ее мамашей? Попробовать применить, так сказать, мирный способ урегулировать наши взаимоотношения. Ведь чувствую, что Лолиту нам не сломить.

— Говори, что придумала, — не отрываясь от еды, коротко бросил муж.

— Предложу отправиться вместе в кругосветку, на что она вряд ли согласится, или же отпустить со мной обеих девочек, — объяснила ему Сара свой замысел. — Пообещаю, что после этого отдам им Лолу.

— Но что это нам даст, тебе и мне? — с сомнением посмотрел на нее Фишер. — Все равно мы потеряем нашу приемную дочь, а я почти на год останусь один, без жены.

— Не думай, что я тебя пожалею, Генри, — с грубоватой простотой бросила ему Сара. — Меня тебе заменят Мэрилин и другие потаскушки, до которых ты был всегда падок. Но за год, — мечтательно произнесла она, — не только Лолита ко мне сильнее привяжется, но и ее сестра, такая же прелестная девочка. А там посмотрим!

— Ну что же, это ты интересно придумала, Салли. Наверное, стоит попробовать, — одобрил ее инициативу Фишер, однако на всякий случай предупредил: — Но не слишком рассчитывай на успех.

Проводив мужа и сына, ушедших на консультацию в юридическую контору, Светлана Ивановна причесывала Наденьку, чтобы пройтись с ней по магазинам, когда совершенно неожиданно для нее позвонила Сара Фишер.

— Йес, ит из миссис Юсупова, — разобрав свое имя, ответила она незнакомой обладательнице очень низкого женского голоса. — Ай эм сори. Май инглиш вери бэд. Вис ю ток май доте, — исчерпав почти весь свой словарный запас, добавила она, передавая трубку Наденьке, которая уже могла вполне прилично говорить по-английски.

— Мамочка! Это миссис Фишер. Она хочет с тобой встретиться, — выслушав Сару, сообщила дочь и вопросительно взглянула. — Что мне ей ответить?

— Скажи, что я согласна, и спроси у нее: когда и где? — обрадованно воскликнула Светлана Ивановна. — Лучше бы, не откладывая, прямо сегодня.

— Она говорит, что будет ждать в ресторане отеля «Хилтон» в пять часов, — не без труда перевела Наденька. — Спрашивает, тебя это устроит?

— Скажи, что да! — не задумываясь, ответила Светлана Ивановна и с волнением добавила: — Спроси, возьмет она с собой Оленьку? Передай, я хочу ее видеть.

— Говорит, что приедет одна и разговор будет об этом, — перевела Наденька и, отставив трубку, подняла на мать глаза, полные слез: — Неужели папочка и Петя не могут отобрать Олюшу у этих людей?

— Я же объясняла тебе: мы находимся в чужой стране, — бросила ей с горькой досадой Светлана Ивановна. — Ладно, скажи миссис Фишер, что мы с тобой туда прибудем вовремя.

«А не может случиться, что эти люди заманивают нас в ловушку, а я очертя голову в нее лезу? — опасливо подумала она и еще пуще разволновалась. — Надо все же посоветоваться с Мишей! Взглянув на часы и убедившись, что время еще есть, принялась звонить в контору юристов.

— Поезжай и ничего не бойся! — успокоил ее Михаил Юрьевич. — Я оставлю здесь Петю продолжать переговоры, а сам отправлюсь к отелю и обеспечу вашу безопасность.

Он по-русски сообщил сыну о предстоящей встрече матери с миссис Фишер, вежливо извинился перед юристами и вышел из конторы. Подъехав к отелю, нашел место на платной парковке, удобное для наблюдения, и, купив пару хот-догов и бутылку кока-колы, остался сидеть в машине.

Михаилу Юрьевичу пришлось поскучать не более получаса, прежде чем прибыла миссис Фишер, которая лихо подкатила на своей шикарной машине, управляя ею как заправский водитель. Он сразу узнал жену миллиардера по фотографии и по тому, как подобострастно встретил ее швейцар, который помог ей выйти и отогнал кабриолет на стоянку. Еще через четверть часа у подъезда остановилось такси, из которого вышли Светлана Ивановна и Надя.

Подождав минут десять, Михаил Юрьевич тоже вылез из машины и, войдя в холл отеля, внимательно осмотрелся. Не обнаружив ничего подозрительного, зашел в ресторан и остановился в дверях, как бы отыскивая в зале удобное место. Его взгляд без труда нашел миссис Фишер и жену с дочерью, которые сидели в уютной нише и вполне мирно беседовали. Убедившись, что и здесь нет никакой опасности, он выбрал отдаленный столик, сделал заказ подошедшему официанту и, расположившись к ним вполоборота, продолжил наблюдение.

К этому моменту разговор Светланы Ивановны с Сарой Фишер заметно обострился. Вначале миллиардерша просто онемела от потрясающего внешнего сходства Наденьки и ее приемной дочери.

— Это невероятно! — пробормотала она, когда вновь обрела дар речи. — Какие же чудеса вытворяет природа. Если бы не знала, что оставила Лолу дома, голову дала бы на отсечение, будто передо мной сидит она!

«Будет только справедливо, если Лолита останется со мной, — подумала она, укрепляясь в стремлении уговорить мать девочки принять ее предложение. — Ну разве ей недостаточно одной такой красотки?»

— Уважаемая... Сви! Простите, что не могу правильно произнести ваше имя, — прочувствованно сказала она, не отрывая восхищенного взгляда от Наденьки. — Вы не правы, если считаете меня своим врагом. Я хоть и очень богата, но на самом деле несчастная и обманутая женщина!

Подождав, когда Надя переведет ее слова, Сара так же горячо продолжала:

— Господь наградил меня всем, кроме самого главного для каждой женщины — счастья стать матерью. Особенно остро я это почувствовала в зрелом возрасте и с трудом уговорила мужа взять чужого ребенка, круглую сироту. И вот, когда это свершилось и мы удочерили чудесную девочку, которую я полюбила всей душой, — она горестно покачала головой, глядя на Светлану Ивановну так, словно умоляла о сочувствии, — оказалось, что нас подло обманули! Она вовсе не сирота, и родители, — запнулась, — то есть вы, хотят ее отобрать.

— Я вам очень сочувствую, миссис Фишер, но что же делать? — сочла нужным прервать ее излияния Светлана Ивановна. — Мы ведь не можем отказаться от своей дочери! На нашем месте и вы поступили бы так же.

— Не знаю, Сви, вполне может быть, — печально согласилась Сара. — Если вас не затруднит, называйте меня по имени. Я ведь понимаю ваши чувства и решила поговорить, потому что, как мне кажется, нашла компромисс, который даст нам выход из создавшегося сложного положения.

Она сделала паузу, готовясь как можно убедительнее изложить свои предложения, и Светлана Ивановна с волнением подумала: «Ну вот, сейчас я услышу, что они надумали. Неужели все же решились отдать нам Оленьку? — мелькнула в уме надежда, которая, как известно, всегда умирает последней. — Тогда что от нас за это потребуют?» — тут же озаботилась, кусая губы от нетерпения в ожидании развязки.

Очевидно, повторив в уме суть того, что собиралась предложить Светлане Ивановне, Сара Фишер, волнуясь, произнесла:

— Раз уж так все случилось, я хочу и впредь участвовать в судьбе Лолиты. Она мне дорога, и я не могу взять и оторвать ее от сердца, — голос у нее жалобно дрогнул. — Не могу так вот расстаться, чтобы она меня навсегда забыла. Я понимаю, что она должна вернуться в семью, но предлагаю сделать это не сразу, а постепенно, и нашу связь не прерывать.

— Но почему бы вам, Салли, не взять себе другого ребенка? — не выдержав, вмешалась Светлана Ивановна. — Который не имеет родственников и будет принадлежать только вам.

— Этот поезд уже ушел! Второй такой, как Лолита, я не найду, — с мрачной убежденностью сказала Сара. — Если только вы отдадите мне Надин? — грустно пошутила она, указав глазами на маленькую переводчицу.

— Так что же конкретно вы предлагаете, Салли? — не скрывая своей тревоги, спросила ее Светлана Ивановна.

Сара сделала глубокий вдох и деловито произнесла:

— Предлагаю вот что. Мы с Лолитой собирались в круиз вокруг света. Теперь же отправимся вчетвером! Закажу не две, а три каюты: для нас с вами и для девочек. Убеждена, что за столь продолжительное плавание мы все крепко подружимся, и в дальнейшем я также охотно приму участие в судьбе Надин, как и Лолы.

— А как вы, Салли, представляете себе участие в их судьбе? — не высказывая своего отношения, решила уточнить Светлана Ивановна. — Вы учитываете, что мы будем жить в России и нас будет разделять огромное расстояние?

— Расстояние — не преграда! — небрежно бросила Сара. — Важны лишь сердечная привязанность, взаимный интерес и радость от встреч. А свое участие я вижу не только в материальной поддержке, которая может понадобится, но и в том, чтобы помочь Лоле и Надин окончить самые лучшие наши колледжи и сделать блестящую карьеру!

Она перевела дыхание и закончила свою мысль:

— Для них откроют двери самые престижные учебные заведения Америки! Я создам наилучшие условия не только для них, но также для вас, Сви, и всех членов вашей семьи, если того пожелаете. Ну как, — с надеждой взглянула в ее глаза, — вы согласны пойти на мировую?

Светлана Ивановна пришла в замешательство и невольно бросила растерянный взгляд, как бы прося совета, в сторону мужа, которого заметила сразу, лишь только он появился в ресторане. Но Михаил Юрьевич этого не видел и тем более не мог прийти ей на помощь. Ее прямая натура противилась какому-либо компромиссу с Фишерами, но разум подсказывал, что нужно на него пойти. Иначе, она это прекрасно сознавала, все сильно осложнится.

— Думаю, Салли, что мы вполне можем кончить эту тяжелую для нас обеих нервотрепку мирным образом, — наконец тихо произнесла, как бы очнувшись, Светлана Ивановна. — Судьба нас столкнула случайно, мы — жертвы совершенного преступления. Но вы хорошо приняли и искренно полюбили мою дочь.

Она перевела дыхание и заключила:

— Поэтому я с благодарностью воспринимаю ваше желание и впредь контактировать и помогать моей дочери Оле, а может быть, и Наде тоже, по взаимному согласию. Если захотите навестить нас в России — милости просим! — с мягкой улыбкой добавила она. — Я согласна и на то, чтобы дочки на каникулах гостили у вас, если, конечно, вы их пригласите.

— А как же насчет круиза? Вам такое путешествие не улыбается? — немного разочарованно напомнила ей Сара. — Если вас смущает его дороговизна, то это напрасно. Все расходы я беру на себя!

— Вы очень любезны, Салли, и мы в будущем обязательно вместе поплаваем, — очень вежливо, стараясь ее не обидеть, отказалась Светлана Ивановна. — Я не могу сейчас уехать путешествовать из-за театра, в котором работаю. А девочкам надо учиться. Круиз замечательный, но отстать на год от сверстников они сами не захотят.

— Не отстанут! — бесшабашно возразила Сара. — Я найму репетиторов, и они будут учить их во время плавания. Соглашайтесь, Сви! Лола и Надин получат впечатления, которые у них останутся на всю жизнь!

Но Светлана Ивановна была непреклонна.

— Нет, Салли, ничего не получится. Ты ведь сама понимаешь, что я не могу отпустить девочек, даже в самых комфортных условиях, так далеко и надолго, — с легким упреком покачала головой. — Спроси себя, как бы поступила на моем месте, и сразу перестанешь настаивать.

Чувствуя как душа наполняется радостью от сознания, что успех уже близок, она благодарно посмотрела на Сару, и искренно ей пообещала:

— Мы все навсегда сохраним признательность тебе и твоему мужу, Салли, за то, что, несмотря на выигранное дело в суде, великодушно вернули нам дочь. Вы никогда не будете для нас чужими людьми!

— Считай, Сви, что мы уладили это дело, — сказала Сара, и у нее на глазах навернулись слезы, хотя она уже и не помнила, когда плакала в последний раз. — Вот обрадуется Лолита, как об этом от меня узнает!

Боясь, что не выдержит, и не желая выказывать свою слабость, она резко поднялась со своего места и, положив на столик крупную купюру, сказала своим грубоватым низким голосом:

— Ну, мне пора. Рассчитайтесь, пожалуйста, за меня с официантом. Я дам вам знать, Сви, когда приехать за Лолой.

Уверенной походкой она направилась к выходу, но Михаил Юрьевич успел заметить, что по суровому лицу миссис Фишер катятся слезы, оставляя заметные следы на тщательно сделанном макияже.

Долгожданное приглашение приехать на виллу Фишеров за Олей пришло только в конце недели. Именно столько времени понадобилось Саре, чтобы уговорить мужа отказаться от преимуществ, которые давал ему выигранный у Юсуповых судебный процесс.

— На меня же все будут смотреть, как на идиота, Салли, — бушевал Фишер, возмущенный филантропией жены. — Ну ладно, решила вернуть им девчонку — это твоя головная боль. Но чтобы задаром, не возместив хотя бы затраты на нее и шкурников-адвокатов?

Он перестал бегать по комнате и остановился против нее, грозно сверкая глазами из-под кустистых бровей.

— Я просто тебя не узнаю! Ты же у меня хозяйственная баба, а ведешь себя как мотовка!

— А ты, Генри, ведешь себя как жмот! — спокойно парировала его упреки Сара, которая как ни в чем не бывало продолжала вязать, сидя в кресле. — От тебя не слишком много убудет, чтобы так убиваться. Ну как ты не понимаешь? — отложила она все-таки свое вязанье. — Если ты предъявишь им счет, мы никогда больше не увидим нашу маленькую княжну.

— Мы и так ее больше не увидим, — уже спокойнее буркнул Фишер.

— Ошибаешься, дорогой! В том то и дело, что я с ее матерью договорилась, чтобы наша связь не прерывалась, — бодрым тоном объяснила ему жена. — Из благодарности за великодушный поступок она обещала принимать нас в России и посылать Лолиту в Штаты на каникулы вместе с сестрой. А что это означает? — спросила она с самодовольной улыбкой.

Фишер лишь молча на нее уставился, и она объяснила:

— А то, что в конце концов мы с тобой достигнем цели, из-за которой затеяли все это дело, и твои денежки, Генри, не пропадут понапрасну. Сечешь?

Муж лишь непонимающе пожал плечами, и Сара весело рассмеялась.

— Ну и кто из нас двоих дурной? Ладно, сейчас растолкую, — смилостивилась она. — Мы ведь это затеяли, чтобы наша жизнь стала интересней, наблюдая за успехами ребенка и способствуя им. Разве не так, Генри?

— Допустим, — уже благодушно согласился Фишер.

— А сохранив, хоть и частично, свое положение опекунов, мы в дальнейшем сможем не только общаться и заботиться о юных княжнах Юсуповых, но и разделять их будущие успехи. Теперь все понял?

— Да ты у меня просто стратег, Салли! — с улыбкой взглянув на супругу, одобрительно отозвался Фишер. — Ну что же, пусть будет по-твоему.

Таким образом наболевший вопрос был окончательно решен, и Сара смогла известить об этом родителей Лолы.

— Все! Слава Богу, я добилась согласия мужа, — довольным тоном сообщила она Светлане Ивановне. — Вы уж его извините! Такой уж он у меня, — в ее голосе слышались гордые нотки, — не привык отступать. А теперь вот пришлось. Но мне удалось все же его убедить, — победно заключила она. — Так что можете приезжать. Лола уже прыгает до потолка от радости.

Хотя Светлана Ивановна ожидала этого счастливого момента, но от нахлынувших чувств не сразу обрела дар речи.

— Не знаю, как смогу... отблагодарить... вас и... вашего мужа, Салли, — сказала она, прерывающимся от волнения голосом. — Наверное, я сама... не решусь... к вам приехать. Сердце... не выдержит... встречи с дочкой... в такой... обстановке.

Она на секунду прервалась, успокаивая дыхание, и предложила:

— Как вы смотрите, если я пришлю за ней сына, а он уже привезет ее ко мне? Вполне вероятно, что мне может сделаться плохо, и будет лучше, если это произойдет у меня в номере.

— Отлично вас понимаю, Сви, — согласилась с ней Сара. — Я ведь тоже сначала хотела сама привезти к вам Лолиту, но по той же причине от этого отказалась. А ведь, похоже, физически я намного крепче вас буду. Итак, — заключила она, — жду вашего сына завтра в первой половине дня.

Светлана Ивановна так разволновалась, что, положив трубку, не сразу смогла собраться с мыслями. Выручил ее приход мужа. Михаил Иванович был в приподнятом настроении.

— Ты чего это в растрепанных чувствах? Дела-то у нас продвигаются, — весело сказал он, как только переступил порог. — Юристы обещают за неделю уладить все формальности. В крайнем случае заберем Оленьку по липовым документам с согласия Фишера, как бы к нам в гости, — взглянул на нее с усмешкой. — А пока все это будет длиться, переберемся в Майами.

— Звонила миссис Фишер, — объявила Светлана Ивановна со слезами радости на глазах. — Завтра до обеда мы наконец заберем у них Оленьку!

— Это здорово! Есть все-таки Бог на небе! — просиял Михаил Юрьевич. — Мы тогда переедем в Майами завтра. Все вместе отправимся за Оленькой?

— Думаю, Мишенька, этого делать не стоит, — Светлана Ивановна уже обрела способность трезво мыслить. — Боюсь, что мои нервы не выдержат, когда увижу нашу дочку на вилле Фишеров, да и тебе не стоит там появляться. Мало ли что? Вдруг вы опять поссоритесь?

— Пожалуй, ты права, — согласился муж.

— Я договорилась, что за Оленькой приедет Петр. Ведь у него с ними не было раньше контактов и поэтому опасаться нечего, — привела ему свой довод Светлана Ивановна.

Она сделала паузу и, бросив на мужа испытующий взгляд, добавила:

— Хочу попросить Дашеньку поехать к Фишерам вместе с Петей.

— Это еще зачем? — как и ожидала, с недовольством отозвался муж. — Она и так очень много для нас сделала. Зачем же еще одалживаться?

— Ну как ты не понимаешь? Ведь дочке удобней в пути с женщиной, — чуть-чуть лукавя, объяснила Светлана Ивановна. — И потом, Петя не настолько владеет английским, чтобы выяснить с Фишерами все, что потребуется.

Ее доводы были убедительными, и Михаил Юрьевич нехотя согласился. Он был благодарен Даше за ее бескорыстную помощь и испытывал к ней самые теплые чувства, но считал брак сына с ней бесперспективным и не желал возобновления их отношений. А Светлана Ивановна, наоборот, только и мечтала об этом, так как чуткое материнское сердце ей говорило, что с другой Петр своего личного счастья не найдет.

Показ новых моделей осенней одежды в комфортабельном и светлом салоне фирмы «Блеск моды» был в разгаре. На подиуме, сменяя друг друга, стройные длинноногие девушки демонстрировали дорогие экстравагантные туалеты, но в самые роскошные, разумеется, была облачена Даша. Сеанс уже подходил к концу, когда в зале появились Светлана Ивановна и Наденька. Они уселись на свободные места, с интересом рассматривая образцы одежды и оживленно их обсуждая.

Само собой, Даша сразу их увидела, поприветствовала лучезарной улыбкой, а Светлана Ивановна жестами дала понять, что пришла именно к ней и будет ждать, когда освободится. Поэтому супермодель, как только смогла, отправилась к ним в зал. После того как они вдоволь пообнимались и расцеловались, свекровь открыла ей цель своего визита.

— А я специально пришла сюда, Дашенька, чтобы попросить о последней услуге, — сказала она, сопроводив слова любящим взглядом. — Ты уже знаешь, что Фишеры решили отдать нам Оленьку, и завтра мы ее у них забираем.

— Я радуюсь вместе с вами, — живо откликнулась Даша, — но разве нужна еще моя помощь? Неужто для этого вы проделали немалый путь из Уэст-Палм-Бич?

— Очень нужна! Но здесь мы оказались потому, что сегодня перебрались в Майами. Как только будет оформлен выезд Оленьки, улетим домой, — объяснила Светлана Ивановна. — Завтра за ней к Фишерам отправится Петя. Я прошу тебя поехать с ним.

Просьба свекрови застала Дашу врасплох, и она ответила не сразу. Ее душу заполнили противоречивые чувства. С одной стороны, это был страх перед ее встречей с Фишерами и местью с их стороны, так как баба Маня продолжала утверждать, что смерть сына — дело рук этого гангстера. Но еще больше тяготило тяжелое испытание, которое ее ждет во время совместной поездки с Петром, поскольку она ясно сознавала, что все еще любит его.

Очевидно, эти переживания можно было прочитать на ее лице, потому что Светлана Ивановна с любовью и сочувствием в голосе попросила:

— Ну скажи мне, что тебя мучает? Не бойся, я пойму!

Даша продолжала молчать, потупив взгляд, и свекровь, уловив своим чутким сердцем основную причину ее страданий, мягко пожурила:

— Ты напрасно боишься открыть мне свою душу. Я ведь давно уже на твоей стороне. Знаю, что любишь Петю, как и он тебя, и мечтаю, чтобы вы снова были вместе. Потому что не сможете быть счастливы друг без друга!

Из глаз Даши полились крупные слезы и, утирая их платочком, она, запинаясь, возразила:

— Что толку... говорить... об этом? Михаил Юрьевич... он будет... против... раз у нас... нет... ребенка.

— Ты права. У мужа это пунктик, он этому придает большое значение, — вынуждена была признать Светлана Ивановна, но тут же горячо заверила Дашу: — Сообща мы с ним справимся, ведь он тебя любит. Поверь, и для него важнее всего, чтобы сын был счастлив.

Она перевела дыхание и, порывисто притянув к себе невестку, продолжала убеждать:

— Вы только с Петей поладьте, и все будет в порядке! Да и насчет ребенка рано тебе отчаиваться. Разве здесь сказано последнее слово? Сегодня медицина очень сильна!

По прояснившемуся лицу Даши было видно, что слова свекрови легли целебным бальзамом на ее сердечные раны, и Светлану Ивановну охватила радость от сознания того, что она успешно достигла своей цели.

— Хорошо, я поеду вместе с Петей за Оленькой, — все еще как бы сомневаясь в том, что правильно поступает, согласилась наконец Даша. — Скажите ему, пусть зайдет за мной после завтрака. С работы я отпрошусь, — добавила уже уверенным тоном. — Вы где здесь остановились?

— В том же отеле, что и ты, — ответила ей свекровь. — Даже на одном с тобой этаже. Так что ровно в десять он будет у тебя. Если бы ты только знала, как я мечтаю снова прижать к своей груди Оленьку! — горячо произнесла она вставая. — Мы обязательно завтра это отпразднуем все вместе. Всей нашей семьей!

Номер, занятый Петром Юсуповым, находился недалеко от того, где временно проживала Даша, на той же стороне коридора, всего через две двери. Весь конец дня занимаясь с юристами, Петр ни о чем не мог думать, кроме своих отношений с женой. Да, она все еще для него оставалась ею, и он не мог смириться с мыслью, что они станут друг другу чужими. От этой мысли на душе у него становилось тошно, и сердце терзала тупая боль.

Первое время, после того когда Даша потребовала развода и, бросив его в тюрьме, подрядилась на работу в Америку, он в обиде и гневе попытался было себя убедить, что сможет найти счастье с другой женщиной. Выйдя из тюрьмы, Петр с ходу завел два романа. Сначала он ответил взаимностью очаровательной молодой секретарше, которая давно выдавала ему откровенные авансы. Затем, испытав разочарование, уступил домогательствам модной писательницы, пожелавшей написать бестселлер о золотоискателях и сразу влюбившейся в молодого президента концерна.

Обе женщины обладали несомненными достоинствами, каждая в своем роде, но хоть и очень старались в постели, не дали ему подлинного физического наслаждения и тем более не затронули его сердца. Петр лишь еще раз убедился, что, не испытывая искренней любви и нежности к женщине, он не сможет быть по-настоящему счастлив. Вместе с тем его мужские качества были ими оценены очень высоко, и влюбленные женщины преследовали его столь упорно, что выручил от них лишь поспешный отъезд, и он облегченно вздохнул, только оказавшись на борту самолета, летевшего в Америку.

Поужинав в ресторане, Петр поднялся к себе в номер, сбросил туфли и, не раздеваясь, повалился на кровать, целиком занятый мыслями о завтрашнем свидании с Дашей. «Неужели я один помню о том счастье, которое мы испытали с ней вместе, а она обо всем забыла? Неужели она принадлежит другому, а обо мне и не вспоминает? — с горечью думал он, самолюбиво не желая верить, что она счастлива с другим. — Нет, быть того не может! Мы созданы друг для друга. Я-то теперь это, как никогда, понимаю!»

Мысль о том, что Даша может принадлежать другому, была невыносима. Петр сразу вспомнил плотного белобрысого парня с вздернутым носом и веснушками на лице, который ее сопровождал в аэропорт, и пришел в ярость.

— Неужели она мне с ним изменяет? — ревниво пробормотал он, садясь на постели. — Ведь мы с ней не разведены, и Даша мне все еще жена! — возмутился он, испытывая в душе боль и унижение.

В этот момент Петр, как ни странно, совершенно не думал ни о своих собственных изменах Даше, ни о смертельной обиде, которую ей причинил, ведь она потеряла ребенка, по сути, из-за его легкомыслия.

Как всякий мужчина, в их разладе он винил только ее, оправдывая свои прегрешения холодностью жены и эгоистичным пренебрежением его интересами.

Однако совершенно ясно Петру было одно: он не мог жить без Даши! Только она была ему дорога и желанна, вся как есть. Только с ней он готов был прожить до конца своих дней и больше ни с кем. «Вернуть! Во что бы то ни стало ее надо вернуть, — молотком стучало у него в висках. — Вернуть ее, пока не поздно!»

Не выдержав напряжения, Петр вскочил с кровати, надел туфли и вышел в коридор. Подойдя к двери ее номера, он подергал за ручку и постучал, но ему никто не ответил. «Неужели она с кем-то развлекается? — удрученно подумал, возвращаясь в свой номер. — Например, с этим конопатым. А почему бы и нет?»

Войдя к себе, он достал из холодильника початую бутылку виски и лед, сел за стол и, налив в стакан, стал пить медленными глотками, чутко прислушиваясь к хлопанью дверей, время от времени раздающемуся из коридора. Несколько раз он вскакивал и выглядывал из своего номера, но номер Даши оставался запертым.

Просидев так почти до полуночи и допив виски, Петр почувствовал страшную усталость, разделся, лег в постель и почти сразу уснул. Однако проспал недолго. И во сне ему приснилась жена. Он с ней был ласков, а она, наоборот, его отталкивала и вовсю кокетничала с белобрысым мужиком, напоминавшим того, конопатого. Злой, готовый побить их обоих, Петр проснулся, но облегчения не почувствовал. Больше заснуть он не смог и лежал, томясь мыслями о Даше и пытаясь отгадать: ночует она у себя в номере или нет?

Если б он только знал, что и она в этот момент, ворочаясь без сна в постели, тоже думает о нем! Вернувшись около двенадцати, когда Петр уже спал, Даша еще долго не могла уснуть вся в мыслях о завтрашней поездке за Оленькой вместе с мужем. Для нее уже стало совершенно ясно, что роман и намечавшийся брак с Робертом были самообманом на почве несчастной любви к Петру. В ее сердце нет и никогда не будет к Бобби тех горячих чувств, которые она испытывала и продолжает испытывать к мужу.

Стараясь уснуть, Даша старательно отбрасывала от себя эти мысли, но, как назло, в памяти вновь и вновь всплывали счастливые эпизоды их близости и райского блаженства, испытанного в его объятиях. Она героически пыталась отвлечься, думая о другом, и к ней наконец пришел сон. Однако из-за испытанного возбуждения он был эротическим. Ее обнимал муж, и она жаждала ему отдаться. Но как раз в тот момент, когда это должно было произойти, какой-то грубиян, схватив его за плечи, им помешал, и сразу все пропало.

Разбитая и неудовлетворенная, Даша очнулась, и тут в ее номере зазвонил телефон. «Наверное, кто-то ошибся», — подумала она, бросив взгляд на часы, которые показывали три часа ночи, и решила не брать трубку. Но телефон продолжал звонить, и, ответив, она обмерла, сразу узнав голос своего мужа.

— Прости за то, что разбудил, Дашенька, — произнес он каким-то натужным тоном. — Но я решил, что умру, если тебя не окажется на месте. Ты ведь не желаешь моей смерти? — сделал попытку пошутить, но голос звучал невесело.

— Мне тоже плохо спится. Все думаю о нас, — честно призналась Даша. — Ведь правда, нам хорошо было вместе?

— Ни с кем мне не было так хорошо, и никогда не будет! — хриплым от волнения голосом произнес Петр. — Мне очень плохо без тебя, Дашенька.

— Так в чем же дело? Приходи! — горячо прошептала она в трубку. — Ведь ты еще мой муж, Петя. Разве не так?

Повторять ей не пришлось. Петра как ветром сдуло с постели. Накинув на плечи халат, он выскочил из своего номера, вихрем ворвался к Даше и жадно схватил ее в объятия. Только сейчас она с особой остротой ощутила, как соскучилась по его ласкам и горячо любимому телу. Но наслаждение от близости с мужем многократно усилилось оттого, что он был тот, кого она знала, и уже немного другой. Петр всегда был силен и нежен, но теперь стал более искусным и разнообразным. Он и раньше старался доставить жене максимум удовольствия, но теперь проявлял столько фантазии, что довел ее до исступления.

Изнемогая от наслаждения, неоднократно взмывая в заоблачные дали высшего блаженства, Даша в моменты, когда сознание у нее прояснялось, лишь удивлялась тому, что надеялась найти кого-то лучше Пети. Теперь она уже не сомневалась, что он послан ей небом, и никого, кроме него, никогда она не сможет полюбить.

Наконец-то после долгих мытарств и огорчений непредсказуемая судьба повернулась лицом к семье Юсуповых! В чудесный солнечный день, около часу дня, к подъезду лучшего пятизвездочного отеля Майами подкатил покрытый дорожной пылью лимузин, за рулем которого сидел Петр, а в салоне — сияющие улыбками Даша и Оленька. Предупрежденные по мобильной связи, у подъезда их радостно встретили Михаил Юрьевич, Светлана Ивановна и Надюша.

Первым к машине бросился глава семейства. Он на руках вынес Оленьку из салона и, потискав в отеческих объятиях, передал матери. Объятия и поцелуи Светланы Ивановны с дочерью были такими бурными, что около отеля стали останавливаться прохожие, и вскоре собралось порядочно зевак. Не обращая на них внимания, мать и дочь продолжали свои нежности, пока не раздался тоненький голосок:

— Ну мамочка! Мне тоже хочется! — теребила ее Наденька, ухватив за полу широкой накидки. — Я так по ней соскучилась!

С трудом оторвав от себя Оленьку, Светлана Ивановна опустила ее на землю, и близняшки нежно обняли друг друга после долгой разлуки. Потом немного отстранились, держась за руки, и как бы убеждаясь в том, что ничего в них не изменилось.

— Какие красоточки! И похожи как две капли воды! — восторженно шептали зеваки. — Смотрите, как они любят друг друга!

Однако Петр, предоставив родителям и сестрам натешиться долгожданной встречей, положил конец этому бесплатному зрелищу.

— Ну все, хватит! Еще успеете пообниматься и обо всем поговорить, — ласково сказал он сестрам. — Пойдемте в номер! Вон сколько народу на нас глазеет.

Михаил Юрьевич и Светлана Ивановна также справились со своими эмоциями и, взяв за руки дочек, повели их в отель. Подойдя к Даше, наблюдавшей в сторонке за этой трогательной сценой со слезами на глазах, Петр сказал:

— Пойдем! Надо привести себя в порядок после дороги. А потом все вместе отправимся в ресторан праздновать. Какой замечательный сегодня день!

— Я была бы очень рада, но ничего не выйдет, — с сожалением ответила Даша. — Вечером у нас очередной показ моделей одежды, и меня отпустили с условием, что вернусь. Сейчас приму ванну, переоденусь — и на работу. Ты уж извинись за меня перед своими!

— А ты не можешь плюнуть на все, Дашенька? — огорчился Петр. — Я понимаю: контракт и прочее, но не пора ли его порвать? Неустойка пусть тебя нисколько не беспокоит!

— Может быть, мне и придется его разорвать, но не сейчас, — серьезно ответила Даша. — Ты ведь деловой человек, Петя. Разве я могу их подвести?

Возражений на этот раз не последовало, и, проводив ее до номера, Петр ушел к себе. А уже через полчаса, приняв душ и переодевшись, благоухая дорогим парфюмом, явился в люкс, занимаемый родителями. Там он застал лишь одного отца. Светлана Ивановна с дочками плескалась в джакузи, откуда из приоткрытой двери раздавались их веселые голоса.

— Садись, сын, расскажи, как там все прошло у Фишеров. Без осложнений? — поинтересовался Михаил Юрьевич. — Нужные бумаги получил?

— Чтобы не повторяться, все это сообщу вам с мамой, когда сядем за стол, — ответил Петр, устраиваясь рядом с ним на диване. — Пока скажу лишь главное. Все прошло без эксцессов. Генри Фишер, не говоря уже о супруге, был со мной любезен и передал все требуемые документы.

— Ну хорошо, расскажешь потом. Да и сама Оленька, наверное, добавит, — благодушно согласился отец и, бросив на него острый взгляд, спросил: — Похоже, что с Дашей у тебя снова лады?

— А ты разве против этого, папа? — насторожился Петр. — Мы ведь с ней пока еще муж и жена.

— Чисто формально. Ты же подписал документы на расторжение брака, — напомнил ему Михаил Юрьевич. — Разве не заметил, что у нее уже есть здесь кавалер? Насколько я знаю, она за него собралась выйти замуж, — хмуро взглянул он на сына, — отчего и торопилась с разводом.

— Все это ерунда! Даша по-прежнему меня любит, — горячо заявил ему Петр и с укором добавил: — А разводится она со мной, между прочим, из-за тебя!

— Как это так, из-за меня? — опешил отец. — Почему?

— Даша убеждена, что ты все равно нас разведешь, так как врачи ей сказали, что не сможет родить, — с убитым видом объяснил Петр. — Ты ведь с этим не примиришься, папа? Вот и решила, что лучше нам разойтись сейчас.

Он горестно покачал головой и горячо упрекнул отца:

— Разве она не заслужила доброго отношения? Разве не доказала, что предана нам всей душой? Ведь и женские осложнения у нее из-за того, что помогала спасти Наденьку. Нехорошо ее отвергать папа. Да и счастья мне без нее не видать!

Петр с надеждой взглянул на отца. Михаил Юрьевич сидел с мученическим видом, обхватив голову руками, и по его напряженному взгляду было видно, какие сомнения терзают старшего Юсупова. И, все же справившись с эмоциями, Михаил Юрьевич остался непреклонным.

— Не буду брать греха на душу, сын. Даша прекрасный человек и еще раз доказала это, сделав все, что могла, для возвращения Оленьки. Я понимаю, как тяжело тебе с ней расстаться, — мягко произнес он, — но ты должен попытаться найти такую же достойную, как она, спутницу жизни. Такую, которая подарит наследника нашего древнего рода. Тебя обязывают принести эту жертву, — с искренним пафосом возвысил голос, — многие поколения наших предков!

— Наш древний род не угаснет, если у меня не будет сына. На земле не одна ветвь князей Юсуповых. И, кроме меня, продолжить его могут Оленька с Надей, — резонно возразил отцу Петр. — Не вижу, почему из-за твоей прихоти я должен жертвовать своим счастьем.

— Тебе все же недостает мужества и гордости за свой род, Петя! — с горечью упрекнул сына Михаил Юрьевич. — Иначе бы ты этого не говорил. Если бы так думали все Юсуповы, нас на земле уже не было бы!

— Выходит, если бы у вас с мамой не было детей, ты бы ее бросил? — привел в свою защиту Петр, на его взгляд, неотразимый довод. — Неужели ты сделал бы это, папа?

Его заряд попал в цель. Михаил Юрьевич смутился и растерянно умолк. Но продолжалось это недолго. Тряхнув головой, он поднял глаза на сына и, как бы взвешивая каждое слово, ответил:

— Я полюбил маму с первого взгляда. Но скажу прямо: не женился бы, если бы она была нездорова и не способна родить. И мама, — с улыбкой посмотрел на сына, — вполне оправдала мои надежды.

— А если бы она их не оправдала? — не дал себя сбить с толку Петр. — Неужели бы сменял на другую? Не верю!

— Это удар ниже пояса, сын, — нахмурился Михаил Юрьевич. — И все же честно отвечу: наверное, я пошел бы на это. Во всяком случае, сделал бы так, чтобы наследник у меня был. Слава Богу, судьба меня миловала!

— Ну вот и я, папа, постараюсь так сделать, — заявил ему Петр, желая поскорее закончить этот тяжелый разговор. — Но знай: наследник от другой женщины мне не нужен!

Он поднялся с дивана и в заключение твердо сказал:

— Никакого развода не будет! У Даши контракт, и она вынуждена пока здесь оставаться. Однако я скоро за ней прилечу.

— Надеюсь, что ты еще поразмыслишь над моими словами, — тоже вставая, упрямо произнес Михаил Юрьевич. — А пока не будем больше об этом, чтобы не портить себе настроение в такой замечательный день.

Прошло еще две недели, и наконец настал счастливый момент возвращения Юсуповых на родину. Хлопот перед вылетом было хоть отбавляй, и багажа набралось невообразимо много. Генри и Сара Фишеры, окончательно войдя в роль опекунов Оли и Нади, буквально завалили девочек роскошными подарками, что называется, на все случаи жизни. Светлана Ивановна накупила всякой всячины для родителей и театральных коллег, а Михаил Юрьевич и Петр, разумеется, приобрели то, что требовалось им для работы.

В суматохе сборов, вынужденный помогать родителям и сестрам, Петр не имел возможности встречаться с Дашей, которую Элизабет Кроули отправила вместе с другими топ-моделями на неделю в Лас-Вегас для показа своих новых образцов одежды. После той достопамятной ночи им больше так и не довелось побыть вместе. Однако воспоминаний о ней обоим хватило надолго. За все это время им удалось лишь несколько раз поговорить по телефону. Надежды на то, что в их распоряжении будет несколько дней, когда она вернется с гастролей, не оправдались, так как фирму «Блеск моды» пригласили для демонстрации своих моделей в Даллас.

— Бросай все, Дашенька! Порви контракт, — умолял ее Петр, когда удавалось с ней связаться. — Зачем он тебе нужен? Давай вернемся домой вместе!

— Это несерьезно, Петя, — твердо возражала ему Даша. — У нас с тобой ничего еще не решено. А легкомысленно нарушив контракт с Кроули, я подорву свою деловую репутацию.

— Так что же: я тебя больше не увижу до своего отъезда? — огорчился Петр. — Вот уж не думал, что настолько тебе безразличен! Неужели совсем не скучаешь по мне, как я по тебе?

— Вовсе не безразличен, дурачок, — понизив голос, так как, по-видимому, рядом были посторонние, заверила его Даша. — И мне тебя очень недостает. Я постараюсь вырваться, чтобы попрощаться, а ты поскорей прилетай обратно!

Но вырваться Даше не удалось, и она не появилась в своем номере отеля ни накануне, ни утром в день их вылета. Поэтому в аэропорту Юсуповых провожали только супруги Фишеры. Они уговорили девочек регулярно писать им о своих делах и добились у Светланы Ивановны согласия совершить летом совместное плавание на круизном лайнере. На радостях, что все завершилось благополучно, и она пригласила их погостить в Москве, пообещав ознакомить с шедеврами русской культуры и искусства.

Все это время Петр не находил себе места, переживая, что улетит, не повидав Дашу и не попрощавшись с ней. Пока они проходили регистрацию и сдавали свой многочисленный багаж, он еще надеялся, что произойдет чудо, и она вот-вот появится среди провожающих. Однако время шло, а Даши все не было. Вот уже объявили посадку на московский рейс, пассажиры двинулись по-очереди к стойкам таможенного досмотра, а она так и не появилась.

Пройдя таможенников, он последний раз взглянул в зал. Жены там не было, и, примирившись с неудачей, он последовал за своими к паспортному контролю. Светлана Ивановна с дочками его уже миновала, и подал документы Михаил Юрьевич, когда раздался отчаянный крик:

— Петенька, погоди!

Через весь зал, расталкивая стоящих на ее пути, к нему бежала запыхавшаяся Даша, и, мгновенно приняв решение не разумом, а сердцем, Петр рванулся к ней навстречу, лишь бросив на ходу отцу:

— Летите без меня! Я остаюсь.

И схватив в охапку ту, которая была для него дороже всего на свете, он крепко прижал ее к себе и крепко поцеловал , ничуть не стесняясь изумленных и осуждающих взглядов окружающей публики.

Эпилог

Девушки-манекенщицы фирмы «Блеск моды» переодевались после дневного показа новых моделей, когда к ним заглянул дежурный менеджер Чарли Браун и, по-свойски подмигнув Даше, объявил:

— Тебя требует к себе директор. Думаю, попадет за вчерашнюю отлучку. Уж очень он зол. Так что держись!

Ее размолвка с сыном хозяйки была уже всем известна, как и ожидавшееся их бракосочетание, и вызвала на фирме много пересудов.

— С кем-то Ди закрутила, раз Бобби так злится. И какого рожна ей еще надо? Уж слишком высоко она себя ценит, если такой парень ей не подходит! — расслышала Даша завистливое перешептывание подруг, когда поправляла макияж и выходила из комнаты.

С тяжелым чувством собственной вины, страшась предстоящего объяснения, она заглянула в дверь кабинета директора фирмы. Роберт возбужденно мерил его шагами, расхаживая из угла в угол, что не предвещало ничего хорошего.

— Я все знаю, Ди! Видел собственными глазами, — сразу заявил он охрипшим от волнения голосом, когда она робко переступила порог кабинета. — Значит, ты снова сошлась со своим мужем?

— Ты что, за мной следил? — удивленно спросила Даша, уклоняясь от прямого ответа, так как сама еще толком не разобралась в своих чувствах и не приняла окончательного решения.

— После нашего возвращения я решил заехать к тебе, чтобы объясниться, но ты уже вышла из отеля и села в машину, — волнуясь объяснил Роберт. — Я поехал за тобой и видел вашу встречу в аэропорту. Как и то, — голос его прервался, — что вы вместе вернулись в твой номер.

— Выходит, ты ехал за нами до моего отеля? — чувствуя угрызение совести и не глядя ему в глаза, смущенно произнесла Даша. — Почему же не зашел? Ведь ты не робкого десятка.

— Не хотел скандала. Добром бы это не кончилось, — коротко объяснил Бобби, — и потом, мне надо было сначала убедиться.

— В чем? — непроизвольно вырвалось у Даши, хотя его ревность была вполне объяснима.

— В том, что вы снова сошлись! — с горечью бросил ей в лицо Роберт. — Я провел в машине всю ночь, и дважды проверял у портье. Твой муж номер у них не снимал!

Даша смотрела на его покрасневшее от возмущения простоватое веснушчатое лицо и испытывала смешанное чуство жалости и недоумения. По-человечески она сочувствовала Роберту, видя, как сильно он переживает, но удивлялась тому, что вот-вот могла выйти за него замуж. Ведь, оказывается, она его нисколько не любила! А теперь, когда он так унижался, потеряла и уважение.

— Напрасно, Бобби, так поступаешь! Ведь ты уже не мальчик, — укоризненно покачала головой Даша и, уже полностью овладев собой, решила поставить все точки над «i». — У нас с тобой все кончено! Потому что я по-прежнему люблю своего мужа. Но вернусь ли к нему, пока еще не знаю.

— Но что тебя ожидает с ним, Ди, ты забыла? — горячо напомнил ей Роберт. — Сама же говорила, что его семья не примирится, если не будет наследника их аристократической фамилии. Неужели хочешь, чтобы все повторилось сначала?

— Конечно, я этого опасаюсь, Бобби, хотя муж мне клянется, что никогда уже меня не оставит, — честно призналась ему Даша. — Вот почему я еще колеблюсь.

Она перевела дыхание и решила быть с ним до конца откровенной:

— Мой муж, Бобби, искренно верит в то, что говорит, но я знаю, что без ребенка у нас с ним не будет семейного счастья, даже если с этим примирятся его родители. Потому что он сам, хоть и скрывает, гордится своим княжеским родом и со временем будет страдать, если не заимеет наследника.

— Вот видишь, Ди? Ты сама признаешь, что ваша любовь не принесет тебе счастья. Ты снова у нее в плену, потому что муж рядом, и, чтобы освободиться, вам надо навсегда расстаться, — горячо убеждал ее Роберт. — Вспомни, как хорошо нам было вместе! Мы с тобой очень счастливо проживем жизнь и без детей, в свое удовольствие.

— Я тебе очень благодарна за все, Бобби, — наградив его теплым взглядом, мягко ответила Даша. — И готова была связать с тобой свою судьбу. Но, когда вновь увидела мужа, поняла, что люблю только его. А какое счастье может быть без любви? Поэтому я, наверное, рискну!

— Снова вернешься к мужу? — не понял ее Роберт. — Не делай этого, Ди! Только загубишь свою жизнь! — схватил он ее за плечи. — Остановись, пока не поздно.

— Остынь, Бобби! — отстранилась Даша, освободившись от его рук. — Я ведь совсем не о том. Муж убеждает меня пойти на искусственное оплодотворение. Его убедили специалисты, что эта операция не слишком сложная и не угрожает моему здоровью. Во всяком случае, не более чем естественные беременность и роды.

Она сделала паузу и с надеждой добавила:

— В случае успеха это решит все проблемы.

— А по-моему, это наверняка опасно, Ди! Стоит ли рисковать здоровьем, а может быть, и жизнью такой красавице, как ты? — даже не слыхав ничего об этой операции, на всякий случай предостерег ее Роберт. — Ведь вся жизнь, по сути, у тебя еще впереди!

Сделав паузу, чтобы осознать услышанную новость, он дружеским тоном заключил:

— Ну что же, Ди, поступай, как считаешь для себя лучшим, и знай: я тебя все равно буду любить, и ты всегда на меня можешь рассчитывать. От всей души желаю тебе успеха!

«Как бы не так! Всей душой желаю, чтобы из этого ничего не вышло, — в то же время мрачно думал Роберт, провожая горящим взглядом ее вожделенную для себя фигуру. — А вдруг у них получится? — мысленно испугался он. — Нет! Этого допустить нельзя. Надо действовать!»

Роберт Боровски ошибался, решив, что Петр поселился вместе с Дашей в ее номере. Первую ночь он и правда провел там, но затем они все же сочли, что пока должны жить раздельно. После истории с разводом, к которому оба уже были подготовлены морально, и он, и она скорее ощущали себя любовниками, чем мужем и женой. Поэтому на следующий день, узнав, что люкс, который занимали его родители, свободен, Юсупов перебрался туда.

Всю первую половину дня он провел в медицинских учреждениях города, консультируясь у лучших специалистов относительно клиники, где Даше следовало бы сделать операцию и затем предстояло пройти весь последующий курс профилактических и лечебных процедур. Когда перед самым обедом вернулся в отель и брал ключ у портье, его окликнул поджидавший неподалеку, сидя в кресле, Роберт Боровски.

— Хэло, Питер! Можно вас на несколько слов?

Петр к нему обернулся, а Роберт, встав с кресла, подошел к нему почти вплотную и, не скрывая враждебности, глухо спросил:

— Надеюсь, вы знаете, кто я такой, и догадываетесь, почему я здесь? Нам надо поговорить, — резко добавил он, бросив угрюмый взгляд на своего противника. — Желательно наедине!

— Не возражаю, Роберт, — миролюбиво отреагировал на его резкий тон Петр, давая понять, что знает о нем вполне достаточно. — Пожалуй, пора нам объясниться, чтобы у вас не осталось ложных иллюзий. Ведь Даше, к моему великому сожалению, придется еще некоторое время работать вместе с вами.

Крупные, сильные мужчины, они стояли друг против друга, почти касаясь грудью. Петр был повыше ростом, а Роберт выглядел массивнее. Внешне могло показаться, что эти два богатыря готовы схватиться, и взгляды находившихся в холле отеля с любопытством обратились в их сторону. Это не ускользнуло от внимания Петра, и он предложил:

— Я думаю, что лучше продолжить наш разговор у меня в номере. Ведь нам обоим скандал ни к чему, Бобби?

Тот молча кивнул, и, поднявшись в лифте, они прошли в роскошный люкс, занимаемый Юсуповым. Достав из бара виски и джин, а из холодильника лед, тоник и содовую, Петр как хозяин вежливо предложил:

— Присаживайся, Бобби! Можно поговорить и сидя. Так ведь будет удобнее, не правда ли? Что будешь пить?

— Виски с содовой, — хмуро ответил Роберт. — Не трудись, я сам налью!

Он плеснул себе в стакан виски, разбавил содовой и бросил туда лед, а Петр налил немного джина с тоником и, присев напротив гостя, спокойно спросил:

— Ну так чего тебе от меня надо, Бобби? Неужели ты всерьез хочешь, чтобы я уступил свою жену?

— Ты мне уже ее уступил! — жестко глядя ему в глаза, вызывающе ответил Роберт. — Достаточно помучил у себя дома. Она убежала сюда, чтобы от тебя избавиться, и ты дал согласие на развод. Так зачем же снова преследуешь, мешаешь ей выйти за меня замуж?

— Вот, значит в чем дело? Но ты ошибаешься, Бобби, — еле сдерживаясь, чтобы не вспылить, все еще миролюбиво ответил Петр. — Я ведь согласился на развод лишь по ее настоянию, но она сама теперь его не хочет. Даша все еще моя жена, а ваша помолвка была липовой!

Его слова произвели эффект пощечины. Роберт побагровел и, выпив залпом то, что оставалось в стакане, поставил его на столик.

— Липовая помолвка, говоришь? Ди все еще твоя жена? — презрительно бросил он Петру, откидываясь на спинку кресла. — Значит, она считала себя твоей женой, когда проводила ночи со мной в постели? И ты, как муж, благословил ее на это, предоставив полную свободу, а теперь дал задний ход?

Он аж задохнулся от злости и, подавшись к Петру, бросил, словно плюнул, ему в лицо:

— А есть ли у тебя чувство собственного достоинства, русский князь? Ведешь ты себя как обычный сутенер!

Такого уже вынести Петр не мог. Вся кровь ударила ему в голову, и он уже не думал о последствиях.

— Ты, паскудник! — вне себя от гнева прорычал он, также подавшись к Роберту. — Передергиваешь карты, как поганый шулер! Какой ты мужик, если хвастаешь успехами, предавая женщину? И еще говоришь, будто ее любишь? Да ты полное дерьмо!

Теперь уже слова были бесполезны. Враги, как по команде, вскочили на ноги, и Роберт первым нанес Петру сокрушительный удар. Еще в школе и в колледже Бобби славился как искусный кулачный боец, был даже чемпионом по боксу среди любителей. Уверенный, что сумеет жестоко проучить своего обидчика, он и представить себе не мог, что муж Даши настолько силен.

Благодаря отличной реакции, Петр вовремя уклонился, и нокаутирующий удар Бобби, нацеленный в челюсть, пришелся ему в плечо. Но все равно был такой мощный, что отбросил его, и, зацепившись ногой, Петр опрокинулся в кресло. Роберт тут же подскочил к нему, и стал молотить кулаками, словно боксерскую грушу.

Однако Петр недаром был мастером восточных единоборств. Сначала, лишь защищаясь от мощных ударов Бобби, он выждал подходящий момент и поймал его на прием. Ловко перевернувшись, он через голову грохнул своего тяжелого противника об пол, а поскольку тот попытался встать, нанес ему резкий удар, который надолго лишил его сознания. После таких ударов поединки продолжаются лишь на экранах кино и телевизоров.

Только теперь Петр пришел в себя и стал думать, что ему делать дальше. Не найдя лучшего выхода, позвонил в номер к Даше. К счастью, она оказалась на месте.

— Срочно нужна твоя помощь, — коротко сообщил ей Петр. — Тут ко мне зашел Бобби. В общем, он плохо себя чувствует. Приходи поскорее!

— А что с ним случилось? — перепугалась Даша. — Ты его не убил?

— Нет, еще живой, — успокоил ее Петр и не удержался от горького укола. — Так что можешь еще передумать и выйти за него замуж.

Даша больше ничего не сказала и через минуту появилась в люксе.

— Ой, это он тебя так разукрасил, Петенька? — ужаснулась она, заметив на его лице ссадины и синяк под глазом. — Давай я по-быстрому приложу тебе лед!

— Пустяки! Приведи-ка лучше в чувство своего несостоявшегося жениха, — презрительно отмахнулся он. — Надеюсь, что кости у него целы.

Петр быстро прошел в ванную, подставил голову под холодную воду, а когда вышел, сказал хлопотавшей возле очнувшегося Роберта Даше:

— Я пойду на полчасика прогуляться, а когда вернусь, чтобы духа этого поганца здесь не было. А то я его и правда убью!

Лаборатория ультразвуковой диагностики гинекологического центра была оборудована по последнему слову медицинской науки и техники. В ожидании результатов обследования жены

Петр Юсупов, волнуясь, расхаживал по просторному вестибюлю, не без оснований полагая, что именно сейчас решается, будет ли счастлив его брак с Дашей.

За прошедшие месяцы их жизнь была насыщена постоянным общением с врачами и тревожным ожиданием. Радость и наслаждение они испытывали оставаясь вдвоем, поскольку лишь теперь осознали, как истосковались друг по другу за время разлуки. Однако побыть вместе удавалось им не так часто. Несмотря на конфликт с Робертом, Даше приходилось продолжать работу, связанную с постоянными разъездами по стране, и Петр не мог следовать за ней повсюду.

На его долю выпало держать постоянный контакт с медиками, с волнением ожидая результатов обследований. Жену готовили к решающей операции. И лишь после ее удачного завершения, когда Даша забеременела, это явилось достаточным основанием для того, чтобы она разорвала контракт с фирмой «Блеск моды». Миссис Кроули, для которой интересы дела были превыше всего, пыталась возражать, но выручил Роберт.

— Ну что же, Ди, теперь вижу: я был не прав, — не глядя сй в глаза, с горечью сказал он, протягивая подписанные документы. — Не верил, что у тебя получится, и до последнего, — честно признался он, — я надеялся тебя вернуть. Но сейчас скажу тебе одно: будь счастлива! Я на тебя зла не держу.

— Спасибо за все, Бобби! — горячо поблагодарила его Даша. — Я навсегда сохраню о тебе добрую память. За помощь и поддержку, за твою любовь. Что поделаешь, раз нас с мужем соединил Бог? Ты отличный парень и найдешь еще свое счастье!

— Будем надеяться, — с кислой улыбкой произнес Роберт на прощание, видно с трудом сдерживая боль. — Желаю родить здорового малыша!

На этом сотрудничество Даши с фирмой «Блеск моды» закончилось, и они с Петром уже не расставались. Ее беременность развивалась нормально, и вот настал день, когда современная медицина уже могла определить пол будущего ребенка. Разумеется, Петр был бы безмерно рад любому, но все же ловил себя на мысли, что ему больше хочется, чтобы это был мальчик. И не только потому, что знал, как обрадуется отец.

Тем большую радость он испытал, когда вышла сияющая Даша и объявила:

— Петенька, там у меня, — она слегка хлопнула себя по животу, — уже сидит маленький мужичок. Он видел у него пипиську, — кивнула на вышедшего вместе с ней врача и спросила его по-английски: — Не правда ли, будет мальчик?

— Да, несомненно, — уверенно подтвердил врач. — Первичные признаки налицо. Кроме того, — солидно продолжал он, — плод хорошо развивается, и его положение тоже нормальное.

Петр обнял и расцеловал жену и, поблагодарив врача, повел ее к выходу. Даша, держа его под руку, шагала рядом, гордо выпятив уже округлившийся живот. По дороге в отель, сидя рядом в машине, она подробно рассказала о проведенном обследовании, комментируя наиболее важные выводы и рекомендации врача. Муж слушал ее молча, думая о чем-то своем, и, обратив на это внимание, она недовольно спросила:

— Ты плохо меня слушаешь. Тебе что, неинтересно?

— Ну конечно, интересно, Дашенька! — горячо заверил ее Петр. — Но я также думаю о том, сможешь ли ты выдержать тяжелый перелет домой? Не повредит ли это тебе и нашему будущему ребенку? Ты не спрашивала об этом врачей?

— Спрашивала, — отлично его понимая, с улыбкой ответила Даша. — Мне тоже все здесь осточертело и тяжело думать, что до родов придется жить в Америке.

— Ну и что они говорят? — не скрывая волнения, спросил Петр.

— А то, что ничего страшного не должно случиться, — с радостью сообщила ему Даша и лукаво добавила: — Если ты будешь находиться рядом и хорошо обо мне заботиться.

Увидев, как Петр при этих словах сразу просиял, она сказала, глядя на него с любовью и нежностью:

— Ни о чем не беспокойся, милый! И медицина дает добро, и я теперь ничего не боюсь. Ведь можно и повторить! Будто, я не понимаю, — ласково улыбнулась она, — что будущий князь Юсупов должен родиться на русской земле.

В погожий летний день, когда приземистая, но очень красивая старинная церковь Нечаянной радости выглядела особенно привлекательно, а ее многочисленные купола-луковки ярко сверкали на солнце, в ней совершился обряд крещения новорожденного потомка древнего русского рода князей Юсуповых. Младенца нарекли Юрием, а по батюшке — Петровичем. Отроду ему было всего три недели, но уже сейчас в нем чувствовалась порода. Ребенок был крупным, толстощеким, с гладкой кожей. Его голубые глаза и беззубый рот приветливо улыбались, что свидетельствовало о здоровье и хорошем самочувствии малыша.

— Какой крепенький ребенок! Похож на мать, и это к счастью, — слышались голоса среди собравшихся полюбоваться на крещение первенца Петра и Даши и поздравить счастливых родителей.

Приглашенных было много. Тесное помещение маленькой церкви с трудом вмещало собравшихся. Тут были все свои: Юсуповы с детьми, дедом и бабушкой, семейство Никитиных, супруги Волошины, дядья и тетки Даши. Прибыли близкие друзья: Сальников, Казаков, Кастро, коллеги Светланы Ивановны по театру. После крещения все были приглашены на званый обед в загородном доме, который Петр приобрел после возвращения из США.

Обычно обряд крещения совершается в массовом порядке, но в этот раз для нового члена семьи Юсуповых — спонсоров церкви Нечаянной радости, было сделано исключение, и церемония производилась для него одного. Собравшиеся с интересом следили за действиями священника, завершившиеся не окунанием в купель, как ожидали многие, а просто окраплением младенца водой.

Все весело переговаривались, то и дело дружески поглядывая на счастливых родителей и любуясь этой красивой парой. Петр выглядел особенно статным в отлично сшитом темном костюме, оттенявшим ослепительный блеск надетых Дашей по этому торжественному случаю фамильных драгоценностей.

— Это — реликвии их семьи. Они переходят из поколения в поколение. Им место — в Оружейной палате, — восторженно шептались присутствующие.

Петр и Даша с радостью и понятным волнением наблюдали за обрядом крещения своего первенца. Сплетя руки и тесно прижавшись друг к другу, они обменялись горячими взглядами, полными нежности и желания. Знать, на этом держится мир, ибо любовь вечна!

Содержание

По вопросу оптовой покупки книг
издательства «Гелеос» обращаться по адресу:
115093, г. Москва Партийный пер. д. 1, офис 319
Тел.: (095) 235-94-00, факс: (095) 951-89-72
e-mail: zakaz@geleos.ru, market@geleos.ru
Книги нашего издательства можно заказать по почте.
Адрес: 115093, Москва, а/я 40, Книжный клуб «Читатель».

Семен Малков

ДВЕ СУДЬБЫ-3

Технический редактор: *В. Ерофеев*
Художник: *Г. Григорян*

Общероссийский классификатор продукции ОК-005-93,
том 2; 953000 — книги, брошюры

Гигиеническое заключение
№ 77.99.14.953.П.12850.7.00 от 14.07.2000 г.

ЗАО «Издательский Дом ГЕЛЕОС»
115093, Москва, Партийный переулок, 1, оф. 319.
Тел. (095) 235-9400. Тел/факс (095) 951-8972

Издательская лицензия № 065489 от 31 декабря 1997 г.

Отпечатано в полном соответствии с качеством
предоставленных диапозитивов в Тульской типографии.
300600, г. Тула, пр. Ленина,109.